Liebe Barbara,

viel Vergnügen beim geordneten Trip durch die Weltliteratur.

Immer Dein Marta

Sept '13

Ella Berthoud und Susan Elderkin empfahlen sich bereits beim Literaturstudium in Cambridge gegenseitig Romane. Ella widmete sich anschließend der Kunst, Susan dem Schreiben. Seit 2008 bieten sie an der Londoner School of Life Bibliotherapie-Sitzungen an. Um das wunderbare Chaos des Lebens in den Griff zu bekommen, liest Ella George Perecs *Das Leben. Gebrauchsanweisung*. Wenn Susan das Gefühl hat, in lauter Verpflichtungen zu ersticken, liest sie Haldór Laxness' *Am Gletscher.*

Traudl Bünger ist Programmredakteurin der lit.COLOGNE, Literaturkritikerin und Autorin. Ihr literarisches Debüt *Lieblingskinder* erschien 2012. Gegen Schreibkrisen aller Art liest sie Loriot.

Ella Berthoud & Susan Elderkin
mit Traudl Bünger

DIE ROMANTHERAPIE

253 Bücher für ein besseres Leben

Aus dem Englischen von
Katja Bendels und Kirsten Riesselmann

Insel Verlag

Die Originalausgabe erschien 2013 unter dem Titel *The Novel Cure. An A to Z of Literary Remedies* bei Canongate Books, Edinburgh.

Die Schreibweisen von Autorennamen und Namen von Romanfiguren folgen jeweils der Ausgabe, die als Quelle für die direkten Zitate genutzt wurde (s. Quellennachweise).

Erste Auflage 2013

Umschlaggestaltung: glanegger.com, München
Umschlagabbildungen: Here Design, London
Satz: Hümmer GmbH, Waldbüttelbrunn
Druck: CPI – Ebner & Spiegel, Ulm
Printed in Germany
ISBN 978-3-458-17589-6

Für Carl und Ash
und im Gedenken an Marguerite Berthoud und
David Elderkin, die uns lehrten, Bücher zu lieben –
und Regale für sie zu bauen.

INHALT

EINLEITUNG

Bi|blio|the|ra|pie, die
[biːbliotɛʁapiː]
Der therapeutische Einsatz von Literatur zur Behandlung aller Leiden, die das Leben so mit sich bringt.
(Berthoud und Elderkin, 2013)

Dies ist ein medizinisches Handbuch der etwas anderen Art.

Zuerst einmal unterscheidet es nicht zwischen körperlichen und seelischen Schmerzen, sondern bietet Ihnen bei einem gebrochenen Herzen ebenso Hilfe wie bei einem angestoßenen Zeh. Zudem behandelt das vorliegende Buch eine Reihe von allgemeinen Lebenslagen wie Geburtstagsblues, Lustlosigkeit oder Midlife-Crisis. Es stellt sich aber auch den größeren Herausforderungen des Lebens wie dem Verlust eines geliebten Menschen oder dem Umstand, plötzlich alleinerziehend zu sein. Ob Schluckauf oder Montagmorgen-Gefühl, Bindungsangst oder fehlender Sinn für Humor – auch hierbei schafft es Abhilfe.

Und es unterscheidet sich noch in anderer Hinsicht von einem herkömmlichen Gesundheitsratgeber: Unsere Heilmittel bekommt man nicht in der Apotheke, sondern in einem Buchladen und in der Bücherei (oder als E-Book, wenn Sie mögen). Wir sind Autorinnen und Bibliotherapeutinnen, und unser Arbeitsmittel sind Bücher. In unserem Medizinschrank stehen Balzac und Tolstoj, Saramago, Perec und Proust. Wir haben die Literatur der letzten zweitausend Jahre nach den brillantesten Köpfen und den heilsamsten Lektüren durchforstet, von Apuleius, dem Autor des *Goldenen Esels* aus dem 2. Jahrhundert n. Chr., bis zu den zeitgenössischen Elixieren einer Ali Smith und eines Jonathan Franzen.

Bibliotherapie mittels Ratgeber- und Selbsthilfeliteratur kennt man seit einigen Jahrzehnten. Doch Literaturliebhaber greifen schon seit Jahrhunderten – bewusst oder unbewusst – zur Linderung aller möglichen Leiden zu Romanen. Wenn Sie also wieder einmal ein Stärkungsmittel brauchen oder sich in einem emotionalen Durcheinander befinden, greifen Sie zu einem Buch. Unser Glaube an die Heilkraft der Literatur als die reinste und wirkungsvollste Form der Bibliotherapie gründet sowohl auf unseren eigenen Erfahrungen mit Patienten als auch auf einer ganzen Lawine anekdotischer Beweise. Manchmal ist es die Geschichte selbst, manchmal der Rhythmus der Sprache, die uns Leser verzaubern und dabei ihre Wirkung auf unsere Seelen entfalten, sei sie nun beruhigend oder stimulierend. Manchmal ist es eine Idee oder die Einstellung einer der Figuren, die sich in einer ähnlichen Situation befinden wie wir selbst. Egal was es ist – Bücher haben die Macht, uns in eine andere Welt zu entführen und uns einen anderen Blickwinkel zu eröffnen. Wenn wir in einen Roman vertieft sind, außerstande, unseren Blick von den Seiten zu lösen, dann sehen wir, was die Menschen in der Geschichte sehen, wir fühlen, was sie fühlen, lernen, was sie lernen. Wir mögen *denken*, dass wir im Wohnzimmer auf dem Sofa sitzen, aber der wichtigste Teil von uns, unsere Gedanken, unsere Sinne, unser Geist, sind doch ganz woanders. »Lesen bedeutet für mich nicht nur, eine Vorstellung von dem zu bekommen, was der Autor sagen möchte, sondern mit ihm auf die Reise zu gehen«, hat André Gide einmal gesagt. Niemand kehrt von einer solchen Reise als derselbe Mensch zurück, als der er sie begonnen hat.

Woran auch immer Sie leiden, unsere Kuren sind simpel: Ein Roman (oder zwei), regelmäßig gelesen. Einige Therapien werden vollständige Heilung bringen, andere zumindest Trost spenden und Ihnen zeigen, dass Sie nicht allein sind. Doch alle werden Ihnen für eine Weile Linderung verschaffen, dank der Macht der Literatur, uns von unseren Problemen abzulenken und in eine andere Welt zu entführen. In manchen Fällen ist es am effektivsten, die Medizin als Hörbuch einzunehmen oder gemeinsam mit einem Freund laut zu lesen. Wie alle Heilmittel sollten auch unsere literarischen vollständig eingenommen werden, um die beste Wirkung zu erzielen. Neben den angesprochenen Kuren bieten wir auch Abhilfe bei den unterschiedlichsten Leseleiden – zum Beispiel, wenn Sie keine Zeit haben zu lesen oder wissen möchten, was man lesen sollte, wenn man aus einem Alptraum erwacht und nicht wieder einschlafen kann –, sowie eine Liste der jeweils zehn besten Bücher für jedes Lebensjahrzent eines Erwachsenen.

Wir wünschen Ihnen viel Spaß mit unseren belletristischen Pflästerchen und Umschlägen. Sie werden Sie gesünder und klüger machen – und zu einem besseren Freund. Ein Leben ohne Bücher ist ein Leben ohne die bereichernden Erfahrungen all jener, die diesen Weg vor uns beschritten haben.

In Büchern stößt man seine Krankheiten ab –
wiederholt Gemütsbewegungen,
sie aufs neue darstellend, um sie zu meistern.

D. H. Lawrence

Lebenslagen und Leiden
von A bis Z

A

ABSCHIEDE

Die Abschiede
Friederike Mayröcker

Abschiede sind furchtbar. Was selbstverständlich war, ist verschwunden, Vertrautes fern oder verändert, im schlimmsten Fall sind wir untröstlich. Abschiede von Freunden, Eltern, Schwestern, Geliebten, Kindern, von Städten und Häusern begleiten uns für immer. Ein Leben ohne Abschiede gibt es nicht. Selten stellen wir uns der Herausforderung, die Gemengelage aus Gefühlen zuzulassen und auszuhalten, nehmen uns die Zeit und den Raum, in den Abschied und das, was er mit uns macht, hineinzuspüren. Stellen Sie sich dem Abschied, nehmen Sie ihn an – und Friederike Mayröckers *Die Abschiede* zur Hand.

Mayröcker protokolliert die Tausende kleinen Abschiede, die dem einen großen, endgültigen vorangehen. Abreisende Postschiffe, weiterziehende Vögel, grußloses Verschwinden – kleine Stiche, zunächst noch im Wechsel mit Glücksmomenten. Wie in Trance geschrieben wirkt dieses Buch, das eine Liebesgeschichte von ihrem Ende her erzählt und dazu eine Flut von Bildern, Assoziationen und sinnlichen Eindrücken versammelt. Immer wieder setzt Mayröcker in ihrem Ringen um die Worte neu an, verlangt der Sprache etwas schier Unmögliches ab: das Festhalten von Augenblicken, das Überführen von Erinnerungen in Sprache, bevor sie zerfallen, und das Fixieren dessen, was nicht vergessen werden darf, in zärtlichen und schrecklichen Bildern.

Mayröcker erzählt keine chronologische Geschichte über einen Abschied, Sinnzusammenhänge und Stringenz sucht man vergeblich. Rational kann man den Text nicht erfassen. Aber genau hier entfaltet er seine magische Wirkung: Seine

Bilder und Worte aktivieren unsere eigenen Erinnerungen und Erfahrungen. Gemeinsam mit der großen Wortkünstlerin und ß-Verächterin erinnern wir uns an Gefühle und Momente – und erkennen uns selbst. Und halten gemeinsam mit ihr die Erkenntnis aus, dass auch dem größten Glück der Abschied immer schon eingeschrieben ist. Kostbar wird uns das Glück auf diese Weise und dank Mayröcker kommen wir dem großen Plan, jeden Augenblick zu genießen, ein Stückchen näher.

ACHTLOSIGKEIT

Der kleine Prinz
Antoine de Saint-Exupéry

Wenn Sie auf einem Planeten leben würden, der so klein ist wie Asteroid B 612, wo der kleine Prinz lebt – so klein, dass man eine Herde Elefanten aufeinanderstapeln müsste, um sie dort unterzubringen; dass man morgens nach dem Waschen und Anziehen erst einmal die frischen Triebe des Affenbrotbaums kappen muss, damit sie sich nicht über den ganzen Planeten ausbreiten; und man an einem Tag den Sonnenaufgang vierundvierzig Mal sehen kann, wenn man nur seinen Stuhl ein Stück verrückt; dann würden Sie achtsamer durchs Leben gehen. Sie würden nie vergessen, die eine Pflanze auf Ihrem Planeten täglich zu gießen. Sie würden vor jeder Reise Ihre Vulkane rechen, sogar die bereits erloschenen. Denn Sie wüssten, dass die Dinge dadurch an Bedeutung gewinnen, dass wir Ihnen Zeit und Fürsorge zukommen lassen. Denn würden Sie sich diese Mühe nicht machen, würden Sie eines Morgens inmitten trauriger Dinge erwachen, deren Bedeutungslosigkeit Sie förmlich spüren könnten.
Wie groß auch immer Ihr Planet sein mag, wenn Sie mit der Lektüre des *Kleinen Prinzen* beginnen – wir garantieren Ihnen, dass er am Ende der Lektüre geschrumpft und Asteroid B 612 ähnlicher sein wird. Und anschließend werden Sie achtsamer leben.

► *Risikobereitschaft*
► *Egoismus*

ACHTZIGER

DIE ZEHN BESTEN ROMANE FÜR ACHTZIG- BIS NEUNZIGJÄHRIGE

Das Haus in Paris **Elizabeth Bowen**
Lord Jim **Joseph Conrad**
Wir werden zusammen alt **Camille de Peretti**
Die letzten Dinge **Annegret Held**
Eine Frau bei 1000° **Hallgrímur Helgason**
Über den Fluß und in die Wälder **Ernest Hemingway**
Die Entdeckung der Langsamkeit **Sten Nadolny**
Katzentisch **Michael Ondaatje**
Der Schmetterlingsbaum **Jane Urquhart**
Die Brücke von San Luis Rey **Thornton Wilder**

ADOPTION

Die Kinder- und Jugendliteratur ist übersät von adoptierten Jungen und Mädchen. Mary Lennox in *Der geheime Garten* ist ein verwöhntes Adoptivkind, das in ihrer neuen, lieblosen Umgebung zu lieben lernt. Mowgli aus dem *Dschungelbuch* wird von Wölfen aufgezogen, Tarzan in der Romanserie von Edgar Rice Burroughs von Affen. Ein Hauch von Romantik scheint diese verlorenen und geretteten Kinder zu umgeben – und wer von uns hat früher nicht nach einem Streit mit seinen Eltern mal mit dem Gedanken gespielt, womöglich gar nicht ihr leibliches Kind zu sein? Adoptivkinder haben auch ihren Weg in die Erwachsenenliteratur gefunden, wie Heathcliff in *Sturmhöhe*, der die feine Balance seiner Adoptivfamilie ins Wanken bringt, oder ›Wart‹ in *Der König auf Camelot* von T. H. White, eine der wenigen Erfolgsgeschichten in diesem Bereich: ein Adoptivjunge, der sich als König Artus entpuppen wird.

Familienangelegenheiten
Ann Patchett

Das Graveyard-Buch
Neil Gaiman

In Wirklichkeit ist eine Adoption wenig romantisch und meist schwierig für alle Beteiligten – für die leiblichen Eltern, die beschließen, ihr Kind fortzugeben; für das Kind, das dies auf nicht ganz ideale Weise herausfindet; für das Kind, das seinen Adoptiveltern deren Unsicherheit übelnimmt und sich unter Umständen auf die Suche nach seinen leiblichen Eltern macht und enttäuscht wird; und für die Adoptiveltern, die entscheiden müssen, wann sie ihrem Kind erklären, dass es ›etwas Besonderes‹ ist. Die ganze Angelegenheit steckt voller Fallgruben – aber auch voller Liebe. Zudem kann eine Adoption das Ende unfreiwilliger Kinderlosigkeit bedeuten, und alle Beteiligten tun gut daran, sich mit der Komplexität ihrer Situation auseinanderzusetzen, und zwar mithilfe derer, die das Ganze bereits durchgemacht haben.

Eine der bezauberndsten Geschichten, die in letzter Zeit über Adoptivkinder geschrieben wurden, ist Ann Pattchets Roman *Familienangelegenheiten*. Doyle, der ehemalige Bürgermeister von Boston, hat drei Söhne: Sullivan, Teddy und Tip – der eine ein echter Rotschopf, die anderen beiden schwarz, sportlich und groß. Doyles rothaarige Frau Bernadette, Sullivans Mutter, ist tot. Teddys und Tips leibliche Mutter beobachtet aus der Ferne, wie ihre Söhne aufwachsen, weiß von ihren Erfolgen und Niederlagen, ihren Freundschaften und Rivalitäten und wacht über sie wie ein Schutzengel.

Als die elfjährige Kenya plötzlich in den Doyle-Haushalt einzieht, bekommen die Dynamiken in der Familie eine neue Richtung. Teddy und Tip scheinen ihren Weg zu machen, der eine als Wissenschaftler, der andere als angehender Priester. Ihr älterer Bruder Sullivan ist seit einiger Zeit in Afrika und versucht dort, die Menschen in ihrem Kampf gegen AIDS zu unterstützen und zugleich vor einem entsetzlichen Ereignis in der Vergangenheit zu fliehen. Doch erst Kenyas Gegenwart lässt die Geschichte der unterschiedlichen Herkunft der Brüder ans Licht treten, und es ist Kenyas einfacher, aber überwältigender Drang zu laufen – von Patchett wundervoll dargestellt, wenn sie schreibt: »[S]ie war eine übermenschliche Kraft außerhalb der Naturgesetze. Die Gesetze der Schwerkraft hatten keine Gültigkeit für sie« –, der sie alle zusammenführt. Die Botschaft ist klar und kommt ganz unsentimental daher: Blut ist wichtig, aber Liebe ist wichtiger.

Neil Gaimans *Graveyard-Buch* zeigt uns, dass selbst die unkonventionellsten Eltern gute Adoptiveltern sein können: Ein kleiner Junge klettert eines Nachts aus seinem Gitterbettchen und schlägt so dem Tod ein Schnippchen, denn während der Knirps auf Entdeckungsreise geht, ermordet der »Mann namens Jack« seine Familie. Der Spaziergang führt den Jungen auf den nahe gelegenen Friedhof, wo er von zwei Geistern adoptiert wird. Mr. und Mrs. Owens, die in ihrem Leben keine Kinder bekommen konnten, nehmen sich des kleinen Jungen an. Sie geben ihm den Namen »Nobody«, aber alle nennen ihn Bod. Im Laufe seiner exzentrischen Kindheit lernt Bod so ungewöhnliche Dinge wie sich unsichtbar zu machen, durch Wände zu gehen und zu schlafwandeln – was sich später noch als äußerst nützlich erweisen wird.
Bods Geistereltern leisten ganze Arbeit. »Du lebst, Bod. Das heißt, du hast unendliche Möglichkeiten. Du kannst alles anfangen, alles tun, alles erträumen. Wenn du die Welt veränderst, dann verändert sich die Welt.« Ihre Weisheit gibt Bod die Kraft, sein Leben voll und ganz auszukosten, trotz der tragischen Ereignisse in seiner frühen Kindheit.
Eine Adoption ist und bleibt eine schwierige Angelegenheit. Doch wenn man ehrlich zueinander ist, haben alle Beteiligten die Chance, herauszufinden, wer sie sind und in welcher Beziehung sie zueinander stehen. Egal welche Rolle Sie dabei spielen – diese Geschichten werden Ihnen zeigen, dass Sie nicht allein sind. Lesen Sie sie, und geben Sie sie auch in der Familie weiter – ganz egal, wie die sich zusammensetzt. Und ermutigen Sie alle dazu, offen über ihre Gefühle zu sprechen. Wenn Ihnen dieser Gedanke Angst macht, lesen Sie ▸ *Harmoniebedürfnis, übermäßiges*, ▸ *Gefühle; Unfähigkeit, ihnen Ausdruck zu verleihen*, sowie ▸ *Empathie, Mangel an*, um sicherzugehen, dass Sie offen und vorurteilsfrei an den Verhandlungstisch treten.

ALKOHOLSUCHT

Shining
Stephen King

Unter dem Vulkan
Malcolm Lowry

Once a Runner – Cassidys Lauf
John L. Parker Jr.

Alkoholiker treiben durch die Literatur wie Eiswürfel im Gin. Wieso? Weil Alkohol die Zunge löst. Und weil es immer Trunkenbolde sind, die darauf bestehen, uns ihre Geschichte zu erzählen. Und solange wir ihnen zwischen den Seiten eines Buches begegnen, können wir ihnen entspannt zuhören, ohne ihren Bieratem riechen zu müssen. Einigen wir uns also darauf, sie in den Büchern zu belassen. Niemand möchte einen echten Alkoholiker zu Hause haben; und wenn Sie spüren, dass Sie auf dem besten Wege sind, einer zu werden, dann schlagen wir vor, dass Sie sich von ein paar drastischen Schilderungen über schnapsinduzierte Selbstzerstörung abschrecken lassen. Unsere Therapie erfolgt in drei Schritten: Zwei Cocktails, die Ihnen zu Kopf steigen und einen Einblick in Ihr mögliches Schicksal bieten werden, damit Sie schnell wieder nüchtern sind, gefolgt von einem verlockenden Kurzen, der Sie veranlassen wird, die Joggingschuhe anzuziehen und in ein neues Leben zu laufen.

Jack Torrance, der Schriftsteller in Stephen Kings *Shining*, ist seit einigen Jahren trocken. Seine Frau ist zwar bei ihm geblieben, doch seit er ihrem gemeinsamen Sohn Danny vor ein paar Jahren im Suff den Arm gebrochen hat, vertraut sie ihrem Mann nicht mehr. Torrance hat über den Winter einen Job als Hausmeister des Overlook Hotels in den Rocky Mountains bekommen und hofft, dort seiner Frau und seinem mittlerweile fünfjährigen Sohn wieder näherzukommen – und seine Karriere wieder in Gang zu bringen, indem er ein neues Stück schreibt.

Die beiden größten Hindernisse, die Jacks Glück im Wege stehen, sind seine Alkoholsucht und sein aufbrausendes Temperament, keine gute Kombination, um den Winter in einem leeren, gruseligen Hotel zu verbringen, das bei Schneefall wochenlang von der Außenwelt abgeschnitten ist. Doch Jack ist fest entschlossen, trocken zu bleiben. Allerdings ist eine von Overlooks gruseligen Eigenheiten – abgesehen von der Architektur, die sich ständig verändert – seine Fähigkeit, Cocktails aus dem Nichts erscheinen zu lassen.

Anfangs geschieht all das nur in Jacks Vorstellung, doch bald darauf sieht er sich mit einem echten Gin konfrontiert, den ihm der (tote) Barkeeper Lloyd serviert (► *Heimgesucht werden*). Als Jack in das Glas schaut, hat er das Gefühl zu ertrinken. Es ist seit Jahren der erste Drink, den er an die Lippen führt. In Gesellschaft der zunehmend bösartigen Geister ist das Schreckgespenst von Jacks schlummernder Alkoholsucht nur zu gerne bereit, wieder auszubrechen und die Sau rauszulassen. Zuzusehen, wie Jack zusammenbricht, wird Sie das Grauen vor dem Dämon Alkohol lehren und Sie ohne Zögern zum Orangensaft statt zum Schnaps greifen lassen.

Betrunkene sind gewöhnlich entweder berauschend oder sie können einen zur Weißglut bringen. Malcolm Lowrys *Unter dem Vulkan* zeigt uns beide Seiten anhand seines trunksüchtigen Helden Geoffrey Firmin. Der britische Konsul in der mexikanischen Kleinstadt Quauhnahuac am Fuße des Popocatepetl verbringt den Tag der Toten damit, seine Trunksucht und das komplizierte Wiederauftauchen seiner Ehefrau Yvonne gegeneinander aufzuwiegen. Er ahnt, dass dies der wichtigste Tag in seinem Leben sein sollte, und doch kann er nicht anders und leert ein Bier nach dem anderen, während er sich einredet, er täte es der Vitamine wegen (feste Nahrung hat er vor einer Weile aufgegeben).

Die Handlung des Buches konzentriert sich auf einen einzigen Tag und findet hauptsächlich in Firmins Kopf statt, aber die Tragweite dieses unglaublich eindrucksvollen Romans ist nahezu episch. Während die Feierlichkeiten am Tag der Toten sich ihrem Höhepunkt nähern, taumelt Firmin tragisch und unrettbar in die Selbstzerstörung, sein Geist gefangen in einem Korsett aus Whiskey und Mescal. Seine Suffträumereien sind gespickt mit schwarzem Humor und *Faust*-Referenzen. Firmin schlingert feuchtfröhlich in die Hölle, und aus seiner Geschichte hallt die grausige Warnung, seinem Lebensweg bloß nicht zu folgen.

Doch genug der Warnungen. Alle, die diese zerstörerische Gewohnheit durchbrechen wollen, brauchen auch ein leuchtendes, inspirierendes Vorbild – eine echte Alternative, ihr

Leben zu leben. Deshalb empfehlen wir Ihnen *Once a Runner – Cassidys Lauf.* Von John L. Parker Jr. 1978 im Selbstverlag veröffentlicht, wurde es zu einer Art Ratgeberroman für Läufer auf der ganzen Welt (Stichwort ›Bibliotherapie‹). Es ist die Geschichte des Meilenläufers Quenton Cassidy, der sich unter dem Olympiasieger Bruce Denton auf einen Wettkampf vorbereitet. Denton bringt ihn und seine Mitstreiter an Grenzen, von denen sie nicht einmal wussten, dass es sie gibt. Cassidy schwelgt in der Beschreibung der unzähligen Runden, die Denton ihn laufen lässt, wobei er sich selbst pusht, bis er Blut im Urin hat und ihm die Tränen übers Gesicht laufen, während seine »eisenharten Beine« über die Strecke donnern. An seinem Höhepunkt ist er »so vital, so schnell, so gut wie unsterblich«, und ihm wird klar, dass sein Leben nie wieder so intensiv sein wird wie in diesem Augenblick.

Lassen Sie sich von dieser Geschichte inspirieren, eine neue Beziehung zu Ihrem Körper aufzubauen. Bringen Sie ihn im positiven Sinne an seine Grenzen (Sie müssen es ja nicht gleich übertreiben wie Cassidy). Lassen Sie ihn arbeiten und finden Sie heraus, was er leisten kann. Während Geoffrey Firmin die Minuten zwischen seinen Drinks wegwünscht, dehnt Cassidy mit seinem Atem jede Sekunde aus, um sie voll auszukosten. Das Glücksgefühl und der Schmerz, die man beide beim Laufen erfährt, der Schweiß und die kompromisslose Entschlossenheit eines Wettkampfes sind das genaue Gegenteil vom Nihilismus eines Alkoholikers. Kaufen Sie sich ein paar Laufschuhe und servieren Sie sich diesen Roman als Digestif. Möge es ein Symbol sein für Ihren Entschluss, dem Alkohol den Rücken zu kehren.

► *Menschenscheu*
► *Schluckauf*
► *Schwitzen*

Wer die Nachtigall stört …
Harper Lee

Niemand hat behauptet, es würde einfach sein. Und sollten Sie es sich nicht leisten können, nicht zu arbeiten und sich ein Kindermädchen sowie eine zupackende Oma zu halten, ist der Versuch, emotional und physisch für die Kinder da zu sein und gleichzeitig den Lebensunterhalt zu verdienen, den Haushalt zu schmeißen und ab und an ins gesellschaftliche Leben hineinzuschnuppern, sogar für einen äußerst stoischen Menschen eine Herausforderung. Die Literatur hat einen großen, unverhältnismäßigen Appetit auf Alleinerziehende, und aus dieser Bandbreite der unterschiedlichsten Strategien, diese Aufgabe zu meistern, lässt sich eine Menge lernen. Auf der einen Seite stehen diejenigen, die es gründlich verbocken und uns so mit einer ausgezeichneten Liste von ›Don'ts‹ versorgen – den Spitzenplatz auf dieser Liste belegt sicher der Vater in David Vanns *Im Schatten des Vaters* als schlechtester geschiedener Papa im Geschäft (falls Sie Kinder haben und unter einer ähnlich desaströsen Gemengelage leiden, schlagen Sie nach unter ▸ *Depression, psychische* und ▸ *Optimismus*). Was alleinerziehende Mütter anbelangt, ist die Literatur üblicherweise der Auffassung: je alternativer, desto besser. Wenden Sie sich für einige eindrucksvolle pädagogische Nichteinmischungstechniken vertrauensvoll an Tante Penn (die zwar nicht im engsten Wortsinne eine alleinerziehende Mutter ist, es aber durchaus sein könnte) aus Meg Rosoffs Roman *So lebe ich jetzt.* Ihr vierzehn Jahre alter Edmond mag rauchen und das Familienauto fahren, aber er legt eine Art von Reife und Sensibilität an den Tag, von der viele Mütter pubertierender Jungs nur träumen können.

Den Titel »beste(r) Alleinerziehende(r) weit und breit« bekommt von uns Atticus Finch aus *Wer die Nachtigall stört …* von Harper Lee. Wenn man wissen will, wie man seine Kinder mit Respekt behandelt, wie man ihnen die Freiheit lässt, zu spielen und die Welt auf eigene Faust zu entdecken, wie man ihnen beibringt, dass es wichtig ist, für seine Überzeugungen einzustehen und den Mut zu haben, gegen das Falsche anzugehen (mehr zu diesem Thema unter ▸ *Feigheit*), braucht man nicht weiterzusuchen. Bauen Sie ein Haus mit einer Veranda und stellen Sie einen Schaukelstuhl darauf. Setzen Sie sich und rauchen Sie eine Pfeife. Lesen Sie *Wer die Nachtigall stört …* ein Mal pro Jahr, erst für sich alleine und später mit Ihren Kindern. Glauben Sie an sich. Seien Sie für Ihre Kinder da. Der Rest kommt von selbst.

▸ *Mutterschaft*
▸ *Vaterschaft*
▸ *Zeit, zu wenig*
▸ *Zeit zum Lesen, keine haben*

ALPTRÄUME

Wenn Sie in den einsamen frühen Morgenstunden häufig aus dem Schlaf gerissen werden und schlecht geträumt haben, hilft ein beruhigender Roman, um Ihr Gemüt wieder ins Lot zu bringen. Neben dem Bett sollten Sie immer einen Stapel dieser dahinströmenden Fluss-Schmöker liegen haben, die Sie sanft zurück in den Schlaf tragen werden.

DIE ZEHN BESTEN ROMANE NACH EINEM ALPTRAUM

Der rauchblaue Fluss **Amitav Gosh**
Der Wind in den Weiden **Kenneth Grahame**
3 Männer im Boot **Jerome K. Jerome**
Dunkle Gesellschaft **Gert Loschütz**
Sutra vom Heiligen Fluß **Gita Mehta**
Pu der Bär **Alan Alexander Milne**
Tropen **Robert Müller**
Fluss der Wunder **Ann Patchett**
Wasserland **Graham Swift**
Die Abenteuer des Huckleberry Finn **Mark Twain**

Pan Aroma
Tom Robbins

Endmoränen
Monika Maron

Angstblüte
Martin Walser

In einer Zeit, in der jeder, der in der Öffentlichkeit steht, seine Falten glattgebügelt, die Stirnrunzeln gebotoxt und graue Haare für immer verbannt hat, kann man König Alobars Bedürfnis, vor den ersten Anzeichen des Alterns zu flüchten wie der Hase vor dem Fuchs, wohl nachvollziehen. Und Alobar hat gute Gründe, den Alterungsprozess aufhalten zu wollen, denn in seinem Stamm ist es Tradition, den König bei den ersten Anzeichen des Alterns mit einem vergifteten Ei zu töten. Im Folgenden liefern wir Ihnen die destillierte Essenz dieser Geschichte, um Ihnen ein Rezept für ewige Jugend mit an die Hand zu geben. Für weitere Informationen empfehlen wir die Lektüre des gesamten Romans.

Zutaten

1/8 Jahrhundert König am Ende seiner Jugend
1 unsterblicher, ziegenhafter Gott mit ausgeprägtem Geruch
1 Fläschchen Parfüm mit der Macht, ganze Städte zu verführen
1 Portion Jamaikanischen Jasmin des Bienenhalters Bingo Pajama
Den vitalsten Teil einer Roten Bete

Zubereitung

Begeben Sie sich in eine französische Parfümerie und falten Sie dort sorgfältig alle Zutaten, bis sie sich miteinander verbunden haben. Geben Sie erst im letzten Moment den vitalsten Teil Ihrer Roten Bete hinzu. Atmen Sie dabei tief ein und aus. Stellen Sie nun sicher, dass die Weisen von Bandaloop über Ihren Zaubertrank wachen, während Sie ein heißes Bad nehmen. Kommen Sie nun mit Ihrem Sexualpartner zum Orgasmus und leiten Sie alle Energie aus diesem Akt hinauf in Ihr Stammhirn. Wiederholen Sie diesen Vorgang täglich über die nächsten eintausend Jahre.
Und sollten Sie Ihr Ziel auch dann nicht erreicht haben, halten Sie sich an Alobars ernst gemeinten Rat: Machen Sie sich locker.

Wer dafür eine weitere Lektüremedikation benötigt, dem stellen wir ein Rezept über Monika Marons *Endmoränen* und Martin Walsers *Angstblüte* aus. Hier wie dort müssen Figuren, Leser (und Autoren?) die Schrecken des Alters durchleiden: Marons ostdeutsche »Gebrauchstextfabrikantin« stürzt nach dem Fall der Mauer in eine Sinnkrise, Walsers siebzigjähriger Anlageberater verliebt sich in eine vierzig Jahre jüngere Schauspielerin. Bevor Sie jetzt die Augen verdrehen und Ihre Medizin heimlich im Altpapier entsorgen: Hier werden eben keine Altersklischees abgefeiert, hier werden sie unterlaufen! Jugend und Alter erscheinen nicht länger als voneinander getrennte Sphären, sondern als untrennbar miteinander verbunden: Maron ist nicht wehleidig, sondern von einer Bissigkeit, die ihre Schärfe aus Weisheit bezieht, Walsers Anlageberater ist bei allem Zynismus töricht und romantisch wie der junge Werther. Wir wollen keine Wunder versprechen: Diese Kur wird Sie nicht mit Ihren gelben Fußnägeln und Ihren gigantischen Ohren versöhnen, aber Sie werden in ihnen Ihre ehemals zarten Babyzehen und hübschen Teenagerohren wiederentdecken.

► *Geburtstagsblues*

ALTERNDE ELTERN

Das Haus der Schildkröten
Annette Pehnt

Die Korrekturen
Jonathan Franzen

Die Quadratur des Glücks
Rohinton Mistry

Dies ist eine Lebenslage, die wir all unseren Lesern wünschen, denn alte Eltern zu haben bedeutet, dass man sie nicht schon vor ihrer Zeit verloren hat (► *Tod eines geliebten Menschen*). Dennoch können auch wir nicht leugnen, dass Menschen im Alter manchmal etwas anstrengend sein können. Sie werden launischer, eigensinniger, intoleranter und unwilliger, ihre Gewohnheiten zu ändern. Hinzu kommt, dass sie auch körperlich schwächer werden und zunehmend Hilfe benötigen, was eine stillschweigende Umkehr der Eltern-Kind-Beziehung mit sich bringt. Und so stellen wir fest, dass der Umstand, alte Eltern zu haben, sowohl eines Gläschens Sekts als auch eines Magenbitters bedarf. Zu diesem Zweck empfehlen wir drei exzellente Romane, die sich mit

den Auswirkungen in die Jahre gekommener Eltern auf ihre fürsorglichen – oder nicht ganz so fürsorglichen – Kinder beschäftigen.
Wie unauflöslich erwachsene Kinder mit dem Schicksal ihrer Eltern verstrickt sind, davon erzählt Annette Pehnt in *Das Haus der Schildkröten*: Jeden Dienstag besucht Ernst seinen Vater im Altenheim, Regina ihre Mutter. Beide waren, bis sie sich trafen, ebenso einsam wie ihre Eltern, und blickten zurück statt nach vorne. Jeder scheint für den anderen die letzte Chance auf ein Leben zu sein. Aber die Affäre scheitert. Wo das eine Leben endet, kann das andere nicht beginnen – dafür sorgt schon das schlechte Gewissen, das Ernst und Regina bei jedem Schritt verfolgt. So trostlos die Abhängigkeit von Ernst und Regina, so heilsam ist die Klarsichtigkeit, mit der Annette Pehnt diese Verstrickung beschreibt.
Die drei Kinder in Jonathan Franzens schmerzhaft komischem Roman *Die Korrekturen* haben sich gegen das schlechte Gewissen und für die Freiheit entschieden. Und sind dabei nicht immer rücksichtsvoll gewesen – wenngleich Alfred und Enid Lambert womöglich nicht ganz unschuldig an dieser Situation sind. Wir begegnen den beiden Eltern Lambert in ihrem letzten und schwierigsten Lebensabschnitt. Alfred leidet an Parkinson und gibt Enid und den Kindern alle Hände voll zu tun. (So hat er sich unter anderem angewöhnt, in eine Flasche zu pinkeln, da ihm der Weg zur Toilette zu weit ist.) Die treibende Kraft in dieser Geschichte ist Enids verzweifelter Versuch, all ihre Kinder – und Enkelkinder – davon zu überzeugen, noch einmal zu Weihnachten nach Hause zu kommen, wie um sich selbst zu beweisen, dass das Leben noch lebenswert ist. Doch ihr ältester Sohn Gary behauptet, eins seiner Kinder sei krank und sie könnten über Weihnachten nicht kommen. Töchterchen Denise hat in ihrem neuen Restaurant ihre eigene Suppe auszulöffeln, und Chip, der Jüngste der drei Kinder, ist sogar bis nach Litauen geflohen, wo er in höchst zweifelhafte Internetgeschäfte verwickelt ist.
Während wir uns unausweichlich dem Weihnachtstag nähern, blicken wir zurück auf einige bedeutungsvolle Ereig-

nisse in der Vergangenheit dieser nach außen hin so normalen Familie: Alfreds starrsinnige Weigerung, ein Patent zu verkaufen, dass ihm ein Vermögen eingebracht hätte; seine zunehmend besorgniserregende, herrische Art, mit Enid umzugehen; und Enid, die ihren Kummer an den Kindern auslässt, indem sie ihnen ein verhasstes Gericht (Leber mit Rüben) vorsetzt. Vielleicht ist es die Erinnerung an diese Mahlzeit, die die drei erwachsenen Kinder zu dem Entschluss kommen lässt, Alfred in einem Pflegeheim unterzubringen. Es ist eine gute Entscheidung für alle außer Alfred. Die bedrückende Erfahrung, die Sie beim Lesen dieses Romans machen werden, wird Sie daran gemahnen, dass es höchst empfehlenswert ist, eine derart schlechte Beziehung zu seinen Eltern von Anfang an zu vermeiden.

Rohinton Mistrys Bombay-Roman *Die Quadratur des Glücks* beginnt mit einer Geburtstagsparty: Nariman, der Patriarch der Familie Vakeel, wird neunundsiebzig. Nariman ist Parse, und seine Religion hat einst verhindert, dass er die Frau heiratete, die er dreißig Jahre lang liebte und mit der er viele Jahre davon zusammenlebte, bis er dem Drängen seiner Familie stattgab und eine Parsin heiratete. Nun, krank und verwitwet, ist er abhängig vom Wohlwollen seiner beiden Stiefkinder Jal und Coomy, die ihm vorwerfen, ihre verstorbene Mutter nie wirklich geliebt zu haben. Nach einem Unfall, bei dem er sich ein Bein bricht, liegt er nun im Bett und wünscht sich, dass jemand käme, um ihn zu waschen und seine Kleider zu wechseln, traut sich jedoch nicht, seine Stiefkinder darum zu bitten. Als diese ihn eines Nachts weinen hören, wird ihnen klar, wie unglücklich er ist, und da sie es nicht über sich bringen, sich um seine Körperhygiene zu kümmern – allein bei dem Gedanken an Bettpfannen und die Liegegeschwüre, die, wie sie wohl wissen, von ihren eigenen Versäumnissen als Pfleger herrühren, läuft ihnen einen Schauer über den Rücken –, schieben sie ihn zu seiner leiblichen Tochter Roxana ab, die mit ihrem Mann und ihren zwei Söhnen in einer winzigen Wohnung lebt.

Hier muss Nariman sich das Sofa nachts mit dem neunjährigen Jehangir teilen, während Murad, der ältere Sohn, in einem provisorischen Zelt auf dem Balkon schläft – was er glücklicherweise als ein herrliches Abenteuer betrachtet. Anders als seine Stiefkinder nehmen Roxana und ihr Mann Grandpa mit offenen Armen auf. Und Jahre später wird sich Jehangir gerne an die Zeit zurückerinnern, als sein Großvater bei ihnen lebte.

Die Quadratur des Glücks liefert ein wunderbares Beispiel dafür, wie man sich liebevoll um seine Eltern kümmert – und wie nicht. Und auch wenn Narimans Stiefkinder sich nicht besonders viel Mühe geben, so nehmen sie ihn zumindest in ihrem Haus auf. Wir hier in der westlichen Welt mit unseren Pflegeheimen und Kliniken sollten uns ein Beispiel an diesen Familien nehmen, die ihre Alten zu Hause pflegen. Liebe Eltern, verurteilen Sie es nicht, wenn Ihre Kinder Sie irgendwo verstecken wollen, wo Sie sie nicht blamieren können. Liebe Kinder, hören Sie auf Ihre Eltern, wenn die um ein wenig Würde und Privatsphäre bitten, und tun Sie Ihr Möglichstes, ihnen diese letzten lebenswichtigen Dinge zu bewahren. Und an beide Parteien: Akzeptieren Sie Ihre unterschiedlichen Moralvorstellungen und Erwartungen. Und versuchen Sie, wenn möglich, zu Weihnachten nach Hause zu fahren (für Überlebenshilfe ▸ *Weihnachten*).

▸ *Alzheimer*

ALTERSSCHWÄCHE

Das Hörrohr
Leonora Carrington

Zu Beginn dieser surrealen, wunderbaren Geschichte lebt die zweiundneunzigjährige Marian, »ein sabbernder Sack verwesendes Fleisch«, dazu ein bisschen taub, glücklich mit ihrem Sohn Galahad zusammen. Eigentlich ist sie sogar richtiggehend selig: Sie füttert ihre Katze auf dem Bett, ernährt sich hauptsächlich von Schokolade und Suppe und trifft sich regelmäßig mit ihrer besten Freundin Carmella, um Pläne für ihre gemeinsame Reise nach Lappland zu schmieden. Aber als ihre Verwandten ihre zahnlosen Ausrufe und ihre mit Katzenhaaren übersäten Kleidungsstücke nicht mehr ertragen können, bringt man sie in ein Heim, ge-

leitet von der »Bruderschaft der Quelle des Lichts« – eine »äußerst finstere Angelegenheit«.
Hier schenkt ihr Carmella ein auf dem Flohmarkt erstandenes Hörrohr. Dieses Geschenk macht aus der tauben Marian die Heldin eines großartigen, leicht ins Fantastische driftenden Dramas. Den Sinn für grenzenlose Möglichkeiten hat sie seit eh und je, und auch mit ihrem Alter fühlt sie sich nicht groß eingeschränkt – was so weit geht, dass sie sich nichts dabei denkt, ein Hausdach abzudecken, weil sie anders nicht rauskriegen kann, was drinnen vorgeht. Aber das Hörrohr macht es ihr möglich, sich noch einmal richtiggehend mit der Welt auseinanderzusetzen – derart, dass sie einen neuntägigen Hungerstreik anführt, bei dem die greisen Heimbewohner von nichts weiter leben als von Schokokeksen, die Carmella zu ihnen schmuggelt.
Bei dieser Gruppe von über Neunzigjährigen könnte alles passieren; und tatsächlich scheint am Ende des Romans eine neue, bessere Weltordnung Einzug zu halten. Lesen Sie dieses Buch, und Sie werden mit einem Hörrohr in der Hand auf Ihre hochbetagten Jahre zuhüpfen.

► *Amnesie, lektürebezogene*
► *Gedächtnisverlust*
► *Hundert Jahre alt sein – und älter*
► *Neunziger*

ALTERSUNTERSCHIED IN EINER PARTNERSCHAFT, GROSSER

Kurze Geschichte des Traktors auf Ukrainisch
Marina Lewycka

Beziehungen mit einem großen Altersunterschied zwischen den Partnern beunruhigen Außenstehende oft mehr als die Beteiligten selbst. Doch Missbilligung und Vorurteile von außen können eine Beziehung schwächen, und wenn Sie gerade dabei sind, sich in jemanden zu verlieben, der deutlich älter oder jünger ist als Sie selbst, dann sollten Sie sich fragen, ob Ihre Beziehung stark genug ist, um den in der westlichen Kultur so tief verwurzelten Vorurteilen gegen eine solche Liaison standzuhalten.

Zunächst sollten Sie beide sich darüber klarwerden, was Sie von dieser Beziehung erwarten – und ob Ihre Erwartungen zusammenpassen.

Als Nadias Vater in Marina Lewyckas Roman *Kurze Geschichte des Traktors auf Ukrainisch* im Alter von vierundachtzig Jahren seine Verlobung mit Valentina verkündet, einer geschiedenen sechsunddreißigjährigen Ukrainerin mit »fantastischem Busen«, fest entschlossen, dem trostlosen Leben in ihrer Heimat zu entfliehen, redet Nadia Klartext: »[I]ch verstehe zwar, warum *du* sie heiraten willst. Aber hast du dich auch mal gefragt, warum sie *dich* heiraten will?« Papa weiß natürlich, dass es ihr um ein Visum und um ein schönes Auto geht, in dem sie ihren vierzehnjährigen Sohn zur Schule fahren kann, aber er sieht nichts Schlimmes darin, Valentina und Stanislav im Tausch für ein wenig jugendliche Zuneigung ein Dach über dem Kopf zu geben. Sie wird für ihn kochen und putzen und sich um ihn kümmern, wenn er älter und gebrechlicher ist. Dass sie ihn auch um seine Ersparnisse bringt und die ganze Familie mit Fertiggerichten in die Knie zwingt, ignoriert er geflissentlich. Es wird ein hartes Stück Arbeit für die beiden zerstrittenen Schwestern Nadia und Vera, bis sie ihm endlich die rheumatischen Augen öffnen und er erkennt, welchen Schaden diese »flauschige rosa Granate« in ihrer Familie anrichtet.

Es gehört schon eine Portion Gemeinheit dazu, dem alten Traktor-Experten die Frischekur, die Valentina trotz all ihrer Fehler und Schwächen für ihn ist, zu missgönnen, und solange beide Seiten die Beweggründe des anderen kennen und akzeptieren, kann eine Beziehung zwischen zwei Menschen auf entgegengesetzten Enden der Lebensskala eine wunderbar symbiotische Angelegenheit sein. Doch das funktioniert nur, wenn beide Seiten offen und ehrlich miteinander umgehen und keine Spielchen spielen. Wenn das gegeben ist, haben Sie unseren Segen. Lassen Sie sich fallen, ganz egal wie alt die Arme, die Sie auffangen, auch sein mögen.

ALZHEIMER; SICH UM JEMANDEN KÜMMERN, DER DARAN LEIDET

Der alte König in seinem Exil
Arno Geiger

Es ist furchtbar, einen Menschen, der einem nahesteht, an Alzheimer erkranken zu sehen: Er ist nicht tot, aber dennoch nicht mehr da – zumindest nicht so, wie wir ihn kannten. Um einen lebenden Menschen zu trauern, kommt uns pietätlos und falsch vor. Zu den emotionalen Ambivalenzen gesellen sich praktische Probleme: Alzheimerpatienten haben ein großes Talent, Chaos zu stiften, den mühevoll organisierten Alltag zu boykottieren, und ihre völlig irrationalen Ausreden machen den nervenstärksten Angehörigen aggressiv. Machen Sie sich keine Vorwürfe, wenn Ihnen der Umgang mit dem/der Patienten/in manchmal über den Kopf zu wachsen scheint. Lesen Sie stattdessen Arno Geigers *Der alte König in seinem Exil* (kein Roman!) – hier werden Sie sich verstanden fühlen, schließlich erzählt Geiger von eigenen Erfahrungen: Sein Vater ist an Alzheimer erkrankt. Er zieht sich fremde Kleider an, schläft in fremden Betten ein, schaltet in klirrender Winterkälte den Strom ab und hat von seinen Stürzen ständig Verletzungen an Knien und Kopf. Ganz plötzlich erkennt er sein eigenes Haus nicht mehr, besteht darauf, dass jemand die Hausnummer gestohlen und an ein fremdes Haus montiert haben muss, und äußert fortan gebetsmühlenartig und traurig den Wunsch, nach Hause zu wollen.
Geigers akribische Beschreibung des Alltags mit einem Alzheimerkranken bietet Betroffenen Trost und Entlastung zugleich: Das beängstigende Chaos wird in Worte gefasst, bekommt einen Rahmen, der es erlaubt, Distanz zur eigenen Situation zu gewinnen und Trost zu finden. Aber die Lektüre von *Der alte König in seinem Exil* kann noch mehr bewirken: Mit Arno Geigers Blick auf den Kranken entwickelt der Leser nach und nach ein tiefer gehendes Verständnis für diesen: »Wenn er sagte, dass er nach Hause gehe, richtete sich diese Absicht in Wahrheit nicht gegen den Ort, von dem er weg wollte, sondern gegen die Situation, in der er sich fremd und unglücklich fühlte. Gemeint war also nicht der Ort, sondern die Krankheit, und die Krankheit nahm er überallhin

mit.« Gemeinsam mit Geiger lernen wir den Seelenzustand eines Alzheimerpatienten kennen – der in einigen Aspekten an unseren eigenen Alltag erinnert: »Der Überblick ist verloren gegangen, das verfügbare Wissen nicht mehr überschaubar, pausenlose Neuerungen erzeugen Orientierungsprobleme und Zukunftsängste«, und wir entwickeln Respekt für die »Privatlogik« eines Menschen, die nur scheinbar sinnlos ist, in Wahrheit aber reich an Poesie, Charme und Witz.
Ein feingeistiges, zartes Buch über den Abschied, aber auch über das Leben, ein kostbarer Anstoß für einen neuen Blick auf den Patienten und für jeden Gesunden Anlass für ein Dankgebet für sein funktionierendes Gedächtnis. Versuchen Sie, gelassen zu bleiben. Setzen Sie sich mit dem langsamen Abschied von dem oder der Erkrankten auseinander (▸ *Abschied*) – und bereiten Sie sich (und ggf. ihn/sie) auf das Ende vor (▸ *Tod eines geliebten Menschen*, ▸ *Sterben*).

AMBITIONEN, KÜNSTLERISCHE

Holzfällen
Thomas Bernhard

Wenn Sie sich klammheimlich aus Ihrer Existenz als Steuerprüfer, Landvermesser oder Biologielehrer wünschen (▸ *Hass auf den Job*), wenn Sie sich nach intellektueller Stimulation sehnen, nach durchzechten und durchdiskutierten Nächten, wenn Sie vielleicht schon so weit sind, dass Sie der Anblick der kalten Mansarden in *La Bohème* mit einer Spur Neid erfüllt – dann wird es Zeit für Thomas Bernhards großartigen Roman *Holzfällen*.
Bernhard hat dem Roman den Untertitel *Eine Erregung* gegeben, seine Arbeitsweise beschreibt er so: »Die Erinnerung, nicht die macht man sich gegenwärtig, nicht und dann sieht man, dass das lauter mehr oder weniger offene Wunden sind nicht, spritzt man ein bissl Gift hinein und das ganze entzündet sich und dann kommt ein erregter Stil zustande.«
Die Erinnerung, die Thomas Bernhard sich mit der Giftspritze in der Hand gegenwärtig macht, ist seine Erinnerung an die Wiener Künstlerszene: Ein Ehepaar, verdiente Mäzene, hat zu einem »künstlerischen Abendessen« geladen.

Auch der Ich-Erzähler, ein Schriftsteller, ist der Einladung gefolgt und sitzt nun, das bitter bereuend, in einem Ohrensessel, beobachtet die Anwesenden und versprüht Gift – in Gedanken. Keine Eitelkeit, keine Oberflächlichkeit, keinen Anbiederungsversuch lässt er ungeschoren. Die größte Portion Häme bekommt der Stargast des Abends, ein Burgschauspieler, ab: »Der Ekdal, sagte er und löffelte die Suppe, der Ekdal ist schon jahrzehntelang *meine Wunschrolle* gewesen, und er sagte, wieder Suppe löffelnd, und zwar alle zwei Wörter einen Löffel Suppe nehmend, also er sagte *der Ekdal* und löffelte Suppe und sagte *war schon* und löffelte Suppe und *immer meine* und löffelte Suppe und sagte *Lieblingsrolle gewesen* und löffelte Suppe und er hatte auch noch zwischen zwei Suppenlöffeln *seit Jahr-* und dann wieder nach zwei Suppenlöffeln *zehnten.*« So elegant lässt sich Künstlerpathos zerlegen, wenn Thomas Bernhard es sich vornimmt.
Der Mäzen, der zu jenem Abendessen eingeladen hatte, und sich in *Holzfällen* wiederzuerkennen und grob beleidigt glaubte, erwirkte, dass der Roman in den Buchläden beschlagnahmt wurde. Zum Glück aller verhinderten Künstler gab es eine außergerichtliche Einigung, denn diese Hasstirade knistert energetisch, ist oft genug hochkomisch – und eine wunderbare Kur für alle falsch Ambitionierten: »Künstlertum heißt [...] für die meisten, sich dem Staat, gleich welchem, gefügig zu machen und sich von ihm aushalten zu lassen lebenslänglich. Das [...] Künstlertum ist ein gemeiner und verlogener Weg des Staatsopportunismus, der mit Stipendien und Preisen gepflastert und mit Orden und Ehrenzeichen tapeziert ist und der in einem Ehrengrab auf dem Zentralfriedhof endet.«
Vielleicht schauen Sie sich *La Bohème* jetzt noch einmal an und gestehen sich ein, dass Schwindsucht kein bisschen romantisch ist – und sind dann dankbar für Ihren Nine-to-five-Job und ein bisschen Aktenstaub. Ihren großen künstlerischen Wurf können Sie ja auch nach Feierabend noch landen.

► *Hass auf den Job*

Therapie: Führen Sie ein Lesetagebuch

Wenn Sie unter einer lektürebezogenen Amnesie leiden, dann können Sie sich nur schlecht oder gar nicht an die Bücher erinnern, die Sie schon gelesen haben. Sie eilen vom Buchladen nach Hause, voller Neugier auf den neuen Roman, den Sie sich gerade gekauft haben, nur um nach fünf oder zwanzig Seiten festzustellen, dass Ihnen die ganze Geschichte ziemlich bekannt vorkommt. Sie unterhalten sich über einen echten Klassiker, von dem Sie sicher sind, ihn gelesen zu haben, und können plötzlich die einfachsten Fragen nicht beantworten – meist die danach, wie die Geschichte ausgeht.

Was Sie brauchen, lieber amnesiebefallener Leser, ist ein Lesetagebuch, ein kleines Notizbuch, das Sie immer bei sich tragen. Widmen Sie jedem Buch, das Sie lesen, eine Seite; und wenn Sie es beendet haben, notieren Sie sich den Titel des Buches, den Namen des Autors, das Tagesdatum und wo Sie es gelesen haben. Vielleicht möchten Sie sich auch den Inhalt kurz zusammenfassen, zum Beispiel so: MANN ERMORDET PFANDLEIHERIN, FÜHLT SICH 500 SEITEN LANG SCHULDIG. Oder Sie lassen Ihren Gedanken über die Beweggründe einer Figur, die Sie besonders fasziniert hat, freien Lauf. Vielleicht möchten Sie auch kurz festhalten, wie Sie sich beim Lesen gefühlt haben – heiter oder niedergeschlagen? Als würden Sie einen Spaziergang durch eine stürmische Moorlandschaft machen oder eher als würden Sie nach Neuseeland auswandern? Wenn Ihnen die richtigen Worte fehlen, benutzen Sie Bilder oder beschreiben Sie Ihre Gefühle – oder geben Sie dem Buch Noten von eins bis zehn –, oder machen Sie eine Liste der Wörter, die Ihnen im Buch aufgefallen sind. Dieses Tagebuch ist sozusagen eine Aufzeichnung Ihrer ›Lesereise‹. Sie können immer wieder zurückblättern und sich an die Höhen und Tiefen dieser Reise erinnern. Und wenn Ihnen im Gespräch mal wieder der Autor oder der Titel eines Buches nicht einfällt, stehlen Sie sich einfach rasch auf die Toilette und schauen nach.

Tristram Shandy
Lawrence Sterne

ANALFIXIERTHEIT

Wenn Sie analfixiert sind, dann wissen Sie genau, wie wichtig Ordnung, Logik und Reinlichkeit im Leben sind. Sie lieben es, Listen zu schreiben, und der Sinn Ihres Lebens besteht darin, Aufgaben sauber abzuarbeiten, damit Sie sie anschließend abhaken können. Alles, was Sie von der Erledigung Ihrer Aufgaben abhalten könnte – ein unerwarteter Anruf, ein Feld, das in der Sonne leuchtet und Sie einlädt, einen kleinen Spaziergang zu machen, ein Überraschungsbesuch –, empfinden Sie als Störung. Ihr Verstand folgt einer Einbahnstraße und kann nicht von seinem Kurs abweichen. Dann wird es höchste Zeit, mal mit Tristram Shandy zu tauschen. Wenn Sie knapp 700 Seiten im Kopf dieses liebenswerten Philosophen verbracht haben und seinem bemerkenswert weitschweifigen Geschwafel gefolgt sind, werden Sie von jeglicher analen Fixierung geheilt sein.
Tristram Shandy, 1765 veröffentlicht, ist vielleicht der erste interaktive Roman, der seine Leser einlädt, die Hand des Autors Lawrence Sterne zu ergreifen und sich mit ihm auf das Spiel einzulassen, das er für Sie bereithält. Wie Italo Calvino zweihundert Jahre später, mischt sich auch hier der Autor immer wieder fröhlich in das Romangeschehen ein und fordert seine Leser auf, zu überlegen, inwieweit er deren Verständnis seiner Figur bereits gefördert hat.
Shandy ist und bleibt fest entschlossen, seine Memoiren zu verfassen, und doch braucht er ganze zwei Bände, um überhaupt bei seiner Geburt anzukommen. Denn diese Memoiren – wie eigentlich sein ganzes Leben – bestehen aus nichts anderem als Abschweifungen vom Wesentlichen. Bereits als Homunculus im Bauch seiner Mutter wird seine Reise ins Leben just im Augenblick der Zeugung unterbrochen, weil die Mutter den Vater fragt, ob er denn auch daran gedacht habe, die Uhr aufzuziehen. Diese Unterbrechung im Moment der Empfängnis hat, so glaubt er, dazu geführt, dass sein pränatales Ich zur Beute von »zahllosen melancholischen Träumen und Einbildungen« wurde, noch bevor es tatsächlich existierte. Und als sein Name – in den Augen seines Vaters

von außerordentlicher Wichtigkeit für den Charakter und den Lebensweg eines Menschen – völlig entstellt ist, als er endlich dem Kurat genannt wird und aus Trismegistus versehentlich der – ganz offensichtlich am wenigsten vielversprechende – Name »Tristram« wird, sieht er seine Zukunftsaussichten schwinden.

Vielleicht ist all das der Grund für Sternes unbändige Prosa – eine leere Seite, damit der Leser sich ein eigenes Bild von Onkel Tobys Geliebter, der Witwe Wadman, machen kann; Sternchen, die den Leser dazu einladen, sich selbst auszudenken, was eine Figur an dieser Stelle wohl denken mag; und eine vollkommen schwarze Seite, um den Tod von Pastor Yorick zu betrauern. An einer Stelle gibt es sogar eine Reihe schnörkeliger Kreise, die Tristrams erzählerische Exkurse verbildlichen sollen.

Wir garantieren Ihnen, er wird Sie in seinen Bann ziehen. »Die Digressionen sind unleugbar der Sonnenschein – sie sind das Leben, die Seele des Lesens«, erklärt Tristram am Anfang seiner Geschichte. Und wir stimmen ihm da voll und ganz zu. Unterbrechen Sie Ihre Lektüre unseres Buches für eine Weile und nehmen Sie sich stattdessen einmal *Tristram Shandy* zur Hand, nur für ein Kapitel. Nach ein paar Seiten ist es vielleicht Zeit für eine Tasse Tee. Und dabei könnten Sie auf den Gedanken kommen, einen kleinen Spaziergang zu machen. Womöglich vergessen Sie sogar, dass Sie eigentlich dieses Buch hier lesen wollten. (Das geht schon in Ordnung, das können Sie dann irgendwann mal nachholen, während Sie eigentlich etwas ganz anderes tun wollten.) Eine Abschweifung am Tag hält den Arzt fern – und das gilt auch für *Tristram Shandy*.

▸ *Durchlesen; Zwang, jedes Buch zu Ende lesen zu müssen*
▸ *Ehrfurcht vor Büchern, übermäßige*
▸ *Humorlosigkeit*
▸ *Organisiert sein, übermäßig*

ANDERSSEIN

Die Möwe Jonathan
Richard Bach

Man kann die Menschheit grob in zwei Gruppen unterteilen: in diejenigen, die ins Muster passen, und die, die es nicht tun – wobei das Leben, wie jedermann weiß, für diejenigen, die passen, weitaus einfacher ist. Sie werden akzeptiert, sie sind ein Teil des Rudels. Wer nicht passt, wird mindestens missverstanden und fühlt sich ausgeschlossen. Im schlimmsten Fall wird man sogar tatsächlich ausgeschlossen (► *Mobbing*). Wenn Sie schon immer das Gefühl hatten, anders zu sein, werden Sie deutlich mehr Erfolg im Leben haben, wenn Sie lernen können, Ihre Andersartigkeit als etwas Positives zu betrachten.

Die kurze Erzählung *Die Möwe Jonathan* wird von manchen Lesern[1] als inspirierendes Werk darüber geschätzt, was es bedeutet, anders zu sein, und von anderen[2] als schlecht kaschiertes religiöses Traktat abgelehnt, das eines wahren Literaturliebhabers nicht würdig ist. Wir sind aber der Meinung, *Die Möwe Jonathan* ist und bleibt ein schnelles und effektives Heilmittel für alle, die sich schlecht fühlen, weil sie glauben, anders zu sein.[3]

Jonathan ist anders als die anderen Möwen in seinem Schwarm. Während die ihre Tage kreischend und um Sardellen zankend verbringen und ihr einziges Bestreben im Leben die Suche nach Futter ist, konzentriert Jonathan sich auf wichtigere Dinge: fliegen lernen. Nicht einfach nur fliegen, sondern die Art von Hochgeschwindigkeitssturzflug und Akrobatik, die man normalerweise bei Greifvögeln beobachtet. Indem er sich zu immer neuen Höchstleistungen antreibt, gelingen ihm bald Kunststücke, die zuvor noch keiner Möwe gelungen sind: Sturzflüge aus 2400 Metern Höhe, eine Spit-

1 In der Regel die, die passen.

2 Meist diejenigen, die das Gefühl haben, anders zu sein.

3 Uns ist bewusst, dass wir uns mit unserer Entscheidung, Literaturliebhabern *Die Möwe Jonathan* zu empfehlen, weit aus dem Fenster lehnen. Doch nachdem wir das Buch kürzlich noch einmal gelesen und uns von seiner Wirksamkeit als Heilmittel bei Andersartigkeit überzeugt haben, ist uns das egal.

zengeschwindigkeit von über 200 Stundenkilometern, Loopings, Rollen, verkehrtes Trudeln, Abschwung und Windrad. Er fliegt sogar bei Nacht. Als er – ein wenig unkontrolliert und wie im Rausch – durch den Schwarm schießt, der gerade mit Frühstücken beschäftigt ist, erwartet er in seiner Naivität, für seine Kunststücke gelobt zu werden. Stattdessen wird er beleidigt und ausgestoßen: Eine Möwe, die anders ist als die anderen, kann kein Mitglied des Schwarms sein. Jonathan versucht sich anzupassen, aber wie kann er in dreißig Metern Höhe herumflattern, wenn er weiß, wie es sich anfühlt, stromlinienförmig direkt über der Wasseroberfläche entlangzuschießen?
Für all diejenigen, die anders sind, ist die Botschaft der *Möwe Jonathan* unmissverständlich: Entschuldigen Sie sich nicht dafür, anders zu sein. Versuchen Sie nicht, es zu verbergen. Und wünschen Sie sich niemals, wirklich niemals, dass es nicht so wäre. Sie erweisen sich einen wahren Bärendienst, wenn Sie nicht versuchen herauszufinden, was genau Sie von den anderen unterscheidet. Wenn es bedeutet, dass Sie wie Jonathan aus der Gemeinschaft ausgestoßen werden, dann soll es so sein. Auf diese Weise haben Sie wenigstens mehr Zeit zu trainieren und das zu perfektionieren, von dem Sie wissen, dass Sie es können, andere aber nicht.

▶ *Außenseiter sein*
▶ *Fremd sein*
▶ *Unzugehörigkeitsgefühl*

ANGEBEREI

▶ *Arroganz*
▶ *Belesen wirken wollen*
▶ *Eitelkeit*
▶ *Intelligenz, außergewöhnliche*
▶ *Selbstbewusstsein, übermäßiges*

ANGST

Bildnis einer Dame
Henry James

Angst ist wie ein Blutegel, der einem die Energie, das Selbstvertrauen und die Chuzpe aussaugt. Anders als Frust, einem typischen Stresssyndrom (► *Stress*), ist Angst durch ein ständiges Gefühl des Unbehagens und der Unsicherheit gekennzeichnet und sowohl eine Reaktion auf äußere Umstände als auch eine grundlegende Gemütsverfassung. Während die äußeren Einflüsse keinerlei Kontrolle unterliegen, kann die Reaktion darauf – Lachen oder tief Luft holen (wobei Ersteres zu Letzterem führt) – zumindest zeitweise Erleichterung bringen und helfen, sich ein wenig zu entspannen. Je nachdem, was Sie in diesen Zustand versetzt hat, sind manchmal ein herzhaftes Lachen, in anderen Fällen tiefes Durchatmen oder bewusste Entspannung die beste Medizin. Gut, dass unsere Therapie alle drei Möglichkeiten einschließt.
Von den vierzehn Ursachen für Angstzustände, die wir bislang identifizieren konnten,[1] können Leidende in zehn dieser Fälle allein im ersten Kapitel von Henry James' *Bildnis einer Dame* Linderung erfahren. Bei der Schilderung des zivilisierten und heiteren Zeremoniells des englischen Nachmittagstees »auf dem Rasen eines alten englischen Landsitzes« – in der milden Luft des Nachmittags, mit langen Schatten, die über den Rasen fallen, Teetassen, die »dicht [am] Kinn« gehalten werden, farbenprächtigen Teppichen, Sitzpolstern und Büchern, die auf dem Gras im Schatten der Bäume liegen – wird die unterschwellige Einladung, innezuhalten und selbst eine Tasse Tee zu genießen (hilfreich in den Fällen 2, 3, 4, 7, 10, 11, 12 und bestimmten Ausprägungen von

1 1) Traumatische Erfahrungen inklusive Misshandlung und Tod einer geliebten Person; 2) Beziehungsprobleme, sowohl zu Hause wie auch im Job; 3) Beruf/Schule; 4) finanzielle Probleme; 5) Naturkatastrophen; 6) Sauerstoffmangel in großen Höhen; 7) Die Angewohnheit, das Leben zu ernst zu nehmen; 8) das nagende Gefühl, man hätte mehr Klassiker lesen sollen; 9) Negative Selbstgespräche; 10) Gesundheitsprobleme/Hypochondrie; 11) zu viele Drogen; 12) sich verspäten/zu viel zu tun haben; 13) Schlechtes Essen, Wasser, Hitze oder geringer Komfort; 14) Drohender Angriff eines wilden Tieres/Menschen.

13), durch James' ruhige, elegante Prosa noch unterstrichen. Seine Sprache ist ein wahrer Balsam für die durch alle oben genannten Ängste geplagte Seele und bietet sogar erste Ansätze einer vollständigen Heilung der Angstzustände, die Nummer 8 hervorrufen kann.

Wenn wir sagen, dass James' Prosa wie Butter üppig auf die Seiten gestrichen ist, dann meinen wir damit nicht, dass sie geschwollen klingt, sondern vielmehr cremig – wie *gesalzene* Butter, ja, das ist es. Denn die Annehmlichkeiten seiner Sprache wie die des Tees werden durch James' Dialoge mit ihrer Aufrichtigkeit und ihren geistreichen Bemerkungen (ein Heilmittel für Fälle 1-4 sowie für Fall 7) noch perfektioniert. Das heitere Geplänkel unter den drei anwesenden Männern – dem älteren, sitzenden, amerikanischen Bankier Mr. Touchett, seinem »hässliche[n], kränkliche[n]«, aber charmanten Sohn Ralph und dem »auffallend gut aussehende[n]« Lord Warburton mit seinem durch und durch englischen Gesicht – ist immer darauf ausgerichtet, anderen ein Lächeln zu entlocken, und die Männer scheuen nicht davor zurück, sich gegenseitig ein wenig zu necken (so wie Lord Warburtons eindeutig unenglische Bemerkung über Mr. Touchetts Reichtum). Frei von den Fesseln des Anstands, die noch ein Dreivierteljahrhundert zuvor jedes Gespräch auf vergleichbaren Rasenflächen in Ketten legten, ist es genau die Art von Konversation, die allen Anwesenden ein Gefühl von Behaglichkeit vermittelt (was wiederum Fälle 1-4 und 7 direkt anspricht, während es im Fall von 6, 9 und 10-12 Linderung verschafft).

Als Ralphs amerikanische Cousine Isabel Archer sich zu der Gruppe gesellt, verliert das Gespräch ein wenig von seiner Ungezwungenheit, doch dafür gewinnt es an Geist, denn zu diesem Zeitpunkt besitzt Isabel eine Leichtigkeit, eine Kühnheit und Vertrauen in sich selbst und andere, die zwangsläufig auf den Leser abfärben werden. Diejenigen, die unter Fall 9 leiden, werden Isabels Anwesenheit in diesem Roman als besonders heilsam empfinden.

Tatsächlich empfehlen wir die Lektüre allen, die unter Angstzuständen leiden, ausgenommen die Fälle 5 und 14 (insbesondere Letzteren kann ein Buch generell nicht helfen, außer vielleicht, um es als Waffe zu benutzen). Und Leser, die unter den Fällen 1 und 2 leiden, sollten im Hinterkopf behalten, dass das Ende des Romans ihre Symptome unter Umständen noch verschlimmern könnte. In diesem Fall sollten Sie augenblicklich für eine weitere Dosis Nachmittagstee zum Beginn der Geschichte zurückkehren.

► *Existenzangst*

► *Stress*

Therapie: Lesen Sie um das Buch herum

Sie sind begeistert von diesem Buch, haben mit den Figuren in diesem Buch Freundschaft geschlossen, haben dieses Buch verschlungen, von diesem Buch geträumt, dieses Buch vermisst, mit diesem Buch geweint, dieses Buch geliebt, dieses Buch quer durch den Raum gepfeffert, die Welt außerhalb dieses Buches vergessen – und jetzt stehen Sie im Begriff, dieses Buch zu beenden. Wir kennen das Gefühl: Es ist ein schrecklicher, herzzerreißender Moment.
Doch verzweifeln Sie nicht: Sie müssen die Welt dieses Buches nicht endgültig verlassen. Wenn Sie dieses Buch beendet haben, lesen Sie um dieses Buch herum – Besprechungen, Literaturkritiken, Blogs, was auch immer Sie finden können. Unterhalten Sie sich mit anderen, die dieses Buch gelesen haben. Lesen Sie dieses Buch in einer anderen Sprache oder einer anderen Übersetzung. Und dann: Lesen Sie dieses Buch ein zweites Mal. Die besten Bücher, von den größten Autoren, können einem vielmaligen Lesen im Laufe eines Lebens standhalten und geben uns dabei sogar jedes Mal ein wenig mehr zurück. Auf diese Weise werden Sie dieses Buch nie endgültig beenden. Sie werden zu diesem Buch werden, und dieses Buch wird ein Teil von Ihnen werden. Sie sind nicht am Ende angelangt, Sie stehen gerade erst am Anfang.

Therapie: Sich aufs Geratewohl hineinstürzen

Sie haben einen brandneuen Roman in der Hand. Sie haben die Besprechungen gelesen, er wurde Ihnen von Leuten empfohlen, denen Sie vertrauen, und Sie sind sich sicher, dass er Ihnen gefallen wird. Vielleicht haben Sie ihn für genau diesen Augenblick aufbewahrt, jetzt, da Sie einige ungestörte Stunden vor sich haben, vielleicht in der Badewanne, vielleicht im Zug. Aber Sie zögern. Sie haben schon andere Bücher von diesem Autor/dieser Autorin gelesen und geliebt – was, wenn dieser im Vergleich dazu abfällt? Fühlen Sie sich dem Autor/der Autorin so verpflichtet, dass Sie dem Buch eine Chance geben? Können Sie wirklich der Leser/die Leserin sein, die dieses Buch braucht?
Seien Sie nicht so zaghaft. Schlagen Sie das Buch einfach irgendwo auf und lesen Sie die ersten Sätze, auf die Ihr Blick fällt. Und, schon interessiert? Springen Sie ein Stück weiter und lesen Sie noch mal zwei Absätze. Schließen Sie dann die Augen, spalten Sie das Buch mit einem karatemäßigen Handkantenschlag und lesen Sie die Seite, auf die Ihre Hand trifft. Werfen Sie zu guter Letzt das Buch auf den Boden (falls es eine schöne Ausgabe ist, werfen Sie sanft) und heben es mit einem hineingesteckten Daumen wieder hoch. Lesen Sie die Seite, die Ihr Daumen streichelt, blättern Sie um und lesen Sie auch noch die nächste. Jetzt haben Sie bereits mehrere Fenster dieses Buches geöffnet. Sie haben in sein Inneres gespäht und kennen einige seiner Geheimnisse. Sind Sie neugierig geworden, wollen Sie mehr erfahren? (Für den Fall, dass Sie es noch nicht gemerkt haben: Sie haben schon angefangen. Und jetzt blättern Sie zurück und fangen noch mal von vorne an.)

ANGST, EXISTENZIELLE

► *Existenzangst*

ANGST VOR BINDUNGEN

► *Bindungsangst*

ANGST VOR DEM TOD

► *Tod, Angst vor dem*

ANGST VOR DINNERPARTYS

► *Dinnerpartys, Angst vor*

ANGST VOR KONFRONTATION

► *Harmoniebedürfnis, übermäßiges*

ANGST VOR SCIENCE-FICTION

► *Science-Fiction, Angst vor*

ARBEIT; SIE HASSEN

► *Arbeit; sie verlieren*
► *Hass auf den Job*
► *Karriereweg; den falschen eingeschlagen haben*
► *Mobbing*
► *Montagmorgen-Gefühl*

ARBEIT; SIE VERLIEREN

Bartleby, der Schreiber
Hermann Melville

Den Job zu verlieren kann ein schwerer Schlag sein, sowohl für den Geldbeutel als auch fürs Ego. Der beste Weg, mit dieser Situation umzugehen, ist zu versuchen, das Ganze als Chance zu sehen – als Möglichkeit, eine Pause im mühseligen Alltagsgeschäft einzulegen, über die eigenen Optionen nachzudenken und sich vielleicht sogar auf neues Terrain vorzuwagen. Statt zu dem Schluss zu kommen, dass Sie für den Job einfach nicht gemacht waren, gehen Sie lieber davon aus, dass der Job einfach nicht für Sie gemacht war (▸ *Karriereweg; den falschen eingeschlagen haben.*) Falls Sie davon nicht gänzlich überzeugt sein sollten, denken Sie an all die Situationen, in denen Sie bei der Arbeit Dinge tun sollten, die Sie nicht tun wollten. So wie Bartleby.

Hermann Melvilles Bartleby ist ein Schreiber, dessen bedächtiges Naturell – so glaubt sein Arbeitgeber, als Bartleby für seine erste Schicht gepflegt und seriös wirkend in die Kanzlei des Erzählers kommt – einen beruhigenden Einfluss auf die anderen Angestellten haben wird. Und zunächst wirkt Bartleby tatsächlich wie der beispielhafte Arbeiter, eifrig kopiert er Briefe in vierfacher Ausfertigung. Aber dann fängt er an, sich aufzulehnen. Als sein Chef ihn bittet, ein Schriftstück von ihm durchzusehen, antwortet Bartleby: »Ich würde lieber nicht.« Es wird schnell offenkundig, dass er nicht bereit ist, mehr zu tun als die grundlegendsten Aufgaben seiner Position. Gebeten, irgendetwas anderes oder mehr zu machen, kommt die unbeugsame Antwort: »Ich würde lieber nicht.« Alles gerät in eine fatale Sackgasse, in der der Arbeitgeber sich nicht dazu durchringen kann, den Schreiber zu entlassen, der so bescheiden ist und jenseits seines Schreibtischs überhaupt kein Leben zu haben scheint. Aber Bartleby macht nur, was er auch tun will.

Lassen Sie sich von Bartlebys Akt des Widerstands inspirieren. In welchem Maße war Ihr Job nur ein Kompromiss zu dem, was Sie eigentlich tun wollen? Bartlebys Rebellion geht schließlich so weit, dass er sich weigert, den Schreibtisch überhaupt noch zu verlassen. Sie dagegen haben die Möglichkeit, zu neuen Ufern aufzubrechen.

▸ *Arbeitslosigkeit*
▸ *Pleite sein*
▸ *Versager; sich wie einer fühlen*
▸ *Wut*

Das Jahr, in dem ich aufhörte, mir Sorgen zu machen, und anfing, zu träumen
Thomas von Steinaecker

About a Boy
Nick Hornby

Erstaunlicherweise ist der Mensch so konditioniert, dass er Arbeitslosigkeit schwer erträgt. Statt in der Hängematte zu dösen, kommt uns der Tag endlos vor, guter Gesprächsstoff ist rar (schließlich reden alle immer und ausschließlich über ihre Arbeit), und wir schauen betrübt zu, wie alle anderen von Meeting zu Meeting hetzen, ihren Jetlag vom letzten Businesstrip wegschlafen und über ihre schlechte Work-Life-Balance klagen. Wie gerne würden wir mitklagen! Unsere Work-Life-Balance ist schließlich alles andere als ausgewogen, aber bei jedem zaghaften Versuch wird uns auf eine Weise auf die Schulter geklopft, die das Gespräch beendet, oder wir werden scheinheilig beneidet (»Endlich mal Zeit haben! Du könntest Italienisch lernen!«). Ach.

Die gute Nachricht ist: Es ist in der Tat möglich, diese Zeit konstruktiv, sinn-, mitunter sogar genussvoll zu verbringen. Die schlechte: Leicht wird das nicht. Wir haben zwei Romane, die Ihnen dabei helfen werden.

Sie sollten die Kur beginnen mit Thomas von Steinaeckers *Das Jahr, in dem ich aufhörte, mir Sorgen zu machen und anfing, zu träumen.* In diesem glänzend erzählten, sehr gegenwärtigen Roman erfahren Sie, was Arbeit mit einem Menschen machen kann. Renate Meißner ist erfolgreich: Sie ist stellvertretende Abteilungsleiterin bei einer großen Versicherung. Effizienzsteigerung und Risikoabwägung bestimmen ihr Handeln, Fühlen und Denken: Ihre eigene Effizienz steigert sie mit Psychopharmaka, reflexartig sinniert sie über das Risiko gebrochener Knochen bei Wintereinbruch, checkt beim Aufzugfahren die TÜV-Plakette, auf Unfallgefahren konditioniert wie ein Pawlow'scher Hund.

Für Sie kann dieser Roman Anlass zu einen Systemcheck sein: Welche Deformierungen hat Ihr Denken, Sehen und Fühlen durch Ihren Beruf erlitten? Neigen Sie zum Monologisieren? Zum zwanghaften Organisieren? Diagnostizieren? Dann ist Ihre Arbeitslosigkeit die perfekte Gelegenheit, sich von diesen Angewohnheiten zu befreien (übrigens bietet so eine Reinigung sehr viel Gesprächsstoff, falls Sie mal eine Kon-

versation über die neuen Businesstarife der Lufthansa unterbrechen wollen). Einiges davon lässt sich mit unserer *Romantherapie* kurieren. Zeit zum Lesen haben Sie jetzt ja.
Möglicherweise denken Sie nun ›Reinigung, schön und gut – aber wie zur Hölle bringe ich diese endlosen Tage herum?‹. Hier hilft Nick Hornby mit *About a boy*: Will ist so etwas wie ein Berufsarbeitsloser: Jeden Morgen liegt ein neuer Tag vor ihm, den er hinter sich bringen muss, ohne auf Arbeitsweg, Mittagspause und das Schreiben langweiliger Protokolle zurückgreifen zu können. Sein Rezept ist so einfach wie bestechend: Er teilt den Tag in Zwanzig-Minuten-Häppchen. Probieren Sie es, und Sie werden merken: Es ist die Hölle, einen ganzen Tag vor der Brust zu haben, aber zwanzig Minuten zu füllen ist ein Witz. Gut, Will hat keine finanziellen Sorgen (er ist durch die Tantiemen eines Weihnachtshits, den sein Vater vor Jahren komponiert hat, für immer abgesichert) und er kann seine Zwanzig-Minuten-Häppchen mit Plattenkäufen füllen, aber es geht auch mit Bibliotheksbesuchen und Sonnenbädern im Park.
Nehmen Sie die Arbeitslosigkeit in Angriff. Gestalten Sie Ihre Zeit aktiv, statt bei endlosen Nachmittagstalkshows in Depressionen zu versinken. Arbeit ist wichtig – aber eben auch nicht alles. Und die freie Zeit Ihrer Arbeitslosigkeit kann schneller wieder vorbei sein, als Sie glauben (und Ihnen vielleicht lieb ist).

► *Arbeit; sie verlieren*

ARBEITSSUCHT

Die Liebe der Fancy Day
Thomas Hardy

Die Mumins
Tove Jansson

Wenn das Leben die Größe Ihres Schreibtischs angenommen hat und Sie nichts anderes mehr tun als Deadlines zu halten, Erledigtes abzuhaken (► *Organisiert sein, übermäßig*) und sich, allzeit bereit für den nächsten Tag, in die stabile Seitenlage zu begeben, müssen Sie Ihre verdorrte Seele dringend mit etwas äußerst Einfachem, Rustikalem und Überschaubarem befeuchten. Wir empfehlen Thomas Hardys zartesten, unschuldigsten Roman, *Die Liebe der Fancy Day*: Die

Kirchenchormitglieder von Mellstock sind ein bunt zusammengewürfelter Haufen. Sie treffen sich bei Sonne oder Regen mit ihren Fiedeln zum Singen und Spielen – was Sie aus Lust und nicht des Geldes wegen tun – und haben die wichtigen Dinge des Lebens noch nicht vergessen: ein bisschen Musik, ein bisschen Cider, hier und da eine Zusammenkunft von Jung und Alt.

Das Leben ist mehr als die Arbeit. Treten Sie in die Welt jenseits Ihres Schreibtischs und sehen Sie sich um. Sobald Sie einmal draußen sind, lassen Sie sich eine nachhaltige Lektion von einer Romanfigur, die der klare Gegenpol zu allem übermäßig Arbeitssamen ist, beibringen: Schnupferich, der als solcher bislang nicht anerkannte Held der *Mumins*-Bücher. Schnupferich ist der geheimnisvolle Wanderer, Dichter und Musiker, der jedes Frühjahr, angetan mit Hut und Mundharmonika, im Mumintal auftaucht. Mumin wartet immer auf ihn und hat das Gefühl, dass der Frühling erst dann so richtig da ist, wenn Schnupferich kommt. Aber man kann nicht wirklich auf ihn zählen, denn er kommt, wann es ihm passt. Und vielleicht kommt er auch gar nicht, weil er nämlich in eine ganz andere Richtung läuft.

Die Philosophie von Schnupferich, dem Meister des Müßiggangs, ist unwiderstehlich. Er reist mit leichtem Gepäck und zieht es vor, sich gründlich mit den Dingen zu befassen, sie dann aber zurückzulassen und nicht mit sich herumzuschleppen. Er stellt sein Zelt da auf, wo ihn die spontane Laune hinverschlägt. Wandern Sie wie Schnupferich mit einer Feder am Hut über die offene Landstraße. Die Welt, dieser herrliche Ort, bietet sehr viel mehr als nur Schreibtische.

▸ *Bluthochdruck*
▸ *Erschöpfung*
▸ *Obsession*
▸ *Seele; die eigene verkaufen*
▸ *Stress*
▸ *Zeit, zu wenig*
▸ *Zeit zum Lesen, keine haben*

ARROGANZ

Stolz und Vorurteil
Jane Austen

Arroganz gehört zu den größten Verbrechen in der Literatur. Woher wir das wissen? Weil Mr. Darcy, nachdem er Elizabeth Bennet auf Bingleys Ball brüskiert hat – er weigert sich, mit ihr zu tanzen, bezeichnet sie als »erträglich« und zeigt den Einwohnern von Longbourn ganz allgemein die kalte Schulter –, ohne Umschweife von allen, selbst von Mrs. Bennet, als der »stolzeste und unangenehmste Mann der Welt« abgeschrieben wird. Und das, obwohl er sehr viel besser aussieht als der liebenswürdige Mr. Bingly, obwohl er ein riesiges Anwesen in Derbyshire besitzt und obwohl er mit Abstand der heiratswürdigste Mann im Umkreis von fünfundzwanzig Meilen ist – ein, wie wir wissen, bedeutender Umstand in den Augen von Mrs. Bennet, die fünf Töchter unter die Haube bringen muss.
Glücklicherweise weiß die lebhafte Elizabeth Bennet, Jane Austens Heldin in *Stolz und Vorurteil*, ihn von seinem hohen Ross herunterzuholen. Mit ihrer Kombination aus Stichelei (wobei sie ihm direkt ins Gesicht sagt, sie sei »jetzt vollkommen überzeugt, daß Mr. Darcy keine Fehler besitzt«) und schonungsloser, ja übertriebener Zurückweisung (»Selbst wenn ich Sie nicht länger als einen Monat kennen würde, wüßte ich, daß Sie der letzte Mann auf Erden sind, den ich heiraten möchte.«), korrigiert sie nicht nur erfolgreich seine Charakterfehler, sondern die »Lebhaftigkeit [ihres] Verstandes« führt außerdem dazu, dass er sich gleich noch einmal in sie verliebt – und diesmal richtig.
Wenn Sie unter einer ähnlichen Arroganz leiden, dann sollten Sie aus dieser Geschichte lernen, woran man intelligente Stichelei und couragierte Ehrlichkeit erkennt – und beides willkommen heißen. Wenn Sie abgewiesen werden, fragen Sie sich, ob – und weshalb – Sie es verdient haben. Nehmen Sie sich ein Beispiel an Darcy. Obwohl er sich durch Elizabeths Zurückweisung gedemütigt fühlt und wütend auf sie ist, versteht er, was er falsch gemacht hat, und sehnt sich förmlich nach dem Wohlwollen eines Menschen, den er bewundert. Seien Sie also froh, wenn jemand Sie wegen Ihrer

Schwächen aufzieht – es kann Ihnen nur guttun, und mit ein wenig Glück wird dieser jemand Sie vielleicht in die perfekte Frau/den perfekten Mann verwandeln.

▶ *Eitelkeit*

▶ *Selbstbewusstsein, übermäßiges*

AUFGEBEN

▶ *Durchlesen; Zwang, jedes Buch zu Ende lesen zu müssen*

▶ *Rauchen; es aufgeben*

AUSSENSEITER SEIN

Oscar und Lucinda
Peter Carey

Ein Außenseiter ist jemand, der nicht dazugehört. Er oder sie ist nicht ausgeschlossen worden (▶ *Unzugehörigkeitsgefühl)*, denn er oder sie war ja noch nie drin. Und auch wenn er oder sie sicherlich anders ist (▶ *Anderssein)*, so ist er oder sie auch jemand, der verpflanzt wurde. Denn ein Außenseiter hat den Ort verlassen, an dem es andere von seiner Art gibt, und wandert als immerwährender Beobachter über die Erde, der zwar von außen hereinschaut, aber niemals hereinkommt. Sollte diese Beschreibung auf Sie zutreffen, werden Sie umso lauter jubilieren, wenn Sie irgendwann die unvergleichlichen Außenseiter Oscar und Lucinda aus Peter Careys gleichnamigem Roman kennenlernen sollten, einem Buch, das 1988 mit dem Booker Prize ausgezeichnet wurde. Oscar Hopkins ist ein derartiger Außenseiter, dass er noch nicht mal weiß, dass es auch ein ›Drinnen‹ gibt. Aufgewachsen in dem winzigen Dorf Hennacombe in der englischen Grafschaft Devon, hat er einen Botaniker zum Vater, der ihn zwar liebt, aber auch Mitglied einer evangelikalen Sekte ist, die die Bibel wortwörtlich auslegt, »als wäre sie der Bericht eines gewissenhaften Naturforschers«. Eine erste Ahnung davon, dass sie anders sind, bekommt Oscar, als ihm das Dienstmädchen einen Christmas Pudding kocht und der Vater, der gegen christliche Feste ist, ihn als »Frucht des Satans« bezeichnet und ihn so lange Salzwasser trinken lässt, bis er das

Essen wieder erbricht. Aber die Überzeugungen des Vaters stellt er nicht in Frage, und erst im College, wo seine »Unwissenheit« zum Gesprächsthema wird, wird ihm klar, zu was für einer Kuriosität seine Erziehung ihn gemacht hat.
Obwohl sein Kommilitone Wardley-Fish weiß, dass Oscar ein komischer Kauz ist, lädt er ihn ein, mit ihm zum Pferderennen zu gehen. Dort gewinnt Oscar schon bei seiner ersten Wette 9:1, entwickelt eine pathologische Beziehung zum Spielen, die zu einer ständigen Bedrohung für seinen weißen Stehkragen wird, als er später zu Reverend Hopkins geworden ist. (Wir verweisen Oscar und alle, die eine Schwäche haben für eine gelegentliche Wette, an dieser Stelle an unsere Therapie für ▸ *Spielsucht.*) Aber als er an Bord eines Schiffes nach Australien Lucinda Laplastrier kennenlernt, die Erbin und Eigentümerin einer Glasfabrik, ist das wahrlich ein Grund zum Feiern – denn Lucinda ist wie Oscar eine Außenseiterin und teilt darüber hinaus noch seine Sucht. Als sie Oscar mit einem so leisen Stimmchen, dass es »in einem Fingerhut Platz gehabt hätte«, ihren scheinbar unstillbaren Durst nach einem Würfel- oder Pokerspiel oder wenigstens einem Hahnenkampf beichtet, kann er seinen Ohren kaum trauen. Fromme Gedanken sind bald zur Seite geschoben, denn er weiß, er hat die Richtige gefunden.
Was Lucinda und Oscar miteinander anstellen, müssen diejenigen, die es noch nicht gelesen haben, selbst herausfinden. Verraten sei: Es wird Heilung geben, in der Szene an Bord der *Leviathan*, wo Lucinda Oscar in die Augen blickt und sein »Spiegelbild« sieht. Oscar, der Außenseiter, ist erkannt worden. Solange er bei Lucinda ist, ist er kein Außenseiter mehr.
Gehen Sie an Bord eines Schiffes und finden Sie Ihre andere Außenseiterhälfte.

▸ *Anderssein*
▸ *Einsamkeit*
▸ *Fremd sein*
▸ *Unzugehörigkeitsgefühl*

AUS DEM FENSTER FALLEN

▶ *Alkoholsucht*
▶ *Drogenkonsum, übermäßiger*
▶ *Heimwerken*
▶ *Krankenhausaufenthalt*

AUSGESCHLOSSEN; SICH AUSGESCHLOSSEN HABEN

Um die Zeit des Wartens auf den Schlüsseldienst herumzubringen, ist natürlich ein richtig guter Detektiv-, Kriminal- oder Agentenroman vonnöten. Halten Sie immer einen Stapel im Gartenhäuschen vor. (Sie könnten natürlich – räusper – auch darüber nachdenken, dort einen Ersatzschlüssel zu hinterlegen.) Vielleicht kommen Sie beim Lesen auf die eine oder andere Idee, wie Sie bei sich zu Hause einbrechen könnten.

DIE ZEHN BESTEN ROMANE FÜR MENSCHEN, DIE SICH AUSGESCHLOSSEN HABEN

Die Form des Wassers **Andrea Camilleri**
Ein blendender Spion **John le Carré**
Der Spion, der aus der Kälte kam **John le Carré**
Ein gefährlicher Gegner **Agatha Christie**
Die Frau in Weiß **Wilkie Collins**
Leben und sterben lassen **Ian Fleming**
Ausgestochen **Dick Francis**
Der Schrei der Eule **Patricia Highsmith**
Schlechtes Chili **Joe R. Lansdale**
Das Schweigen **Jan Costin Wagner**

B

BEDÜRFTIGKEIT

True Grit
Charles Portis

Bitten Sie ständig um Hilfe? Sind Sie unfähig, irgendetwas alleine zu machen? Wollen Sie dauernd, dass Ihnen jemand die Hand hält? Sich mal helfen zu lassen ist fraglos eine gute Sache, aber komplette Abhängigkeit ist es sicher nicht. Es wird der Moment kommen, in dem Sie Unabhängigkeit lernen und sich auf sich selbst und nur auf sich selbst verlassen müssen. Am besten lernen können Sie das mit einer ordentlichen Prise *True Grit*.

Charles Portis' Roman *True Grit* spielt in den USA, direkt nach dem Bürgerkrieg, und folgt der eisernen Entschlossenheit, mit der die fünfzehnjährige Mattie den Mörder ihres Vaters vor Gericht bringen will: Tom Chaney, ein Angestellter ihres Vaters, hat diesen im Suff erschossen. Vordergründig ist Mattie nach Fort Smith gekommen, um den Leichnam ihres Vaters abzuholen, aber sie hat noch einen zweiten Plan, von dem ihre Familie zu Hause nichts weiß.

Als Erstes muss Mattie Geld bei den Schuldnern ihres Vaters eintreiben, danach muss sie den härtesten Ranger, den sie auftreiben kann, dazu überreden, Chaney aufzuspüren und ihn vor Gericht zu stellen. Rooster Cogburn ist ein wirklich harter Brocken – doch sie ist härter und bringt ihn dazu, sie auf die Suche nach Chaney mitzunehmen. Cogburn versucht, Mattie abzuschütteln, aber sie ist keine, die man so einfach zurücklassen kann; und als sie dann in die verschneite Landschaft von Arkansas eintauchen, erduldet Mattie Hunger, Schießereien und die grimmige Kälte, ohne sich auch nur ein einziges Mal zu beschweren.

Ihr beachtlicher Schneid gegenüber Gesetzlosen, Messern,

Kugeln, Schlangen und Leichen nötigt uns jedes Mal wieder Bewunderung ab und wird beim Lesen die sofortige Überzeugung von der eigenen Unabhängigkeit bewirken. Und auch wenn Mattie die Menschen in ihrem Umfeld dazu benutzt, ihre eigenen Ziele zu erreichen, verlässt sie sich doch nur auf sich selbst, um ihren Plan am Ende aufgehen zu lassen. Es ist die ältere Mattie, die dieses prägende Kapitel ihres Lebens rückblickend erzählt; und deren erwachsenes Selbst ist durchaus das Ergebnis all dieser Entbehrungen und Verluste.

Wappnen Sie sich, werte Leserinnen und Leser. Verabschieden Sie sich vom inneren Weichei und heißen Sie eine Prise Mut in Ihrer Seele willkommen.

▸ *Chance, verpasste*
▸ *Feigheit*
▸ *Selbstbewusstsein, mangelndes*

BEHARRLICH EINE FRAU UMWERBEN, SELBST WENN SIE EINE NONNE IST

In der Haut eines Löwen
Michael Ondaatje

Sollten Sie sich in der misslichen Lage befinden, in eine Nonne verliebt zu sein, so ist Michael Ondaatjes Roman *In der Haut eines Löwen* genau das Richtige für Sie.

Schon allein, weil nirgends sonst in der Literatur eine zufällige Begegnung zwischen einem Mann und einer Frau treffender erzählt wird (wobei die Frau zufällig eine Nonne ist) –, und wenn Sie in eine Nonne verliebt sind, sollten Sie einen guten Plan für eine zufällige Begegnung in der Tasche haben. Er, Nicolas Temelcoff, ist Wanderarbeiter und baumelt gerade an einem Gurt von einer noch unfertigen Brücke mitten in Toronto. Sie ist eine von fünf Nonnen, die in dieser Nacht irrtümlich auf besagter Baustelle landen und von einer heftigen Windbö auseinandergetrieben werden. Als der Wind unsere Nonne über die Kante fegt, sieht Temelcoff, der dort unten in der Luft hängt, sie fallen und fängt sie auf. Dabei reißt der Ruck ihm den Arm aus dem Gelenk. In Panik und noch unter Schock starrt sie ihn mit weit aufgerissenen Augen an. Er bittet sie höflich und unter Schmerzen, um Hilfe zu rufen.

Diese beispiellose Begegnung (die einen realen Absturz von einem realen Viadukt, bedauerlicherweise aber nicht eine reale Rettung zum Vorbild hat) ist vor allem deshalb ein glücklicher Zufall, weil er dazu führen wird, dass Temelcoffs Nonne ihre Ordenstracht an den Nagel hängt – was auch Ihre Nonne früher oder später zwangsläufig wird tun müssen. Noch bevor die Nacht vorüber ist, hat Temelcoffs Nonne ihren Schleier abgenommen, damit er ihn als Schlinge für seinen Arm benutzen kann, zum ersten Mal in ihrem Leben Brandy getrunken, sich ausgemalt, wie es sich wohl anfühlt, wenn ein Mann ihr übers Haar streicht, und sich einen neuen Namen gegeben: Alice – nach einem Papagei. Sollte Ihre eigene Zufallsbegegnung keinen solch transformativen Effekt haben, verzweifeln Sie nicht. Lesen Sie weiter. Denn in *In der Haut eines Löwen* gibt es noch einen anderen Mann (Patrick Lewis), der so rettungslos in eine andere Frau (Clara, eine Schauspielerin) verliebt ist, dass er selbst nach zahllosen eindeutigen Abfuhren, sogar nachdem sie versucht hat, ihn mit ihrer besten Freundin Alice (der Ex-Nonne) zu verkuppeln, und sogar nachdem ihr Liebhaber ihn mit einem Molotowcocktail in Flammen gesetzt hat, immer noch mit ihr schlafen will. Und er wird mit ihr schlafen.

Am Ende bekommt Patrick Lewis die Nonne, aber das tut hier nichts zur Sache. (Wenn Sie jetzt denken, das ist eine ziemlich komplizierte Geschichte, dann haben Sie Recht.) *In der Haut eines Löwen* wird Sie lehren, an Ihre Träume zu glauben. Sie werden Ihre Nonne bekommen. Und dann können Sie ihr aus diesem Roman vorlesen, einem der poetischsten und am besten konstruierten Romane der letzten fünfzig Jahre.

► *Der/Die Richtige; ausharren für ihn/sie*
► *Liebe, unerwiderte*

BEHARRLICH EINE FRAU UMWERBEN, SELBST WENN SIE VERHEIRATET IST

Der englische Patient
Michael Ondaatje

Sollten Sie sich in der unglücklichen Situation befinden, eine Frau zu lieben, die bereits verheiratet ist, dann ist Michael Ondaatje der Mann Ihrer Wahl. (Er scheint auf Herausforderungen in Sachen Liebe zu stehen.)
Der beharrliche Verehrer ist der englische Patient selbst – wobei sich bald herausstellt, dass er gar nicht Engländer ist, sondern ein ungarischer Graf namens Almásy. Aber er ist definitiv ein Patient. Bei unserer ersten Begegnung am Ende des Zweiten Weltkriegs liegt er in den Ruinen einer toskanischen Villa. Nach einem Flugzeugabsturz in der nordafrikanischen Wüste ist er am ganzen Körper verbrannt. Nach und nach stellt sich heraus, dass das Flugzeug des englischen Patienten nicht abgeschossen wurde, sondern abgestürzt ist, weil … Sie haben es erraten: er sich rettungslos in eine verheiratete Frau verliebt hat.
Es ist ihre Stimme, der er zuerst verfällt. Sie sitzt am Lagerfeuer und rezitiert Gedichte, während er selbst in der Dunkelheit außerhalb des Scheins des Feuers sitzt. Es dauert nicht lange und Almásy und die frisch verheiratete Katherine Clifton werden von einer Leidenschaft an der Schwelle zur Brutalität verzehrt.
Wir wollen hier nicht den moralischen Zeigefinger heben, und Ondaatje tut es auch nicht, aber manchmal kann die Literatur nur schwer widerstehen, und man könnte argumentieren, dass die beiden ihre gerechte Strafe für diese Affäre erhalten. Andererseits, vielleicht gibt es hier gar keine moralische Botschaft und Almásy und Katherine sind bloß die Opfer von Ondaatjes grausamem Stift. Jagen Sie weiter Ihrer verheirateten Liebe hinterher. Und vielleicht werden Sie sie auch bekommen. Aber denken Sie hin und wieder an die kalte Dunkelheit hinter Ihrem Rücken und daran, wie gefährlich Ehemänner sein können, besonders sehr eifersüchtige mit einem Flugzeug.

► *Der/Die Richtige; ausharren für ihn/sie*
► *Liebe, unerwiderte*

BEHÖRDENGÄNGE; ANGST VOR IHNEN HABEN

Der Prozeß
Franz Kafka

Die Unterlagen sind sortiert, die Öffnungszeiten recherchiert, Ihr Passbild biometrisch. Für die Wartezeit haben Sie sich eine Gala/eine Motorwelt gekauft – Sie sind gewappnet. Aber schon als Sie die astronomisch hohe Wartenummer ziehen, packt Sie das Grauen. Es steigert sich noch, als Sie registrieren, dass es neben den Schaltern 7 bis 13 auch 7b, 9b und 12c gibt. Als Ihr nach Orientierung suchender Blick auf einen Uli-Stein-Aufkleber fällt, der an einer braunen Furnierwand klebt, rast Ihr Puls, es rauscht in Ihren Ohren und Ihre Füße finden unaufgefordert den Weg nach draußen … Sie leiden an Behördophobie. Ihnen kann geholfen werden. Und zwar mit Franz Kafkas *Prozeß*.

Der Prozeß ist Kafkas bekanntestes und meistzitiertes Werk. Es bringt wie kein anderes die Gefühle von Entfremdung, Desorientierung und Ausgeliefertsein in einer modernen Bürokratie so auf den Punkt. Die perfekte Therapie gegen Behördophobie also. Die Therapie verläuft in drei Phasen: Verständnis, Besänftigung und Wege aus der Krise.

Verständnis: Josef K. ergeht es genau wie Ihnen: Trotz seines Engagements und seiner Intelligenz gelingt es ihm nicht, die Situation zu durchschauen. Ein Bruder im Geiste wird Josef K. für Sie auch durch die Erzählweise: Kein Erzähler kommentiert, keiner Figur ist zu trauen. Wie in der Behörde: kein Fremdenführer in Sicht, jeder Beamter ist ein potentieller Feind.

Besänftigung: Sie fühlen sich verstanden, der Weg ist frei für die Erkenntnis: Im Vergleich zu Josef K.s schattenhaftem Grusel-Gericht ist das Einwohnermeldeamt ein Ponyhof.

Wege aus der Krise: Wenn Sie genau hinschauen, entdecken Sie, dass Josef K. die Aktionen des Gerichts provoziert, also mitverantwortlich für sein Schicksal ist. Was folgt daraus? Vielleicht lässt sich der grantige Schalterbeamte ins Boot holen? Vielleicht ist er zu einem Lächeln fähig, wenn Sie ihm eins schenken? Vielleicht klebt neben Uli Steins Schweinen ein Aufkleber mit den weisen Worten »Freundlichkeit ist wie ein Bumerang – sie kommt zurück.«

Therapie: Zehn Romane für den literarischen Hochstapler

Obwohl wir vollstes Verständnis für Ihren Wunsch haben – ein belesener Mensch, vor allem einer, der sich mit Romanen gut auskennt, ist ziemlich wahrscheinlich ausgeglichener und reifer und eindeutig der interessantere Gesprächspartner[1] –, können wir eine derart erbärmliche Hochstapelei trotzdem nicht gutheißen. Wie Nick, der Erzähler im *Großen Gatsby*, der eine Karriere in der Stadt anstrebt und sich ein Dutzend Bücher kauft, die ihm die Geheimnisse von »Midas, Morgan und Mäzenas« zu enthüllen versprechen, haben wahrscheinlich auch Sie fest vor, die Bücher, die gelesen zu haben Sie behaupten, irgendwann einmal wirklich zu lesen. Und vielleicht tun Sie das auch tatsächlich, nachdem Sie sich durch die nächste ernsthafte Unterhaltung über Bücher gemogelt haben. Aber die Wahrscheinlichkeit ist hoch, dass Sie auch beim übernächsten Mal wieder bluffen.

Die gute Nachricht ist, dass Sie gar nicht *so* viele Bücher gelesen haben müssen, um einen belesenen, wenn nicht sogar einen erstaunlich belesenen Eindruck zu machen. Sie müssen nur die richtigen auswählen. Auf der folgenden Seite finden Sie zehn Romane, die Ihnen in Sachen ›guter erster Eindruck‹ ein Lebtag lang hervorragende Dienste leisten werden. Aber passen Sie auf, dass sie ein und denselben Titel nicht mehr als zwei Mal vor einer anderen Person erwähnen, und lassen Sie auch in diesem Fall mehrere Jahre dazwischen vergehen. Mit etwas Glück sind Sie, wenn Sie sich bis ans Ende der Liste vorgelesen haben, auf den Geschmack gekommen und machen einfach weiter. Dann müssen Sie überhaupt nicht mehr bluffen.

1 Wir sind da nicht voreingenommen oder gar selbstgefällig.

DIE ZEHN BESTEN ROMANE, UM EINEN BELESENEN EINDRUCK ZU MACHEN

Die ersten fünf sind schlicht und ergreifend überlebensnotwendig; die zweiten fünf erwecken bei anderen Menschen den Eindruck weitläufiger literarischer Landschaften in Ihrem Kopf.

PFLICHT
Die Sturmhöhe **Charlotte Brontë**
Der Große Gatsby **Francis Scott Fitzgerald**
Der Zauberberg **Thomas Mann**
Moby Dick **Herman Melville**
Krieg und Frieden **Lew Tolstoj**

KÜR
Die Fälschung der Welt **William Gaddis**
Sein eigener Herr **Halldór Laxness**
Radetzkymarsch **Joseph Roth**
Der Turm **Uwe Tellkamp**
Ungeduld des Herzens **Stefan Zweig**

BETT; UNFÄHIGKEIT ES ZU VERLASSEN

Oblomow
Iwan Gontscharow

Es gibt für Sie nicht Schöneres, als sich noch einmal im Bett umzudrehen? Die Snooze-Taste Ihres Weckers ist Ihr bester Freund? Sie könnten den Start in den Tag so lange aufschieben, bis Sie um halb zwölf mit dickem Kopf, rasendem Hunger und schlechter Laune aus dem Bett schleichen müssen? Höchste Zeit für eine Radikalkur mit dem notorischen Faulpelz Ilja Iljitsch Oblomow!
Kurz zur Geschichte Ihres Heilmittels: *Oblomow* ist 1859 erschienen und porträtiert den talentierten, gebildeten, aber durch Standesgewohnheiten zur vollkommenen Faulheit degenerierten russischen Adeligen. Literaturgeschichtlich ist Oblomow ein Nachfahre des ›überflüssigen Menschen‹, einer Figur der russischen Literatur des 19. Jahrhunderts, die,

obgleich gebildet und vermögend, der Ungerechtigkeit der Gesellschaft gegenüber untätig bleibt und in Depression und Melancholie verfällt. Oblomow hat einen Begriff geprägt: die Oblomowerei. Und er ist immer noch brennend aktuell – das wissen ja gerade Sie am besten.
Bei der Oblomow-Therapie treiben wir den Teufel mit dem Beelzebub aus. Bitte gehen Sie so vor: Legen Sie dieses Buch auf Ihren Nachttisch und finden Sie zwischen Snooze-Phase eins und Snooze-Phase zwei irgendwie die Kraft, es an beliebiger Stelle aufzuschlagen (bitten Sie zur Not einen lieben Menschen, Ihnen zuvor einen starken Espresso einzuflößen). Der Rest geschieht von ganz alleine: Sie lesen, und starke Gefühle der Bewunderung für und des Neides auf Oblomow werden wach. Meisterhaft ist seine Fähigkeit, seinen Tag um das Zentrum des Mittagsschlafes herum zu gestalten, formvollendet hat er sich mit dienstbaren Geistern umgeben, die ihn mit dem Nötigen versorgen, sein Auskommen ist gesichert und seine Tage im Bett und auf der Ottomane sind sorgenfrei. Sie kuscheln sich tiefer in Ihre Kissen. Aber dann: Sie lesen, wie Oblomow die Liebe seines Lebens verliert und spüren ein leichtes Kribbeln in den Beinen. Sie erfahren, dass er sein Gut vernachlässigt und Ihr weiches Bett erscheint Ihnen mit einem Mal klumpig und muffig. Als sich sogar Oblomows treuer und höchst agiler Freund Stolz resigniert von ihm abwendet, springen Sie aus dem Bett und suchen nach Ihren Joggingschuhen. Und als das Blut schon frisch und hellrot durch Ihre Venen fließt und der Sauerstoff Ihre Gehirnzellen durchflutet, lehnt sich Ihre Oblomow-Ausgabe seufzend in Ihrem Bett zurück und schließt die Augen …

BEZIEHUNGSPROBLEME

- *Altersunterschied in einer Partnerschaft, großer*
- *Bindungsangst*
- *Der/Die Falsche; bei ihm/ihr landen*
- *Ehebruch*
- *Eifersucht*
- *Liebe, zum Scheitern verurteilte*
- *Nichtlesender Partner/Nichtlesende Partnerin*
- *Verheiratet sein*

BINDUNGSANGST

Die Stadt der Blinden
José Saramago

Wenn Sie einen Satz des portugiesischen Autors José Saramago anfangen, dann verpflichten Sie sich, ihm zu folgen, wo auch immer er Sie hinführen wird, denn dieser geniale Schriftsteller hat seine eigenen grammatischen Regeln und benutzt Kommas auf seine eigene Art, eine Art, bei der dem inneren Grammatiker in Ihnen die Kinnlade runterklappt und der äußere gleich nach dem Rotstift greift. Das hier war doch sicher ein Satz, und das da auch, sollte dazwischen nicht ein Punkt stehen, oder wenigstens ein Semikolon, und Ihre inneren und äußeren Grammatiker haben natürlich Recht, aber Saramago hat ebenfalls Recht, er weiß genau, was er tut, und am Ende der ersten beiden Absätze wird er Sie hoffnungslos verführt haben mit diesen Sätzen, die mit einer ebensolchen Unaufhaltsamkeit ineinanderfließen wie die stille und furchterregende Epidemie der Erblindung, die diesem Buch seinen Titel gibt und deren Gründe niemand erklären kann.

Zu einem nicht näher spezifizierten Zeitpunkt in der Geschichte beginnen die Einwohner einer nicht näher benannten Stadt zu erblinden, und zwar ganz plötzlich, einer nach dem anderen. Und so wie die Geschichte ohne eine Erklärung von einer unbenannten Figur zur nächsten wandert, von der jungen Prostituierten mit der dunklen Brille zu dem Autodieb zu dem Augenarzt und seiner Frau, so überlassen auch wir uns ganz der surrealen und eindringlichen Anhäufung von Sätzen, und jede Gegenwehr gegen Saramagos unkonventionelle Prosa, die wir anfangs vielleicht empfunden haben, ist vergessen.

Denn der Gewinn, den wir aus dieser Verpflichtung ziehen – gegenüber einem Satz, einem Roman, einer Beziehung, im Grunde allem, von dem Sie denken, dass es sie wert ist und an das Sie bereit sind zu glauben –, ist riesig, wie dieser Roman zeigt. Denn in der Irrenanstalt, wo die Blinden unter Quarantäne gestellt werden in der Hoffnung, die Epidemie auf diese Weise aufzuhalten, und wo bewaffnete Wachmänner an den Toren stehen und den Befehl haben zu schießen, falls jemand versuchen sollte zu fliehen, herrschen bald Schmutz und Missherrschaft, während die hilflosen Insassen um das wenige Essen zanken. Und mittendrin sorgt die Ehefrau des Augenarztes für ihren Mann, zärtlich, umsichtig und hingebungsvoll. In einem Augenblick weiser Vorausschau, die aus all dem Grauen herausleuchtet, hat sie, die ihr Augenlicht auf geheimnisvolle Weise behalten hat, sich als blind ausgegeben und es so geschafft, sich mit ihm in die Irrenanstalt einsperren zu lassen, um bei ihm bleiben zu können. Wenn er auf der Toilette war, wäscht sie ihn. Wenn er den Drang verspürt, sich zu bewegen, führt sie ihn. Sie weiß, dass die Wachen unter keinen Umständen erfahren dürfen, dass sie nicht erblindet ist, und so achtet sie sorgfältig darauf, sich nichts anmerken zu lassen – nicht nur zu ihrem eigenen Schutz, sondern um weiterhin für ihren Mann sorgen zu können.

Die unsichtbaren Taten der Ehefrau sind die Taten eines Menschen, für den Loyalität, Liebe und Verantwortung ganz selbstverständlich an erster Stelle stehen. Von dem Augenblick, als ihr Mann erblindet, kämpft sie zuerst für ihn und dann für alle anderen in ihrem Raum, denn aufgrund der Tatsache, dass sie die Ersten waren, die erblindeten, entwickelt diese Gruppe, zu der auch die Prostituierte gehört, eine familiäre Bindung untereinander, die durch gegenseitige Rücksichtnahme und Unterstützung und die Fähigkeit, in dieser Hölle Humor und Hoffnung zu finden, noch gestärkt wird. Wenn sie überleben, dann ohne Zweifel, weil sie Verantwortung füreinander übernehmen. Und das ermöglicht es ihnen auch, ihre Menschlichkeit zu bewahren, während alle anderen um sie herum ihre verlieren.

Egal ob Sie Angst haben, sich an ein Buch, eine Beziehung, einen Job oder einen Hund zu binden, lassen Sie sich von Saramago und der Frau des Arztes zeigen, wie es geht. Sie können gleich mit dem Roman anfangen zu üben. Beginnen Sie mit dem ersten Satz und verpflichten Sie sich, auch alle anderen zu lesen. Wenn Sie das Buch zu Ende gelesen haben, verpflichten Sie sich, Saramagos gesamtes Werk zu lesen (was Ihnen nicht schwerfallen wird, denn wenn Sie *Die Stadt der Blinden* kennen, wollen Sie auch alle anderen lesen). Und wenn Sie Saramago gelesen haben, wenn Ihre Transformation von einem Bindungsphobiker zu jemandem, der sich gern – nein, gierig – Hals über Kopf in alles hineinstürzt, ganz gleich, ob im Leben oder beim Lesen, egal, wie ungewohnt der Schreibstil, wie schwierig die Ideen, egal, wie angsteinflößend der Gedanke daran, abgeschlossen ist, dann haben wir hier den ultimativen Test für Sie: Proust. Sie werden niemals besser vorbereitet sein.

▸ *Angst, ein Buch zu beginnen*
▸ *Durchlesen; Neigung, nach der Hälfte aufzugeben*
▸ *Feigheit*

BIOLOGISCHE UHR, LAUT TICKENDE

▸ *Kinder; unter Druck stehen, welche zu haben*

BLOCKIERT SEIN

▸ *Schreibblockade*

Da man weiß, dass Lesen Unruhezustände abschwächt, sollten Sie es sich, falls Sie Bluthochdruck haben, unbedingt angewöhnen – am besten mit einem kleinen, zusammengerollten Pelztier auf den Knien. Vorsicht allerdings bei der Wahl der Lektüre – bei etwas zu Flottem oder zu Nervenaufreibendem pumpt Ihnen das Blut sonst noch schneller durch den Körper als vorher. Um zur Ruhe zu kommen, gehen Sie gegen Ihre Ängste an, trauen Sie sich, im Augenblick zu leben, und treffen Sie Ihre Wahl aus unserer Liste der Beruhigungslektüren – Romane, die nicht auf ihre Auflösungen zuhetzen, sondern in der Ereignislosigkeit und den Tugenden des beschaulichen Lebens schwelgen. Was ihnen in Sachen Geschwindigkeit fehlt, machen sie wett durch Schönheit und ihre Fähigkeit, das Nachdenken anzuregen.

► *Arbeitssucht*
► *Stress*

DIE ZEHN BESTEN ROMANE, UM BLUTHOCHDRUCK ZU SENKEN

Rolltreppe oder Die Herkunft der Dinge **Nicholson Baker**
Villette **Charlotte Brontë**
Die Stunden **Michael Cunningham**
Oktober und wer wir selbst sind **Peter Kurzeck**
Das Herz ist ein einsamer Jäger **Carson McCullers**
Auf der Suche nach der verlorenen Zeit **Marcel Proust**
Zeit der Geborgenheit **Wallace Stegner**
Walden oder Leben in den Wäldern **Henry David Thoreau**
Die Abenteuer des Huckleberry Finn **Mark Twain**
Die Wellen **Virginia Woolf**

Therapie: Investieren Sie in einen E-Reader und/oder schaffen Sie sich ein Regal für aktuelle Lektüre an

Sie lieben den Anblick von Büchern und das Gefühl, sie in der Hand zu halten so sehr, dass Sie sie besitzen wollen. Schon der Besuch eines Buchladens versetzt Sie in Ekstase, und die schönsten Momente in Ihrem Leben sind die, wenn Sie Ihre Errungenschaften nach Hause bringen und in Ihre picobello geordneten Bücherregale stellen können. Sie treten einen Schritt zurück, um die Bücher zu bewundern, stellen sich vor, wie es ist, sie gelesen zu haben – und wenden sich anderen Dingen zu.

Kaufen Sie sich einen E-Reader. Indem Sie ein Buch allein auf die Worte reduzieren, werden Sie schnell herausfinden, ob Sie dieses Buch wirklich lesen oder einfach nur besitzen wollen. Wenn Sie es dann auf Ihrem E-Reader gelesen haben und Sie es wirklich lieben – und nur dann –, kaufen Sie sich eine schöne gebundene Ausgabe, um sie ins Regal zu stellen und immer wieder zu lesen, zu lieben, zu berühren und anzuschmachten, um sie Ihren Freunden zu zeigen und einfach zu *haben*.

Wenn ein E-Reader nicht Ihr Ding ist, dann bestimmen Sie eines Ihrer Regale als aktuelles Leseregal, am besten neben Ihrem Bett oder dort, wo Sie am liebsten lesen. Auf dieses Regal stellen Sie das halbe Dutzend Bücher, das Sie als Nächstes lesen wollen. Lassen Sie die Bücher dort nicht verstauben, denn Regel Nummer 1 lautet, dass Sie nur dann ein neues Buch kaufen dürfen, wenn Sie ein anderes vom aktuellen Leseregal gelesen und wieder ins allgemeine Bücherregal zurückgestellt haben. Regel Nummer 2 besagt, dass Sie die Bücher in der Reihenfolge lesen sollten, in der sie dort ankommen. Und Regel Nummer 3 lautet: Jedes Buch, das mehr als ein Mal übersprungen wird oder länger als vier Monate im Regal steht, geht an einen Freund oder wird gespendet. Schummeln gilt nicht! Dann werden Sie in einem Jahr von dieser schlechten Angewohnheit geheilt sein.

C

CHANCE, VERPASSTE

Der Hundertjährige, der aus dem Fenster stieg und verschwand
Jonas Jonasson

Wir haben nur eine begrenzte Anzahl an Tagen zu leben. Und die Tage innerhalb dieser kostbaren Zeitspanne, an denen uns etwas oder jemand Besonderes über den Weg läuft, sind besonders rar gesät. Wenn wir zögern oder nicht den Mut aufbringen, diese Gelegenheiten zu nutzen, werden wir es womöglich für immer bereuen.

Einer, der die Gelegenheit am Schopf packt und mit bemerkenswerter Hartnäckigkeit daran festhält, ist der greise Held in Jonas Jonassons Roman mit dem packenden Titel *Der Hundertjährige, der aus dem Fenster stieg und verschwand.* Es ist die lebensfrohe Geschichte von Allan, der sein Leben immer mit einem Zwinkern und einem Lächeln gelebt hat, mit mehr Neugierde als Überzeugung, und doch maßgeblich an vielen bedeutenden Ereignissen des 20. Jahrhunderts beteiligt war. Der Roman beginnt kurz vor der Feier zu Allans 100. Geburtstag im Altersheim von Malmköping, zu dem die Presse, der Bürgermeister, das gesamte Personal und viele weitere Gäste geladen sind. Allan beschließt, dass das Altersheim wohl doch nicht seine letzte Station auf Erden sein wird und dass er ja auch »ein andermal und anderswo« sterben kann. Er ist nicht nur gänzlich unbekümmert, er hat auch Glück, denn eins der ersten Dinge, die ihm auf seiner Reise widerfahren, ist ein Koffer voller Geld.

Nun nimmt Jonasson uns mit auf eine retrospektive Achterbahnfahrt durch Allans Leben von seiner Geburt 1905 bis zu seinem Neuanfang im Alter von 101 Jahren – auf Bali, mit einer jüngeren Frau (85) an seiner Seite. Unterwegs hilft Allan dabei, die Atombombe zu bauen, und berät zahlreiche Staatsmänner – unter ihnen Winston Churchill und Mao Tse-tung. Auch nach seinem 100. Geburtstag hören die Abenteuer nicht auf und führen ihn und seinen Koffer über einige unbeabsichtigte Morde (Allan gehört nicht zu den Moralaposteln) an die schönsten Orte der Welt – so dass Allan es sogar allmählich als ein wenig anstrengend empfindet, nun, da er beschlossen hat, noch eine Weile am Leben zu bleiben. Jonassons Botschaft ist klar: Wenn Sie sich jemals fragen: »Soll ich wirklich?«, dann lautet die richtige Antwort zweifellos: »Sie sollen!«

► *Entschlusskraft, fehlende*
► *Feigheit*
► *Prokrastination*

D

DEPRESSION, PSYCHISCHE

Die unerträgliche Leichtigkeit des Seins
Milan Kundera

Die Glasglocke
Sylvia Plath

Mr. Chartwell
Rebecca Hunt

Die Skala der Depression hat viele Stufen. An ihrem milderen Ende, wo die meisten von uns früher oder später mal den Zeh ins Wasser tauchen, stehen die gelegentlichen trübsinnigen Tage oder Zeiten, in denen einfach nichts so läuft, wie es soll, in denen wir glauben, keine Freunde zu haben, und in Trübsal versinken (► *Versager; sich wie einer fühlen* ► *Unzugehörigkeitsgefühl* ► *Übellaunigkeit*). An solchen Tagen brauchen wir ein Buch, das unseren Blick auf die Welt wieder zurechtrückt und uns daran erinnert, dass sie auch ein Ort voller Sonnenschein und Lachen sein kann. Werfen Sie einen Blick auf unsere Liste der zehn besten Bücher, um sich aufzuheitern (am Ende dieses Eintrags), vielleicht finden Sie dort etwas Aufmunterndes, das die Fenster Ihrer Seele weit aufreißen und einen Stoß frischer Luft hineinlassen wird.

Am anderen Ende der Skala hüllt die Leidenden eine dicke schwarze Wolke ein, die oft ohne Vorwarnung und ohne einen besonderen Grund auf sie herabsinkt und aus der es keinen Ausweg zu geben scheint. Dies ist eine klinische Depression, eine schwerwiegende und nur schwer zu behandelnde psychische Störung, die immer wieder auftreten kann. Wenn Sie das Pech haben, zu dieser Art von Depression zu neigen, werden Sie sich kaum durch eine leichte und heitere Lektüre aufmuntern lassen. Im Gegenteil, ein solches Buch könnte sogar dazu führen, dass Sie sich noch schlechter fühlen – schuldig, weil es Ihnen unmöglich ist, über seine Pointen und Witze zu lachen, und genervt von seinem naiven Optimismus –, und Sie würden sich nur noch mehr hassen.

Auch wenn es widersprüchlich erscheinen mag, aber in solchen Situationen kann ein Buch, das die Dinge beim Namen nennt – mit Charakteren, die ebenso depressiv sind wie Sie selbst, oder mit einer radikal finsteren Sicht auf die Welt –, genau das Richtige sein, Sie ermutigen, nicht allzu streng mit sich ins Gericht zu gehen, und Sie zielgerichtet unterstützen; ein Buch, das Sie an Ihren finsteren, melancholischen Ort begleitet, ihn akzeptiert und in Worte fasst, damit Sie erkennen, dass es anderen ähnlich ergeht und dass Sie nicht so anders und so schrecklich allein damit sind.
Die psychischen Qualen und die Alpträume, die Teresa in Milan Kunderas Roman *Die unerträgliche Leichtigkeit des Seins* erlebt, sind ein solch finsterer Ort. Ausgelöst wird ihre Pein durch die ständigen Affären ihres lebenslangen Geliebten Tomas. Dieser hat sich, nachdem er sich von seiner gescheiterten Ehe und seinem kleinen Sohn befreit hat, entschlossen, sich von nun an nicht mehr einengen zu lassen. Doch schon zu Beginn der Geschichte wird Teresa als Frau gezeigt, die von der Last des Lebens gebeugt ist, ganz im Unterschied zu der Leichtigkeit Sabinas, der Geliebten von Tomas. Denn Kundera unterscheidet zwei Arten von Menschen: diejenigen, die wissen, dass das Leben keinen tieferen Sinn hat, und folglich an seiner Oberfläche bleiben, indem sie allein im und für den Moment leben; und diejenigen, die den Gedanken nicht ertragen können, dass ihr Leben sinnlos sein soll, und deshalb krampfhaft allem einen Sinn zuweisen. Als Teresa Tomas begegnet, weiß sie, dass sie keine Wahl hat, als ihn für den Rest ihres Lebens zu lieben. Und als sie bei ihm in Prag auftaucht, trägt sie all ihre Habseligkeiten in einem Koffer, darunter auch eine Ausgabe von Tolstojs *Anna Karenina* – ein Roman, der vielleicht am treffendsten ausdrückt, welches Leid es bedeutet, wenn aller Sinn im Leben verlorengeht. So sehr Tomas Teresa auch liebt, so weiß er doch, welche Schwere sie in sein Leben bringen wird. Als seine Weigerung, anderen Frauen abzuschwören, sie an den Rand des Wahnsinns treibt, verachtet Teresa sich für ihre eigene Schwäche, Tomas ändern zu wollen. An ihrem Tiefpunkt angelangt, versucht sie, sich das Leben zu nehmen.

Wenn Sie selbst in solche Tiefen gesunken sind, dass niemand Sie mehr zu erreichen scheint, nehmen Sie diesen Roman und erlauben Sie Teresa, Ihnen da unten Gesellschaft zu leisten. Auch sie möchte leben und ihre Traurigkeit überwinden – und am Ende wird sie einen Weg finden.

Tatsächlich leiden überproportional viele Schriftsteller unter Depressionen. Manche Leute sagen, dass besonders kreative Menschen dafür anfällig sind, andere, dass es nun einmal befreiend ist, über seine Krankheit zu schreiben. So hat der amerikanische Romanautor Richard Yates Stunden damit verbracht, im Zustand katatonischer Depression an die Wand zu starren. Auch Ernest Hemingway litt im Laufe seines Lebens zunehmend unter Phasen tiefer Depression und war ein schwerer Trinker (wenn auch Sie dazu tendieren, im Alkohol Zuflucht zu suchen ▸ Alkoholsucht). Am Ende hat er seinen Kampf gegen die Depression verloren, so wie auch Virginia Woolf und Sylvia Plath, jedoch nicht ohne uns die unschätzbaren Früchte ihrer Existenz zu hinterlassen. Diese Hinterlassenschaften – Romane über das Erleben psychischer Krankheiten – sind dazu da, dass wir Trost finden können, wo er ihren Schreibern verwehrt blieb.

Plath litt unter einer bipolaren Störung, und in ihrem eindringlichen autobiographischen Roman *Die Glasglocke* beschreibt sie anhand ihrer jungen Heldin Esther Greenwood die verwirrenden Stimmungsschwankungen, die sie im einen Moment unfassbar glücklich sein ließen – ihre Lungen blähen sich in einem Ansturm von Freude darüber, am Leben zu sein – und im nächsten »eingezwängt … wie ein totes Baby«, unfähig zu jeglicher emotionalen Reaktion. Esthers Stimme wird denjenigen, die unter einer ähnlichen Depression leiden, Trost spenden. Was Plaths Roman trotz allem so gut lesbar macht, ist ihre leichte, eingängige Prosa und der Umstand, dass sie selbst in den drückendsten Passagen Esthers Menschsein und jugendliche Vitalität durchscheinen lässt. Denken Sie daran, wenn Sie sich nicht vorstellen können, jemals wieder glücklich – oder einfach nur ›normal‹ – zu sein.

Die eigene Depression als etwas zu betrachten, was nicht

direkt zu einem gehört – zum Beispiel als einen großen, schwarzen stinkenden Hund –, mag anfangs etwas seltsam erscheinen, kann aber helfen, sich so von seiner Krankheit zu distanzieren, dass man sie nicht mehr als Grundpfeiler der eigenen Identität sieht. Rebecca Hunts mutiges Debüt *Mr. Chartwell* wird Sie durch diesen Prozess begleiten. Mr. Chartwell ist die Manifestation von Winston Churchills »schwarzem Hund« – der Depression, die den majestätischen Politiker den größten Teil seines Lebens heimgesucht hat – und zieht nun ebenfalls bei seiner zeitweiligen Sekretärin Esther Hammerhans, der Protagonistin des Romans, ein. Black Pat, der allein für die Betroffenen sichtbar ist, steht am zweiten Jahrestag des Selbstmords von Esthers Mann vor ihrer Tür, angeblich wegen ihrer Anzeige, in der sie einen Untermieter sucht. Schnell fühlt er sich bei ihr wie zu Hause, liegt knochenknabbernd vor ihrer Schlafzimmertür. Black Pat mag abstoßende Angewohnheiten haben, doch nur diejenigen, die unter einer Depression leiden, wissen, dass er auch einen besonderen Charme besitzt, dem man nur schwer widerstehen kann, und mit einer Mischung aus Verzweiflung und Faszination nimmt Esther ihn bei sich auf.

Sie ist nicht sein erstes Opfer. Black Pat hat nicht nur Churchill schon einen Besuch abgestattet, Esther geht davon aus, dass er ohne ihr Wissen auch schon einmal in ihrem Haus gewohnt hat. Und als sie allmählich ein tieferes Verständnis für die Krankheit ihres verstorbenen Mannes, und somit auch für ihre eigene Krankheit, bekommt, nähert sich ihre Beziehung zu dem struppigen Mitbewohner der Auflösung. Sie werden nicht umhinkommen, das Buch zu lesen, um herauszufinden, ob sie ihre Depression überwinden wird. Wie wir alle wissen, hat Churchill trotz allem seinen Job gemacht. Und als Esther und ihr Mentor feststellen, dass sie beide den Hund sehen können, sich aber nicht trauen, es zuzugeben – so mächtig ist das Tabu, das diese Krankheit umgibt –, sind Churchills taktvolle Art, das riesige, übelriechende schwarze Vieh zu umkreisen, und seine herzliche Ermunterung, »fest« zu bleiben, anrührend und tröstend, sowohl für Esther als auch für den Leser.

In Fällen ernsthafter Depression wird Bibliotherapie nicht ausreichen, und doch empfehlen wir allen Leidenden, die Möglichkeiten der Literatur als Unterstützung einer medizinischen Behandlung voll auszuschöpfen. Egal ob Sie ein Buch brauchen, das Sie Ihre Trübsal vergessen lässt, oder eins, das Ihnen darin Gesellschaft leistet – Bücher erreichen uns häufig auf eine Weise, die anderen nicht möglich ist, und bieten uns Trost und Kameradschaft in einer Zeit, in der wir beides verzweifelt brauchen. Halten Sie durch, gemeinsam mit Churchill, den beiden Esthers und Teresa. Sie alle – und die Menschen, die sie erdacht haben – wissen, was es bedeutet, mit einer Depression zu leben. Und wenn die hier beschriebenen Erfahrungen nicht mit den Ihren übereinstimmen, dann passt vielleicht ein anderes Buch aus unserer Liste der zehn besten Romane für alle, die sehr traurig sind (siehe folgende Seite). Vielleicht ist es Ihnen unmöglich, die Lücke zwischen den dunklen Wolken zu sehen, aber das Wissen, dass Sie nicht der oder die Erste sind, die unter ihnen die Orientierung verlieren, wird Sie aufrecht halten, bis die Wolken vorüberziehen.

► *Alpträume*
► *Angst*
► *Entschlusskraft, fehlende*
► *Gelüste; keine mehr verspüren*
► *Hoffnungslosigkeit*
► *Lethargie*
► *Menschenscheu*
► *Paranoia*
► *Pessimismus*
► *Reizbarkeit*
► *Schlaflosigkeit*
► *Selbstbewusstsein, mangelndes*

DIE ZEHN BESTEN ROMANE ZUR AUFHEITERUNG

Darling, ich bin deine Tante Mame! **Patrick Dennis**
Grüne Tomaten **Fannie Flagg**
Der Weihnachtshund **Daniel Glattauer**
Verteidigung der Missionarsstellung **Wolf Haas**
Fever Pitch **Nick Hornby**
Nach Hause schwimmen **Rolf Lappert**
Kurze Geschichte des Traktors auf Ukrainisch **Marina Lewycka**
Mrs. Alis unpassende Leidenschaft **Helen Simonson**
Mary Poppins **Pamela L. Travers**
Miss Pettigrews Großer Tag **Winifred Watson**

DIE ZEHN BESTEN ROMANE FÜR ALLE, DIE SEHR TRAURIG SIND

Der Umweg **Gerbrand Bakker**
Die Nöte des wahren Polizisten **Roberto Bolaño**
Herzog **Saul Bellow**
Betty Blue **Philippe Djian**
Die unerträgliche Leichtigkeit des Seins **Milan Kundera**
Mängelexemplar **Sarah Kuttner**
Die Glasglocke **Sylvia Plath**
Letzte Ausfahrt Brooklyn **Hubert Selby Junior**
Nette Aussichten **Edward St Aubyn**
Zeiten des Aufruhrs **Richard Yates**

DEPRESSION, WIRTSCHAFTLICHE

Die Abenteuer des Augie March
Saul Bellow

In diesen harten Zeiten, in denen die Möglichkeiten, Geld zu verdienen, dünn gesät sind und Flexibilität im Beruf gefragt ist, kann man sich wohl keinen besseren Gefährten wünschen als Augie March, einen echten Jedermann, der versucht, sich während der Großen Depression in den USA durchzuschlagen. Augie ist an der rauen West-Side Chicagos aufgewachsen, ein Mann, der gelernt hat, sich im Leben

auf das Glück und seinen Verstand zu verlassen, und der die Dinge »unkonventionell« anzugehen pflegt. Ohne jegliche Schulbildung springt Augie auf der Suche nach seiner wahren Bestimmung von Job zu Job und Mädchen zu Mädchen. Die lange Liste der Lebensweisen, die er anprobiert, um zu sehen, ob sie ihm passen könnten, ist ein hervorragender Fundus für all jene, die nach einer neuen Möglichkeit suchen, an Geld zu kommen: Verteiler von Handzetteln in einem Kino; Zeitungsjunge; Lagerarbeiter bei Woolworth; Weihnachtself; Trauerkränzebinder in einem zwielichtigen Blumengeschäft; Butler, Sekretär, Stellvertreter, Agent, Begleiter und rechte Hand (einschl. Armen und Beinen) für einen an den Rollstuhl gefesselten Immobilienmakler; Co-Trainer eines Schwergewicht-Boxers; Räuber; Verkäufer von Schuhen, Jagdausrüstung und Farben; Fahrer für illegale Einwanderer; Trainer, Wäscher und Nagelpfleger für verwöhnte Hunde; Gewerkschafter; Jäger (mit abgerichtetem Adler); Rechercheur für einen Möchtegern-Schriftsteller.
Wenn Sie gerade arbeitslos sind und also Zeit haben, dann lesen Sie diesen charmanten Schelmenroman und stolpern Sie mit Augie selbst in diese Jobs. Zwar ist ein Leben in derart vielen Rollen letzten Endes eine eher gestaltlose Angelegenheit, wie Bellows Roman beweist – aber sein ungebändigter Opportunismus, sein Sinn für Humor, sein nonchalantes Achselzucken, seine typisch amerikanische easy-going-Großtuerei sind eine harte Währung in Zeiten, in denen alle die Ellbogen ausfahren und den Gürtel enger schnallen müssen. Und wenn Sie dann Ihren eigenen Weg beschreiten, wird Ihnen Augies kurvenreiche Laufbahn dabei helfen, sich von allen Schranken zu befreien.

► *Arbeit; sie verlieren*
► *Arbeitslosigkeit*
► *Pleite sein*

Warten
Ha Jin

DER/DIE RICHTIGE; AUSHARREN FÜR IHN/SIE

Wenn man erst einmal verheiratet ist, sind Kompromisse unvermeidlich; diejenigen allerdings, die sich standhaft weigern, Kompromisse schon *vor* der Hochzeit einzugehen – und die lieber auf den Traummann/die Traumfrau warten, als sich übereilt mit dem Falschen/der Falschen zu vermählen und es dann ein Leben lang zu bereuen –, lassen sich auf ein riskantes Spiel ein. Man kann ein ganzes Leben mit Warten verbringen, und es gibt keine Garantie, am Ende doch noch den erhofften Preis zu bekommen. Was, wenn Sie so lange abwarten, bis es zu spät ist, um Kinder zu bekommen? Was, wenn Sie schließlich den Traummann/die Traumfrau finden, aber zu diesem Zeitpunkt schon derart festgefahren sind in Ihrem Junggesell(inn)en-Dasein, dass Sie sich eingestehen müssen, dass Sie es nicht mehr aushalten, die Wohnung mit jemandem zu teilen?

Was aber, wenn der Richtige/die Richtige bereits da ist – aber schon vergeben? In *Warten* von Ha Jin lässt der Stadtarzt Lin seine Freundin Manna, die als Oberschwester im selben Krankenhaus arbeitet wie er, achtzehn Jahre lang warten, weil er sich erst von Shuyu scheiden lassen muss, dem ungebildeten Dorfmädchen mit den abgebundenen Füßen, das zu heiraten seine Eltern ihn gezwungen haben. Shuyu willigt jedes Jahr aufs Neue in die Scheidung ein, aber jedes Jahr muss er beim Eintreffen im Gericht wieder feststellen, dass sie ihre Meinung geändert hat. Manna verschwendet ihre Dreißiger an das Warten auf Lin, und ihr Unmut lässt sie schließlich verbittern.

Sie ist aber nicht die Einzige, die an den Jahren des Wartens Schaden nimmt: Shuyu erduldet ein hartes, einsames Leben, während sie die gemeinsame Tochter Hua auf dem Land großzieht; und Lin erkennt erst mit großer Verspätung, was für ein schlechter Vater er Hua gewesen ist. Irgendwann hat Manna so lange auf Lin gewartet, dass es auch schon zu spät dafür ist, nicht mehr weiterzuwarten. Allerdings hat zu diesem Zeitpunkt Lins romantische Leidenschaft für Manna stark nachgelassen, und sein eigener Wankelmut hat bei ihm zum Verlust der Selbstachtung geführt. Lin weiß, dass seine Schwäche ihrer aller Leben zerstört hat, und sogar, als es eigentlich ein Ende hat mit dem Warten, deutet sich am Horizont schon neues Warten an.

Dieser Roman soll Ihnen eine Mahnung sein: Lassen Sie nicht zu, dass Ihr Leben zu einem einzigen großen Wartezustand wird.

Verstehen Sie uns nicht falsch: Wir möchten Sie unbedingt dazu ermutigen, lange genug zu warten. Aber nur, wenn Sie dabei realistisch bleiben und nicht so ein Die-Kirschen-in-Nachbars-Garten-Typ sind wie Lin. Sollten Sie dagegen auf jemanden warten, den Sie erst noch für sich gewinnen müssen, seien Sie dabei schonungslos ehrlich mit sich selbst. Tun Sie's nur, wenn er oder sie das Warten wirklich lohnt.

► *Beharrlich eine Frau umwerben, selbst wenn sie eine Nonne ist*
► *Beharrlich eine Frau umwerben, selbst wenn sie verheiratet ist*
► *Bindungsangst*
► *Entschlusskraft, fehlende*
► *Prokrastination*
► *Romantisch sein, hoffnungslos*

DER/DIE RICHTIGE; AUF DER SUCHE NACH IHM/IHR SEIN

Englische Liebschaften
Nancy Mitford

Emma
Jane Austen

Stolz und Vorurteil
Jane Austen

Joshua Spassky
Gwendoline Riley

Bel Canto
Ann Patchett

Den perfekten Lebenspartner zu finden – den besten Freund, Liebhaber, Gefährten, Finanzier, Koch, und all das in einer charmanten Verpackung – wird ganz allgemein als Jackpot in der großen Lotterie des Lebens gewertet, als der beste Weg zu Glück, Gesundheit und einem langen Leben. Für viele ist die Suche danach die Obsession ihrer Jugend und, falls sie ergebnislos bleibt, in den Jahrzehnten danach einer der Hauptgründe, warum sie unglücklich sind (► *Der/Die Falsche; bei ihm/ihr landen*, und ► *Einsamkeit*). Bereits seit dem 19. Jahrhundert teilt – oder spiegelt oder befeuert – die Literatur diese Obsession. Hunderte von Liebesromanen sind zu unserer Unterhaltung oder Erbauung geschrieben worden, aber haben zwei Jahrhunderte der Lektüre uns wirklich vorangebracht? Sind wir womöglich zu solchen Perfektionisten geworden, dass wir Gefahr laufen, einem Ideal hinterherzurennen, das es gar nicht gibt (▸ *Der/Die Richtige; ausharren für ihn/sie*, ▸ *Glück, Suche nach dem*)?

Sieht nicht so aus. Viele von uns verhalten sich immer noch so ungeschickt wie Linda Radlett in Nancy Mitfords *Englischen Liebschaften*, die zwar davon überzeugt ist, dass man seiner wahren Liebe nur ein Mal im Leben begegnet, in Liebesangelegenheiten aber dennoch dieselbe Strategie anwendet wie später beim Kauf ihrer Kleider: Trial and Error. Zweimal heiratet sie den Falschen, bevor sie mit dem wohlhabenden französischen Herzog Fabrice endlich die wahre Liebe findet. Fabrice finanziert ihre Shoppingtouren und macht sie zur glücklichsten Frau der Welt. Doch nicht für lange. Oh, hätte sie es doch nur nicht so eilig gehabt und sich die Zeit gelassen, den Richtigen zu finden!

Tatsache ist, dass wir unserer wahren Liebe häufig schon früh im Leben begegnen, sie jedoch durch unsere eigene Schuld, oder die des anderen, nicht als solche erkennen. Ersteres ist der Fall bei Jane Austens *Emma*, die einen ganzen Roman benötigt, um genügend Selbsterkenntnis aufzubieten, damit Amors Pfeil sie mit absoluter, wundersamer Sicherheit darüber in Kenntnis setzen kann, dass ihre wahre Liebe in Gestalt ihres Nachbarn Mr. Knightley daherkommt. (Autsch! Aber wer von Ihnen hat es nicht auch beim ersten Mal übersehen?) Letzteres ist der Fall bei Elizabeth Bennett in *Stolz und Vorurteil*, bei deren Mr. Darcy noch ein paar unvorteilhafte Charaktereigenschaften ausgebügelt werden müssen, bevor er sie heimführen kann (▸ *Arroganz*). Und gleich beides finden wir im Fall des alkoholbenebelten, emotional angeknacksten Pärchens in Gwendoline Rileys *Joshua Spassky*. Nach fünf Jahren platonischer Fernbeziehung fliegt Natalie zu Joshua nach North Carolina, wo sie einige Tage in einem Hotel in Asheville verbringen, um herauszufinden, ob sie sich nun lieben oder nicht. Wenn es Sie nicht wahnsinnig macht, den beiden zuzusehen, und Ihnen kein Stein vom Herzen fällt, wenn die gefühlskalte Natalie endlich verkündet, sie fühle sich wie eine »Milchflasche, die man gerade aus dem Kühlschrank genommen hat« (soll heißen, dass sie endlich beginnt aufzutauen), dann haben Sie wahrscheinlich ebenso viel Angst, sich zu binden, und sollten sogleich den Eintrag zum Thema ▸ *Bindungsangst* konsultieren. Auch sollten Sie auf Ihrer Suche nach der wahren Liebe die Leute in Ihrem Freundeskreis nicht allzu leichtfertig abschreiben; die glücklichsten Ehen werden häufig zwischen Menschen geschlossen, die einen ähnlichen Hintergrund haben und sich schon ihr ganzes Leben lang kennen.

Doch manchmal ist die wahre Liebe tatsächlich weit, weit weg, und das Leben sieht nicht vor, dass unsere Wege sich kreuzen. So wie bei Mr. Hosokawa, Gründer einer japanischen Elektronikfirma, der sicherlich auch weiterhin geglaubt hätte, dass er wahre Liebe nur für die Oper und niemals für einen anderen Menschen empfinden könnte, wenn er nicht in einem kleinen südamerikanischen Land auf seiner eigenen Geburtstagsfeier einer Geiselnahme zum Opfer gefallen wäre (gemeinsam mit einhundert weiteren Würdenträgern, Staatsoberhäuptern und Diplomaten).

In Ann Patchetts brillanter Liebesgeschichte *Bel Canto* lässt ausgerechnet der brutale Überfall durch bis an die Zähne bewaffnete Terroristen drei wahre Lieben erblühen: die zwischen Mr. Hosokawa und der schönen Sopranistin Roxane Coss; die seines hochkultivierten Übersetzers Gen mit einer ungebildeten Terroristin; und die des französischen Botschafters Thibault, der seine elegante Ehefrau Edith erst seit seiner Entsendung in dieses »verwünschte Land« wirklich zu schätzen weiß. In der Abgeschlossenheit ihres Gefängnisses, eingehüllt in die Schönheit von Coss' Gesang – und Patchett lässt sich Zeit bei ihrer Beschreibung der schmerzhaften, viszeralen und bewegenden Wirkung der Musik auf ihre Figuren – und in ständiger Todesangst wenden sich alle, Geiseln und Geiselnehmer, ausgerechnet dem Gesang, der Literatur, dem Lernen, Kochen, dem Schachspiel und natürlich der Liebe zu.

Damit möchten wir nicht sagen, dass Sie versuchen sollen,

gekidnappt zu werden oder einer berühmten Persönlichkeit nachzustellen, die Sie bewundern (► *Liebe, unerwiderte*). Der Literatur nach zu urteilen ist es Zeitverschwendung, nach der wahren Liebe zu suchen, denn womöglich liegt sie ohnehin direkt vor Ihrer Nase.
Konzentrieren Sie sich lieber auf sich selbst und auf das, wofür Sie wahre Leidenschaft empfinden – egal, ob es die Oper ist, wie bei Mr. Hosokawa, Pferde oder Hemingway. Es wird Ihnen ein Gefühl der Zufriedenheit geben und Sie zu einer interessanten Persönlichkeit machen. Dann, und nur dann, wird die wahre Liebe *Sie* finden.
► *Glück, Suche nach dem*
► *Single sein*

DER/DIE FALSCHE; BEI IHM/IHR LANDEN

Middlemarch
George Eliot

Wenn möglich, vermeiden Sie es von vornherein, bei dem Falschen/der Falschen zu landen. Das ungeheure Ausmaß einer solchen Fehlentscheidung macht George Eliots meisterlicher, bahnbrechender Roman *Middlemarch* deutlich – eine schonungslos unsentimentale Untersuchung des Verheiratet-Seins und der bedauernswerten Folgen einer falsch arrangierten Verbindung, in der sich die unvergleichliche Dorothea Brooke an den muffigen, alten Casaubon verschenkt. Dorothea hat gar nicht den Eindruck, einen Fehler zu machen – ihr ist Casaubons »große Seele« genug, und als Leser können wir durchaus nachvollziehen, dass sie in der Welt des 19. Jahrhunderts, in der Frauen grundsätzlich diskriminiert wurden, das starke Bedürfnis danach hat, sich mit dem intellektuellen Casaubon in eine Reihe zu stellen, damit etwas von diesem Glanz auf sie abstrahlt. Wir wissen jedoch, dass es nur eine Frage der Zeit sein kann, bis sie in ihm den vertrockneten Pedanten erkennt, der er nunmal ist, und dass die »weiten Ausblicke und die frische, freie Luft«, die sie im Geist Ihres Mannes zu finden gehofft hatte, eigentlich nur »Wartezimmer und verschlungene Gänge« sind, die nirgendwohin führen.

Glücklicherweise wird Dorothea durch Gevatter Tod vor einem Leben in drückender Leibeigenschaft bewahrt. Sie haben dieses Glück vielleicht nicht. So wie der schneidige Doktor Lydgate im selbigen Roman. Er und Rosamond, ganz vernarrt in das romantische Ideal, das beide im jeweiligen Gegenüber verkörpert sehen, blicken lebenslanger Pein ins Auge, als das wahre Ich des anderen allmählich hinter der Fassade hervortritt. Rosamonds gesellschaftliche Ambitionen – und kaum mehr war wohl ihr Grund, Lydgate zu heiraten – und Lydgates Ambitionen als Medizinreformer vertragen sich schlecht. Mehr und mehr schleicht sich Verbitterung in ihre Beziehung ein und fängt an, sie zu zersetzen. Lydgate wäre sehr viel glücklicher geworden, hätte er Leben und Arbeit mit Dorothea geteilt, die die gesellschaftlichen Verhältnisse ebenso kritisch wahrnahm wie er – aber in jenen Tagen bestand die Möglichkeit der Scheidung nicht, und Dorothea ist zu diesem Zeitpunkt auch längst glücklich mit einem anderen verheiratet …

Verwenden Sie große Sorgfalt darauf, sich und Ihre(n) Zukünftige(n) gut kennenzulernen, bevor Sie den Bund fürs Leben schließen. Wenn Sie lediglich mit bruchstückhafter Kenntnis von dessen/deren Charakter voranstürmen, kommen eventuell ein paar unerfreuliche Überraschungen auf Sie zu.

▶ *Klemme; in einer stecken*
▶ *Mordgelüste*
▶ *Nichtlesender Partner/Nichtlesende Partnerin*
▶ *Scheidung*
▶ *Unzufriedenheit*

Therapie: Das Buch zerteilen

Sollten Sie sich grundsätzlich von ziegelsteinschweren Wälzern entmutigen lassen, werden Sie einige der fesselndsten Leseerfahrungen der Menschheit verpassen (▶ *Die zehn besten dicken Schinken*, siehe folgende Seite). Um Ihre Blockade zu lösen, zerlegen Sie ein solches Buch in lesegerechte Teilstücke. Sollte es ein gebundenes Buch sein, stellen Sie es hochkant hin und schauen Sie von oben auf den Rücken: Sie werden sehen, dass die Seiten in mehrere, zusammengenähte »Buchblöcke« unterteilt sind. Lösen Sie die einzelnen Blöcke heraus. Bei Taschenbüchern sind die Seiten an den Buchrücken geklebt und können auf etwas willkürlichere Art angegangen werden; Sie sollten dann allerdings immer einen Vorrat an Wäscheklammern bei sich haben, um die losen Seiten zusammenzuhalten. Aber plötzlich sind aus dem dicken Schinken ein Dutzend schmaler Traktate geworden, von denen jedes ungefähr den Umfang einer längeren Kurzgeschichte besitzt und überhaupt nicht mehr furchteinflößend ist. Seien Sie übrigens nicht allzu pietätvoll mit den losen Seiten. Sobald Sie sie gelesen haben, werfen Sie sie einfach weg. Uns gefällt die Vorstellung, die Seiten unbekümmert eine nach der anderen aus dem Fenster eines schnell fahrenden Zuges flattern zu lassen. (Obwohl es natürlich unverantwortlich ist, eine solche Vermüllung der Landschaft zu empfehlen.) Wie auch immer Sie es machen: Lassen Sie das Buch beim Lesen schrumpfen und behalten Sie so die Oberhand. Es ist weitaus besser, Vikram Seths *Eine gute Partie* in körperloser Form im Kopf zu haben als hinter Ihrer Wohnungstür, unversehrt, aber dazu verurteilt, ein Leben als Türstopper zu führen.

DIE ZEHN BESTEN DICKEN SCHINKEN

Georgs Sorgen um die Vergangenheit oder Im Reich des heiligen Hodensack-Bimbams von Prag **Jan Faktor**
Doktor Faustus **Thomas Mann**
Der Mann ohne Eigenschaften **Robert Musil**
Auf der Suche nach der verlorenen Zeit **Marcel Proust**
Die Enden der Parabel **Thomas Pynchon**
Eine gute Partie **Vikram Seth**
Jahrmarkt der Eitelkeit **William Thackeray**
Krieg und Frieden **Lew Tolstoj**
Europe Central **William Vollmann**
Unendlicher Spaß **David Foster Wallace**

DIE KATZE AUS DEM SACK LASSEN

Tess von d'Urbervilles
Thomas Hardy

Aus medizinisch ungeklärten Gründen (wobei wir natürlich unsere eigene Hypothese verfolgen, siehe unten) fühlt man sich körperlich unwohl, wenn man ein Geheimnis für sich behalten muss, und ist erleichtert, wenn man es schließlich jemandem erzählen kann. Ein Geheimnis zu beichten – die Katze aus dem Sack zu lassen – kann Befreiung bringen und manchmal sogar sadistische Freude bereiten, denn der Ausdruck auf dem Gesicht des anderen im Augenblick der Wahrheit ist unter Umständen äußerst unterhaltsam und befriedigend zugleich (► *Schadenfreude*). Doch sind diese Gefühle in aller Regel von kurzer Dauer, besonders wenn die Katze ihrem Empfänger Leid oder Kummer bereitet, oder Sie nicht das Recht hatten, das Tier freizulassen. Bevor Sie sich also dazu hinreißen lassen, Ihr Geheimnis zu offenbaren, sollten Sie die kurzfristigen Vorteile (für Sie) gegen die langfristigen Konsequenzen (für Sie und andere) gegeneinander abwägen. Denn ist die Katze einmal aus dem Sack, kann sie nicht wieder eingefangen werden, und unter Umständen mag es für alle besser sein, wenn Sie sich mit dem Unbehagen abfinden, das ein wohlgehütetes Geheimnis Ihnen bereitet. Wenn Tess von d'Urbervilles dem Rat ihrer Mutter gefolgt wäre und sich damit abgefunden hätte, ihre Katze für sich zu behalten, wäre ihre Ehe gerettet und ein glückliches Ende vorherbestimmt gewesen. Doch als Angel Clare ihr in der Hochzeitsnacht eine vormalige Affäre gesteht, berichtet auch sie ihm von ihrer Vergangenheit mit Alec d'Urberville. Verständlicherweise betrachtet sie diesen Augenblick als perfekte Gelegenheit für sie beide, ihr Gewissen zu erleichtern. Doch zu seiner Schande kann Angel Tess nicht vergeben, so wie sie ihm vergibt. Er wendet sich von seiner befleckten Tess ab und verschwindet schmollend nach Brasilien.

Das alles wäre nicht geschehen, wenn Tess die Katze im Sack gelassen und Angel Manns genug gewesen wäre, die Sache so zu sehen, wie sie war – Tess das Opfer, er selbst derjenige, der mit seinem Geständnis den Frieden gestört hat. Vielleicht hätte sie auch erkannt (wie sie es am Ende tut), dass es niemals an ihr war, sich schuldig zu fühlen, sondern an Alec d'Urberville, und zwar von Anfang an – schließlich war Tess' Zustimmung zu ihrem Beisammensein mehr als fraglich. Selbstverständlich ist Tess ein Opfer der patriarchalischen Strukturen und Denkweisen des 19. Jahrhunderts, aber eins lässt sich nicht von der Hand weisen: Sie hätte die Katze im Sack lassen sollen.

Aber seien Sie gewarnt: Wenn Sie tatsächlich ein durch und durch schuldbehaftetes Geheimnis hüten und beschlossen haben, es zu wahren, dann seien Sie versichert, dass das Unbehagen im Laufe der Zeit zunehmen wird – egal ob Sie selbst der oder die Schuldige sind oder nicht. Sprichwörtliche Katzen wachsen ebenso wie ihre realen Gegenstücke, bis sie eines Tages ihren Sack sprengen, und das gewöhnlich im unpassendsten Moment. Wenn Sie also den Verdacht haben, dass Ihre Katze zu einem gewaltigen Tiger heranwachsen könnte, sollten Sie sich einen unbeteiligten Dritten suchen, dem Sie Ihr Geheimnis anvertrauen können und der das Tier dann kontrolliert und mit Bedacht aus dem Sack lassen kann – oder Ihnen dabei hilft.

► *Musterknabe; einer sein*
► *Schuldgefühle*

Es hätte mir genauso
Ali Smith

Kalter Schweiß. Seltsamer Hautausschlag. Plötzliche Übelkeit. Nervöse Zuckungen im Gesicht. Kleidungsstücke, die spurlos verschwinden. Arbeit, die unbedingt noch bis morgen erledigt werden muss. Das Verlangen, sich stundenlang mit der Babysitterin über ihr neuestes Kunstprojekt zu unterhalten. Das sind die Symptome eines Dinnerpartyphobikers. Während der schlottert, beißt der Partner des Angsthasen die Zähne zusammen und drängt zaghaft zum Aufbruch. Sie sind schon fast aus der Tür, als besagter Hase das dringende Bedürfnis verspürt, aufs Klo zu gehen, und sich im Badezimmer einschließt. Woraufhin der entnervte Partner *Es hätte mir genauso* unter der Badezimmertür durchschiebt.
Unser Heilmittel für Dinnerparty-Phobiker ist die Geschichte von Miles, der während einer Dinnerparty aufsteht und sich (nachdem er vorher noch einen Salzstreuer gemopst hat) oben im Gästezimmer einschließt. Dort bleibt er ein paar Wochen und wird zu einer Berühmtheit für die Außenwelt, die ihn von Greenwich Common aus durchs Fenster beobachtet und sogar Camps errichtet, um ihn bei seinem »Protest« zu unterstützen.
Die Gastgeber sind schockiert und versuchen anfangs, ihn zu ignorieren, dann schieben sie flache Päckchen mit hauchdünn geschnittenem Truthahn und Schinken unter seiner Tür durch. Am Ende ist es die neunjährige altkluge Nachbarstochter Brook, die uns demonstriert, was Miles hätte tun sollen, um besagte Dinnerparty zu überstehen: Seien Sie neugierig und versuchen Sie von den anderen Gästen etwas über sie zu erfahren. Und wenn alles nichts hilft, schlafen Sie einfach am Tisch ein.
Nehmen Sie sich ein Beispiel an Brook. Sie werden einen angenehmeren Abend verbringen – und auch früher wieder zu Hause sein.

► *Menschenhass*
► *Menschenscheu*

Ein Todesfall in der Familie
James Agee

Sie selbst haben vielleicht gar nicht das Gefühl, andere zu drangsalieren, aber wenn Sie Menschen, die schwächer oder verwundbarer sind als Sie selbst, absichtlich regelmäßig und ohne groß darüber nachzudenken wehtun – verbal oder körperlich –, dann sind Sie womöglich doch nicht ganz unschuldig. Alle, die tief in ihrem Innern wissen, dass sie diese schändliche Angewohnheit haben, bitten wir, James Agees Pulitzer-Preis-dekoriertes Meisterwerk *Ein Todesfall in der Familie* zu lesen, eine der bewegendsten Schilderungen des Drangsalierens, die wir kennen.

Rufus lebt in einem »gemischten« Stadtteil von Knoxville, Tennessee, einem dieser Orte, wo um sechs Uhr das Abendessen auf dem Tisch steht und um halb sieben die Kinder wieder zum Spielen rauskommen, während die Mütter den Abwasch machen und die Väter den Rasen sprengen. Rufus, der noch zu klein für die Schule ist, liebt es, die älteren Kinder auf ihrem Schulweg zu beobachten. Anfangs steht er dabei am Fenster, dann im Vorgarten, dann auf dem Bürgersteig. Und schließlich traut er sich sogar bis an die Straßenecke, von wo aus er sie aus drei Richtungen kommen sehen kann. Er bewundert ihre unterschiedlichen Aufbewahrungsdosen für Essen und Stifte und die Art, wie die Jungs ihre Bücher in den braunen Baumwollriemen hin und her schwingen – bis sie anfangen, die Bücher gegen Rufus' Kopf zu schwingen. Die Grausamkeiten steigern sich bald zu einem täglichen Ritual an Spott und Demütigung, denn Rufus, der verzweifelt glauben möchte, dass die vorgespielte Freundlichkeit der Jungen echt ist, tappt jedes Mal wieder in die Fallen, die sie ihm stellen – zur großen Freude seiner Peiniger. Er ist viel jünger als die anderen Kinder, und die Art und Weise, wie sie sein unschuldiges Vertrauen missbrauchen, ist wirklich schmerzhaft zu lesen.

Agee war in erster Linie Lyriker, und seine lebhafte Prosa taucht tief in bislang unerforschte emotionale Abgründe der menschlichen Seele. Als Rufus eine Tragödie erlebt, deren Ausmaß zu erfassen er noch viel zu klein ist, und seine Pei-

niger sich kein bisschen darum scheren, wird Ihnen als Leser endgültig das Herz brechen.
Wenn Sie die Schwäche anderer ausnutzen – ganz gleich, ob auf dem Spielplatz, zu Hause oder im Job – und sich noch nie überlegt haben, welche Auswirkungen Ihr Verhalten auf Ihre Opfer hat, dann wird dieses Buch schon dafür sorgen, dass Sie Ihr Verhalten ändern. Wenn Sie wissen, dass Sie in Ihrer Jugend jemand waren, der andere schikaniert hat, lesen Sie weiter bei ▸ *Schuldgefühle* und lassen Sie diesen Abschnitt Ihres Lebens hinter sich. Vermutlich wissen Sie nur zu gut, wie es sich anfühlt, gemobbt zu werden – denn viele, die andere Menschen schikanieren, haben eine solche Schikane vorher selbst erlebt. Wenn Sie zu diesen Menschen gehören, dann ist ein Seitenwechsel ganz klar die falsche Antwort. Siehe stattdessen ▸ *Mobbing*.

DREISSIGER

DIE ZEHN BESTEN ROMANE FÜR DREISSIG- BIS VIERZIGJÄHRIGE

Die Herrin von Wildfell Hall **Anne Brontë**
Middlesex **Jeffrey Eugenides**
Fiesta **Ernest Hemingway**
Das Beste von allem **Rona Jaffe**
Die Klavierspielerin **Elfriede Jelinek**
Der grüne Heinrich **Gottfried Keller**
Wachstumsschmerz **Sarah Kuttner**
Der Menschen Hörigkeit **W. Somerset Maugham**
Durch den Wind **Annika Reich**
Der Dschungel **Upton Sinclair**

DREISTIGKEIT

- ▶ *Alkoholsucht*
- ▶ *Drogenkonsum, übermäßiger*
- ▶ *Egoismus*
- ▶ *Pubertät*
- ▶ *Risikobereitschaft*
- ▶ *Spielsucht*
- ▶ *Achtlosigkeit*
- ▶ *Zwanziger*

DROGENKONSUM, ÜBERMÄSSIGER

Trainspotting
Irvine Welsh

Schöne neue Welt
Aldous Huxley

Für Sherlock Holmes war eine Dosis Kokain, dreimal am Tag in einer siebenprozentigen Lösung gespritzt, »phantastisch anregend und klärend für den Geist«. Watson aber ist über Holmes' Angewohnheit entsetzt und blickt bestürzt auf dessen mit unzähligen Einstichspuren übersäten Unterarm. Sir Arthur Conan Doyle, der schon damals die gefährlichen und abhängig machenden Eigenschaften von Laudanum[1], Heroin[2] und Kokain[3] ahnte, war seiner Zeit weit voraus. Jede Ära hat ihre Drogen, die sich mit ihren süchtig machenden Substanzen in unser Leben schleichen (heute sind es wohl Prozac, Koffein, Nikotin, Barbiturate und Morphium) und deren negative Eigenschaften nicht immer gleich erkannt werden. Und dann gibt es noch die sogenannten Partydrogen, die für manche bald mehr werden als ein gelegentliches Vergnügen. Woran lässt sich erkennen, wann ein Ausprobieren oder eine gelegentliche Gewohnheit zu etwas Finsterem und Lebensbedrohlichem werden? Wann das Spiel zur Abhängigkeit wird? Lesen Sie die folgenden Romane. Sie werden Ihnen helfen, Ihre Symptome zu erkennen und den Nachschub zu stoppen, bevor es zu spät ist.

Es ist ein weiter Weg von der Baker Street, wo die Spritze

1 Wurde als Zahnungshilfe für Babys eingesetzt.
2 Eine beliebte Medizin bei Husten.
3 Bekannt für seine positive Wirkung bei Zahnoperationen.

in einem hübschen Futteral aus Saffianleder daherkommt und der Konsument sich in seinem samtbezogenen Sessel zurücklehnt, zu den Jungs in *Trainspotting*, Irvine Welshs Trip in die moderne Heroinhölle. Welsh liefert eine detaillierte Schilderung der Highs und des Horrors der Drogenabhängigkeit, vom Tod des Babys Dawn, die erstickt, während ihr Eltern bewusstlos sind, über die Amputation eines durch die Nadel infizierten Beins bis zur Zerstörung von Freundschaften, Familien und, so scheint es, dem gesamten heruntergekommen Viertel in Edinburgh, dem Schauplatz dieses Romans. »Alles in Ordnung, alles in Butter; aber ich fürchte, bald haut das innere Meer wieder ab und läßt diesen giftigen Scheiß zurück, zurück in meinem Körper«, beschreibt Sick Boy den Horror nach dem High, denn schon während er sich den Schuss setzt weiß er, »die Flut kommt immer seltener, das Gift bleibt immer länger«. *Trainspotting* liefert schlagende Argumente dafür, auf Entzug zu gehen – oder von Anfang an die Finger davon zu lassen.

Wenn man abhängig ist und nicht einmal mehr bemerkt, dass man Hilfe braucht, schrillen alle Alarmglocken. In Aldous Huxleys Dystopie *Schöne neue Welt*, basiert die gesamte Gesellschaftsordnung auf der Droge Soma. Denn die Einnahme von Soma, einem milden, stimmungsaufhellenden Halluzinogen, ist Pflicht. Zwei Gramm an Wochentagen, sechs an Samstagen. Als Lenina und Bernard, zwei Produkte dieser Gesellschaft, John begegnen, dem »Wilden«, der in einem Reservat lebt, in dem Soma unbekannt ist, ist er entsetzt über ihre Abhängigkeit von der Droge. Er versucht sie davon zu überzeugen, das »Gift« fortzuwerfen und sich davon zu befreien. Doch die beiden sind schon nicht mehr in der Lage, ihn zu verstehen. Sie haben einen Punkt erreicht, an dem sie nicht mehr umkehren können. Wir hoffen, dass dieses Beispiel Ihnen einen kalten Schauer über den Rücken jagt.

► *Alpträume*
► *Konzentrationsschwierigkeiten*
► *Paranoia*

Leseleiden: Durchlesen; Neigung, nach der Hälfte aufzugeben

Therapie: Längere Lesezeiten

Vielleicht lesen Sie tatsächlich ein schrecklich langatmiges Buch – wobei man nicht vergessen darf, dass manche Bücher gleich von der ersten Seite an Tempo machen, andere dagegen erst ab der Hälfte richtig in Fahrt kommen, und wieder andere stur – oder völlig selbstvergessen – über die gesamte Seitenzahl langsam dahinplätschern. Wenn Sie aber bei sich die Tendenz beobachten, neue Bücher voller Enthusiasmus anzufangen, aber schon bald nur noch herumzutrödeln, bis Sie schließlich versacken, wenn in Ihren Büchern überall mittendrin Lesezeichen stecken, dann liegt das Problem womöglich nicht beim Buch, sondern bei Ihnen selbst. Der wahrscheinlichste Grund dafür ist, dass Sie den Büchern einfach keine Chance geben. Sie lesen immer nur kurz – vielleicht nur fünf oder zehn Minuten am Stück – und kommen deshalb nie wirklich ›rein‹. Doch das ist weder dem Buch noch dem Autor gegenüber fair. Geschichten, die es wert sind, erzählt zu werden, brauchen ihre Zeit. Die Figuren müssen, wie Häuser, auf feste Fundamente gestellt werden; und sie müssen uns Lesern ans Herz wachsen, damit wir an ihrem Schicksal Anteil nehmen.
Versuchen Sie gar nicht erst, ein Buch anzufangen, wenn Sie nicht mindestens jeweils fünfundvierzig Minuten für die ersten beiden Sitzungen aufbringen können. Bis dahin wird die Geschichte sich hoffentlich um Ihre Eingeweide gewickelt haben, so dass Sie immer wieder zurückkehren, um weiterzulesen. Wenn Sie aber ein eingefleischter Aufgeber sind, dann versuchen Sie, *jedes* Mal mindestens fünfundvierzig Minuten zu lesen. Und wenn selbst das nichts fruchtet, dann bleibt Ihnen nichts anderes übrig, als sich einen Tag Urlaub zu nehmen, sich mit einem Bein an den Stuhl zu fesseln und nicht wieder zu befreien, bevor Sie das Buch zu Ende gelesen haben.

Leseleiden: Durchlesen; Zwang, jedes Buch zu Ende lesen zu müssen

Therapie: Die Fünfzig-Seiten-Regel

Manche Leser können es nicht ertragen, ein Buch nicht zu Ende zu lesen. Sie ackern verbissen und freudlos bis zum bitteren Ende durch die Seiten, entweder, damit sie ohne zu erröten sagen können: »Ich hab's gelesen«, oder damit Sie ihr allzu pflichtbewusstes Gewissen nicht mit einem nur teilweise gelesenen Buch belasten müssen, egal wie langweilig oder ermüdend es für sie auch gewesen sein mag.

Das Leben ist zu kurz dafür. Lesen Sie die ersten fünfzig Seiten eines Buches, und zwar wenn möglich in maximal zwei Sitzungen. Wenn es das Buch bis dahin noch nicht geschafft hat, Ihren Solarplexus in Erregung zu versetzen, dann legen Sie es beiseite. Als Leser sollten Sie lernen, Ihrem Urteil und Ihrem Literaturgeschmack zu vertrauen. Jedes Buch, das Sie lesen oder zu lesen versuchen, hilft Ihnen, Ihren zukünftigen Leseweg zu gestalten (und wenn Sie ein wenig Hilfestellung dabei brauchen: ▸ *Unsicherheit über die eigene Lese-Identität*). Zwingen Sie sich nicht dazu, Wege einzuschlagen, die Ihnen weder etwas bringen noch Ihnen Freude machen. Geben Sie die Bücher, die Sie selbst nicht zu Ende lesen, an jemanden, der vielleicht mehr mit ihnen anfangen kann. Auf diese Weise drücken Sie Ihren Respekt vor dem Buch aus und der Arbeit, die es gekostet hat, es zu schreiben, und stellen gleichzeitig sicher, dass Sie nicht am Ende ein Haus voller unbeendeter Bücher haben, die sie jedes Mal böse anstarren, wenn Sie an ihnen vorbeikommen.

E

EGOISMUS

Einer flog über das Kuckucksnest
Ken Kesey

Egoismus wird neuerdings als positive Charaktereigenschaft gewertet. Kümmern Sie sich zuerst um Ihre eigenen Bedürfnisse, mahnen uns die Selbsthilfebücher. Stellen Sie sicher, dass Sie es sind, der/die an die Spitze kommt. Sich selbst an die erste Stelle zu setzen kann Ihnen sicherlich viel Geld einbringen, vielleicht angeln Sie sich so einen Topmanager-Drehstuhl, aber Freunde finden Sie so keinesfalls – zumindest nicht die Sorte Freunde, die man sich wünscht. Egoistisches Verhalten wird Sie nie und nimmer glücklich machen – es sei denn, Sie haben Spaß daran, mitzuerleben, wie die Leute um Sie herum eine richtig schlechte Zeit haben (schlagen Sie in diesem Fall nach unter ▸ *Schadenfreude*).

Höchste Zeit, sich Anregung zu holen von einer unserer literarischen Lieblingsfiguren, Randle P. McMurphy, dem dreisten, unverschämten Iren aus *Einer flog über das Kuckucksnest*, Ken Keseys Enthüllungsgeschichte über psychiatrische Institutionen, Elektroschocktherapie und Lobotomien von 1962. Mit seinem breiten, offenen Lachen und seiner resoluten Weigerung, sich einschüchtern zu lassen, platzt McMurphy in der Klapsmühle ins Leben der Akuten und der Chronischen – beschädigte Männer, aufgegeben von einer Gesellschaft, die sie zu dem gemacht hat, was sie sind – und verändert sie nachhaltig.

McMurphy ist nicht auf jene langweilige Art selbstlos, wie Heilige und Märtyrer es sind. Wie der behandelnde Arzt in seinem Bericht liest, schützt er wahrscheinlich eine Psychose vor, um der harten Arbeit auf der »Arbeitsfarm« zu entkommen, wo er zuvor schuften musste. Zunächst hat Mc-

Murphy es noch auf eine gute Zeit abgesehen. Während er seine Runde durch die Station dreht, um sich vorzustellen, und dabei den Rollern, den Gehern und den Vegetierern die Hand schüttelt, wird deutlich, dass er sich nur Bestätigung für seine Überlegenheit über die Gruppe holt. Aber McMurphys unbezähmbarer Geist zeitigt bald seine Effekte bei den Männern. Als er lacht, ist das das erste Lachen, das Häuptling Bromden – der angeblich taubstumme indianische Erzähler der Geschichte, der schon am längsten da ist – seit Jahren gehört hat. McMurphy weiß, dass es an diesem Ort der Einschüchterung, an dem die tyrannische Oberschwester Ratched herrscht, keinem der Männer jemals besser gehen wird. »Mann, wenn du nicht mehr lachen kannst, kannst du auch nicht mehr sicher auftreten«, sagt er.

Und so fängt McMurphy fast unmerklich und vielleicht auch nur halb bewusst an, seine Mitinsassen aufzubauen. Er zwinkert und witzelt in den Gruppentherapiesitzungen und versucht, »irgendeinen Akuten zu einem dünnen Lachen zu verführen, der vielleicht seit seinem zwölften Lebensjahr Angst davor hatte, auch nur zu grinsen«, er überredet den Arzt, sie auf den Fluren Basketball spielen zu lassen, und hört Bromden zu, der so groß ist »wie ein verdammter Berg«, um zu verstehen, warum der Häuptling sich so klein fühlt. Als er eines Tages zwölf Insassen auf einen Tiefseeangel-Ausflug mit ein paar »Tanten« (aka Nutten) mitnimmt, belohnt er sie für ihren Mut mitzukommen – indem er ihnen beibringt, wie sehr ein bisschen Wagemut helfen kann, selbst wenn man ihn nur vorschützt. Was folgt, ist ein glorreicher, wahnsinnig anrührender Tag, an dem das gemeinsame Lachen den Männern Auftrieb gibt und sie daran erinnert, wer sie sein könnten.

McMurphy hätte keinen von ihnen auf seinem Boot mitnehmen müssen. Er hätte seine Tatkraft mit niemandem teilen müssen. Er hätte Candy nicht zur Party einladen und ganz sicher hätte er seine Flucht nicht aufschieben müssen, nur damit der junge, stotternde Billy Bibbit seine erste Nacht mit einer Frau verbringen konnte. Er zahlt einen schrecklichen Preis dafür.

Aber so ist es eben mit der Selbstlosigkeit. Es geht dabei nicht um Sie, sondern um die anderen. Und als was würden Sie lieber in Erinnerung bleiben: als jemand, der Freude und Lachen ins Leben der anderen bringt, oder als jemand, der sich ausschließlich darum kümmert, dass in seinem eigenen alles prima läuft? Bringen Sie nicht mehr nur Ihre eigenen Schäfchen ins Trockene. Lassen Sie auch die Schafe der anderen nicht im Regen stehen.

► *Empathie, Mangel an*
► *Gier*

EHEBRUCH

Madame Bovary
Gustave Flaubert

Anna Karenina
Lew Tolstoj

Der Sommer ohne Männer
Siri Hustvedt

Am Hang
Markus Werner

Üblicherweise geraten Menschen dann in Versuchung, ihren (Ehe-)Partner zu betrügen, wenn sie sich in ihrer Beziehung nicht mehr wohl oder missverstanden fühlen. Mit jemand anderem wären sie ein anderer Mensch, denken sie, viel strahlender, witziger, attraktiver. Vielleicht rechtfertigen sie ihr Fremdgehen damit, dass sie zu früh geheiratet haben, bevor sie wussten, wer sie wirklich sind; aber jetzt möchte ihr wahres Ich endlich mal im Rampenlicht stehen. Und womöglich sind Sie tatsächlich eine Weile attraktiver, strahlender. Aber Affären, die eine langjährige Beziehung zerstören, nehmen häufig ein ähnliches Ende wie die Beziehung, spätestens dann, wenn das alte Ich mit seinen Gewohnheiten zurückkehrt, zwar in einer etwas anderen Konstellation, doch häufig gepaart mit einem Gefühl der Verunsicherung – denn wenn die Beziehung zumindest für einen von beiden mit einer heimlichen Affäre begann, warum sollte so etwas dann nicht noch einmal passieren?
Emma Bovary winkt die Versuchung, ihren Ehemann zu betrügen, kaum dass sie ihn geheiratet hat. In ihrer romantischen jugendlichen Vorstellung vom Eheleben hatte sie erwartet, nun endlich die Leidenschaft zu empfinden, »die bisher wie ein großer Vogel mit rosigem Gefieder in der Herrlichkeit poetischer Himmel geschwebt hatte«, und nicht das ruhige, ereignislose Leben, das sie nun führt. Diese

absurde Vorstellung – so ungern wir das zugeben – hat sie aus Büchern, denn in ihrem zarten Alter von fünfzehn Jahren hat Emma bereits eine ganze Menge Liebesromane verschlungen, voll gepeinigter Damen, die in einsamen Pavillons ohnmächtig werden, und Herren, die »mit ihrem Weinen Tränenkrüge füllen«.[1] Als sie dem liebestollen, hintertriebenen Rodolphe begegnet, der sie mit billigen Schmeicheleien zu verführen sucht, verfällt sie ihm ohne Gegenwehr.

Wenn Sie den Verdacht haben, ähnlich unrealistischen, romantischen Vorstellungen von Liebe und Ehe anzuhängen wie Emma, dann empfehlen wir Ihnen eine ordentliche Dosis zeitgenössischer Realisten wie Jonathan Franzen und Zadie Smith.

Die lebhafte Anna Karenina ist zwar nicht direkt auf der Suche nach einem Ausweg aus ihrer Ehe mit dem konservativen Karenin, aber in Wronski findet sie ohne Frage ihren Gegenpart. Als sie ihn nach ihrer ersten Begegnung in Moskau auf einem Bahnsteig wiedersieht, ist es um sie geschehen. Nach Hause zurückgekehrt, kann sie den Anblick ihres Mannes und das ihm eigene spöttische Lächeln, mit dem er sie begrüßt (und seine knorpeligen Ohren) nicht mehr ertragen. Stärker als sonst spürt sie, dass sie ihm nur etwas vormacht, dass ihre Gefühle nicht echt sind – und sie ist unzufrieden mit sich selbst. Nun, da sie sich mit Wronski erlebt hat, wie kann sie da jemals wieder die Anna sein, die sie in Gegenwart des gefühlskalten Karenin ist?

Anna muss allerdings auch erkennen, dass Wronski zu lieben zugleich bedeutet, Schuld auf sich zu laden. Tatsächlich (und dieses Mal ist es uns ein Vergnügen, Sie darauf aufmerksam zu machen) ist es ein Roman über einen schuldigen Baron, der Anna dazu bewegt, sich ihrer eigenen Schuldgefühle bewusst zu werden. Schuldgefühle und Selbsthass werden An-

---

1 Allerdings sind die Romane nicht die alleinigen Missetäter. Emma Bovary kennt alle Liebeslieder des »vorigen Jahrhunderts« auswendig, ebenso wie die berauschenden Riten und Rituale der katholischen Kirche, und sie mag die Natur nur, wenn sie zwischen alten Ruinen sprießt – und dafür geben wir allein der romantischen Kunst des 18. Jahrhunderts die Verantwortung.

na Karenina am Ende zu Fall bringen, kann sie doch die Normen und Werte, die sie zu der Frau gemacht haben, die sie ist, nicht einfach abschütteln – ganz besonders in Bezug auf die Liebe, die sie ihrem Sohn schuldet. Ganz egal, wie Ihre eigene Situation aussehen mag: Vergessen Sie nicht, dass Schuld ein schlechter Begleiter ist (für Hilfe bei der Frage, wie man mit Schuldgefühlen leben kann und am Ende aufrecht aus der ganzen Sache wieder herauskommt, siehe ▸ *Schuldgefühle*).

Eine Affäre muss aber nicht zwangsläufig das Ende einer langjährigen Beziehung bedeuten. Und wenn Sie der oder die Betrogene sind, dann könnte es sich lohnen, sich von Siri Hustvedts Roman *Der Sommer ohne Männer* ein wenig Mut machen zu lassen. Hustvedts Roman ist eine faszinierende Studie zum Thema ›älterer Mann verlässt langjährige Ehefrau, um es mal mit einem jüngeren Exemplar zu versuchen‹. Als Mias Mann Boris ihr erklärt, dass er eine »Pause« braucht, wird sie von allen Gefühlen übermannt, die man in einer solchen Situation erwartet und die Sie womöglich ebenfalls kennen: Sie fühlt sich gedemütigt, verraten und wütend und landet für einige Zeit in der Psychiatrie. (▸ *Wut* und ▸ *Herz, gebrochenes* für Hilfestellungen in dieser Situation und bei der Frage, wie man es vermeidet, dabei zeitweilig verrückt zu werden.) Doch dann packt Mia ihre Sachen und fährt über den Sommer in das kleine Provinznest in Minnesota, in dem sie aufgewachsen ist – und wo ihre Mutter mittlerweile im Altersheim lebt. Dort, umgeben von Frauen, die alle aus unterschiedlichen Gründen ohne Mann leben, gelingt es ihr, ihre Wunden zu heilen. Manchmal kann eine »Pause«, während der alle Probleme auf den Tisch kommen – und zwar von beiden Seiten – einer Partnerschaft guttun. Und wenn Sie beschließen, sich tatsächlich zu trennen, dann mag ein *Sommer ohne Männer* (oder Frauen) Ihnen die Kraft geben, Ihren Weg allein weiterzugehen (▸ *Scheidung*).

Ein Vertrauensbruch hinterlässt tiefe Wunden, und viele Paare schaffen es nicht, sich wieder davon zu erholen. Wenn Ihr Partner Sie betrogen hat, dann sollten Sie ehrlich zueinander sein und gemeinsam entscheiden, ob es möglich ist, das verlorene Vertrauen wieder aufzubauen (für Starthilfe ▸ *Harmoniebedürfnis, übermäßiges*).

Wenn Sie mit dem Gedanken spielen fremdzugehen oder es bereits tun, versuchen Sie doch mal, stattdessen Ihrem unterdrückten Ich in Ihrer Ehe Ausdruck zu verleihen. Auf diese Weise würden Sie allen Beteiligten viel Ärger und Leid ersparen, und vielleicht nutzt auch Ihr Partner die Gelegenheit, jemand anderes zu werden. Nicht überzeugt? Dann bleibt nur die gute alte Holzhammertherapie: Lesen Sie Markus Werners *Am Hang*. Dieser Roman ist so raffiniert erzählt und dehnt seine Spannungskurve derart gnadenlos, dass Sie Ihre ehebrecherischen Gelüste möglicherweise vergessen und sich stattdessen an der Lektüre laben. Gut, diesen Effekt hätten Sie auch mit Harry Potter erzielen können, aber Markus Werner kann mehr, denn während der Lektüre wird in Ihnen ein unheimlicher Verdacht wachsen: Zwar sind wir alle selbstbestimmt, handlungsfähig und niemand ist mehr so naiv und schutzlos wie Madame Bovary, unsere Götzen sind Freiheit und persönliches Glück, und jeder hat das Recht, auf seinen Bedürfnissen zu beharren, schon klar – aber dennoch: Der Schmerz, den wir anderen damit zufügen und der Verrat, den wir begehen, unterscheiden sie sich denn tatsächlich von dem Schmerz und dem Verrat früherer Epochen? Landen Ehebrecher zwar nicht mehr mit dem Kopf auf der Schiene, aber möglicherweise mit hilflos rudernden Armen am Hang …?

▸ *Hinschmeißen wollen, alles*
▸ *Midlife-Crisis*
▸ *Scheidung*
▸ *Schuldgefühle*
▸ *Unzufriedenheit*
▸ *Wut*

Therapie: Personalisieren Sie Ihre Bücher

Manche schaffen es nicht, die Seite umzublättern. Andere können kein Buch offen umgedreht hinlegen. Wieder andere haben Angst davor, einen Fleck auf den Rand zu machen.

Kommen Sie darüber weg. Bücher sind da, um ihre Welt mit Ihnen zu teilen, und nicht, um als schöne Gegenstände für irgendeinen zukünftigen Tag geschont zu werden. Wir bitten Sie inständig, immer, wenn Sie Lust dazu bekommen, die Seiten Ihrer Bücher zu knicken und zu bekritzeln. Unterstreichen Sie die guten Stellen, schreiben Sie fett »JA!« und »NEIN!« auf den Rand. Laden Sie andere dazu ein, eine Widmung und ein Datum vorne reinzuschreiben. Malen Sie Bilder, notieren Sie sich Telefonnummern und Internetadressen, machen Sie Tagebucheinträge und entwerfen Sie Briefe an Freunde und Weltenlenker. Schreiben Sie eigene Romanideen nieder, zeichnen Sie Entwürfe für Kleidungsstücke und für Brücken, die Ihrer Meinung nach gebaut werden sollten. Stecken Sie Postkarten und gepresste Blumen zwischen die Seiten.

Wenn Sie demnächst das Buch wieder aufschlagen, können Sie die Stellen wiederfinden, die Sie in der ersten Runde zum Nachdenken, Lachen und Weinen gebracht haben. Und Sie werden sich daran erinnern, dass Sie sich diesen Kaffeefleck in genau dem Café eingefangen haben, wo Ihnen auch der gutaussehende Kellner ins Netz gegangen ist. Lieblingsbücher sollten ohne Umschlag, vergilbt und zerfetzt sein, ihre Seiten sollten lose herumfliegen. Lieben Sie sie wie einen Freund oder mindestens wie ein Lieblingsspielzeug. Lassen Sie sie zusammen mit Ihnen Falten bekommen und alt werden.

Große Erwartungen
Charles Dickens

Manche haben zu wenig, andere zu viel davon. Nach dem chinesischen Philosophen Lao-Tse ist Ehrgeiz – im Idealfall – mit einer Ferse fest im Boden verankert, während er seine Finger in den Himmel reckt. Wenn jedoch keine unserer Fersen fest am Boden ruht und wir unsere angeborenen Talente und gesellschaftlichen Grenzen überdehnen, dann laufen wir Gefahr, alles, was wir erreicht haben, wieder zu verlieren.

Diese Erfahrung macht auch Pip in *Große Erwartungen*. Der Waisenjunge lebt bei seiner älteren Schwester, der strengen und gefühllosen Mrs. Joe, die aussieht, als würde sie ihr Gesicht mit einer Muskatreibe reinigen, und die stolz darauf ist, Pip »mit eigner Hand« aufgezogen zu haben (wobei sie von ihrem sanftmütigen Ehemann Joe immer wieder gemäßigt wird). Die drei leben in bescheidenen Verhältnissen. Als Pip Estella, der schönen aber kaltherzigen Adoptivtochter der exzentrischen Miss Havisham, begegnet, sind Pip und seine Schwester davon überzeugt, dass die seltsame alte Dame vorhat, Estella mit ihm zu verheiraten. Diese Aussichten veranlassen Pip, sich wie ein »Gentleman« zu verhalten – wenn auch nicht unbedingt von der besten Sorte – und auf seine Herkunft herabzuschauen und auch auf seinen Freund Biddy, dem die Entwicklung, die es mit Pip nimmt, ganz und gar nicht gefällt.

Doch Pip und seine Schwester irren sich gewaltig. Denn auch wenn er überraschend an Geld kommt, was ihn nach außen hin tatsächlich zu einem »Gentleman« macht, wird deutlich, dass weltlicher Erfolg nichts ist im Vergleich zum Erfolg in der Liebe. Reichtum kann so schnell wieder verschwinden, wie er gekommen ist, und Pip hätte sich eine Menge Zeit und Herzschmerz erspart, wenn er dort geblieben wäre, wo er war. Lassen Sie sich Pips Fehler eine Warnung sein. Blicken Sie ruhig hinauf zum Himmel, aber behalten Sie immer den Boden unter den Füßen.

► *Arbeitssucht*
► *Emporkömmling; einer sein*

EHRGEIZ, ZU WENIG

Das karmesinrote Blütenblatt
Michel Faber

Wenn Sie eher ein Mensch sind, der anderen beim Wettrennen zusieht, während Sie selbst immer noch an der Startlinie stehen, dann brauchen Sie ein Buch, das Sie aktiviert, sich ein paar Zielpfosten zu setzen und dann wie der Teufel zu ihnen hinzurennen. Und es gibt kein besseres Buch dafür als *Das karmesinrote Blütenblatt.*

Unsere junge Heldin startet ihr Leben an einem Ort, so fernab jeglicher Chancen, überhaupt mitzuhalten, dass man denken könnte, sie sollte besser gar nicht erst am Rennen teilnehmen. Sugar ist gerade einmal dreizehn Jahre alt, als sie von ihrer Mutter zur Prostitution gezwungen wird, und sie glaubt, keine andere Wahl zu haben, als sich dem Willen der Männer, die in ihr Bett kommen, zu beugen. Aber sie sehnt sich danach, dieses Leben hinter sich zu lassen. Also beschließt sie, die beste Hure im Bordell zu werden – und dann die beste von ganz England. Bald ist sie nicht nur eine Meisterin ihrer Kunst im Schlafzimmer, sie weiß auch, wie man einem Mann das Gefühl gibt, sich eloquent, witzig und voller Lebenskraft zu fühlen, allein durch die Art, wie sie ihm zuhört und mit ihm flirtet. Doch hinter ihrer charmanten Maske findet sie ihre Arbeit immer noch grotesk, und sie lässt ihren Ekel in einen Roman einfließen, an dem sie heimlich schreibt.

Doch dann entdeckt William Rackham, der Erbe eines Parfümimperiums, sie auf den Seiten des Männermagazins *Londoner Lustbarkeiten*. Und das ist Sugars großer Durchbruch. Rackham ist ihr so verfallen, dass er sie dafür bezahlt, sich nur ihm hinzugeben. Schon bald ist sie für ihn von unschätzbarem Wert, nicht nur wegen ihrer körperlichen Reize, sondern auch wegen ihres scharfen Verstandes, denn sie ist weitaus gerissener und hat ein besseres Verständnis für die Bedürfnisse seiner Kunden als er selbst.

Faber zeichnet das detaillierte Bild einer viktorianischen Welt voller sozialer Ungerechtigkeit und strenger Konventionen. »Pass auf, wo du hintrittst! Du musst einen klaren Kopf behalten, wirst ihn noch brauchen«, mahnt er gleich zu Beginn. Folgen Sie Sugars Beispiel (den Teil mit der Prostitution lassen Sie bitte weg) und arbeiten Sie sich klug nach oben, indem Sie vielmehr über sich selbst herrschen als über andere.

► *Bett; Unfähigkeit, es zu verlassen*
► *Lethargie*

EHRLICHKEIT, ÜBERTRIEBENE

► *Die Katze aus dem Sack lassen*

EI AUF DER KRAWATTE

Zeit der Sinnlichkeit und *Adieu, Sir Merivel*
Rose Tremain

Zum ersten Mal in Ihrem Leben sind Sie pünktlich. Sie haben Ihren besten Anzug aus dem Schrank geholt und alle Unterlagen für Ihre Präsentation in der Hand. Sie betreten das Podium, schauen hinunter, um das Mikrofon auszurichten – und sehen, dass sich ein leuchtend gelber Dotterfleck über Ihre Krawatte schlängelt.

Das kommt Ihnen bekannt vor? Dann möchten wir Ihnen Robert Merivel vorstellen, den Helden in Rose Tremains Roman *Zeit der Sinnlichkeit* und *Adieu, Sir Merivel.* Merivel frönt den derben Vergnügungen des 17. Jahrhunderts und dem verschwenderischen Leben am Hofe Charles II mit wahrer Leidenschaft. Für gewöhnlich trifft man ihn mit heruntergelassener Hose bei einem Stelldichein mit einer drallen Dirne oder ertappt ihn dabei, wie er laut prustend vor Lachen Rosinenpudding über den Bankettisch spuckt. Als Merivel eine der seltenen Audienzen beim König gewährt wird, vermasselt er es so gründlich, dass man schon befürchten muss, er hätte die eine Gelegenheit, aus seinem Leben etwas zu machen, endgültig verpasst. Doch er bekommt eine zweite Chance. Und eben in diesem Moment, gerade als ihm die ehrenvolle Stellung als Hofarzt der königlichen Hunde angetragen wird, bemerkt Merivel den Eifleck auf seiner Hose.

Es macht aber nichts. Der König ist entzückt von Merivel,

von seinem Lebenshunger und seiner Fähigkeit, auf Kommando zu furzen, und überschüttet seinen nichtsnutzigen neuen Freund mit Gefälligkeiten. Es währt zwar nicht lange, aber die Botschaft bleibt: Die Neigung zu Essensflecken auf der Kleidung muss nicht immer von Nachteil sein. Sie müssen nur den richtigen Kontext wählen.

► *Idiot; sich wie einer fühlen*
► *Versager; sich wie einer fühlen*

EIFERSUCHT

Venus im Pelz
Leopold von Sacher-Masoch

Anders als beim Neid, bei dem man etwas begehrt, was anderen gehört, ist Eifersucht die Neigung, sich selbst mit dem Gedanken zu quälen, dass jemand anderes einem das, was man hat, wegnehmen könnte. Daraus folgt das Bedürfnis, sich immer fester an diesen Besitz zu klammern, dabei hilfsbedürftig und unsicher zu werden und große Wut auf den oder die potenzielle(n) Flüchtige(n) zu entwickeln (► *Hass*). Blind vor der Vernunft, ist die Eifersucht eine über alle Maßen zerstörerische Kraft, die, wenn man ihr keine Zügel anlegt, Ihre Selbstachtung auffressen und Sie letztendlich daran hindern wird, eine gesunde Beziehung zu der Sache zu haben, die Sie mit solcher Verzweiflung beschützen wollen. Ob es nun die Eifersucht auf Geschwister (► *Geschwisterrivalität*) oder auf einen mutmaßlichen Nebenbuhler ist: Wer sich im Griff der Eifersucht befindet, tut gut daran, sich bewusst zu machen, dass man sein Liebesobjekt unter der Knute der Eifersucht mit größerer Wahrscheinlichkeit verliert als jemand, der frei von ihr ist. Glücklicherweise fügt man sich die Eifersucht – egal welcher Art – selbst zu, und in der Macht desjenigen, der sie geschafften hat, steht es auch, sie wieder abzuschaffen.
Unsere Therapie, Leopold von Sacher-Masochs *Venus im Pelz*, zeigt sehr deutlich, dass Eifersucht selbstverschuldet ist. Für seine Zeit völlig einzigartig (*Venus im Pelz* wurde 1870 veröffentlicht), beschäftigt sich der Roman mit dem Reiz der sexuellen Unterwerfung. Eines Nachmittags wa-

chen der Erzähler und sein Freund Severin nach einem Nickerchen vor einem großartigen Gemälde mit dem Titel »Venus im Pelz« auf, und beide erzählen sich von ihrem Traum von der Göttin, wobei sie sich beide zu ihrer Vorliebe für in Hochmut gewandete Schönheit bekennen. Unser Erzähler greift sich die Memoiren Severins, die wir dann über seine Schulter gebeugt mitlesen. Sie beschreiben Severins Beziehung zu einer Frau namens Wanda – eine sterbliche Inkarnation der Venus. Wanda ist eine grausame, schöne Tyrannin von einer Frau, die Severin wechselweise uneingeschränkt liebt – ihn unterhält, mit ihm philosophiert und flirtet – und auspeitscht, einsperrt, ihn ihren »Sklaven« nennt und ihn mit ihrem Interesse an anderen Männern quält.

Severin lässt alles begierig mit sich machen. Wenn sie über andere Liebhaber spricht, wird Severin von Leidenschaft ergriffen, einem »süßen Wahnsinn« – und als wir erfahren, dass er eine zartere Beziehung für die zu Wanda drangegeben hat, fangen wir langsam an zu erkennen, wie ungesund seine Liebe zu ihr ist. Er möchte schlecht behandelt werden – je rüder, desto besser –, und er gehorcht ihren Erlassen unterwürfig, obwohl sein Körper vor Widerwillen zittert. Und so beginnt eine ganze Reihe von Demütigungen, Ekstasen und Schrecknissen, die ihn einmal sogar um sein Leben fürchten lassen.

Erst am Ende seines »Bekenntnisses« (die den Hauptteil des Buches ausmachen) tritt Severin einen Schritt zurück und sieht die Beziehung als die Selbstfolter, die sie in Wahrheit war. Er selbst benennt die Moral von der Geschichte: »Wer sich peitschen lässt, verdient, gepeitscht zu werden.« Es ist kein Zufall, dass Masoch uns den Namen für die Freude am Schmerz spendiert hat: Masochismus. Ihre Eifersucht ist ähnlich masochistisch – sie kommt von den Hieben Ihrer eigenen Peitsche. Werden Sie Zeuge von Severins Selbsthass, und dann hängen Sie die Peitsche an die Wand und gehen als freier Mensch.

► *Bedürftigkeit*
► *Paranoia*
► *Wut*

Einsamkeit und Sex und Mitleid
Helmut Krausser

Der goldene Kompass
Philip Pullman

Ich, Claudius, Kaiser und Gott
Robert Graves

Stadtgeschichten
Armistead Maupin

EINSAMKEIT

Einsamkeit ist furchtbar. Wir sprechen jetzt nicht von selbstgewählten *Silent Retreats* im Kloster oder Gipfeleinsamkeit im Gebirge. Wir sprechen von den Momenten, in denen wir uns allein unvollständig, ungenügend und deplatziert fühlen. Freitagabend-Einsamkeit oder In-einem-Restaurant-voller-Paare-Dinieren-Einsamkeit. Zum Glück gibt es auch für diese schrecklichen Momente heilende Literatur (hinter der wir uns im Notfall im Restaurant mit unserer Einsamkeit verstecken können). Wir empfehlen, die Einsamkeit zunächst gründlich zu durchleiden. Hierfür eignet sich *Einsamkeit und Sex und Mitleid* – so etwas wie Helmut Kraussers Deutschland-Bestandsaufnahme nach der Jahrtausendwende: Es gibt sie noch, die Liebe, aber schütter ist sie geworden und dürr. An Weihnachten sitzt ein Callboy allein in einer Kneipe. Als diese schließt, legt er sich in die Badewanne und wird von einer Einbrecherin überrascht, die er freudig einlädt, sich dazuzulegen. Eine Frau trennt sich ohne Angabe von Gründen von ihrem Ehemann (»›Was wirfst du mir denn vor?‹ […] ›Aber ich werfe dir doch gar nichts vor‹«). Und ein frühpensionierter Lateinlehrer findet im unbefriedigenden Chipsangebot eines Supermarktes ein Ventil für seine Frustration. Krausser lotet mit seinen Figuren Spielarten der Einsamkeit aus und erlaubt Ihnen, sie alle zu durchleiden und dabei auszuschwitzen wie ein Grippevirus.

Sollten Sie nach Ihrer Krausser-Kur Lust auf ein wenig Gesellschaft haben, aber keine Lust, ihre Kontaktliste durchzuscrollen, haben wir einen Strauß von Romanen, die so viral und gesellig sind, dass sich eine ganze Schar von Figuren um Sie versammeln wird – abrufbar heute und in alle Ewigkeit, wenn die Einsamkeit lauert: Einer der besten Impfstoffe gegen Einsamkeit ist *Der goldene Kompass* von Philip Pullman – und die beiden anderen Romane, die zusammen die *His Dark Materials*-Trilogie ergeben. Innerhalb der Trilogie hat Pullman viele verschiedene Welten erschaffen, und in einer davon – derjenigen, die noch am meisten unserer eigenen ähnelt, haben sämtliche menschlichen Charaktere einen *Dæmon*, einen tierischen Begleiter, der ihnen auf der Schulter sitzt und ihnen Zeit ihres Lebens Gesellschaft leistet. Diese sind jedoch nicht einfach nur Begleiter, sondern repräsentieren die Seele des Menschen, den sie begleiten. Wenn ein Dæmon sich zu weit von seinem Menschen entfernt, fühlen sich beide, Mensch und Dæmon, körperlich eingeengt; und wenn der Dæmon irgendwie verletzt wird, fühlt der Mensch den Schmerz auch. Teils bester Freund, teils Partner, teils physische Manifestation der Seele: Ein Mensch mit einem Dæmon ist nie allein.

Der Terror zieht in dieser fesselnden Geschichte ein, als die »Autorität« – die religiöse Organisation, die auf Cromwell-Art das Land beherrscht – beschließt, Kinder unter dem Vorwand, nur das Beste für ihre Seelen zu wollen, von ihren Dæmonen zu trennen. Lyra, ein lebendiges präpubertäres Mädchen, empfindet fürchterliche Qualen, als sie ihren Dæmon Pantalaimon, der meist in Gestalt eines Baummarders in Erscheinung tritt (die Dæmonen haben, solange man noch Kind ist, wandelbare Gestalt), fast verliert. Man wird mitgerissen von Lyras Bestreben, diese Grausamkeit zu verhindern und Roger und die anderen Kinder im Hohen Norden vor den »Gobblern« zu retten, und früher oder später ist man von der absoluten Notwendigkeit der Dæmonen überzeugt – und will unbedingt wissen, welche Gestalt der eigene wohl annehmen würde.

Dass Robert Graves je einsam war, kann man sich kaum vorstellen, so, wie seine dicken, dichtbevölkerten Romane vor faszinierenden Figuren wimmeln. Seinen erfolgreichsten Roman, *Ich, Claudius, Kaiser und Gott*, schrieb er an einem idyllischen Plätzchen auf Mallorca vor allem zu dem Zweck, sein geselliges Leben zu finanzieren – er beherbergte nämlich nicht nur in seinem Kopf eine überaus schwatzhafte Gemeinschaft, sondern auch in seinem Haus. In Scharen strömten glamouröse Schriftsteller, Künstler und Filmstars zu seinen Partys, wo sie an den von ihm organisierten Theaterperformances teilnahmen. Mit diesem Roman können Sie in Ihrem Kopf weiterfeiern.

Ich, Claudius, Kaiser und Gott ist die erfundene Autobiographie eines Adligen, der sein Leben als stotternder, von seiner abscheulichen Familie verspotteter und missachteter Narr beginnt, um sich schlussendlich über sie alle zu erheben. Die Speichellecker und Intriganten in seiner Umgebung – darunter der weise Augustus und seine hinterhältige Frau Livia, der sadistische Tiberius und der eindeutig wahnsinnige Caligula – bilden eine hochgradig amüsante Gesellschaft. Claudius ist nie ohne große Entourage unterwegs, umgeben von seiner sich in einem fort bekriegenden Familie und all den anderen, die ständig versuchen, sich gegenseitig zu vergiften. Insgesamt bietet sich einem ein fesselndes Wimmelbild und man bekommt einen Eindruck davon, wie es gewesen sein muss, im 1. Jahrhundert vor Christus im Römischen Reich zu leben. Wahrscheinlich werden Sie, sobald Sie das Buch aus der Hand legen, ganz froh über Ihre Einsamkeit sein.

Wenn wir uns einsam fühlen, haben wir manchmal nicht die Energie, uns neue Freunde zu suchen; wir sehnen uns nach alten Vertrauten. Holen Sie sich in einem solchen Fall die Bewohner des Hauses Nummer 28 in der Barbary Lane aus Armistead Maupins *Ode an San Francisco* zurück in Ihr Leben. Die Figuren wie Mary Ann Singleton, Mona Ramsey, Michael »Mouse« Tolliver, Brian Hawkins und ihrer aller cannabiszüchtende Vermieterin wirken auch heute noch erstaunlich frisch. Erzählt in Episoden (näher ist Literatur nie an die Fernsehserie herangekommen), eignet sich dieser Roman zusammen mit seinen sieben Folgebänden für die Aufbewahrung in der Küche, direkt neben den Kochbüchern. Essen Sie nicht alleine, sondern mit der gewitzten Mona, die Sie zum Lachen bringt, während Sie Ihnen ein Spiegelei – natürlich mit der Dotter-Sonnenseite nach oben – auftut, Mouse Ihnen einen vitalisierend starken Kaffee braut und Mrs. Madrigal Ihnen die Tasse wieder aus der Hand nimmt, um sie durch Perlen der Weisheit und einen Joint zu ersetzen. Wer muss an einem Freitagabend schon ausgehen, wenn er Maupins *Stadtgeschichten* zu Hause hat?

► *Einsamkeit, durchs Lesen verursachte*

Therapie: In Gesellschaft lesen

Wir alle genießen es, mit einem guten Buch in Ruhe gelassen zu werden. Aber manchmal heben wir nach stundenlanger Versunkenheit den Kopf und sehen uns um. Plötzlich fällt uns auf, wie still es ist – und dass niemand sonst da ist. In der Welt draußen – und vielleicht auch in der Welt in unserem Buch – wimmelt es von Menschen, die miteinander kommunizieren. Aber wir selbst sind ganz alleine. Eine gewisse Schwermut kriecht uns in die Seele: Wir leiden an durchs Lesen verursachter Einsamkeit.
Die Lösung für diese Zwickmühle ist, in Gesellschaft anderer lesender Menschen zu lesen – entweder an einem öffentlichen Ort wie einem Café oder einer Bibliothek oder bei sich zu Hause, mit dem lesenden Freund oder der Partnerin am anderen Ende des Sofas. Wenn Sie dann das nächste Mal aus Ihrem Buch hochschauen, sehen Sie jemand anderen, der genau wie Sie in die Lektüre vertieft ist, und werden sich nicht die Spur allein fühlen.
Lesen kann gesellig sein: Wenn Sie zu Hause sind, können Sie ja mal probieren, Ihrem Freund/Ihrer Freundin oder Partner/in laut vorzulesen – entweder ein ganzes Buch oder nur die Passagen, die Sie unterstrichen haben. Denken Sie mal darüber nach, ob Sie sich nicht einem Lesekreis anschließen mögen, in dem jeder reihum laut aus einem Roman vorliest. Oder gründen Sie einen eigenen! Ein Buch in großer Runde zu lesen ist eine wunderbare Möglichkeit, eine ansonsten innerliche, einsame Erfahrung zu teilen, und ziemlich wahrscheinlich gewinnen Sie über die Reaktionen der anderen während und nach der Lektüre tiefere Erkenntnisse und ein besseres Verständnis des Buches. Ganz nebenbei findet man so auch neue Lesefreunde. Vielleicht besetzt mal irgendwann einer von ihnen den Platz am anderen Ende Ihres Lesesofas.

EITELKEIT

Vom Winde verweht
Margaret Mitchell

Das Bildnis des Dorian Gray
Oscar Wilde

Das Problem mit der Eitelkeit ist: Sie macht selbstsüchtig und dumm. Scarlett O'Hara, die Südstaatenschönheit in Margaret Mitchells *Vom Winde verweht*, ist so verliebt in ihre eigene Schönheit, dass sie nur zwei Dinge im Kopf hat: Hübsche Kleider und die Eroberung nicht nur des Mannes, den sie heiraten will – Ashley Wilkins –, sondern der Herzen aller jungen Männer in der Umgebung (sehr zum Verdruss der anderen Mädchen). Als sie erfährt, dass Ashley sich mit seiner unscheinbaren Cousine Melanie verlobt hat, kann sie es nicht glauben. Von Äußerlichkeiten besessen, wie sie es nun mal ist, nimmt Scarlett keinerlei Notiz von Melanies inneren Werten – geschweige denn, dass sie es in Betracht zöge, an ihren eigenen inneren Werten zu arbeiten. Und so bleibt sie ein verwöhnter, launischer Teenager, der seine Schönheit bewusst nutzt, um zu bekommen, was er will. Taub und blind dafür, wie wichtig Güte im zwischenmenschlichen Miteinander ist, und auch für den tief verankerten Rassismus um sie herum (tatsächlich ist die wohlwollende Darstellung der Sklaverei etwas, worüber der Leser bzw. die Leserin[1] mit einem tiefen Atemzug hinwegsehen muss, um diesen ansonsten wirklich großartigen Roman zu genießen), tritt sie die Gefühle all derer, denen sie begegnet – einschließlich die ihres späteren Gatten Rhett – mit Füßen, bevor ihr endlich die Augen aufgehen. Die untadelige Melanie wird nachträglich Scarletts Bewunderung, Respekt und Liebe gewinnen, so wie sie Ashleys bereits vor vielen Jahren gewonnen hat – und das hat nichts mit ihrem Aussehen zu tun.

Eitelkeit macht letztendlich auch hässlich. Als der schöne Dorian Gray erkennt, dass alle ihn wegen seines guten Aussehens lieben, bekommt er solche Angst davor, eines Tages nicht mehr hübsch zu sein, dass er seine Seele verkauft, um ewig jung zu bleiben. Ein von Sir Basil Hallward angefertigtes Porträt soll an seiner statt altern. Unter der Anleitung

1 Seien wir ehrlich: *die Leserin.*

von Lord Henry Wotton stürzt Gray sich nun in ein Leben zügelloser Genusssucht. Doch als er einer jungen Schauspielerin das Herz bricht und diese daraufhin Selbstmord begeht, erscheint ein grausames Lächeln auf seinem Porträt. Denn unser Gesicht zeugt nicht allein von unserem Alter, sondern auch von der Entwicklung der Persönlichkeit, die dahintersteckt – und während Dorians Geringschätzung anderer immer mehr menschliche Trümmer hinterlässt, wird auch sein Bildnis zunehmend hässlicher.
Die unausweichliche Wahrheit ist: Wahre Schönheit kommt von innen. Versuchen Sie, ein guter Mensch zu sein, und Sie werden noch mit neunzig rosig strahlen.

► *Arroganz*
► *Belesen wirken wollen*

ELTERN, ALTERNDE

► *Alternde Eltern*
► *Alzheimer*

ELTERNSCHAFT

► *Alleinerziehend sein*
► *Kinder, die zu viel Aufmerksamkeit verlangen*
► *Mutterschaft*
► *Schwiegermutter; eine sein*
► *Vaterschaft*

EMPATHIE, MANGEL AN

Ungeduld des Herzens
Stefan Zweig

Gehören Sie zu den Menschen, die lieber Fahrräder reparieren oder Wasserkisten schleppen, als lange Gespräche mit vom Schicksal geplagten Freunden zu führen? Oder gar zu denen, die immer gleich anfangen von eigenen, ähnlichen Erfahrungen zu erzählen, wenn Ihnen jemand sein Herz ausschüttet? Dann wird es Zeit für einen Kuraufenthalt zur Ausbildung Ihrer empathischen Fähigkeiten.

Wir haben zwei Kuren für Sie im Angebot: eine Crash-Kur (für die leichten Fälle), die schnell Heilung verspricht, und eine langwierige, gründliche.
Beginnen wir mit der Crash-Kur. Lesen Sie die Vorrede von Stefan Zweigs *Ungeduld des Herzens* bis zu diesem Abschnitt: »Es gibt eben zweierlei Mitleid. Das eine, das schwachmütige und sentimentale, das eigentlich nur Ungeduld des Herzens ist, sich möglichst schnell freizumachen von der peinlichen Ergriffenheit vor einem fremden Unglück, jenes Mitleid, das gar nicht Mit-leiden ist, sondern nur instinktive Abwehr des fremden Leidens von der eigenen Seele. Und das andere, das einzig zählt – das unsentimentale, aber schöpferische Mitleid, das weiß, was es will und entschlossen ist, geduldig und mitduldend alles durchzustehen bis zum Letzten seiner Kraft und noch über das Letzte hinaus.«
Verstanden? Verinnerlicht? Gratulation, Sie sind geheilt. Sie können das Fahrradflickzeug entsorgen und sich im geduldigen Zuhören und Mitleiden üben.
Oder brauchen Sie es noch etwas plastischer? Dann kommen wir zur gründlichen Kur: Lesen Sie *Ungeduld des Herzens* bis zur letzten Seite. Zweig widmet den ganzen Roman (seinen einzigen!) dem Mitleid.
Bitte identifizieren Sie sich möglichst vollständig mit der Hauptfigur. Sie befinden sich in einem ungarischen Garnisonsstädtchen kurz vor Beginn des Ersten Weltkrieges. Sie sind Anton Hofmiller, ein kleiner Leutnant aus einfachen Verhältnissen, und Sie begegnen Edith, der gelähmten Tochter eines reichen, ungarischen Adeligen. Jede freundliche Zuwendung, jede Aufmerksamkeit, die Sie Edith zuteil werden lassen, euphorisiert nicht nur das verkrüppelte Mädchen, das sich erstmals und unerwartet umworben glaubt, sondern auch Ihren verzweifelten Vater. Ihr Mitleid verschafft Ihnen eine nie erlebte Macht und Bedeutung und treibt Sie sogar dazu, sich mit Edith zu verloben. Aber es ist ein falsches Mitleid, das keine Empathie, sondern eben nur die Ungeduld des Herzens ist. Zweig ist Moralist, und so endet der Roman in der Katastrophe. Spätestens jetzt haben Sie verstanden, dass wahres Mitleid, Empathie eben, das Leid

aushält, statt dagegen anzukämpfen. Wenn Ihnen das nächste Mal ein geplagter Zeitgenosse seine Probleme schildert, holen Sie tief Luft und hören Sie zu! Schenken Sie Ihrem Gegenüber Zeit und Aufmerksamkeit. Denn jetzt geht es einmal nicht um Sie.

EMPORKÖMMLING; EINER SEIN

Jahrmarkt der Eitelkeit
William Makepeace Thackeray

Wenn Sie zu einer Party eingeladen werden, fragen Sie sich dann zuerst: Wer wird noch da sein? Lassen Sie die Namen Ihrer berühmten Bekannten häufiger ganz nebenbei mal so fallen als Ihren Schlüssel? Und halten Sie die Ehe für eine Möglichkeit, Ihrer Karriere einen Schub zu verpassen? Falls ja, werden Sie sich in Becky Sharp wiedererkennen, die mit ausgefahrenen Krallen und zu allem bereit Miss Pinkertons Erziehungsanstalt für junge Damen verlässt. Als Erstes fällt sie über den Bruder ihrer besten Freundin Amelia her, der noch rechtzeitig vor ihr gewarnt wird. Rawdon Crawley aber, Sohn eines Barons und ihre nächste Beute, hat nicht so viel Glück. Er geht ihr ins Netz, bald wird geheiratet (was uns allerdings ziemlich egal ist, denn er verdient es nicht besser). Von da an steht Beckys kometenhaftem gesellschaftlichen Aufstieg nichts mehr im Weg: Sie schleimt sich bei Rawdons altjüngferlicher Tante ein, der Quelle des Familienkapitals, schlägt Profit aus Amelias Bruder, als er wegen des bevorstehenden Krieges gegen Napoleon in Panik gerät, zieht in Erwägung, mit Amelias Mann durchzubrennen, und kommt, schwere Klauenhiebe verteilend, in Paris und London so hoch, bis sie sich mit einem Marquis – und einem Prinzen – an der Spitze tummelt. Und wofür das alles? Lesen Sie's und finden Sie's raus. Wir verraten so viel: Vielleicht macht es Spaß da ganz oben, aber an der Spitze ist nicht viel Platz, und eine ganze Menge Neider haben es darauf abgesehen, Sie von dort zu verdrängen. Sollten Sie es darauf angelegt haben, Ihren gesellschaftlichen Status zu verbessern, lassen Sie sich diesen zur Vorsicht gemahnenden Roman eine Warnung sein. Haben Sie sich durch Falschheit und Hinterhäl-

tigkeit erst mal bis an die Spitze katapultiert, wer will Sie dann schon noch auffangen, wenn Sie fallen?
▶ *Ehrgeiz, zu viel*

ENTLIEBEN, SICH VON DER LIEBE; DEN GLAUBEN AN DIE LIEBE VERLOREN HABEN

1Q84
Haruki Murakami

Wahre Liebe. Mondschein. Rosen. Ewige Treue. *Sie. (Er.)* Träumen Sie weiter, sagen Sie jetzt.
Einige von uns haben die Suche nach der wahren Liebe aufgegeben. Unsere Liebesreserven scheinen aufgebraucht, unsere Fähigkeit, sie in anderen zu wecken, dahin. Die Zeit für Romantik in unserem Leben ist wohl vorbei.
Hören Sie auf, Trübsal zu blasen! Hiermit versprechen wir Ihnen, Sie den Klauen Ihrer Zweifel zu entreißen und Sie wieder für den Glauben an die wiederkehrende Liebe empfänglich zu machen – mit *1Q84* von Haruki Murakami.
1Q84 als komplex zu bezeichnen, wäre eine Untertreibung. Der Roman ist ausgesprochen lang und spielt in zwei verschiedenen Welten. Aber er ist zutiefst romantisch, bis hinab an seine Wurzeln.
Der Kern dieser Liebesgeschichte liegt in der Vergangenheit der beiden Hauptfiguren. Mit elf hielten sie sich im Klassenzimmer für einen sehr langen Moment an den Händen. Diesen Moment – still, bedeutungsvoll, unerwartet für Tengo, geplant, aber zu diesem Zeitpunkt unerklärlich für Aomame – haben beide nicht vergessen. Aomame wusste, dass sie fortgehen würde, und Tengo war immer nett zu ihr gewesen. Ihr Wesen schrieb sich in seine Handfläche ein und veränderte seine Seele für immer.
Jetzt, gut zwanzig Jahre später, sind weder Tengo noch Aomame in einer festen Beziehung. Tengo unterrichtet Mathematik an einer Privatschule und schreibt an einem Roman, Aomame führt nach außen hin ein geregeltes Leben als Trainerin für Selbstverteidigung, während sie in Wirklichkeit eine Auftragskillerin ist. Doch dann geraten beide ins Visier einer religiösen Sekte, die sie schon bald – unab-

hängig voneinander – zur Flucht zwingt, wobei sie sich allmählich ihrer Bedeutung im Leben des jeweils anderen bewusst werden.
Einer der Hauptgedanken des Romans ist die Vorstellung, ›unrettbar verlorenzugehen‹, ob nun moralisch oder zwischen zwei parallelen Welten – oder in einem Leben ohne Liebe. Als Tengo seinen sterbenden Vater besucht, liest er ihm eine Geschichte über die »Stadt der Katzen« vor, Ort der ultimativen Abwesenheit von Liebe. Doch als plötzlich ›unwirkliche‹ Dinge geschehen – eine sehr konkrete, aber unerklärliche Schwangerschaft, zwei Menschen, die entgegen allen Widrigkeiten zueinander finden, und die Liebe, die auch jene erreicht, die sie vor langer Zeit aufgegeben haben –, scheint die Macht der Liebe über alles andere zu triumphieren.
Gehen Sie mit Tengo auf diese epische Reise. Und verlieben Sie sich gemeinsam mit ihm wieder in die Liebe.[1]

▸ *Der/Die Falsche; bei ihm/ihr landen*
▸ *Ernüchterung*

ENTSCHLUSSKRAFT, FEHLENDE

Herr Lehmann
Sven Regener

Sie mögen keine Veränderungen. Ihr Umfeld drängt Sie zu einer neuen Frisur, neuen Turnschuhen, einem neuen Reiseziel, aber Sie möchten am liebsten alles genauso lassen, wie es ist. Ist doch wunderbar. Wir gratulieren. Nicht fehlende Entschlusskraft ist für die Katastrophen des 20. Jahrhunderts verantwortlich. Gut, möglicherweise wären ohne Entschlusskraft Dinge wie Autos, Telefone und Mikrowellen nicht erfunden worden – aber können wir ausschließen, dass unser Leben nicht genauso schön wäre, wenn wir stets am selben Ort persönliche Gespräche beim Kochen über offenem Feuer führen würden? Behalten Sie die Turnschuhe einfach, so lange Sie mögen. Jetzt müssen wir nur noch Ihr Umfeld über-

1 Aber verlieren Sie dabei nicht den Boden unter den Füßen. Falls doch ▸ *Romantisch sein, hoffnungslos.*

zeugen, dass fehlende Entschlusskraft keine Charakterschwäche, sondern eine charmante Eigenart, ein humanistisches Konzept ist. Dabei helfen uns Sven Regener und sein *Herr Lehmann.*

Herr Lehmann, das ist der erste Roman des Mannes, in den in den 1980ern mindestens jede zweite Germanistikstudentin verliebt war. Er spielt Ende der 1980er in Kreuzberg. Wo, wenn nicht hier kann man einfach alles dabei belassen, wie es ist? Deswegen ist Herr Lehmann hier, deswegen ist er Bierzapfer, und zwar tatsächlich Bierzapfer, nicht Bierzapfer-aber-eigentlich-Musiker/Künstler/Lyriker. Zufrieden und ambitionslos lebt er verantwortungsfrei in einer Eineinhalbzimmerwohnung. Auch als ein dickfelliger Hund, anrückende Eltern, eine begehrenswerte Köchin und schließlich sogar die Weltgeschichte höchstpersönlich Herrn Lehmanns wohl eingerichtetes Dasein torpedieren, bleibt er der, der er war und sein will. »Ich gehe erstmal los, dachte er. Der Rest wird sich schon irgendwie ergeben.« Spricht Ihnen aus der Seele, nicht wahr? Herr Lehmann räumt bis in alle Ewigkeit auf mit dem Gerücht, dass der Entschlussunfreudige ein ewiger Gammler ist. Herr Lehmann ist ein fleißiger, bescheidener, zuverlässiger Mensch und Freund, der noch im Vollrausch Sätze denkt, so dicht und weise, dass jeder Aphoristiker vor Neid erblasst: »Am Ende ist man immer selber schuld, wenn man Schnaps trinkt.«

So, und jetzt ziehen Sie bitte Ihre vertrauten Turnschuhe an und tun das, was Sie immer tun. Autos, Telefone und Mikrowellen sind ja eh schon erfunden.

► *Lethargie*

ERKÄLTUNG

Gegen die gute alte Erkältung gibt es kein Heilmittel, aber sie liefert die perfekte Entschuldigung, um sich mit einer Wärmflasche und einem stärkenden Buch in eine Decke zu rollen.

DIE ZEHN BESTEN ROMANE BEI ERKÄLTUNG

Eine Studie in Scharlachrot **Arthur Conan Doyle**
Jamaica Inn **Daphne du Maurier**
Tintenherz **Cornelia Funke**
Die Geisha **Arthur Golden**
Die Brautprinzessin **William Goldman**
Maia oder als Miss Minton ihr Korsett in den Amazonas warf **Eva Ibbotson**
Komet im Mumintal **Tove Jansson**
Die Bienenhüterin **Sue Monk Kidd**
Die verlorene Kunst, Liebschaften zu pflegen **Eva Rice**
Der Teufel trägt Prada **Lauren Weisberger**

ERLEDIGT SEIN, VÖLLIG

▶ *Arbeitssucht*
▶ *Erschöpfung*
▶ *Kinder, die zu viel Aufmerksamkeit verlangen*
▶ *Schwangerschaft*
▶ *Zeit, zu wenig*
▶ *Zeit zum Lesen; keine haben*

ERNÜCHTERUNG

Der große Meaulnes
Henri Alain-Fournier

Die Malaise der Ernüchterung kommt mit dem Erwachsenwerden. Was im Grunde nicht weiter verwundert. Als Kinder verbringen wir unsere Zeit damit, von großen Abenteuern zu träumen, als Teenager verpacken wir sie dann in eindringliche, romantische Fantasien, und als junge Erwachsene machen wir uns (wenn wir Glück haben) wagemutig auf zu neuen Horizonten. Und dann trifft uns die Verantwortung: Alltag, Job, Hypothek. Und plötzlich müssen wir feststellen, dass die Welt nicht länger ein verzauberter Ort ist, an dem alles möglich scheint, sondern ein Ort stumpfsinniger Routine (▸ *Profanität; von ihr bedrückt sein*). Wo, fragen wir uns, sind all die Träume geblieben?

Um eine Antwort auf diese Frage zu finden, sollten Sie sich wieder mit einer Figur vertraut machen, in der die Romantik und die Hoffnungen der Jugend ihren lebhaftesten Ausdruck finden: Le Grand Meaulnes. Der geheimnisvolle Siebzehnjährige erscheint eines Sonntags im November im Haus des Erzählers Francois in Sainte-Agathe. Francois hatte zuvor bereits seine Schritte oben auf dem Dachboden gehört. Kurz darauf verblüfft Meaulnes ihn mit einem Feuerwerk auf dem Treppenabsatz; »zwei Garben roter und weißer Sterne« schießen zischend in die Luft, und für einen wundersamen Moment öffnet Francois' Mutter die Tür und sieht ihren Sohn Hand in Hand mit dem Neuankömmling im »magischen Licht« dastehen.

Francois und die anderen Jungen in Saint-Agathe finden Meaulnes einfach unwiderstehlich: Er ist furchtlos, ein Träumer der unmöglichsten Träume und ein Abenteurer, der immer mit einem Auge auf den fernen Horizont schielt. Er ist wagemutig auf eine Art, wie es nur junge Menschen vermögen, bevor Zweifel, Zynismus und mögliches Versagen ihre Schatten werfen. Die Jungen geben ihm den mit kluger Treffsicherheit gewählten Namen *le Grand Meaulnes*. Übersetzer in der ganzen Welt haben verzweifelt versucht, diesem scheinbar so simplen Wort *grand* gerecht zu werden, denn es vereint in sich nicht nur die wörtliche, physische Bedeutung (groß, großgewachsen, sogar großartig), sondern weitet sich im Laufe der Geschichte zu etwas Erhabenerem, Fabelhafterem.

Der große Meaulnes wird Sie zurück in eine Welt führen, in der alles rätselhafter, lieblicher und berauschender ist. Wo es scheint, als trüge der Wind die Klänge ferner Musik herbei, wo Kinder, wenn man sie lässt, sich verkleiden und in jemand anderen verwandeln, und wo ein Augenblick des Friedens und der Heiterkeit zukünftiges Glück prophezeit. Doch Meaulnes kann das Glück, als er es findet, nicht annehmen. Sein Selbstverständnis ist zu sehr mit dem Gefühl der Sehnsucht verbunden. Für ihn muss ein Traum auch Traum bleiben. Doch wir können es anders machen. Lassen Sie sich von Meaulnes wieder zeigen, wie man ein Leben voller Magie leben kann – und nehmen Sie diese Magie mit in Ihren Alltag.

▸ *Profanität; von ihr bedrückt sein*
▸ *Lustlosigkeit*

ERSCHÖPFUNG

Alexis Sorbas
Nikos Kazantzakis

Erschöpfung kann ein herrliches Gefühl sein, wenn sie nach körperlicher Anstrengung eintritt – dem Schwimmen im See, dem Erklimmen von Berggipfeln, einem Ausritt am Strand … Doch wenn sie zehn Stunden lang auf den Beinen waren und Hühner gerupft oder bei strömendem Regen einen Graben ausgehoben haben, dann bringt der körperliche Schmerz kaum ein Hochgefühl. Mentale Erschöpfung kann sogar noch quälender sein und zu Stress (▸ *Stress*) und verminderter Denkleistung führen (▸ *Gedächtnisverlust*). Und Erschöpfung aufgrund von Schlafmangel ist ein ganz besonders miserables Gefühl, das durch nichts als einige Stunden Schlaf gelindert werden kann. Wenn wir ehrlich sind, ist Schlaf generell ein ziemlich gutes Heilmittel für alle Arten von Erschöpfung, aber wenn Sie auf dem letzten Loch pfeifen und einen Weg suchen, um trotzdem weiterzumachen, dann lesen Sie weiter.

Wir möchten Ihnen Sorbas vorstellen, der auf Kreta lebt, einen Mann unzähliger Suppenrezepte und ebenso vieler Geschichten, mit funkelndem, durchdringendem Blick, einem wettergegerbten Gesicht und einem Talent fürs Tanzen. Sorbas erzählt mit seinem Tanz Geschichten, erklärt damit die Welt und sich selbst – und muntert sich damit auf. Un-

ser Erzähler Nikos ist ein junger griechischer Intellektueller, der sich für Bücher und für den Buddhismus interessiert. Doch als er nach Kreta kommt und Sorbas mit seiner unbezähmbaren Lebenslust begegnet, erkennt er sogleich, dass dieser Mann ein spirituelles Geheimnis hat. Zu seiner Freude nimmt der leichtfüßige Herumtreiber Nikos' Angebot an, Vorarbeiter in dem Braunkohlebergwerk zu werden, das der junge Mann vor Kurzem auf der Insel erworben hat, und die beiden gewöhnen sich an, bis spät in die Nacht zusammenzusitzen und zum Klang von Sorbas' Santuri Wein zu trinken und über Philosophie zu diskutieren. Dabei bedauert Sorbas stets, dass sein Freund seine Gedanken nicht im Tanz ausdrücken kann, denn dadurch wären sie in der Lage, ihre Gespräche auf einer ganz anderen Ebene fortzuführen.
Eines Tages bringt Sorbas seinem jungen Freund tatsächlich bei, zu tanzen – ungestüm, trotzig, ekstatisch, und bald erzählen alle beide mit ihren sich scheinbar mühelos bewegenden Körpern Geschichten. Sorbas ist ein Mann voller natürlicher Weisheit, der »mit einem Satz« spirituelle Höhen erklimmt, für die andere Jahre brauchen. Was wir an diesem Energiebündel so lieben, ist seine Fähigkeit, sich jedes Mal vorbehaltlos in ein neues Projekt zu stürzen, immer wieder auf die Füße zu kommen (obwohl er eigentlich mindestens eine Woche schlafen müsste) und sich zurück ins Leben zu tanzen.
Werden auch Sie sein Schüler. Lassen Sie sich nicht fallen, wenn die Erschöpfung Sie zu überwältigen droht, sondern stehen Sie auf, drehen Sie die Musik auf und fangen Sie an zu tanzen. Möchten Sie nicht auch in ein paar Jahren sagen können: »Ich habe in meinem Leben einen Haufen Dinge getan und doch nicht genug. Menschen wie ich sollten tausend Jahre leben«?

▸ *Bett; Unfähigkeit, es zu verlassen*
▸ *Libidoverlust*
▸ *Zeit, zu wenig*
▸ *Zeit zum Lesen; keine haben*

Siddhartha
Hermann Hesse

Jeder, der einmal am Rande des Abgrunds gestanden hat, kennt dieses Gefühl. Neben der Angst, in den Tod zu stürzen, verspürt man auch den starken und vollkommen widersprüchlichen Drang zu springen. Das Wissen, dass nichts Sie davon abhalten kann, diesen letzten Schritt zu tun, diesen Sprung in die Möglichkeit – das Bewusstsein einer absoluten Freiheit des Willens, einer unendlichen Macht, zu gestalten oder zu zerstören –, erfüllt Sie mit Angst und Schrecken. Und es ist dieses Gefühl, so Søren Kierkegaard, das die Basis der Existenzangst bildet.

Wenn Sie das Pech haben, von diesem kräftezehrenden Leiden betroffen zu sein, benötigen Sie dringend eine spirituelle Erfrischungskur. Sie sollten Ihre Möglichkeiten reduzieren, sich von der Welt abwenden und zumindest für eine Weile in Askese leben. Was Sie brauchen, ist *Siddhartha*.

Siddharta, der Sohn eines fiktiven Brahmanen im alten Indien, ist für alle ein Quell der Freude und des Glücks – ausgenommen für sich selbst. Umgeben von seiner ihn liebenden Familie führt er ein vermeintlich idyllisches Leben und scheint zu Großem berufen. Doch trotz seines materiellen und geistigen Reichtums hat der junge Siddharta das Gefühl, dass ihm etwas fehlt.

Und so tut er das, was junge Männer im alten Indien zu tun pflegten: Er geht auf eine spirituelle Reise. Zuerst schließt er sich den Samanas an, einer Gruppe sich selbst geißelnder Asketen, die allem Körperlichen entsagen. Vollständig gegeißelt, aber noch immer unzufrieden, pilgert er zu Gotama, dem Buddha. Dieser lehrt ihn den achtfachen Pfad, der ihm den Weg zum Ende des Leidens leuchten soll. Doch auch dieses Wissen allein reicht Siddharta nicht, möchte er sein Ziel doch durch eigene Erfahrung erreichen. Auf seiner weiteren Reise begegnet er dem Fährmann Vasudeva, der von einem inneren Leuchten erfüllt ist und mit seinem einfachen Leben zufrieden zu sein scheint. Doch auch diesen verlässt Siddharta und macht sich wieder auf die Reise. Und selbst, nachdem er viele Jahre voller Glück und Sinnlichkeit an der Seite der schönen Kamala verlebt hat, hat er noch immer ein Gefühl, dass ihm etwas fehlt. Eine Zeitlang spielt er mit dem Gedanken, sich zu ertränken, doch dann entsinnt er sich der Worte des so beeindruckend glücklichen Fährmanns, der ihm rät, vom Fluss zu lernen.

Hier nun findet er die Erkenntnis, die er gesucht hat, wie das Wissen um den wahren Zyklus von Leben und Tod und was es bedeutet, Teil eines unendlichen Ganzen zu sein. Von diesem Tage an strahlt er transzendentales Wissen, Selbsterkenntnis und Erleuchtung aus. Aus der ganzen Welt pilgern die Menschen zu ihm, um Weisheit und Frieden zu finden. Menschen wie Sie.

F

FAHRSTIL, AGGRESSIVER

Statt aus dem Wagen zu springen und den vollkommen unfähigen Fahrer vor Ihnen tätlich anzugehen, schieben Sie doch lieber einen der folgenden Romane in Ihre Stereoanlage. Wütend, rasant und laut, wie Sie sind, werden Sie Ihre Wut verrauchen lassen und in andere Kanäle umleiten.

DIE ZEHN BESTEN HÖRBÜCHER FÜR AGGRESSIVE AUTOFAHRERINNEN UND -FAHRER

Wenn das Schlachten vorbei ist T. C. Boyle
A Clockwork Orange Anthony Burgess
Und die Nilpferde kochten in ihren Becken William S. Burroughs/ Jack Kerouac
Herz der Finsternis Joseph Conrad
American Psycho Bret Easton Ellis
So was von da Tino Hanekamp
Tschick Wolfgang Herrndorf
High Fidelity Nick Hornby
Unterwegs Jack Kerouac
Angst und Schrecken in Las Vegas Hunter S. Thompson

Ostersonntag
Harriet Köhler

Eine gute Partie
Vikram Seth

Im Kreise unserer Lieben haben wir die beste und die schlimmste Zeit, um Charles Dickens (etwas krumm) zu zitieren. Ohne Frage scheinen wir die größten Konflikte immer innerhalb der Familie zu erleben – egal, ob sie offen ausgefochten oder unter den Teppich gekehrt werden. Ob es Ihr tyrannischer Zweijähriger, Ihre endlos zankenden Geschwister, Ihre ehrgeizigen Eltern oder kritischen Schwiegereltern sind, Ihre pubertierenden Töchter oder Ihre nachtaktive Katze – oder das eine Familienmitglied, das sich regelmäßig ums Spülen drückt –, die Sie auf die Palme bringen, wir kennen die rettenden Lektüren: eine gnadenlose Abrechnung (anschließend werden Sie ihre Familienprobleme lieben) und einen saftigen Schinken über die ständigen Rangeleien und Machtspielchen innerhalb einer Familie: Harriet Köhlers *Ostersonntag* und Vikram Seths *Eine gute Partie.*

So schonungslos wie Harriet Köhler in ihrem Debütroman *Ostersonntag* hat seit *Dogma*-Filmemacher Thomas Vinterberg (*Das Fest*) keiner mehr ein scheinbares Familienidyll filetiert: Professor, schöne Gattin, drei Kinder. Wie konnten Sie dort landen, wo Köhlers Erzählung einsetzt? Eine Tochter tot, die andere verbissen in ihre Karriere, der Sohn durch sein Langzeitstudium dümpelnd, der Vater verzweifelt bemüht, seine Demenz zu verheimlichen, die Mutter mit Sport, Pillen und Affären gegen das Alter ankämpfend. Nur die Bewegung voneinander fort scheint ihnen gemeinsam zu sein, unterlaufen von der Sehnsucht nach Geborgenheit und Halt.

Harriet Köhler wählt ein so ungewöhnliches wie raffiniertes stilistisches Mittel, um diese Geschichte zu erzählen, indem sie jeder Figur eine innere Stimme gibt, die ihre Gedanken und Handlungen kommentiert: »Also los, nur zu, das Spiegelschränkchen, mach es auf. Es hat dich schon öfter gerettet. Vielleicht ist noch eine Valium darin?« Ein Kunstgriff und zugleich eine Chiffre für die große Leerstelle in diesem Familiensystem: Die Figuren sprechen nur mit sich selbst, nicht miteinander. So eignet sich *Ostersonntag* für Familiengeplagte als Schock- und Verhaltenstherapie zugleich:

Nachdem Sie durch die schweigende Ostersonntagshölle gewandert sind, werden Ihnen ihre familiären Nöte überschaubar vorkommen. Und Sie werden nicht aufhören, Ihren pubertierenden Kindern Gespräche aufzunötigen … (▸ *Pubertät* und ▸ *Teenager sein*).

Eine gute Partie erzählt eine altbekannte Geschichte: Mrs. Rupa Mehra ist fest entschlossen, den zukünftigen Ehemann für ihre jüngste Tochter Lata auszuwählen, aber Lata hat andere Vorstellungen. »Ich weiß, was am besten ist«, erklärt Mrs. Mehra ihrer Tochter. »Alles, was ich tue, tue ich nur für euch.« Wir müssen keine Inder sein, um diese Worte selbst schon einmal gehört zu haben. (Stellen Sie sich einfach vor, dass Mrs. Mehra statt über einen Mann über ein Kleidungsstück, einen Haarschnitt oder die angemessene Uhrzeit, zu der man am Wochenende aufzustehen hat, spricht.) Knapp 1500 Seiten lang schwankt Lata zwischen Haresh, der »guten Partie«, die ihre Mutter für sie gewählt hat, solide wie ein Paar handgenähte Schuhe, dem Laienschauspieler Kabir, in den sie sich verliebt hat, und Amir, dem freundlichen, dilettantischen Poeten, der von seinen Schwestern gedrängt wird, Lata den Hof zu machen.

Lata ist umgeben von Menschen, die versuchen, sie zu beeinflussen. Aber wessen Leben lebt sie eigentlich? Sie weiß, dass am Ende sie selbst die Entscheidung treffen muss – der Umfang des Romans beweist, was für eine schwierige Aufgabe das ist.

Wir können gegen den Einfluss unserer Familie kämpfen, so viel wir wollen, am Ende sind wir doch ein Teil von ihr – ihrer Kultur, ihrer Traditionen und Wertvorstellungen. Selbst wenn wir uns von ihr lossagen, hat sie uns doch zu der Person gemacht, die wir heute sind. Doch vergessen Sie nicht, dass Sie am Ende mit sich selbst klarkommen müssen.

▸ *Alternde Eltern*
▸ *Geschwisterrivalität*
▸ *Schwiegermutter; eine haben*
▸ *Weihnachten*

FAMILIE; OHNE SIE KLARKOMMEN MÜSSEN

Ich bin Legende
Richard Matheson

Wenn Sie von Ihrer Familie getrennt sind, körperlich oder emotional, fühlen Sie sich vielleicht erleichtert, befreit – oder aber einsam und leer. Die Trennung mag freiwillig oder unfreiwillig sein, in beiden Fällen sollten Sie dieses Buch in der Tasche haben, um sich daran zu erinnern, dass Sie allein zurechtkommen – solange Sie nicht der letzte Mensch auf Erden sind.

Mathesons legendärer Roman, in dem eine Seuche die Menschen in Vampire verwandelt hat, beginnt mit einer unvergesslichen Szene: Robert Neville, der letzte Mensch, sitzt in seinem verbarrikadierten Haus, trinkt Bier und hört *The Year of the Plague* auf seinem Plattenspieler – vor allem, um nicht hören zu müssen, wie vor seinem Haus die Vampire »Neville, Neville« rufen.

Nevilles Frau und Tochter sind der Seuche längst erlegen. Tagsüber, wenn die Vampire ins Koma fallen, tötet er so viele von ihnen wie möglich. Der Roman ist keine Vorlage für einen Splatterfilm – von den Vampiren und ihrem unschönen Ende durch Nevilles Hände liest man nur wenig. Stattdessen steht dessen Einsamkeit im Vordergrund, sein Bemühen, die neue Weltordnung zu verstehen, und seine immer verzweifelteren Versuche, einen Verbündeten zu finden. Sein ernsthaftes Bestreben, sich mit einem Hund anzufreunden, der nicht vom Virus befallen zu sein scheint, ist einer der ergreifendsten Momente dieser Geschichte.

Nevilles Widerstandskraft ist wirklich beeindruckend. Er ist der Robinson Crusoe einer vampirverpesteten Welt, in der das Überleben davon abhängt, dass man den Generator am Laufen hält und auf der Suche nach Konserven durch gespenstisch wirkende Supermärkte streift. Um nicht verrückt zu werden, hört Neville Schönberg und sucht nach einem Mittel gegen die Krankheit, die ihn bedroht. Er lebt allein im Hier und Jetzt mit der leisen Hoffnung auf eine Zukunft ohne diese Vampirplage.

Wenn die Trennung von Ihrer Familie ambivalente Gefühle in Ihnen weckt, wird dieses Buch Ihnen Mut machen. Wir gehen mal nicht davon aus, dass Sie fremden Leuten jeden Tag Holzpflöcke ins Herz rammen und dass Sie Knoblauchgirlanden und Spiegel brauchen, um die Monster davon abzuhalten, ins Haus zu kommen. Stattdessen gehen wir davon aus, dass die Geschichte so packend ist, dass Sie Ihre Einsamkeit vergessen werden – bis zur letzten Wendung. Die wird Sie daran erinnern, wie wertvoll eine Familie ist, egal ob nah oder fern.

▸ *Einsamkeit*

FAULHEIT

▸ *Bett; Unfähigkeit, es zu verlassen*
▸ *Ehrgeiz, zu wenig*
▸ *Lethargie*
▸ *Pubertät*

FEHLGEBURT

Die Frau des Zeitreisenden
Audrey Niffenegger

Eine Fehlgeburt ist ein trauriges, blutiges und einsames Erlebnis, das meist mit resignierter Verzweiflung aufgenommen wird. Und auch wenn der Verstand sagt, dass dieser Fötus nicht lebensfähig war und dass soundsoviel Prozent aller Schwangerschaften auf diese Weise enden, dass es natürliche Auslese war und vielleicht ohnehin nicht der richtige Zeitpunkt, um ein Kind zu bekommen, werden Ihre Hormone toben und Ihre Gebärmutter klagen. Während Sie sich (hoffentlich im Bett) davon erholen, sollten Sie *Die Frau des Zeitreisenden* lesen.

Clare liebt Henry, seit sie ein kleines Mädchen ist. Als sie sich zum ersten Mal begegnen, ist sie sechs und er fünfunddreißig. Er ist nicht pädophil, sondern ein Zeitreisender, und er weiß, dass Clare und er in seiner – und ihrer – Zukunft heiraten werden.

Die eindringliche und seltsame Geschichte ihrer Liebe zu verfolgen ist qualvoll und herzerwärmend zugleich. Clare wartet auf Henry, und weist von Anfang an alle anderen

Männer ab. Doch Henry hat keine Kontrolle darüber, wann er durch die Zeit reist – manchmal verschwindet er ganz willkürlich und lässt Clare über Monate und sogar Jahre allein, selbst als sie glücklich verheiratet sind. Ihre Kunst hilft ihr, mit der Einsamkeit zurechtzukommen.

Richtig schwierig wird es, als die beiden versuchen, ein Kind zu bekommen. Clare erleidet fünf Fehlgeburten, bevor ihnen dämmert, dass die Föten anscheinend, wie ihr Vater, unfreiwillige Zeitreisende sind und den Mutterleib schon vor ihrer Geburt verlassen. Jedes Mal, wenn das passiert, gibt es blutgetränkte Laken, und manchmal hält Clare ein »winziges Monster« in ihrer Hand. Hoffnung und Verzweiflung liegen nah beieinander. Clare hält durch, denn sie wünscht sich sehnlich ein Kind, und am Ende werden die beiden eine Lösung für ihr einzigartiges Problem finden. Doch bei jeder Fehlgeburt leidet Clare, so wie auch Sie gelitten haben, und ihre Trauer zu erleben wird einen tiefgreifenden kathartischen Effekt auf Sie haben. Wenn auch Sie sich sehnlichst ein Kind wünschen, geben Sie nicht auf; möge diese lebensbejahende Geschichte Sie inspirieren und Ihnen Trost spenden.

► *Sehnsucht, allgemeine*
► *Schmerzen*
► *Versager; sich wie einer fühlen*
► *Weinen; sich tüchtig ausheulen*

FEIGHEIT

Wer die Nachtigall stört …
Harper Lee

Als Feigling kann man kein gutes Leben führen. Denn wie wollen Sie denn versuchen, das Richtige zu tun, wenn Sie immer dann, wenn es mal schwierig wird, am liebsten davonlaufen würden oder zumindest Ihre schlotternden Knie verbergen?

Was nicht heißen soll, dass Sie alle Angst über Bord werfen sollen. Es ist völlig in Ordnung, mal Angst zu haben. Wichtig ist, seine Angst zu spüren und es trotzdem zu tun, wie die Selbsthilfebücher so schön schreiben. Wenn Sie schnell

den Mut verlieren oder ein Weichei sind oder lieber andere den Kopf hinhalten lassen – oder wenn Sie akut eine Motivationsspritze für eine schwierige Situation brauchen –, dann lassen Sie sich von den Wundertaten der mutigsten Figuren in der Weltliteratur inspirieren.
Unser erklärter Liebling – und oh, wie lieben wir ihn dafür – ist Atticus Finch in Harper Lees *Wer die Nachtigall stört …* Der alleinerziehende Vater von Jem und Scout (falls Sie sich in einer ähnlich misslichen Lage befinden ▸ *Alleinerziehend sein*) beweist seinen Mut im Angesicht physischer Gefahr, als er einen tollwütigen Hund auf der Hauptstraße von Maycomb, Alabama, mit einem einzigen Schuss niederstreckt. Es bringt ihm den sofortigen Respekt seiner beiden überraschten Kinder, die ihn bis zu diesem Moment als schwächlich und halb blind abgeschrieben hatten (denn er ist älter als die anderen Väter, die sie kennen). Atticus lehrt Jem und Scout, dass nichts Heldenhaftes daran ist, den Einsiedler Boo Radley zu quälen, und dass es manchmal mehr Mumm erfordert, einem Kampf aus dem Weg zu gehen, wenn man provoziert wird, als zurückzuschlagen. Was uns am Ende jedoch wirklich lehrt, was Mut bedeutet, ist Finchs Entschluss, sich hinter Tom Robinson zu stellen, einen schwarzen Mann, der wegen der Vergewaltigung an einer weißen Frau angeklagt wird – und das in einer Gesellschaft, in der Rassismus an der Tagesordnung ist. Sein Mut, standhaft zu bleiben, als seine Kinder in der Schule seinetwegen gehänselt werden, sein Mut, sich – allein – einem wütenden Mob entgegenzustellen, der entschlossen ist, Robinson zu lynchen. Atticus ist eindeutig aus einem besonderen Holz geschnitzt.
Wer die Nachtigall stört … ist und bleibt eine der schärfsten literarischen Verurteilungen von Rassismus, und auch Harper Lees Mut – der Mut einer weißen Frau, die über die Menschen schreibt, unter denen sie aufgewachsen ist – muss man würdigen. Lee veröffentlichte ihren Roman 1960 – noch bevor die amerikanische Bürgerrechtsbewegung ihren Höhepunkt erreichte –, und ihre Entscheidung, sich auf diese Weise zu äußern, macht sie ihrem eigenen Helden Atticus Finch ebenbürtig.

Lassen Sie nicht zu, dass Ihre Angst Sie zum Feigling macht. Mit Atticus und Harper Lee als Mentoren können Sie mutig in die Fußstapfen dieser modernen Helden treten.

► *Chance, verpasste*
► *Superheld; einer sein wollen*

FERNWEH

Der Kaiser von China
Tilman Rammstedt

Wenn der regennasse Asphalt frühmorgens auf dem Weg zur Arbeit für Sie nach Asien riecht; wenn der Anblick Ihrer Trekkingsandalen Sie traurig macht und die Lonely-Planet-Ausgaben in Ihrem Regal auch; wenn Sie sich bei Ihrem Lieblingsvietnamesen vor der Küche herumdrücken, um den Gesprächen der Köche zu lauschen – dann hat es Sie erwischt, das Fernweh. Es gibt nur zwei Möglichkeiten, diese Krankheit zu heilen: Entweder Sie buchen sich sofort ein Ticket irgendwohin (möglichst weit weg) – oder Sie verreisen von Ihrem Sofa aus mit Tilman Rammstedts *Der Kaiser von China* (und schonen dabei noch das Klima).
Dieser Roman, der 2008 in Klagenfurt den Ingeborg-Bachmann- und zugleich den Publikumspreis gewann, ist in vierfacher Weise gegen Ihr Fernweh wirksam:
Erstens ist er verdammt komisch. Ihre schmerzenden Bauchmuskeln werden Sie Ihr Fernweh vergessen lassen. Zweitens zeigt Ihnen die Hauptfigur Keith Stapperpfennig, wie man, unter einem Schreibtisch sitzend, China bereisen kann. Drittens ist Rammstedts ausgedachtes China so exotisch, so malerisch und so fremdartig, dass kein reales Land mithalten kann. Oder haben Sie schon einmal ein Land besucht, in dem man auf der Post seine Haustiere impfen lassen kann? Viertens ist dieser Roman ein funkelndes Stück Literatur, klug, skurril und anrührend. Viel zu schade, um ihn in einer Hängematte unter Palmen zu lesen, in steter Todesangst vor möglicherweise herabfallenden Kokosnüssen …

► *Heimweh*
► *Rastlosigkeit*

DIE ZEHN BESTEN ROMANE GEGEN FERNWEH

Australien: Traumpfade **Bruce Chatwin**
Karibik: Das kurze wundersame Leben des Oscar Wao **Junot Díaz**
Burma/Indien: Der Glaspalast **Amitav Ghosh**
Spanien: Wem die Stunde schlägt **Ernest Hemingway**
Japan: Schneeland **Yasunari Kawabata**
Island: Am Gletscher **Halldór Laxness**
Libyen: Im Land der Männer **Hisham Matar**
USA: Auf Messers Schneide **W. Somerset Maugham**
Südfrankreich: Eine Kindheit in der Provence **Marcel Pagnol**
Afrika: Nirgendwo in Afrika **Stefanie Zweig**

FESTHÄNGEN, IN EINER BEZIEHUNG

► *Der/Die Falsche; bei ihm/ihr landen*

FLUGANGST

Das Beste, was man bei Flugangst tun kann, ist, sich abzulenken. Wir haben zehn perfekte literarische Ablenkungen anzubieten, so fesselnd, Sie werden völlig vergessen, dass Sie sich zehntausend Meter über der Erde befinden.

DIE ZEHN BESTEN ROMANE FÜR FLUGREISEN

Ruhelos **William Boyd**
Der Graf von Monte Christo **Alexandre Dumas**
Die Frau in Schwarz **Susan Hill**
Gottes Werk und Teufels Beitrag **John Irving**
Verblendung **Stieg Larsson**
Das verlorene Labyrinth **Kate Mosse**
Aufruhr in Oxford **Dorothy L. Sayers**
Der Schwarm **Frank Schätzing**
In meinem Himmel **Alice Sebold**
Der Schatten des Windes **Carlos Ruiz Zafón**

FREMDENFEINDLICHKEIT

Sollten Sie feststellen, dass Sie Angst vor Menschen aus anderen Ländern haben oder sogar Abscheu vor ihnen empfinden, baden Sie in den folgenden Büchern aus fernen Regionen. Geschrieben von Autorinnen und Autoren, die (fast alle) in der Gegend, in der ihre Geschichte spielt, auch geboren und/oder aufgewachsen sind, werden sie Sie daran erinnern, wie gleich wir alle unter unserer Haut sind – Menschen nämlich.

DIE ZEHN BESTEN ROMANE GEGEN FREMDENFEINDLICHKEIT

Stromschnellen **Bonnie Jo Campbell**
Netze **Nurrudin Farah**
Stichwort: Liebe **David Grossman**
Die blinde Eule **Sadeg Hedayat**
Waltenberg **Hédi Kaddour**
Salzstädte **Abdalrachman Munif**
Zähne zeigen **Zadie Smith**
Rupien! Rupien! (Slumdog Millionär) **Vikas Swarup**
Rückkehr nach Missing **Abraham Verghese**
Die Knoblauchrevolte **Mo Yan**

FREMDGEHEN

► *Ehebruch*

FREMD SEIN

Alles ist erleuchtet
Jonathan Safran Foer

Wenn Menschen Sie als ›Fremden‹ auszeichnen und wenn Sie diese Auszeichnung nicht schmackhaft finden, wenn Sie es ungefällig finden, dass die Leute denken, Sie hätten Scheiße zwischen Ihrem Gehirn, bloß weil Sie aus einem differenzierten Teil der Welt kommen, dann sollten Sie sich an Alex bilden, den nichtkompetenten Erzähler in *Alles ist erleuchtet*. Der junge Ukrainer weiß seine mangelhaften Fremdsprachenkenntnisse schicksalhaft einzusetzen und wickelt damit alle durch den Finger. Denn auch, wenn Sie nicht gerade ein spitzer Typ sind und nicht viele Mädchen mit Ihnen Verkehr haben wollen, können Sie seine Nachrede antreten, und die Leute werden zumindest auf Ihnen stehen.
Alex versichert seinem Vater, dem Bewohner des Reisebüros Heritage Touring, dass er fließend Englisch verspricht, und wird daraufhin zum Anführer und Dolmetscher des Helden in diesem Roman, Jonathan Safran Foer (wir meinen die Romanfigur, nicht den Autor, wobei die beiden viele Eigenschaften teilen, alle davon erstklassig). Gemeinsam mit Alex' weinendem Großvater, ehemals Feldarbeiter, jetzt zurückgeblieben, und einem geistig gestörten Hund namens Sammy Davis jr. jr. (was man nicht wirklich lässig aussprechen kann), vermachen sie sich auf die Suche nach dem kleinen ukrainischen Schtetl Trachimbrod, in der Hoffnung, die Frau festzustellen, die Jonathans Großvater vor den Nazis gerettet haben soll. Die Geschichte von Trachimbrod, von Jonathan in zurückkommenden Kapiteln erzählt, ist äußerst elektrisch. Doch es ist Alex' abartige und denkwürdige Stimme – das vorzeigbare Resultat seiner Angewohnheit, statt eines Wörterbuchs einen Thesaurus zu untersuchen – die unsere Herzen erobert. Wenn Sie also erwarten, in näherer Zukunft irgendwo befremdet zu sein, oder wenn Sie nicht so erleuchtet sind, dann schlagen wir vor, in einen Thesau-

rus – oder was auch immer das Äquivalent dazu in der Sprache ist, in der Sie unvollkommen flüssig sind – zu verteilen (wir sind sicher, ein Kochbuch oder ein Handbuch für Autoreparaturen wird Ihnen ebenfalls assistieren), und Sie werden nicht nur sich selbst erleuchten, sondern sich zugleich sehr bezaubernd und erschütternd machen.

FREUND; EIN SCHLECHTER SEIN

Berlin Alexanderplatz
Alfred Döblin

Was haben Sie getan? Den Geburtstag Ihrer besten Freundin vergessen? Mit einem anderen als Ihrem besten Kumpel Bundesliga geschaut? Hinterrücks gelästert? Den hundertzwanzigsten Anruf Ihrer frisch geschiedenen Freundin auf Lautsprecher gestellt und zu Ihrem lauten Schluchzen gebügelt? (▸ *Empathie, Mangel an*) Betrunken den Partner der besten Freundin/des besten Freundes befummelt? Schämen Sie sich! Und lesen Sie Döblins *Berlin Alexanderplatz.*
Achtung, ein bisschen Haltung, bitte. Schließlich sprechen wir über den bedeutendsten deutschen Großstadtroman. Den Roman, der die Montagetechnik, den inneren Monolog und das filmische Erzählen salonfähig machte, der schon 1929 den Typus des Mitläufers porträtiert hat, der wenige Jahre später einen ganzen Kontinent in den Wahnsinn führen sollte. Und der außerdem eine doppelt heilende Wirkung auf Sie haben wird: Er wird Ihr schlechtes Gewissen besänftigen. Ganz sicher. Wollen Sie wissen, was Reinhold seinem Freund Franz Bieberkopf, Döblins Hauptfigur, antut? In Ordnung: Reinhold zieht den Ahnungslosen in ein Verbrechen hinein, versucht, ihn zu töten, macht ihn zum Krüppel und erwürgt seine Freundin bei dem Versuch, sie zu vergewaltigen. Dagegen ist ein vergessener Geburtstag eine Lappalie. Zweitens wird er Ihnen eine Mahnung sein: Schließlich wollen Sie nicht so abgrundtief unmoralisch-dämonisch sein wie Reinhold. Sie wollen nicht dafür verantwortlich sein, dass ein Freund mit dem Leitspruch »Wach sein. Dem Menschen ist gegeben die Vernunft, die Ochsen bilden statt dessen eine Zunft« aus einer Irrenanstalt herausstrauchelt.

Bevor Sie nun aber der beleidigten Leberwurst von einer besten Freundin den Döblin vor die Nase halten von wegen, sie solle sich wegen eines vergessenen Geburtstags nicht so aufregen, sondern froh sein, dass Sie sie nicht beinahe umgebracht haben … ruhig Blut. Für Geburtstage gibt es Kalender und Apps. Und falls Sie's trotzdem mal vergessen, zeitigen auch heute noch Versöhnungsblumen und ein reuevoller Blick Wirkung.

► *Freundschaft, zerbrochene*

FREUNDE BRAUCHEN

► *Außenseiter sein*
► *Einsamkeit*

FREUNDSCHAFT, ZERBROCHENE

Also dann bis morgen
William Maxwell

Klagen über den Schmerz einer zerbrochenen Liebesbeziehung hört man allenthalben. Aber was ist mit dem Verlust einer Freundin oder eines Freundes, wenn man sich nach vielen gemeinsamen Jahren (aus welchen Gründen auch immer) hoffnungslos verkracht hat? Freundschaften schließt man schließlich für die Ewigkeit, und der Schmerz, wenn wir die eine Person verlieren, die wir vielleicht schon kennen, seit wir klein sind, die uns in unseren schlimmsten Momenten erlebt hat, fühlt sich an, als würde man uns die Eingeweide herausreißen. Nicht nur wird er oder sie uns schrecklich fehlen, sondern wir werden uns auch fragen, ob wir selbst denn ein guter Freund sind und überhaupt ein guter Mensch.

Eine solch traurige Situation beschreibt William Maxwell in all ihrer Schmerzlichkeit in seiner meisterhaften Novelle *Also dann bis morgen*. Clarence Smith und Lloyd Wilson haben zwei benachbarte Farmen gepachtet. Fernab im ausgedehnten Grasland des Staates Illinois gelegen, ist das einzige Licht, das man nachts von einem der Häuser aus sehen kann, das des anderen. Und im Laufe der Jahre lernen die

beiden Männer, sich aufeinander zu verlassen. Wenn Lloyd ein krankes Kalb hat, ruft er zuerst Clarence und dann den Tierarzt. Und wenn sich die Messer in Clarence' Mähmaschine verklemmen, dann hört Lloyd das Stottern des Motors aus einem halben Kilometer Entfernung, und wenn die Maschine nicht sofort wieder anspringt, fährt er gleich rüber. Sie sind sich gegenseitig der einzige Freund.
Fünfzig Jahre später erinnert sich der – selbst nicht mehr ganz junge – Erzähler dieser Geschichte, ein Mann, der in der Nähe aufwuchs und seine eigene bewegende Geschichte zu erzählen hätte, an Smith' und Wilsons Geschichte und deren tragisches Ende. Dabei geht es ihm nicht um Schuld und Unschuld, denn sowohl Smith als auch Wilson haben ihre Sicht der Dinge, und der Autor ergreift für keinen von beiden Partei. Dennoch bleibt eine große Traurigkeit, die für den Erzähler noch immer schwer zu ertragen ist. Maxwells langsame, elegische Sprache, die wie Nebel aus den Seiten steigt, wird Sie weit über simple »Er sagt«/»Sie sagt«-Anschuldigungen hinaustragen zu der Unaussprechlichkeit des Leids, der schrecklichen Realität zerstörter Leben.
Falls es noch nicht zu spät ist, sollten Sie alles in Ihrer Macht Stehende tun, um Ihre Freundschaft zu retten. Je älter Sie werden, desto schwieriger wird es sein, neue Freunde zu finden, und eine gemeinsame Vergangenheit kann man nicht ersetzen. Wenn der Schmerz oder die Verbitterung zu groß sind oder Ihr Freund/Ihre Freundin sich nicht imstande sieht, Ihnen zu verzeihen, dann wird Maxwells Geschichte Ihnen helfen, den Verlust und den Kummer darüber zu spüren – und dafür sorgen, dass Sie sich niemals wieder einem Freund gegenüber so verhalten werden, dass Sie es anschließend bereuen.

► *Einsamkeit*
► *Freund; ein schlechter sein*

DIE ZEHN BESTEN ROMANE FÜR FÜNFZIG- BIS SECHZIGJÄHRIGE

Lola Bensky **Lily Brett**
Schande **J. M. Coetzee**
Die Liebesblödigkeit **Wilhelm Genazino**
Das Tagebuch der Jane Somers **Doris Lessing**
Ganze Arbeit **Magnus Mills**
Der Mann ohne Eigenschaften **Robert Musil**
Die unsichtbare Brücke **Julie Orringer**
Die Zärtlichkeit der Wölfe **Stef Penney**
Die Satanischen Verse **Salman Rushdie**
Die dunkle Seite des Mondes **Martin Suter**

G

GEBURTSTAGSBLUES

Mitternachtskinder
Salman Rushdie

Sie werden schon wieder ein Jahr älter, und das schmeckt Ihnen ganz und gar nicht. Vielleicht haben Sie Angst, Ihr gutes Aussehen zu verlieren (► *Eitelkeit*) oder krank und senil zu werden (► *Altersschwäche*). Nun, mit diesem Problem sind Sie nicht allein (► *Altern; Angst davor haben*). Tatsache ist, dass in diesem Moment noch 1 760 280[1] andere Menschen den Geburtstagsblues erleben. So wie Saleem Sinai, der Held in Salman Rushdies *Mitternachtskinder*, der seinen Geburtstag (Punkt Mitternacht am 15. August 1947) mit der Geburt des neuen, unabhängigen Indien und noch tausend anderen Menschen teilt.
Sie brauchen nicht an Astrologie zu glauben, um zu spüren, dass Sie eine besondere Verbindung zu den Menschen haben, die am selben Tag geboren wurden wie Sie selbst, so wie Saleems Leben eng mit der Geschichte seines Landes und der der anderen »Mitternachtskinder« verschlungen ist, mit denen er eine seltsame telepathische Verbindung und magische Kräfte teilt. Betrachten Sie es einmal so: Allein die Tatsache, dass wir jetzt gerade hier auf der Erde gemeinsam mit all den anderen Menschen leben, ist schon ein unglaublicher Zufall, wenn man bedenkt, wie alt das Universum ist und wie lange es noch in Zukunft existieren wird. Und dass noch andere Menschen exakt *am selben Tag, im selben Jahr* geboren wurden – nun, das sind ja fast schon Ihre Geschwister! Haben Sie da nicht das Verlangen, in die Welt hinauszulaufen und ihnen allen zum Geburtstag zu gratulieren?

1 Vielleicht auch ein paar mehr oder weniger.

Ziehen Sie am Vorabend Ihres Geburtstages die *Mitternachtskinder* aus dem Regal und lesen Sie los, gemeinsam mit all den anderen Geburtstagskindern auf der Welt. Erheben Sie das Glas auf Ihre weltumspannende Familie und erleben Sie gleichzeitig mit ihnen die Leuchtkraft und die Farbenpracht dieser wunderbaren Geschichte, schmunzeln Sie zusammen über ihren albernen Humor und ihr Interesse für die Verrücktheiten des Lebens. Während Sie lachen, werden Sie sich wieder jung fühlen. Lesen Sie weiter, die ganze Nacht, so wie Sie es früher gemacht haben. Es ist eine lange Geschichte. Und beobachten Sie über den Rand des Buches, wie die dunklen Wolken am Horizont sich rosa färben.

► *Altern; Angst davor haben*
► *Unzufriedenheit*

GEDÄCHTNISVERLUST

Der Namenlose
Samuel Beckett

Das Dilemma fängt ja schon damit an, dass man die Erinnerung für etwas hält, was wirklich existiert, an einem ganz bestimmten Ort – und dabei ist die ganze Sache ja nichts weiter als eine momenthafte Projektion. Aber wir werden Sie ahnungslos und blind, wie Sie sind, weiterwurschteln lassen, bis ans Ende Ihres Irrtums, wo Sie sich dann die Frage erneut stellen können, dabei allerdings tunlichst vermeiden sollten, sich durch die Verwendung von dem Verstehen zugänglichen Begriffen oder gar Vorstellungen zu kompromittieren. Weiteres Nachdenken wird Ihnen vielleicht offenbaren, dass Sie gar nicht anders können als zu vergessen und dass diese eine erinnerungswürdige Stunde noch nicht im Entferntesten geschlagen hat und vielleicht auch niemals schlagen wird. Warum dann nicht gleich an etwas anderes denken, an etwas, das bis zu einem gewissen Grade messbar erscheint, an etwas Benennbares? Was dieses »Etwas« anbelangt: Wir würden lieber dabei bleiben, das müssen wir betonen, wir würden wirklich lieber dabei bleiben, denn Ihre Einstellung uns gegenüber hat sich verändert, wir sind enttäuscht, Sie könnten eine Tür sein, durch die Sie zu einer Er-

innerung kommen, Sie müssen nur zuhören, dann erzählt die Stimme Ihnen alles.
Sie wundern sich, Sie fühlen keinen Mund an sich, Sie fühlen keine Worte, die sich in Ihrem Mund drängen, und wenn Sie, im Bus oder im Bett, an ein Buch denken, das Sie mögen, sollten Sie Bücher überhaupt mögen, dann sind die Worte plötzlich da, Sie können sie aber trotzdem nicht fühlen, die Worte fallen, Sie wissen nicht wohin, Sie wissen nicht woher, Tropfen aus Schweigen, Sie fühlen ein Ohr, Sie fühlen eine Nase, obwohl, offen gestanden, jetzt auch schon nicht mehr, Sie müssen sich wohl einen Kopf machen.
Sie glauben, Sie verändern sich, aber Sie verändern sich nie, Sie werden bis zu Ihrem Tod immer dasselbe sagen. Wo nun? Wer nun? Wann nun? Ständig vergessen Sie das, wir müssen es noch mal zusammenfassen, Sie müssen es noch mal zusammenfassen, hören Sie nie auf, sich selbst Geschichten zu erzählen und sich zu fragen, woher Sie die haben, waren Sie da im Land der Lebenden, wo verwahren Sie solche Erinnerungen, in Ihrem Kopf, aber Sie können ja keinen Kopf an sich fühlen, Sie sind aus Schweigen gemacht, wir sind aus Geschichten gemacht, wir könnten Sie sein, wir könnten das Schweigen sein, dann wären Sie die Geschichten, Sie haben sich daringelassen, Sie erwarten sich darin. Sie müssen weitermachen, Sie können nicht weitermachen, wir haben Sie vielleicht bis an die Schwelle Ihrer Geschichte getragen, die Tür wird sich öffnen, Sie werden Sie sein.
► *Amnesie, lektürebezogene*

GEFEUERT WERDEN
► *Arbeit; sie verlieren*
► *Arbeitslosigkeit*
► *Mordgelüste*
► *Pleite sein*

GEFÜHLE; UNFÄHIGKEIT, IHNEN AUSDRUCK ZU VERLEIHEN

Bittersüße Schokolade
Laura Esquivel

Als ich im Sterben lag
William Faulkner

All jene, denen es schwerfällt, ihren Gefühlen Ausdruck zu verleihen – oder die mit jemandem zusammenleben, dem es so geht –, sollten nicht vergessen, dass a) die Unfähigkeit, Gefühle auszudrücken, nicht zwangsläufig bedeutet, dass keine vorhanden sind, und dass es b) alternative Ausdrucksmöglichkeiten gibt, die anstelle von Worten angewandt werden können (und vielleicht auch schon werden).

In Laura Esquivels beliebtem Roman *Bittersüße Schokolade* darf Tita ihre Jugendliebe Pedro nicht heiraten, weil es ihr als jüngster Tochter vorherbestimmt ist, Junggesellin zu bleiben und sich zeitlebens um ihre tyrannische Mutter zu kümmern. Und so lässt Tita die Liebe, die sie nicht für Pedro empfinden darf, in die prächtigen Speisen einfließen, die sie zubereitet. In die Torte für Pedros Hochzeit – denn er heiratet Titas Schwester Rosaura, um in ihrer Nähe bleiben zu können – rührt sie Martyrium und Bitterkeit. In das Baiser fließt ihre Sehnsucht. Und wie man es von den südamerikanischen magischen Realisten erwartet, verdauen die Hochzeitsgäste ihre Emotionen gemeinsam mit der Hochzeitstorte und werden allesamt von Trauer über ihre verlorenen Lieben überkommen. Und Titas Wachtel in einer Sauce aus Rosenblättern, aufgegossen mit ihrer sinnlichen Leidenschaft für Pedro, versetzt ihre jungfräuliche Schwester Gertrudis in eine solche sexuelle Erregung, dass sie aus ihren Kleidern steigt und nackt durch die Straßen läuft – um von einem ebenso lüsternen Soldaten auf dem Rücken seines Pferdes davongetragen zu werden, wie es sich gehört.

Natürlich werden Gefühle nicht immer so dramatisch durchlebt. Von den fünf Bundren-Geschwistern, die erleben müssen, wie ihre Mutter Addie stirbt, kann Darl seine Liebe zu seiner Mutter am besten in Worte fassen, Jewel sie am deutlichsten zeigen und Cash, der Älteste, ihnen am wenigsten Ausdruck verleihen. Er tut es, indem er ihr einen Sarg zimmert, direkt unter dem Fenster, hinter dem sie im Sterben liegt. Sein Bruder Jewel schaut ihm zu, wie er akribisch und

sorgfältig »die langen heißen traurigen Tage« in Bretter zersägt, und fasst diesen Akt tiefer und komplexer Zuneigung für ihn in Worte: »Schau her, was für einen schönen Sarg ich dir zimmere.«
Und der Sarg ist wirklich schön. Er hat die Form einer Standuhr, »wo jedes Verbindungsglied und jede Fuge abgeschrägt und mit dem Hobel geglättet wurde, glatt wie eine Trommel und sauber wie ein Nähkorb«, so dass sie Addie hineinlegen können, ohne ihr Kleid zu zerknittern. Der junge Mann lässt all seine Trauer und seinen Wunsch, ihr eine Freude zu machen, in diesen Sarg einfließen, und seine Unfähigkeit, seine Gefühle in Worte zu fassen, berührt den Leser tief. Versöhnen Sie sich mit der Tatsache, dass Sie oder Ihre Lieben ihren Gefühlen nicht auf die übliche, verbale Art Ausdruck verleihen, und verwenden – oder erlauben – Sie ein größeres Repertoire an Ausdrucksmöglichkeiten.

GEISTIGE STAGNATION

Die blaue Blume
Penelope Fitzgerald

So wie ein Hund braucht auch unser Gehirn regelmäßiges Training, um in Form zu bleiben. Wenn Ihres aufgrund mangelnder Forderung oder mangels anregender Gesellschaft in einen Zustand geistiger Stagnation verfallen ist, dann raten wir Ihnen, es mit einem mentalen Defibrillator wie der *Blauen Blume* von Penelope Fitzgerald wieder ins Leben zurückzuschocken.
Die blaue Blume erzählt die Geschichte des brillanten Dichters Friedrich von Hardenberg (der später als Novalis berühmt werden sollte) und seiner seltsamen Liebe zu Sophie von Kühn, einem zwölf Jahre alten Mädchen von eher mittelmäßigem Verstand. Dabei ist die Gesellschaft der von Hardenbergs durchweg äußerst unterhaltsam: Der spröde, trockene Humor von Fritz' exzentrischen Geschwistern lässt jede einzelne ihrer Bemerkungen auf den Seiten funkeln. Doch das Beste an der *Blauen Blume* sind die Einblicke in den scharfen Verstand von Penelope Fitzgerald selbst, erkennbar sowohl in dem, was sie uns zeigt – ihre unglaublich

scharfsinnigen Beobachtungen, woraufhin sie leicht wie eine Fliege wieder davonschwirrt –, als auch in dem, was sie nicht zeigt: So zeigt uns eine Figur allein mit dem Recken ihres Kinns ihr gebrochenes Herz. Bei ihren geographischen und räumlichen Sprüngen zwischen zwei Sätzen würden die meisten Autoren vor Panik in Ohnmacht fallen. So viel Bedeutendes bleibt ungesagt, und wir sind fleißig damit beschäftigt, die Lücken zu füllen.

Am Ende des Buches werden Ihre Synapsen auf der gleichen Frequenz surren wie die von Penelope Fitzgerald. Deshalb empfehlen wir zur Pflege der mentalen Fitness die Lektüre der *Blauen Blume* einmal pro Jahr.

▸ *Karriereweg; den falschen eingeschlagen haben*
▸ *Langeweile*

GELD; KEINS HABEN

▸ *Arbeitslosigkeit*
▸ *Pleite sein*

GELD; ZU VIEL AUSGEBEN

▸ *Buchkäufe, zwanghafte*
▸ *Kaufsucht*

GELÜSTE; KEINE MEHR VERSPÜREN

Der Leopard
Giuseppe Tomasi di Lampedusa

Appetitlosigkeit ist eine üble Angelegenheit, denn unsere Lust auf Essen ist ein wesentlicher Teil unserer Lust zu leben. Der vollständige Verlust des Appetits – und nicht nur auf Essen – als Ergebnis verschiedener physischer und emotionaler Leiden (wie Liebeskummer, Depression, ein gebrochenes Herz oder Trauer) führt unweigerlich in eine Richtung. Um Ihren Appetit, Ihre Gelüste, Ihre Lebenslust wieder zu wecken, empfehlen wir Ihnen deshalb einen der sinnlichsten Romane der Weltliteratur.

Der *Leopard*, Don Fabrizio Corbera, Fürst von Salina, fühlt

sich, als würde er seit vielen Jahren sterben. Doch selbst jetzt, mit dreiundsiebzig, ist er der fleischgewordene Appetit. Er hat noch immer genug Lebenskraft, um ins Bordell zu gehen, und freut sich jedes Mal wieder aufs Neue über seine Lieblingsnachspeise, Rumgelee in Form einer Burg mitsamt Zinnen und Bollwerk (die unter dem Ansturm seiner hungrigen, ebenso enthusiastischen Großfamilie schnell in Trümmer gelegt wird). Die Geschichte strotzt nur so von atemberaubenden Beschreibungen aller möglichen Begehrlichkeiten, von den täglichen Verfolgungsjagden eines Hasen in der »duftreichen, archaischen Welt des Landes«, bis hin zu der heftigen, überwältigenden Begierde von Tancredi und Angelica, die wochenlang im Palast Haschen spielen und dabei immer neue Zimmer entdecken, in denen sie sich nach einander verzehren können. Es »waren die Tage der immer gegenwärtigen weil immer beherrschten Sehnsucht«.
Man kann gar nicht anders, als sich auf den zügellosen Appetit des alten Patriarchen einzulassen und mit ihm in der Welt der Sinnesfreuden zu schwelgen. Dieses Buch wird Ihre Gelüste wieder zum Leben erwecken – nach Essen, nach Liebe, nach dem Leben auf dem Land und vor allem nach dem Leben selbst.

GEMEIN SEIN

Die schärfsten Gerichte der tatarischen Küche
Alina Bronsky

Sie sind oft gemein zu anderen? Sie zweifeln an Ihrer charakterlichen Integrität? Zunächst einmal: Das ehrt Sie. So viel Einsicht und Selbstreflexion sind selten. Im nächsten Schritt müssten Sie sich fragen, ob Sie tatsächlich eine niederträchtige Person sind oder ob Sie nur glauben, eine zu sein. In beiden Fällen hilft Alina Bronskys *Die schärfsten Gerichte der tatarischen Küche*.
In diesem zweiten Roman der in Russland geborenen Autorin treffen wir auf die bösartigste, hinterhältigste, die gemeinste Großmutter der Literaturgeschichte. Hören Sie, was sie bereits im ersten Kapitel über ihre Tochter denkt: »Ihre Schultern waren hässlich hochgezogen und die Augen rot,

weil sie die Tränen nicht einfach laufen ließ, sondern mit dem Handrücken im Gesicht verrieb. Und das, obwohl ich sie von klein auf gelehrt hatte, wie man weint, ohne hässlich zu werden, und wie man lächelt, ohne zu viel zu versprechen. Aber Sulfia war nicht begabt. Ich muss sogar sagen, sie war ziemlich dumm. [...]. Am liebsten hätte ich sie angeschrien: ›Halt den Rücken gerade! Schnief nicht! Guck nicht so blöd! Versuch doch mal, nicht zu schielen!‹ [...] Und diese Tochter, die ich bekommen hatte, war verunstaltet und passte nicht so recht zu mir. Sie war klein und ging mir bis zur Schulter. Sie hatte überhaupt keine Figur und kleine Augen und einen schiefen Mund. Dumm war sie, wie gesagt, auch. Sie war schon 17 Jahre alt, und es bestand keine Hoffnung, dass sie noch mal klüger werden würde.«

Können Sie da mithalten? Sehen Sie: Sie sind kein niederträchtiger Mensch. Wenn Sie mögen, lesen Sie Bronskys Roman trotzdem, einfach zum Spaß.

Sie können mithalten? Dann wird es Zeit für eine klassische Entwicklungsgeschichte. Großmutter Rosalinda wird Ihnen dabei helfen. Vielleicht werden Sie zunächst noch Ihre Freude an ihr haben; wie sie ihre Familie beherrscht, wie sie ihre im Stalinismus gestählten Lebensstrategien einsetzt. Aber dann, als Rosalindas großes Ziel erreicht ist und sie und ihre Familie in Frankfurt ankommen, in dem Land, in dem »die Straßen mit Shampoo« gewaschen werden, werden Sie erleben, wie Rosalindas Kräfte versagen: Ihre Unbeugsamkeit, Berechnung und Skrupellosigkeit nützen ihr gar nichts mehr in diesem fremden Land mit seinen unverständlichen Regeln. Immer kleiner wird ihr Handlungsspielraum und immer größer die Notwendigkeit zum Selbstbetrug. Sie sehen also: Der Niederträchtige ist nur erfolgreich in einem sehr begrenzten Radius. Wollen Sie Ihre Mobilität wirklich so massiv einschränken? Wir empfehlen stattdessen charakterbildende Maßnahmen: Die Ausbildung einiger guter alter Tugenden (Zufriedenheit, Altruismus, Freundschaft) und Lektüre, die Ihnen hilft, sie zu erlangen (▸ *Unzufriedenheit*, ▸ *Selbstgefälligkeit*, ▸ *Freund; ein schlechter sein*).

GENIALITÄT

▶ *Intelligenz, außergewöhnliche*

GERECHTIGKEITSEMPFINDEN, ENTTÄUSCHTES

Michael Kohlhaas
Heinrich von Kleist

Sie hatten alles richtig gemacht: Der Blinker war gesetzt, die Außenspiegel eingestellt, der Schulterblick tadellos, die Lenkradhaltung zehn vor zwölf. Dennoch hat der dreiste Busfahrer Recht bekommen, der ausgeschert ist, ohne zu blinken. Sie sind enttäuscht, verärgert und gewillt, vor die nächste Instanz zu ziehen, vor die übernächste, bis vors Oberlandesgericht, wenn nötig. Brrr. Ruhig, Brauner. Bevor Sie Energie und Lebenszeit in kleinliche Rechtsstreitigkeiten verschwenden, nehmen Sie eine Prise Michael Kohlhaas.

Heinrich von Kleists *Michael Kohlhaas* ist eine geniale, eine irrwitzige und labyrinthische Erzählung. Die Sprache erstrahlt wie ein Feuerwerk, Zusammenhänge, die zunächst logisch scheinen, sind es auf den zweiten Blick nicht, und niemand kann den Überblick über das Personal behalten. Nur eins ist zu jedem Zeitpunkt der Lektüre ganz eindeutig: Michael Kohlhaas ist im Recht. Er wurde betrogen, seine Klagen bei den zuständigen Gerichten wurden nur deswegen abgewiesen, weil sein Kontrahent mächtige Freunde hatte. Erst als jedes Rechtsmittel erschöpft ist, als seine Klagen und Bittschriften erfolglos bleiben, greift er als letztes Mittel zur Selbstjustiz und beginnt, seine Gegner zu ermorden und Städte niederzubrennen.

Michael Kohlhaas ist also im Recht. Genau wie Sie. Und jetzt aufgepasst – am Ende wird Recht gesprochen: Michael Kohlhaas bekommt die Pferde, um die er betrogen wurde, zurück, sein Kontrahent wird bestraft. Aber leider liegt inzwischen das halbe Kurfürstentum Sachsen in Schutt und Asche, Kohlhaas' Frau ist tot, er selbst ist zum Mörder geworden und wird als solcher verurteilt und hingerichtet. Wenn Sie nun allmählich daran zu zweifeln beginnen, ob es sich für Kohlhaas gelohnt hat, sein Leben und das seiner Frau und Kinder sowie ein ganzes Land zu zerstören, um

Recht zu bekommen, dann hat das Michael-Kohlhaas-Sedativum Sie beruhigt.
Wenn Sie aber einwenden, dass Heinrich von Kleist mit dieser Erzählung gegen Missstände im Rechtssystem seiner Zeit und feudale Privilegien protestiert hat und so wichtige Impulse für Reformen gab, dann hat das Michael-Kohlhaas-Stimulantium Sie aufgeputscht. Sie werden notfalls bis vors Oberlandesgericht ziehen, um gegen die ungerechten Privilegien von Busfahrern zu protestieren. Aber immerhin sind Sie dann nicht mehr getrieben von blinder, kleinlicher Wut, sondern von der Sehnsucht nach einer gerechteren Welt.

GESCHMACK, SCHLECHTER

Rot und Schwarz
Stendhal

Die Schönheitslinie
Alan Hollinghurst

Sollten Sie nicht geschmackssicher sein, schämen Sie sich nicht. Es liegt wahrscheinlich daran, dass Sie Ihr Leben lang etwas Praktisches, Wissenschaftliches oder Gutes getan haben. Computernerds sind berüchtigt dafür, schlimme Pullover zu tragen. Fußballer hausen in architektonischen Schandflecken. Heilige kümmern sich nicht genug um ihre Frisur. Sollten Sie allerdings Zugang zur von Glorienschein umgebenen Welt der Schönen Künste erstreben, sollten Sie Ihrem Auge eventuell doch etwas ästhetische Bildung zukommen lassen. Wenn man der Literatur Glauben schenken darf, ist es zum Lernen nie zu spät. Schon so mancher Spießbürger hat gelernt, sich nach der jeweils angesagten Mode zu kleiden – und guten Geschmack zur Schau zu tragen, auch wenn er ihn eigentlich nicht besaß. Denken Sie nur an Julien Sorel aus Stendhals *Rot und Schwarz*. Als Sohn eines Sägemühlenbesitzers kennt er sich in der Welt der hohen Kunst nicht gerade gut aus. Glücklicherweise hat ihm die Natur trotzdem ein verfeinertes Empfindungsvermögen mitgegeben, sodass er ohnmächtig wird, wenn ihm etwas Schönes begegnet. Mit etwas Unterstützung durch Bücher und sein fotografisches Gedächtnis beeindruckt er seine Dienstherren ohne Ende, als er in einer eleganten Familie Hauslehrer wird und seine Zeit in den Kreisen der Adelselite verbringt.

Die Beobachtung, dass in der Literatur ästhetisches Urteilsvermögen nicht sehr oft mit weltlichem Erfolg einhergeht, ist interessant – und auch *Die Schönheitslinie* macht hier keine Ausnahme. Nick Guest, Uniabsolvent, Junggeselle und Ästhet, hat Gefallen an einem luxuriösen Lebensstil gefunden, den zu erreichen ihm aber die Mittel fehlen. Er wird Untermieter im Haus des Abgeordneten Gerald Feddens, dem Vater seines besten Studienfreundes. Deren viktorianisches Stadthaus ist voller schöner und begehrenswerter *objets d'art*, die die Familie allerdings, wie Hollinghurst genussvoll hervorhebt, eher als Symbole ihres Reichtums und ihrer Macht ansieht, anstatt einen wirklich guten Geschmack zu besitzen. Während Nick nach Wegen sucht, in dieser Welt der reichen Leute – die immer reicher sein werden als er – zu überleben und nebenbei halbherzig seine Doktorarbeit über Henry James fertig zu kriegen, wird er vom gesellschaftlichen Status – und der körperlichen Schönheit – Wani Ouradis angezogen, eines jungen Millionärs, den er bei einer Feier der Feddens kennenlernt (▸ *Emporkömmling; einer sein*). Bald planen er und Wani – Sohn eines libanesischen Supermarktmoguls – die Gründung eines durchdesignten Magazins. Nach der S-förmigen Kurve, die in so vielen Künsten ein Standardmaß für Schönheit ist – in der islamischen und gotischen Architektur beispielsweise –, soll es »Ogee« heißen (William Hogarth nannte diese Kurve »die Schönheitslinie«, daher auch der Titel des Romans). Für Nick zeigt sich diese Linie überaus sinnlich in der Kurve, die der Rücken eines jungen Mannes beschreibt, und zwar an der Stelle, wo er in sein Gesäß übergeht. Die Dinge geraten aus dem Tritt, als die sexuellen Vorlieben gleich mehrerer Figuren bekannt werden, was für Gerard Fedden verheerende Folgen hat. Und obwohl Nick, der Kuckuck im Nest, eine gewisse Rolle bei Feddens Fall spielt, rettet ihn letzten Endes sein angeborenes ästhetisches Wahrnehmungsvermögen. Wenn man diesen Roman liest und Nick aufmerksam dabei zuhört, wie er sich vor weniger fein gestimmten Angehörigen seines Milieus über Musik und Kunst ergeht, wird sich Ihr eigenes Zartgefühl öffnen wie ein Gänseblümchen in der Sonne. Wir verlangen ja gar nicht von Ihnen, dass Sie Ihre Rentier-Strickjacke wegwerfen; aber vielleicht wird Ihnen irgendwann diese gewundene Schönheitskurve auffallen – in der Kunst, in der Musik oder vielleicht am unteren Rücken Ihres/Ihrer Geliebten.

GESCHWISTERRIVALITÄT

Kain
José Saramago

Die Mühle am Floss
George Eliot

Große, kleine Schwester
Peter Härtling

Die Literatur ist brechend voll mit sich zankenden Geschwistern, jungen und alten. Kleine Geschwister, die ihre größeren Geschwister anhimmeln und nichts dergleichen zurückkriegen, Geschwister, die um die elterliche Aufmerksamkeit buhlen, Geschwister, die sich missbrauchen, die sich zu sehr lieb haben und die sich einfach nur gegenseitig auf den Nerv gehen, eben weil sie Geschwister sind.

Ein bisschen Konkurrenz zwischen Geschwistern bleibt wohl nicht aus, aber hüten Sie sich vor dem Beispiel Kains, der es eindeutig zu weit getrieben hat. Die meisten von uns kennen diese archetypische Geschichte eines Brudermords aus der Bibel, aber in José Saramagos Roman *Kain* bekommen wir ein ganzheitlicheres Bild. Am Anfang sind die Brüder noch beste Freunde; aber als erwachsene Männer und Bauern erklimmt ihr Konkurrenzdenken gefährliche Höhen. Eines Tages bringen sie Gott Opfergaben dar – Abel ein Lamm, Kain Gemüse –, aber der Herr hält nicht viel von Gemüse, was er auch offen zeigt. Kain hat hinsichtlich Abels Erfolg derartig starke Rivalitätsgefühle, dass er den Kieferknochen eines Esels nimmt und seinen Bruder damit in einer Höhle erschlägt. Was er sofort fürchterlich bereut und woraufhin er Gott vorwirft, nicht eingeschritten zu sein. Wir finden, offen gestanden, dass er nicht ganz Unrecht hat. Für den Rest des Romans will Kain sich an Gott rächen, indem er in die Pläne des Allmächtigen hineinpfuscht und Sand ins Getriebe der alttestamentarischen Geschichten streut, angefangen bei Sodom und Gomorra bis hin zur Sintflut. Was dabei herauskommt, ist herrlich unterhaltsam.

In Saramagos Roman ist Gott ein nur allzu menschlicher

Vater – inkonsequent, unzuverlässig und ungerecht. Die Kinder ähnlich untalentierter Eltern sollten sich über das schlechte Beispiel hinwegsetzen und sich gegenseitig lieben, egal, wie unterschiedlich man sie behandelt hat. Deswegen ist letztendlich dann doch Kain der Versager. Tappen Sie nicht in dieselbe Falle: Machen Sie nicht Ihre Geschwister verantwortlich für die Fehler Ihrer Erzeuger.

In George Eliots *Mühle am Floss* versucht Herr Tulliver, mit gutem Beispiel voranzugehen: Er sagt seiner Schwester, Mrs. Moss, dass sie das von ihm geliehene Geld nicht zurückgeben muss – in der Hoffnung, dass sein Sohn Tom dieses Beispiel beherzigen und sich seiner Schwester Maggie gegenüber eines Tages gleichermaßen großzügig benehmen möge. Aber Toms Weigerung, Maggie zu vergeben, als sie vergisst, seine Kaninchen zu füttern (woraufhin die Tiere sterben), enthüllt seine grausame Ader. Hier haben wir es mit einem Bruder zu tun, der in der Bewunderung seiner kleinen Schwester badet, und ihr gleichzeitig die Anerkennung verweigert, nach der sie sich sehnt, und sie so auf ewig in der Schwebe hält. Man kann einem Menschen in Maggies Situation nicht befehlen, den älteren Bruder einfach nicht mehr gar so sehr zu lieben. Aber man kann ihm nahelegen, es zu versuchen oder zumindest die eigene Zuneigung zu verbergen. Wenn Maggie es geschafft hätte, sich ein anderes Lebensziel zu stecken als das, eines Tages Toms Haushälterin zu sein, hätte sich das Blatt vielleicht gewendet und sie im Gegenzug seine Bewunderung bekommen.

Die Tragik um das Leben der Schwestern Lea und Ruth liegt nicht in Kindheit und Eltern begründet, sondern in der Geschichte des 20. Jahrhunderts: Mit nur einem Jahr Abstand sind sie im mährischen Brünn zur Welt gekommen, ihre Kindheit war bürgerlich behütet, ihre Talente wurden gefördert, ein älterer Bruder gab ihnen Schutz. Der Zweite Weltkrieg zerstört diese Welt und die Lebenspläne der Schwestern, zwingt ihnen einen gemeinsamen Lebensweg auf, der in einer kleinen Wohnung in Schwaben endet. Hier lieben und hassen sich die beiden, bohren genussvoll in Wunden, die das Leben geschlagen hat, und sind doch so symbiotisch

verbunden, dass die größte Sorge der einen der Tod der anderen ist: »Und davor, daß eine von uns um die andere trauern muß, haben wir beide entsetzliche Angst. Also halten wir uns gemeinsam am Leben. Gemeinsam, sag ich. Und wenn wir manchmal auch Streit haben, daß die Fetzen fliegen – heute bitte nicht! –, möchte ich Dir, Schwester, gestehen, daß ich dich brauche und deshalb vielleicht sogar, natürlich nur zeitweilig, liebe.«
Peter Härtling inszeniert eindrucksvoll, dass eine Geschwisterbeziehung eine Lebensbeziehung ist. Und also ist sie zu hegen und zu pflegen, so gut es geht. Behandeln Sie sie gut – auch wenn das bedeutet, sich gegen die Eltern zusammenzuschließen. Verabschieden Sie sich von der Dynamik, die zwischen Ihnen herrschte, als Sie Kinder waren, und bauen Sie als Erwachsene ein neues Verhältnis zueinander auf – zu Ihren Brüdern und Schwestern, die, dem Himmel sei Dank, groß geworden und völlig anders sind als Sie.

► *Eifersucht*
► *Familie; mit ihr zurechtkommen*
► *Reizbarkeit*
► *Weihnachten*

GIER

Die Perle
John Steinbeck

Die Farbe der Träume
Rose Tremain

Das Verlangen, mehr zu besitzen, als man eigentlich braucht – mehr Geld, mehr Dinge, mehr Macht –, ist eine seltsame Neigung. Denn welchen Sinn ergibt es, zu kaufen, zu sammeln, zu horten? Wenn Sie es im Grunde gar nicht brauchen, wann werden Sie es dann jemals benutzen? Zu viele Besitztümer können eine ebenso schwere Last sein wie zu viel Gewicht auf den Knochen, und so viel Geld auf der Bank zu haben, dass Sie schon nicht mehr wissen, wofür Sie es ausgeben sollen, nimmt Ihnen die Freude, für eine Sache zu arbeiten und zu sparen. Außerdem: Wann ist genug genug? Die Gier kennt kein Ende, und wenn sie unersättlich wird – zum Horten, Stehlen und Betrügen führt –, dann haben wir uns in einem sinnlosen Streben verloren.

Steinbeck demonstriert uns die Macht der Gier, eine einfache Familie zu zerstören, in seiner allegorischen Erzählung *Die Perle*. Keno und Juana führen das, was er als ein perfektes Leben beschreibt: Sie leben in einer Hütte am Meer, wo Keno ihren Lebensunterhalt als Perlentaucher verdient. Doch eines Tages wird ihr kleiner Sohn Coyotito von einem giftigen Skorpion gestochen. Da sie kein Geld haben, um einen Arzt zu bezahlen, betet Juana, Keno möge eine wertvolle Perle finden, damit ihr Sohn überlebt. Und auf wundersame Weise findet er tatsächlich die Perle ihrer Gebete. Nun können sie nicht nur den Arzt für Coyotito bezahlen, sondern sie können ihn auch in die Schule schicken. Doch kaum halten sie die Perle in der Hand, beginnt ihre Welt sich aufzulösen. Andere hören von dem Fund und wollen ihn für sich, und bald schon ist Keno bereit, alles zu tun, um die Perle zu beschützen. Seine Frau Juana erkennt von Anfang an, welchen Ärger die Perle mit sich bringen wird, und beschwört ihn, sie zurück ins Meer zu werfen. Aber er ist nicht bereit, seinen Traum von einem Leben in Wohlstand einfach aufzugeben. Nicht lange, und sie sind gezwungen, ihr Dorf zu verlassen – und werden schon bald mehr verlieren, als sie denken.

Es ist nicht das Gold, das Joseph Blackstone in Rose Tremains *Die Farbe der Träume* nach Neuseeland führt. Von der Entscheidung, seine Heimat Norfolk zu verlassen und in der neuen Welt ein Stück Land zu einem Pfund den Morgen zu kaufen, erhofft er sich einen Neuanfang. Doch als der Siedler einen Schimmer von Gold im Fluss neben seinem Haus entdeckt, verwandelt sich sein unschuldiger Traum in den Wunsch nach mehr. Die bescheidenen Einkünfte eines Farmers erscheinen ihm plötzlich mickrig im Vergleich zu dem Reichtum, den er mit Gold erlangen würde, und er macht sich auf den Weg zu den Minen.

Lebhaft schildert Tremain, wie weit der Mensch bereit ist zu gehen, um sein Verlangen nach Gold zu stillen – tagsüber bis zum Hals im Schlamm, nachts in rattenverseuchten Zelten, wandern die Männer tagelang durch unsicheres Gelände auf der Suche nach der ersehnten jungfräulichen Mine. Als Josephs Frau Harriet zu seinem Entsetzen auf den Goldfeldern

auftaucht, sieht Joseph in ihr eine potentielle Diebin seiner mageren Ausbeute, und seine Gier wird der unheilige Zwilling der bösen Tat, die ihn aus England fliehen ließ. Doch Harriet hat sich nicht aus Gier auf den weiten Weg zu den Minen gemacht, sondern aus Liebe.
Lassen Sie sich von Harriet und Juana einen bodenständigeren Umgang mit unerwartetem Reichtum zeigen. Wenn Sie der Gier gestatten, in Ihnen Wurzeln zu schlagen, wird sie Ihr Leben bestimmen. Von Habsucht kann nichts Gutes kommen – aber umso mehr von einer moralisch gefestigten Lebenseinstellung.

▸ *Egoismus*
▸ *Seele; die eigene verkaufen*
▸ *Völlerei*

GLAUBEN; IHN VERLIEREN

Lachsfischen im Jemen
Paul Torday

Die unwahrscheinliche Pilgerreise des Harold Fry
Rachel Joyce

Manche Menschen glauben an Gott; andere glauben, dass jedes Leben einen Sinn hat, und wieder andere glauben an das Gute in der Welt. Ganz gleich, was es ist, der Verlust dieses Glaubens kann dazu führen, dass das Licht aus Ihrem Leben verschwindet. In solchen Zeiten benötigen wir Bücher, die uns wieder zu den Grundsätzen zurückführen, die wir brauchen, um mit Freude und Zuversicht durchs Leben zu gehen. Die beiden Bücher, die wir Ihnen im Folgenden vorstellen möchten, beschäftigen sich mit einem jeweils anderen Verständnis von Glauben; wählen Sie das, das besser zu Ihnen passt.
Wenn Sie unter Glauben den Triumph persönlicher Überzeugungen über die Wissenschaft verstehen, sollten Sie *Lachsfischen im Jemen* zu Ihrer Bibel machen. Als Fred Jones, der zuständige Beamte im Zentrum für Fischereiwesen, einen Brief erhält, in dem er um Mithilfe bei der Einführung von Lachsen, und dem Lachsfischen, im Hochland des Jemen gebeten wird, tut er, was jeder Wissenschaftler mit einem Funken Selbstrespekt tun würde: Er sagt nein. Es ist »unsinnig« – »lächerlich« –, sich den Gesetzen der Natur zu wi-

dersetzen, bloß um den Launen eines Scheichs mit zu viel Geld und ohne Ahnung gerecht zu werden. Doch dann lernt Dr. Jones Scheich Muhammad persönlich kennen und erkennt, was die Entschlossenheit eines einzigen Mannes bewirken kann. Denn Scheich Muhammad ist ein Visionär und, wie Jones bald feststellt, ihm geht es dabei nicht so sehr ums Fliegenfischen als um den Glauben. Dieser Wohlfühlroman wird Ihnen den Glauben in die Macht des Glaubens, Berge versetzen zu können, zurückgeben.

Wenn Sie das Gefühl haben, dass alles keinen Sinn mehr macht und dass es völlig egal ist, ob Sie gut oder böse sind, dann haben wir hier eine sehr viel sanftere Therapie für Sie. Harold Fry ist ein niedergeschlagener, grauer Pensionär, der mit seiner Frau kaum mehr als das Nötigste spricht und den Kontakt zu seinem erwachsenen Sohn ganz verloren hat. Als er einen Brief von seiner alten Freundin Queenie erhält, in dem sie ihm mitteilt, dass sie bald sterben wird, schreibt er ihr eine Postkarte und macht sich gleich auf den Weg, um sie einzuwerfen. Unterwegs gibt ihm seine kurze Unterhaltung mit dem Mädchen an der Kasse einer Tankstelle zu denken, und als er am Briefkasten ankommt, wirft er den Brief nicht ein, sondern läuft einfach weiter – den ganzen Weg von Devon in Südengland bis Berwick-on-Tweed an der schottischen Grenze, wo Queenie lebt, besessen von dem Gedanken, dass sie leben wird, solange er auf dem Weg zu ihr ist.

Unterwegs wird Harolds Entschlossenheit immer wieder auf den Prüfstand gestellt. Doch er vertraut auf sein Schicksal, nimmt nie mehr, als er braucht, schläft lieber unter freiem Himmel als bei anderen Leuten und verwandelt sich mehr und mehr in einen Pilger aus einer anderen Zeit. Irgendwann bekommt die Presse Wind von seiner Geschichte, und bald kennt man ihn als »den Pilger«, als jemanden, den alle einmal berühren wollen und von dem alle berührt werden wollen. Die Verbreitung des Glaubens scheint ansteckend zu sein. Harolds Frau Maureen verliebt sich aus der Ferne wieder neu in ihn; und Queenie … nun, das werden Sie selbst herausfinden müssen.

In Zeiten der Trostlosigkeit, wenn Sie den Glauben an das Leben, an Gott, an einen anderen Menschen oder sich selbst verloren haben, werden diese beiden Romane Sie wieder an ein paar fundamentale Wahrheiten erinnern. Denn das Mädchen von der Tankstelle hat Recht: »Wenn wir fest an etwas glauben, können wir alles schaffen.«

GLEICHGÜLTIGKEIT

► *Lethargie*

GLÜCK, SUCHE NACH DEM

Fahrenheit 451
Ray Bradbury

Glück: das ultimative Lebensziel. Oder etwa nicht?
Viele von uns in der westlichen Welt sind ihr Leben lang auf der Suche nach diesem so überaus flüchtigen Zustand: in der Liebe, im Job, beim Reisen, bei der Wohnungseinrichtung. Dass uns dieses Flüchtige überhaupt so verführerisch aus Werbung und Lifestyle-Fernsehen zuwinkt, ist eine Krankheit unserer Zeit. Und es ist wichtig, sich daran zu erinnern, dass Menschen bis zum 20. Jahrhundert Glück nicht als ein Geburtsrecht betrachtet haben – und das in vielen östlichen Kulturen auch bis heute nicht tun. Für viele ist das Leben etwas, das man ertragen muss und von dem man lernen kann – und weniger eine Quelle selbstverständlich zu erwartender Freude. Etwas zu essen, ein Dach über dem Kopf und die Freiheit zu haben, seinen religiösen Überzeugungen nachzugehen, ist für viele genug. Wenn man erst mal anfängt zu glauben, man *sollte* glücklich sein, öffnet man allerlei Enttäuschungen Tür und Tor.
In einem Punkt sind wir ganz einer Meinung mit der östlichen Welt: Das unablässige Streben nach dem Glück ist eine Krankheit, die behandelt werden muss. Das wusste auch Ray Bradbury. Sein weitsichtiger Roman *Fahrenheit 451*, der 1953 veröffentlicht wurde, zeigt uns das Leben in weiten Teilen so, wie wir es kennen. In einer dystopischen Zukunft liest niemand mehr Bücher – vor allem deswegen, weil alle

ihre Geschichten in immer kleineren Dosen verabreicht haben wollen, denn ihnen fehlt die Aufmerksamkeitsspanne oder die Geduld, ein Buch ganz zu lesen (Kommt Ihnen bekannt vor? Lesen Sie in diesem Fall ► *Durchlesen; Neigung, nach der Hälfte aufzugeben*). Als Nächstes fangen sie an, Bücher für eine Gefahr zu halten, weil sie auf unverantwortliche Weise unterschiedliche Sichtweisen und Geistesverfassungen aufzeigen. Sicher wären doch alle in einem gefühllosen Niemandsland ohne starke Gemütsregungen viel glücklicher?
Um ihre jeder Kultur und jedes tiefergehenden Gedankens beraubte emotionale Leere zu füllen, fangen sie an, immer schneller zu leben, sie rasen mit halsbrecherischer Geschwindigkeit durch die Stadt (in Bradburys Zukunft sind Käfer die Superflitzer auf der Autobahn) – und töten alles, was ihnen in die Quere kommt. Ihre Kinder, die an neun von zehn Tagen zur Schule gehen, sehen sie so gut wie nie. Kinder zu haben ist nach ihrem Dafürhalten sowieso Zeitverschwendung. Die Frauen bleiben lieber zu Hause und sehen sich eine endlose interaktive Seifenoper namens *Die Familie* an – deren Schicksal ihnen zunehmend wichtiger ist als ihr eigenes. (So brillant, wie er sonst auch war, hat Bradbury den Sprung in eine Zeit, in der Frauen vielleicht sogar arbeiten gehen wollen, nie vollzogen.) Betäubt von diesen Familiensagas gehen sie mit »Muscheln« in den Ohren ins Bett, die die ganze Nacht hindurch unwichtige Nachrichten und noch bedeutungsärmere Serien senden. Schlaftabletten werden eingeworfen wie Süßigkeiten. Selbstmorde sind allgegenwärtig und werden nicht groß zur Kenntnis genommen.
Als Montag, ein Feuerwehrmann, dessen Job es ist, verbotene Bücher zu verbrennen – und manchmal auch die Leute, die sie lesen –, auf ein junges Mädchen trifft, das sich Zeit dafür nimmt, in die Sterne zu schauen, am Gras zu riechen und eine Löwenzahnblüte in Liebesdingen zu befragen, merkt er, dass er in seinem emotional kastrierten Zustand nicht so glücklich ist, wie er dachte. Langsam erwacht er und beginnt, sich einer Welt voller Schönheit und Gefühl zu öffnen, und fragt sich, was wohl in den Büchern steht, die er verbrennt. Eines Abends unterbricht er eine Folge von

Die Familie und liest Gästen seiner Frau das Gedicht »Dover Beach« von Matthew Arnold vor, woraufhin alle in haltloses Weinen und große Bekümmerung ausbrechen: »Gedichte und Tränen, Gedichte und Selbstmord und Weinkrämpfe und Elend, Gedichte und Krankheit – alles nur Gefühlsduselei!«, schluchzt eine völlig aufgelöste Zuhörerin. Montag muss seine eigenen Bücher verbrennen – und sein Haus gleich mit –, aber er glaubt weiter fest daran, dass eine Zukunft ohne die Weisheit der Bücher unerträglich ist. Er will das Leben spüren, auch wenn es Leid bedeutet, statt weiter das komatöse Dasein zu fristen, das die »Zivilisation« als Weg zum Glück erachtet.

Fahrenheit 451 lehrt Sie, dass das Leben aus einer großen Fülle an Erfahrungen besteht. Kosten Sie alles aus, aber nicht, indem Sie nach dem Glück streben, sondern indem Sie sich an Wissen, Poesie, Wahrheit und Gefühle jeglicher Art halten. Und für den Fall, dass Bradburys Vision Realität werden sollte: Lernen Sie wie Montag einen Roman auswendig. Man weiß nie, ob es nötig werden wird, ihn an den Rest der Menschheit weiterzuerzählen.

▸ *Unzufriedenheit*

H

HÄMORRHOIDEN

Feuchtgebiete
Charlotte Roche

Sie spüren also ein Brennen im Analbereich, haben Schmerzen bei der Darmentleerung und hellrote Blutspuren auf dem Toilettenpapier? Und alleine diese Schilderung treibt Ihnen die Schamesröte ins Gesicht? Wir haben ein doppeltes Problem: die Hämorrhoide ist das eine, das andere die Scham, die sie auslöst (▶ *Scham*). Um die Hämorrhoiden zu therapieren, suchen Sie am besten Ihren Gynäkologen oder Ihren Urologen auf. Für die Scham sind wir zuständig.
Versuchen wir zunächst eine Spontanheilung: Wiederholen Sie bitte 25 Mal den Satz: *Jeder hat Hämorrhoiden, mit diesem medizinischen Fachausdruck sind Bindegewebspolster gemeint, die für die Abdichtung des Enddarms nach außen zuständig sind.* Besser? Na gut, und wenn wir Ihnen verraten, dass diese Hämorrhoiden für die ›Feinkontinenz‹ zuständig sind, also Flüssigkeit und Gase im Darm halten (was ja per se eine gute Sache ist)? Sie sind immer noch rot im Gesicht! Nun gut. Die Spontanheilung hat nicht funktioniert, wir können Ihnen die Rosskur nicht ersparen: Charlotte Roches *Feuchtgebiete.*
Die Hauptfigur in diesem Megabestseller aus dem Jahr 2008 teilt Ihre Probleme. Zumindest eins: Sie hat Hämorrhoiden. Rot wird sie aber nicht deswegen. Im Gegenteil. Helen Memel berichtet äußerst unverkrampft nicht nur über ihre Hämorrhoiden (ihren »Blumenkohl«), sondern auch über Menstruation, Urin, Sperma, Smegma und Sex (mit anderen und alleine). Sie erzählt, wie sie ihre selbstgebastelten Tampons im blitzenden Aufzug der Klinik, in der sie auf ihre Hämorrhoiden-OP wartet, entsorgt oder wie sie den Eiter

ihrer Pickel verspeist. Selten hat ein Autor konsequenter Tabus gebrochen und wenn, dann waren es keine hübschen jungen Frauen, sondern finstere Kerle wie de Sade, Houellebecq oder Ellis.

Sie jedenfalls werden nach der Lektüre von Charlotte Roche immun sein gegen Scham. Sie werden fröhlich in die offene Sprechstunde Ihres Arztes laufen und der Sprechstundenhilfe fest in die Augen sehen, wenn Sie ihr mit lauter Stimme mitteilen, dass Ihre Rosette entsetzlich juckt.

Leseleiden: Hang, mehr zu leben als zu lesen

Therapie: Lesen, um intensiver zu leben

Wenn Sie behaupten, dass das Leben Ihres Lebens Sie viel zu sehr beschäftigt, um noch Zeit zum Lesen zu finden, ist das schlicht und ergreifend eine faule Ausrede. Bücher machen einem das Angebot, innere Einkehr zu halten, zu reflektieren und das Leben zu analysieren, das auch gleich wieder weitergeht, wenn wir aus dem Buch aufgetaucht sind. Außerdem: Wie viel Leben schafft ein einzelner Mensch schon?
Bücher bieten uns das Leben von Tausenden anderen Menschen – beim Lesen können wir indirekt deren Leben leben, sehen, was sie sehen, fühlen, was sie fühlen, riechen, was sie riechen. Man könnte sagen, ein Leben ohne Bücher ist ein eindimensionales Leben in engen Grenzen; mit Büchern aber können wir ewig leben. Ohne Bücher verliert man leicht die Richtung im Leben – und schrumpft zu etwas Kleinem, Durchschnittlichem und Stereotypem. Bücher vergrößern und entwickeln unsere Fähigkeit, empathisch und nicht vorurteilsbehaftet zu sein, Andersartigkeit zu akzeptieren und wertzuschätzen, den Mut zu haben, über uns selbst hinauszuwachsen und das Bestmögliche aus uns zu machen (siehe: sämtliche Lebenslagen und Leiden in diesem Buch). Und sie erinnern uns daran, dass es jenseits der Kleinteiligkeit jedes einzelnen Lebens noch eine größere, alle von uns in sich einschließende existenzielle Dimension gibt: das Rätsel des Lebendigseins und seiner Bedeutung. Man kann kein erfülltes Leben führen, ohne Zeit in dieser Dimension zu verbringen, und Bücher sind die Eintrittskarten dorthin.

Therapie: Leben, um intensiver zu lesen

»Das übliche Mittel für Leute, die nicht zur Genüge in die Welt hinausgehen, um einen Roman zu erleben, ist, einen zu schreiben«, schrieb Thomas Hardy über seine Autorenkollegen in *Blaue Augen*. Sollten Sie lieber lesen als leben, laufen Sie Gefahr, das ›wahre Ding‹ zu verpassen. Sollten Sie nach wie vor die Hoffnung hegen, die Bücher, die Sie lesen, zu verstehen und ihnen gerecht zu werden, dann müssen Sie auch eigene Erfahrungen machen. Wie können Sie den Schmerz von Anna Karenina verstehen, wenn Sie selbst nie etwas riskiert haben, nur um dann zu merken, wie Ihnen der Boden unter den Füßen weggezogen wird?
Für die richtige Balance sollten Sie niemals mehr Zeit aufs Lesen verwenden als aufs Leben. Ziehen Sie hinaus und setzen Sie das, was Ihre Romane Sie gelehrt haben, in die Tat um. Besuchen Sie andere Leute, anstatt ihnen Briefe zu schreiben, so wie Harold in *Die unwahrscheinliche Pilgerreise des Harold Fry* (► *Glauben; ihn verlieren*). Lesen Sie, um zu leben – und nicht umgekehrt.

Mein Name ist Ascher Lev
Chaim Potok

Wir, die wir jeder Konfrontation aus dem Weg gehen, sind die geborenen Friedensstifter – oder, um es weniger nett auszudrücken: die geborenen Umfaller, die »Oh, lass es uns doch einfach so machen, wie du willst«-Sager. Schon beim geringsten Anzeichen einer Meinungsverschiedenheit lenken wir ein. Ja, das tun wir! (Okay, wenn Sie es sagen: Nein, tun wir nicht.) Denn wir haben große Angst davor, in eine Diskussion verwickelt zu werden, und wir werden alles tun, um dieser aus dem Weg zu gehen. Wir schlucken unsere Worte hinunter, überspielen unsere Wut mit einem Lächeln, machen uns klein und überlassen den anderen das Feld. Und am Ende stehen wir da, innerlich brodelnd, während der ungelöste Konflikt in uns eitert, bis er eines Tages mit voller Wucht aus uns herausbricht – oder aber er köchelt über viele Jahrzehnte vor sich hin und bereitet uns dabei wenn auch nicht greifbare, so doch sehr reale Schmerzen.
Um jemals in der Lage zu sein mit Konflikten umzugehen – die garantiert früher oder später aufkommen werden –, ist es unerlässlich, seine Angst vor einer Konfrontation zu überwinden. Zu diesem Zweck empfehlen wir Ihnen eine gründliche Charakterstudie des titelgebenden Helden in Chaim Potoks *Mein Name ist Ascher Lev.* Ascher befindet sich im Konflikt mit seinen Eltern, seit er ein kleiner Junge ist, denn er ist ein echtes Malergenie; doch als chassidische Juden betrachten seine Eltern die Kunst nicht als eine ehrenwerte Tätigkeit. Ascher jedoch kann seinen Drang zu malen nicht kontrollieren. Er zeichnet pausenlos, manchmal sogar unbewusst. Einmal erscheint in der Schule plötzlich ein mit Tinte gemaltes Gesicht in seinem Chumasch. Seine Mitschüler sind fassungslos angesichts dieser Schändung des heiligen Buches, und Levs Eltern fühlen sich persönlich angegriffen. Doch Aschers Gewohnheit, seine künstlerischen Fähigkeiten zu unterdrücken, ist zu diesem Zeitpunkt bereits so weit fortgeschritten, dass er sich nicht einmal daran erinnern kann, das Bild gemalt zu haben.
Der Konflikt innerhalb der Familie ist wahrlich schmerzhaft

zu beobachten, auch wenn seine Eltern sich alle Mühe geben, ihren Sohn zu verstehen. Seine Mutter, Riwka, die noch immer unter dem Verlust ihres Bruders leidet, der bei einem Autounfall ums Leben kam, hat Angst, dass auch Ascher verschwinden könnte, und es hilft nicht, dass der Junge spätabends im Museum sitzt und malt, ohne ihr zu sagen, wo er sich rumtreibt. Zudem steht sie fortwährend zwischen ihrem Mann und ihrem Sohn. Aschers Vater Arje ist grundsätzlich enttäuscht von allen Entscheidungen, die sein Sohn trifft, und wenn die beiden aufeinandertreffen, liegt große Anspannung in der Luft. Aber der Rabbi der Ladower chassidischen Gemeinde, ein weiser und mächtiger Mann, hat großen Einfluss auf die Familie, und Ascher hört ihm zu, wenn er ihm erklärt, wo seine Loyalität liegen sollte. »Man sagt mir, die Welt werde eines Tages von dir als Künstler hören«, sagt er. »Ich bete zum Herrn der Welt, daß die Welt auch eines Tages von dir als Juden hören wird. Verstehst du meine Worte?« Er akzeptiert Aschers künstlerische Fähigkeiten, wünscht aber, der junge Mann möge als Jude ebenso engagiert sein, wie er es als Künstler ist. Ascher versucht, all diese Interessenskonflikte zu ignorieren, solange es geht – und wird sich über viele Jahre damit quälen.

Ganz gleich, ob Ihre Konflikte auf unterschiedlichen Glaubensvorstellungen, Zukunftsplänen, Lebensentwürfen oder schlichten familiären Angelegenheiten beruhen, Sie sollten sich ihnen stellen, bevor sie zu gegenseitiger Entfremdung oder Schlimmerem führen.

HASS

1984
George Orwell

Hass ist wie eine giftige Pflanze. Lässt man ihn erst mal in sich Wurzeln schlagen, frisst er einen Stück für Stück von innen auf und verseucht alles, womit man in Berührung kommt. Ob man andere Menschen hasst oder speziell andere Autofahrer, Grießbrei, Hipster-Blogger oder Reality-TV, macht dabei keinen großen Unterschied. Es wird auch nicht besser, wenn der Hass einen guten und nachvollziehbaren

Grund hat, wenn man zum Beispiel jemanden hasst, der einen schwer verletzt hat. Die Tatsache, dass man in seinem Herzen ein derart gewaltsames Gefühl nährt, wird sich schlussendlich in Gewalt gegen einen selbst wandeln.[1]
Sollte es Ihnen schwerfallen, Ihren Hass einfach selber abzustellen, lesen Sie George Orwells *1984* und beschäftigen Sie sich vor allem mit der »Hasswoche« – den sieben Tagen, die hetzerischen Märschen, Ansprachen, Spruchbändern und Filmen gewidmet sind und die die Massen zu einer hasserfüllten Raserei peitschen sollen, zu einem Hass, der sich gegen Eurasien, den Staatsfeind Nummer eins, richtet. Am sechsten Tag ist die Menge in einem derart besinnungslosen Delirium des Hasses versunken, dass sie einzelne Eurasier, würde sie denn welche in die Finger kriegen, in Stücke reißen würde. Aber dann wird das Hassobjekt plötzlich ausgetauscht. Es geht das Gerücht, dass Eurasien nicht länger der Feind ist. Dafür Ostasien. In aller Eile werden Plakate von den Wänden gerissen und Spruchbänder zu Boden getreten. Die Menge kommt bei alldem kaum aus dem Takt. Nach nur wenigen Augenblicken richtet sich das »barbarische Wutgeheul« jetzt gegen die Ostasiaten.
Hat das Gefühl des Hasses denn überhaupt irgendetwas mit dem Objekt des Hasses zu tun? Spielt nicht vielmehr die Entschlossenheit eine Rolle, überhaupt *irgendein* Objekt zu

1 Aus diesem Grund haben Neurowissenschaftler große Anstrengungen unternommen, um die Neurobiologie des Hasses zu erforschen. Vor ein paar Jahren wurde verkündet, man habe die für diese boshafte Gefühlsregung zuständigen Hirnareale präzise lokalisiert. Zu diesen Arealen gehören die auf dem Frontallappen liegende Gehirnwindung, das rechte Putamen, die prämotorische Rinde und der Frontalpol. Wir erzählen Ihnen das vor allem, weil wir einen Grund brauchen, »auf dem Frontallappen liegende Gehirnwindung« und »rechtes Putamen« zu schreiben, aber auch, weil wir den Hinweis amüsant finden, dass manche dieser Hirnareale – das Putamen zum Beispiel – bereits von Neurowissenschaftlern angeführt wurden, die sich mit der Neurobiologie der Liebe beschäftigt und behauptet haben, die spezifischen, für das Gefühl der Liebe verantwortlichen Hirnareale präzise lokalisiert zu haben. Was entweder beweist, dass Liebe und Hass sehr nahe Verwandte sind – oder was gar nichts beweist. Zum Glück gibt die Literatur den Neurowissenschaften Rückendeckung.

finden, an dem man seinen Hass entladen kann? Lassen Sie Ihr ganzes Gehasse doch mal kurz sein und werfen Sie einen langen, kritischen Blick in Ihr Inneres. Wenn Sie diese Szene in *1984* nicht zum Nachdenken bringt, sind Sie für den sanften Zugriff unserer Heilmethoden ein zu schwerer Fall. Möglicherweise sind Sie ein Psychopath, und wir überweisen Sie lieber an einen Psychiater.

► *Mordgelüste*
► *Wut*

HASS AUF DIE EIGENE NASE

Das Parfum: Die Geschichte eines Mörders
Patrick Süskind

Sie hassen also Ihre Nase.
Wenn man es genau betrachtet, sind Nasen an sich allesamt recht seltsame Gebilde. Manche sind riesig, manche zierlich, einige sehen aus wie Skipisten, andere wie zerklüftete Gebirgskämme mit tiefen Kratern – aber Sie werden uns wohl nicht widersprechen, wenn wir behaupten, dass sie allesamt nicht wirklich liebenswert sind. Tatsächlich ist es Ihre eigene, ganz persönliche Einstellung zu Ihrer Nase, die am Ende bestimmt, was andere von ihr denken; und wer mit einem gesunden Selbstbewusstsein gesegnet ist, trägt seine Nase stolz erhobenen Hauptes, egal wie sie aussieht. Um Ihre Nase lieben zu lernen, raten wir also, nicht mit dem Organ, sondern mit sich selbst zu beginnen, und empfehlen Ihnen das Kapitel ► *Selbstbewusstsein, mangelndes.*
Wenn Sie aber nun tatsächlich einen hässlichen Zinken im Gesicht haben – was haben wir schon für deformierte Riechkolben gesehen[1] –, dann stecken Sie ihn am besten gleich in Patrick Süskinds *Parfum*. Schon auf der ersten Seite wird es Sie in eine Zeit entführen (das 18. Jahrhundert), als in den Straßen ein uns heute kaum vorstellbarer Gestank herrschte – eine ekelerregende Mischung aus Mist, Urin, fauligem Holz, verdorbenem Kohl und Hammelfett, fettigen Bettlaken, feuchten Federbetten und vollen Nachttöpfen, aus

1 Ja, wir sind wahre Heuchler.

Kohle und ätzenden Laugen, geronnenem Blut, verrotteten Zähnen und ungewaschenen Kleidern, aus altem Käse, saurer Milch und Geschwulstkrankheiten. Hier, am stinkendsten Ort in der übelriechendsten aller Städte (Paris) kommt Jean-Baptiste Grenouille am heißesten Tag des Jahres inmitten des Fischgekröses unter einem Schlachttisch zur Welt, auf dem seine Mutter kurz zuvor noch einen (stinkenden) Fisch entschuppt hat. Er wird einer Amme übergeben und von ihr einer Gruppe Mönche – denn das Baby ›riecht‹ nicht, wie die Amme klagt. Nun folgt eine genaue Schilderung, wie ein Baby riechen *sollte*: An den Füßen riechen sie »wie ein glatter warmer Stein«, oder wie »Topfen« oder »frische Butter«, tastet die Amme sich langsam voran. Ihre Körper riechen »wie eine Galette, die man in Milch gelegt hat«, und hinten am Kopf, an dem kleinen Wirbel, da riechen sie am besten: »nach Karamell«.
Und so sind wir gleich auf den ersten Seiten indirekt – denn ein guter Autor kann sogar Gerüche, oder zumindest ihre Rezeption in unserem Hirn hervorrufen – beiden Extremen unseres bemerkenswerten olfaktorischen Repertoires ausgesetzt. Jean-Baptiste, obwohl selbst ohne einen eigenen Geruch, besitzt die beste Nase von ganz Paris und einen unberechenbaren, gefährlichen Appetit nach neuen Gerüchen, besonders dem junger Frauen. Dank seiner Nase verdient er gutes Geld als Parfümeur. Und wenn wir wie er die Fähigkeiten unserer Nasen voll ausschöpfen, sie mit vollmundigem Rotwein und frisch gemahlenem Kaffee, mit dezentem *parfum*, Jasmin und einigen Tropfen Zitronengras-Essenz auf dem Badeschwamm bei der morgendlichen Dusche fördern, wenn wir ihren sinnlichen Beitrag in unserem Leben wirklich zu schätzen lernen, dann, das garantieren wir Ihnen, werden Sie lernen, Ihre Nase zu lieben.
Auch wenn sie ein echter Zinken ist.

HASS AUF DEN PARTNER/DIE PARTNERIN

- ▸ *Der/Die Falsche; bei ihm/ihr landen*
- ▸ *Ehebruch*
- ▸ *Heimwerken*
- ▸ *Midlife-Crisis*
- ▸ *Mordgelüste*
- ▸ *Scheidung*
- ▸ *Schnarchen*

HASS AUF DEN JOB

Die Leiden einer jungen Kassiererin
Anna Sam

Im Bureau
Robert Walser

Sie meinen also, einen beschissenen Job zu haben. Weil Sie es mit »Mahlzeit!«-rufenden Vollidioten zu tun haben. Weil Ihr Chef/Ihre Chefin zuviel *Stromberg* guckt. Weil Sie ohnehin zu Höherem berufen sind. Jeden Tag wird Ihnen der Gang zur Arbeit zur Qual, die Stunden bis zur Mittagspause ziehen sich endlos hin, der Feierabend schimmert als matter Silberstreif am bleigrauen Arbeitshorizont. Genug gejammert! Lesen hilft. Auch in diesem Fall. (Und wenn's heimlich hinterm Monitor ist …)

Bitte fangen Sie mit *Die Leiden einer jungen Kassiererin* an. Und werden Sie rot. Schamesrot. Denn hier erfahren Sie, was *wirklich* ein beschissener Job ist. Beschissen ist ein Job, wenn man im Sekundentakt diese Fragen beantworten muss: »Wo sind die Toiletten?« »Haben Sie keine Plastiktüte?« »Sind Sie offen?« Beschissen ist ein Job, wenn man als warnendes Beispiel für faule Kinder herhalten muss: »Wenn du in der Schule nicht fleißig lernst, dann wirst du einmal Kassiererin wie diese Frau da.« Anna Sam hat selbst jahrelang an einer Supermarktkasse gearbeitet, sie weiß, wovon sie spricht. Nach dieser Lektüre sollten Sie Ihren Job eigentlich lieben. Aber wir wissen, dass man sich nicht einfach seines Lebens freuen kann, nur weil es anderen noch schlechter geht. Deswegen lassen wir Sie nicht mit ihrem Jobhass, Ihren schamesroten Wangen und Ihrem schlechten Gewissen allen Kassiererinnen gegenüber im Regen stehen, sondern empfehlen Ihnen zur Stabilisierung Robert Walsers *Im Bureau.*

Walsers Büromenschen führen Ihnen vor, wie man durch einen langweiligen Arbeitstag kommt (durch genießerisches Zeittotschlagen), wie man sich psychohygienisch gegen autoritäre, führungsschwache oder ignorante Vorgesetzte immunisiert (mittels raffiniertem Minimalboykott) und wie man sich unempfänglich für Druck macht (durch unsichtbaren Dämmerzustand). Derartig präpariert kann Ihnen eigentlich nichts mehr passieren, nur eins müssen Sie sich klarmachen: Auf diese Weise werden Sie nur »im Geist Karriere machen«, um mit Robert Walser zu sprechen. (Vielleicht haben Sie aber auch einfach den falschen Job. Falls das der Fall sein könnte, lesen Sie weiter unter ► *Karriereweg; den falschen eingeschlagen haben.*)

► *Arbeitslosigkeit*

Therapie: Sich eine Leseecke einrichten

Wenn man gerade nicht kochen muss, muss man staubsaugen. Wenn man staubgesaugt hat, muss man das Bad putzen. Wenn das Bad sauber ist, muss man den Kühlschrank aufräumen. Wenn der Kühlschrank aufgeräumt ist, ist es wahrscheinlich höchste Zeit, einkaufen zu gehen. Und wenn man zurück ist, sind da noch die Wäsche, die Betten, das dreckige Auto, der Garten, der gelbe Sack, der Müll und die Abermillionen sonstiger Dinge, die anfallen, wenn man in einem Haus oder einer Wohnung lebt. Wie soll man da noch von dieser kostbaren Stunde träumen, die man zurückgezogen mit einem Buch verbringt?
Schaffen Sie sich eine gemütliche Leseecke – einen Platz, den Sie nur zum Lesen aufsuchen. Es sollte eine kleine, abgeschirmte Ecke in Ihrer Wohnung oder Ihrem Garten sein – ein Alkoven, ein Tipi, ein Arbeitszimmer oder hinter dem Vorhang vor dem großen Erkerfenster, wo Sie nach draußen sehen können, aber nicht gesehen werden. Wichtig ist, dass Sie nichts erspähen können, was Ihre Aufmerksamkeit ablenkt oder Sie an lästige Pflichten erinnert.
Gestalten Sie Ihre Ecke schön warm und einladend. Wenn Sie es sich gern auf dem Boden gemütlich machen, legen Sie diverse Kissen und einen Fellteppich aus. Wenn Sie sich lieber im Liegen ausstrecken, gönnen Sie sich eine elegante Chaiselongue. Sie brauchen gute Beleuchtung in Ihrer Ecke, eine weiche Decke, Socken oder Hausschuhe, eine glatte Oberfläche, auf die sich ein paar Bücher stellen lassen, ein Lesetagebuch, einen Stift und eine Tasse Tee. Außerdem Ohrstöpsel sowie Kopfhörer für Hörbücher. Hängen Sie ein Schild vor Ihre Nische, das andere schonend davon abbringt, Sie besuchen zu wollen – es sei denn, Ihr Besuch will ebenfalls hereinklettern und lesen. Sobald Sie in Ihrer Ecke sind, vergessen Sie die Hausarbeit. Nehmen Sie sich diese Stunde für Ihr Buch. Mit ein bisschen Glück sieht Sie jemand lesen und übernimmt die Arbeit für Sie.

HEIMGESUCHT WERDEN

Die Frau in Schwarz
Susan Hill

Menschenkind
Toni Morrison

Sollten Sie zu denjenigen gehören, die von Geistern heimgesucht werden, leiden Sie vielleicht darunter, dass die anderen Ihre Heimsuchungen einfach nicht ernst nehmen wollen. Sollte es so sein, geben Sie ihnen *Die Frau in Schwarz* von Susan Hill zu lesen. Das Buch spielt in Eel Marsh House, einem einsam gelegenen Wohnsitz, der zweimal täglich durch die Gezeiten vom Festland abgeschnitten ist, und erzählt von der Heimsuchung des Arthur Kipps – er wird als Anwalt eigentlich nur einbestellt, um den Nachlass der kürzlich verstorbenen Hausherrin zu regeln, dann aber von einem extrem verbitterten Gespenst verfolgt. Dieser Roman schafft es unter Garantie, einem wiederholt Schauer den Rücken hinunterlaufen zu lassen, und auch wenn er Sie nicht von Ihrer eigenen Heimsuchung befreit, so bringt er Ihre Freunde sicher dazu, Ihrer Geschichte mit großen Augen zu lauschen.

Ihnen selbst verschreiben wir Toni Morrisons pulitzerpreisgekrönten Roman *Menschenkind*. Sethe, eine ehemalige Sklavin, lebt mit ihrer heranwachsenden Tochter Denver zusammen – und mit dem Geist ihres eigenen toten Babys. An die Anwesenheit des boshaften Geistes, der Spiegel zerschmettert, Babyfingerabdrücke in die Geburtstagskuchenglasur macht und an der Haustür Pfützen roten Elends hinterlässt, durch die jeder Besucher waten muss, haben sie sich gewöhnt. Die meisten anderen Leute allerdings machen einen großen Bogen um das Haus und seine Bewohnerinnen. Aber als Sethes alter Freund Paul D nach achtzehn Jahren wieder auftaucht, scheint der Geist Ruhe zu geben. Zumindest so lange, bis er in menschlicher Gestalt wiederkehrt.

Menschenkind – so ihr Name – entsteigt als vollständig bekleidete Erwachsene dem Fluss. Sie braucht ein paar Tage, um Kraft genug dafür zu sammeln, die Augenlider zu öffnen. In dieser Zeit trocknet ihr Kleid und ihre makellose, faltenfreie Haut gewöhnt sich an die Sonne. Menschenkind spricht sonderbar leise, ist ewig durstig und scheint übermenschliche Kräfte zu besitzen – immerhin kann sie ihre

ältere Schwester mit nur einer Hand hochheben. Aber sie ist keine positive Macht: Sie trinkt die Liebe ihrer Mutter wie die Milch, von der sie nicht genug bekommen hat. Sie drängt sich zwischen Paul und Sethe und bringt ihn gegen sein besseres Wissen und obwohl er sie nicht begehrt dazu, sie »da drin« anzufassen. Sie stopft das Leben in sich hinein wie eine Schmeißfliege. Uns ist klar: So kann es nicht weitergehen. Sethe ist zwar in der Lage, Menschenkind zu besänftigen – vorher muss sie sich aber mit einer belastenden Wahrheit abfinden.
Liebe Geistergeplagte, fassen Sie sich ein Herz! Was auch immer Sie heimsucht: Man kann sich nicht nur damit konfrontieren, nein, man kann sogar damit sprechen, verhandeln, es sogar lieben. Falls Ihr Geist eine Zeitlang bei Ihnen wohnen, Ihr gesamtes Geld verbraten und Ihre Lieben aus dem Haus treiben möchte, dann ist es eben so. Wenn er sich erst mal wieder selbst im Griff hat, können Sie ihn dorthin zurückschicken, wo er hingehört.

HEIMWEH

Ein neues Land
Shaun Tan

Ob man als Student zum ersten Mal weit weg von zu Hause ist oder als Auswanderer sein Heimatland vielleicht für immer verlassen hat: Heimweh kann zu einer überwältigenden Sehnsucht werden, die einem die Tage eintrübt. Es ist eine Mischung aus Nostalgie, Verlangen und dem Bedürfnis nach den Eltern, Freunden und allem, was Heimat für uns bedeutet – der Anblick sanft gewellter Hügel, eine im Nebel versunkene Stadt, eine Wüste, der Geruch des Meeres –, und wir alle empfinden es hin und wieder.
Shaun Tans Graphic Novel *Ein neues Land* bekommt die Melancholie des Heimwehs perfekt zu fassen. Tans Illustrationen, feine Linienzeichnungen von ganz erstaunlichem Detailreichtum, sind in den Farben der Nostalgie – Sepia, Grau und Gold – gehalten. In der ganzen Geschichte kommt kein einziges Wort vor – was man tatsächlich nicht vermisst, denn die Illustrationen offenbaren alles, und sind dabei so kom-

plex und vielschichtig, dass man nicht wüsste, was mit Wörtern noch hinzuzufügen wäre.

Die Geschichte ist alt: Ein Mann verlässt seinen Heimatort, um in einer anderen Stadt Arbeit zu suchen. Seine Suche ist erfolgreich. Er vermisst seine Familie. Aber er fängt auch an, sich zu akklimatisieren. Umgeben von einer außergewöhnlichen Architektur, liebenswürdigen Mischlingswesen und einer vertrauten städtischen Umgebung teilt sich unser Held seiner Familie über Origami-Flugzeuge mit, die wie von Zauberhand Kontinente überqueren, um seinen Lieben Nachricht von ihm zu bringen.

Die Bedeutung jeder einzelnen Passage, jedes Einzelbildes, ist nicht immer gleich ersichtlich, was häufiges Zurückblättern erfordert – so, als müssten wir gleichermaßen ein neues Territorium erkunden. Während wir zuvor unbemerkte Elemente entdecken und ihnen bei jedem Mal mit veränderten Gefühlen begegnen, werden wir eins mit dem Mann, für den sich die Konturen seines neuen Wohnortes langsam herausschälen. Auf diese Weise trägt *Ein neues Land* den Verlust des Alten ins Neue und zeigt uns, wie man das Beste aus einer unvertrauten Umgebung macht, wie man sie sich erobert. Stück für Stück gruppieren wir das, was Heimat ist, um und erschaffen es neu, bauen eine neue Heimat dort auf, wo wir sind.

► *Einsamkeit*
► *Familie, ohne sie zurechtkommen*
► *Fremd sein*
► *Sehnsucht, allgemeine*
► *Verirren, sich*

HEIMWERKEN

Die Unermesslichkeit
David Vann

Sie stehen auf einem Stuhl, den Schraubenzieher zwischen den Zähnen, eine Glühbirne in der einen, eine wilde Sammlung Schrauben in der anderen Hand und einen Hammer unter dem Arm. Sie müssen diese Lampe unbedingt heute noch reparieren, denn heute Abend geben Sie eine Dinnerparty, die schon lange geplant ist. Als Sie zufällig mit dem Schraubenzieher an zwei Drähte kommen, werden Sie mit heftiger Wucht durchs Zimmer geschleudert – und nein, es ist nicht die Wut Ihrer Frau oder Ihres Mannes, die Sie weggeblasen hat.

Rund 800 Unfälle beim Heimwerken ereignen sich täglich in Deutschland. Finger werden abgetrennt, Dächer brechen zusammen und Regale fallen von der Wand und begraben die glücklosen Heimwerker unter sich. Unter dem grellen Licht solcher Katastrophen brennen in vielen Ehen die Sicherungen durch.

Wenn Sie hin und wieder den unwiderstehlichen Drang verspüren, einen Schuppen zu bauen oder die Veranda abzuschleifen, dann sehen Sie zu, dass Sie immer eine Ausgabe der *Unermesslichkeit* von David Vann in Ihrem Werkzeugkasten haben, möglichst zwischen sich selbst und der Bohrmaschine. Nachdem Sie dieses Buch gelesen haben, wird Ihnen der Unsinn des Heimwerkens einleuchten. Wir ersparen Ihnen also nicht nur Stunden voller Schmerz, sondern retten dabei auch Ihre Ehe, all Ihre weiteren engen Beziehungen und möglicherweise sogar Ihr Leben.

In diesem meisterhaft düsteren Roman beobachtet Irene, wie ihr Mann einen letzten, übermenschlichen Versuch unternimmt, ihre Ehe zu retten, indem er auf der anderen Seite des Skilak Lake eine Blockhütte baut. Die beiden leben schon in der Wildnis Alaskas, aber Gary hat immer davon geträumt, seinen Lebensabend an einem noch entlegeneren Ort zu verbringen. Doch das Projekt ist von Anfang an zum Scheitern verurteilt. »Sie würden die Hütte von Grund auf selber bauen. Ohne Fundament. Und ohne Pläne, ohne Erfahrung, ohne Genehmigung, bitte keine Ratschläge.« Gary ist entschlossen, sich ohne die Hilfe seiner Freunde oder irgendwelcher Handbücher mit den Elementen zu messen. (Wenn er doch nur die *Romantherapie* zur Hand hätte!)

Wir sehen, wie der Regen sich in Garys Augäpfel »bohrt« und er die Tür der Hütte falsch herum einbaut. Er vergisst wichtiges Werkzeug zu Hause auf der anderen Seite des schon bald zugefrorenen Sees. Irene unternimmt einen halbherzigen Versuch, ihm zu helfen, und erkennt allmählich, dass Garys Traum von dieser Hütte sie im Grunde niemals wirklich mit eingeschlossen hat. Während er den Wind auf Angelsächsisch anbrüllt – *»Bitre Breostceare, hu ic oft throwade!«* (*Bitteres Herzweh, wie oft ich litt!*) – und sich von aller Welt verlassen fühlt, kauert sie im Zelt und sehnt sich nach Hause.

Doch dann erwacht ein Teil in ihr, von dem sie nicht einmal wusste, dass er existiert: ihre innere Diana, eine Jägerin, für die eine einfache Behausung nicht von Bedeutung ist. Und während diese Frau in ihr die Oberhand gewinnt, wird Irene zu einer überwältigenden, unwiderstehlichen Kraft, weitaus eindrucksvoller als die Elemente.

Das grandiose Finale dieses Romans wird Sie augenblicklich nach den Gelben Seiten greifen lassen, um einen echten Handwerker anzurufen.

► *Scheidung*
► *Schmerzen*

HEIRAT, ZU FRÜHE

Effi Briest
Theodor Fontane

Kennen Sie jemanden, der mit unter zwanzig heiraten möchte? Halten Sie seine oder ihre Wahl für inadäquat und wollen ihn oder sie vor dieser Torheit bewahren? Dann sollten Sie spätestens bei der Frage des Pfarrers, ob es Einwände gegen diese Ehe gibt (lieber früher) Theodor Fontanes *Effi Briest* hervorkramen.

Fataler kann eine frühe Heirat nicht enden: Effi wird mit 16 Jahren mit dem 38-jährigen Baron von Instetten verheiratet. Er schleppt sie auf ein einsames Kaff voller bornierter Dorfbewohner und lässt sie in seinem unheimlichen alten Haus alleine, um seine Karriere voranzutreiben. Wenn er einmal zu Hause ist, bevormundet er seine junge Frau nach allen Regeln der Kunst, schreibt ihr sogar vor, wie viel Zeit sie in ihre »Toilette« investieren soll. Effi langweilt sich schier zu Tode und als der attraktive, charmante, weltgewandte Major von Crampas auf den Plan tritt, verfällt sie ihm mit

Haut und Haaren. Ein Stelldichein in den Dünen jagt das nächste, eine Lüge folgt der anderen. Erst ein Umzug nach Berlin gibt Effi die Kraft, die Affäre zu beenden. In Berlin blüht Effi auf, genießt das gesellschaftliche Leben, und auch ihre Ehe stabilisiert sich. Wer jetzt auf ein Happy End hofft, kennt die unglückselige Langzeitwirkung der zu frühen Heirat noch nicht. Fontane heilt uns gründlich von kitschig-naiven Hoffnungen: Instetten findet zufällig die Liebesbriefe von Major Crampas in Effis Nähkästchen. Am Ende hat Instetten Crampas im Duell getötet, Effi verstoßen, und diese ist mit 29 Jahren an gebrochenem Herzen gestorben. Das muss ja nicht sein. Junge Heiratswütige sollten sich mit dem Effi-Test auf die Probe stellen:

Kommt Ihnen das bekannt vor?
Sie sind auf Hochzeitsreise und ihr Partner zwingt Sie, mit schmerzenden Füßen in Galerien zu stehen?

☐ JA ☐ NEIN

Sie gestehen eine Bildungslücke. Ihr Partner ist extrem überrascht, sagt Ihnen aber dann, es sei gut, dass Sie Bildungslücken haben.

☐ JA ☐ NEIN

Ihr Partner bittet Sie, sich zusammenzureißen und ihn nicht zu blamieren, als Sie ihm Ihr Herz ausschütten.

☐ JA ☐ NEIN

Nennt er Sie ein »entzückendes, liebes Geschöpf«?

☐ JA ☐ NEIN

Hat er oder sie überwiegend JA angekreuzt? Dann sollte er oder sie die Beine in die Hand nehmen und Gott und der Moderne dafür danken, dass wir heutzutage nicht mehr gezwungen sind, die Katze im Sack zu heiraten. Wenn überwiegend NEIN angekreuzt wurde und die Heiratswut dennoch besteht, vielleicht, weil ihr das weiße Kleid oder ihm sein Anzug so gut steht; wenn er oder sie unbedingt ein frühes Ende finden will, dann wird diese Lektüre ihn oder sie hoffentlich zumindest vor dem fatalen Fehler bewahren, die Liebesbriefe ihrer Geliebten im Nähkästchen zu verstecken.

► *Der/Die Falsche; bei ihm/ihr landen*

HERRSCHSUCHT

► *Drangsalieren, andere*

HERZ, GEBROCHENES

Jane Eyre
Charlotte Brontë

Nur wenige von uns wandeln mit unversehrtem Herzen durchs Leben. Hat Cupidos Pfeil einmal den Bogen verlassen und sein Ziel erreicht, wo er zitternd vor spitzbübischem Entzücken stecken bleibt, nimmt eine chemische Reaktion ihren Anfang und schickt ihr Opfer auf eine Reise zu den wunderbarsten Freuden, aber auch den qualvollsten Leiden (► *Liebe, zum Scheitern verurteilte*, ► *Liebe, unerwiderte*, ► *Liebeskummer*, ► *Entlieben, sich von der Liebe; den Glauben an die Liebe verloren haben* und, offen gesagt, auch die meisten anderen Leiden in diesem Buch). In neun von zehn Fällen[1] zerschmettert die Liebe an einem Felsen und die ganze Geschichte endet in Tränen.

Warum wir so zynisch sind? Weil die Literatur vor gebrochenen Herzen förmlich platzt wie so manch aortales Aneurysma. Es gibt kaum einen Roman, aus dem nicht das Leid einer zerbrochenen Liebe oder des Verlustes eines geliebten Menschen durch Tod, Verrat oder eine ähnlich anmutende unvorhergesehene Katastrophe heraustropft. Ein gebrochenes Herz trifft nicht nur diejenigen, die ausziehen, um die Liebe zu finden; auch diejenigen, die ihr Ziel sicher erreicht haben, sind nicht davor gefeit (► *Ehebruch*, ► *Scheidung*

1 Studien belegen, dass exakte Zahlen nicht hilfreicher sind als erfundene.

und ▶ *Tod eines geliebten Menschen*). Die Betroffenen haben – zumindest in der akuten ersten Phase – keine Wahl, als sich mit einer großen Packung Taschentücher, einer ebenso großen Schachtel Pralinen und einem guten Buch, dass es ihnen ermöglicht, den Tränen freien Lauf zu lassen, zu verkriechen. Ein wenig herzergreifende Musik könnte dabei helfen. Einige Experten halten diese Therapie für unerlässlich, besonders wenn Sie zu den Menschen gehören, die ihr Gefühlsleben gewöhnlich fest im Griff haben (▶ *Gefühle; Unfähigkeit, ihnen Ausdruck zu verleihen*).

Gebrochene Herzen können geheilt werden – und allen, die sich weigern, ihre verlorene Liebe aufzugeben, verschreiben wir die Lektüre von *Jane Eyre*. Als die Trauung von Jane und Rochester durch den Einwurf unterbrochen wird, der Herr von Thornfield Hall sei bereits verheiratet, ist Jane Eyre zu geschockt, um zu weinen. »Es war mir«, erklärt sie, »als hätte ich mich willenlos entspannt und widerstandlos in ein großes vertrocknetes Flußbett gelegt«, obwohl die »tobenden Wasser« bereits auf dem Weg sind. Doch sie vergibt Rochester augenblicklich, als dieser ihr erklärt, was es mit seiner Ehe auf sich hat, und ihr beweist, dass er sie mehr als alles liebt. Tief in ihrem Innern weiß sie allerdings, dass Thornfield Hall »nicht mehr [ihr] Platz« ist und sie »auf nichts mehr Anrecht« hat. Und obwohl es ihr das Herz brechen wird, erklärt sie ihm, dass sie ihn verlassen muss. Womit es nun an Rochester ist, mit gebrochenem Herzen dazustehen. »Jane! [...] Jane! Willst du damit sagen, daß sich unsere Wege hier trennen werden?« Hat es jemals einen herzergreifenderen Ausdruck von Trennungsschmerz gegeben?[2]

Am Ende wird Jane Eyre ihren dunklen Helden bekommen – aber unter ihren eigenen Bedingungen und ohne ihre Selbstachtung zu verlieren. Zugegeben, Rochester ist zu diesem Zeitpunkt nur noch eine abgebrannte Ruine seines alten Selbst, aber das scheint keine Rolle zu spielen. Jane hat mittlerweile ein beachtliches Vermögen geerbt, was es ihr ermöglicht, Rochester auf Augenhöhe zu begegnen. Und sie wird

2 Falls doch, schreiben Sie uns eine tränendurchnässte Postkarte.

niemals müde, ihm vorzulesen. Folgen Sie Janes Beispiel: Versuchen Sie unter keinen Umständen, Ihr gebrochenes Herz wieder zusammenzuflicken, indem Sie Ihre Integrität aufs Spiel setzen. Lieber würdevoll leiden, als sich in Scham und Schande zu trösten. Außerdem können Sie nie wissen, wer sich gerade wegen Ihrer Charakterstärke und Leidensfähigkeit in Sie verlieben wird.

Es ist wichtig, um eine verlorene Liebe zu trauern, und Sie sollten sich die Zeit dafür nehmen (für die zehn besten Schmachtfetzen, die so richtig die Tränendrüsen anregen, siehe ► *Weinen; sich tüchtig ausheulen*). Lassen Sie sich auf keine faulen Kompromisse ein, nur um sich besser zu fühlen. Cupido wird seinen Pfeil erneut abschießen, entweder mit einer neuen Liebe oder mit der alten, unter neuen Bedingungen. Und wenn Sie beschließen, dass Sie allein besser dran sind, dann werden Sie in diesem Buch hier jede Menge Anregungen dazu finden.

► *Entlieben, sich von der Liebe*
► *Gelüste; keine mehr verspüren*
► *Hoffnungslosigkeit*
► *Liebeskummer*
► *Scheidung*
► *Sehnsucht, allgemeine*
► *Weinen; sich tüchtig ausheulen*

HEUSCHNUPFEN

Zwanzigtausend Meilen unter dem Meer
Jules Verne

Ein Heuschnupfen kann einem den ganzen Sommer ruinieren. Wenn es zu schlimm wird mit den juckenden Augen, der laufenden Nase, dem Druck auf der Brust und den Schwierigkeiten beim Luftholen, sehnt man sich danach, in einen kühlen, klaren Pool zu tauchen – wo einen die Pollen nicht erreichen können. Noch besser: Per Anhalter von einem Unterseeboot mitgenommen werden und dann auf dem Meeresgrund leben. Vielleicht fühlte sich Kapitän Nemo, der rätselhafte Seefahrer aus Vernes berühmtestem Roman, wegen eines Heuschnupfens zu seiner recht eigentümlichen unterseeischen Existenz hingezogen. Der misanthropische Kapitän schüttelte »das auf der Erde unerträgliche Joch« ab und siedelte sich in einem »See-Einhorn von kolossalen Dimensionen« an (das Marine-Beobachter zunächst für einen riesigen Narwal halten), wo er alles und jeden von den Meereslebewesen wegscheucht, die er studiert (▸ *Menschenhass*). Sein Schiff, die *Nautilus*, fährt unglaublich schnell und vollbringt wissenschaftliche Wunder, die das an Land erreichte technologische Know-how weit übertreffen, schließlich ist Nemo nicht nur Forscher, sondern auch Erfinder. Er ernährt sich von eingemachten Seegurken und ist überzeugt, dass sogar Malaysier sie für unübertroffen erklären würden, gewinnt Zucker aus Nordseetang und macht Marmelade aus Seeanemonen. Was seinen Erfolg als Unterwasserdespot anbelangt, ist Nemo nicht bescheiden, hält er sich doch für die Seele des Meeres und akzeptiert niemanden über sich.

Wenn die lästigen Pollenpartikel mal wieder über Ihren Kopf herfallen wollen, schnappen Sie sich Jules Verne und entfliehen Sie in die Luftlosigkeit von Kapitän Nemos Unterwasserreich. Vielleicht bekommen Sie so den Anstoß, Ihre eigene *Nautilus* zu entwerfen oder sich mit einer auf den Rücken geschnallten Sauerstoffflasche in die Tiefsee aufzumachen – man weiß ja nie.

HINSCHMEISSEN WOLLEN, ALLES

Hasenherz
John Updike

Wenn Sie den Drang haben, alles hinzuschmeißen – Ihre Beziehung, Ihren Job, Ihr Leben –, möchten wir Sie bitten, damit so lange zu warten, bis Sie *Hasenherz* gelesen haben. Im Normalfall stellt sich dieser Drang immer dann ein, wenn es so aussieht, als ob wir uns auf einem sinkenden Schiff befänden – was sich besonders gern dann so anfühlt, wenn dieses Schiff vorher sehr hoch aus dem Wasser ragte. Für Harry »Rabbit« Angstrom (dessen Spitzname von einem nervösen Zucken unter seiner »kurzen Nase« herrührt) trifft das auf jeden Fall zu. Denn Rabbit war als Jugendlicher mal ein Basketball-Star, ein Lokalheld, ja sogar eine nationale Berühmtheit, der heute, mit siebenundzwanzig, tagsüber die »Zauberschäler«-Küchenmaschine vorführt, verheiratet ist, einen Sohn hat – der zweite ist auf dem Weg – und die beste Zeit seines Lebens schon hinter sich. Zumindest empfindet er es so. Als er eines Tages von der Arbeit nach Hause kommt, gerät Rabbit in einen Haufen Kinder, die auf einer Brache Bälle werfen. Begeistert stellt er fest, dass er das Gefühl für den Ball nicht verloren hat, und beschließt in diesem Augenblick der Hochstimmung, mit dem Rauchen aufzuhören und seine Zigaretten wegzuwerfen. Aber als er nach Hause kommt und seine schwangere Frau Janice gedankenlos trinkend vor dem Fernseher lümmeln sieht, wird er plötzlich wütend. Später erzählt er dem Pfarrer Eccles, dass er die Tatsache nicht aushält, dass er einst erste Garnitur war und jetzt – nun ja, eben zweite Garnitur. Und deswegen schmeißt er alles hin – beziehungsweise rennt davon wie ein Kaninchen.

Doch gleich trifft Rabbit auf jemanden, der weiß, dass das Weglaufen nicht funktioniert – zumindest nicht ohne einen bestimmten Plan. »Die einzige Möglichkeit, irgendwo anzukommen, ist, daß man sich überlegt, wo man hin will, bevor man losfährt«, gibt ein Tankwart zu bedenken, als Rabbit zugibt, nicht zu wissen, wohin er will. Und später erteilt ihm Tothero, sein ehemaliger Basketball-Coach (der sich nach einem Schlaganfall schwertut, die Wörter herauszubringen), eine letzte Lektion: »Recht und Unrecht fallen uns nicht vom Himmel runter. Wir, wir schaffen sie«, sagt er. Und dann: »Ausnahmslos … passiert ein Unglück, wenn man zwischen diesen nicht unterscheidet.« Bislang hat sich Rabbit noch keine Sekunde Zeit genommen, um über die Konsequenzen nachzudenken, die sein Weglaufen für andere Menschen haben könnte.

Und er tut es auch jetzt noch nicht. Bei uns kommt Totheros Weisheit in ihrer ganzen Wucht an, bei Harry jedoch nicht. Er will nicht zurück nach Hause, lässt sich hierhin und dorthin treiben. Sicherlich, wir empfinden auch Mitleid für Harry, aber uns ist relativ schnell klar, dass es gar nicht so sehr sein Problem ist, Janice in die Fänge geraten zu sein, sondern nicht zu wissen, wie er ihr – und damit auch sich selbst – helfen soll. Stimmen Sie mit Tothero ein, sagen Sie erst Rabbit und dann sich selbst, was Sache ist. Es ist nämlich so, Rabbit: Besser, man bleibt an Bord des Schiffes, tut alles, um seine Lecks zu stopfen und es wieder auf Kurs zu bringen. Denn wenn man von Bord springt, landet man im Meer. Und wenn man derjenige war, der das Ruder in der Hand hatte, werden die anderen mit einem untergehen.

▸ *Bindungsangst*
▸ *Fernweh*
▸ *Rastlosigkeit*

HOCHZEIT

▸ *Eifersucht*
▸ *Kinder; unter Druck stehen, welche zu haben*
▸ *Pleite sein*
▸ *Single sein*

HOFFNUNGSLOSIGKEIT

Jeder stirbt für sich allein
Hans Fallada

Niemand will ohne Hoffnung leben. Aber manchmal haben wir keine Wahl. All jene, die im eisernen Griff der Hoffnungslosigkeit gefangen sind, benötigen ein Buch, das weiß, wie es sich anfühlt. Hans Fallada, der Autor von *Jeder stirbt für sich allein*, versteht dieses Gefühl nur allzu gut. Gestatten Sie den Figuren in seinem ernüchternden Roman über das Leben im Dritten Reich, Sie zu begleiten, während Sie Ihrer eigenen Verzweiflung auf den Grund gehen. Beobachten Sie sie und lernen Sie von ihnen. Auch in den finstersten Winkeln gibt es hin und wieder einen Lichtblick.
Berlin leidet unter der Knechtschaft des Führers und seiner Schergen. Gegnern des Regimes – einschließlich all derer, die es versäumen, jeden zu melden, der sich dem Führer widersetzt – drohen gewaltsame Einschüchterung und Haft, gefolgt von Hinrichtung oder Internierung in einem der

gefürchteten Konzentrationslager. Als ihr einziger Sohn an der Front fällt, beginnen der Fabrikarbeiter Otto Quangel und seine Frau Anna ihre eigene Form des Widerstands: Sie verteilen Postkarten in der Stadt, auf denen sie ihre Mitbürger zum Kampf gegen die Nazis aufrufen.
Doch ihre Postkarten haben nicht die gewünschte Wirkung, sondern schüren nur noch mehr Angst und Paranoia unter der ohnehin schon eingeschüchterten Berliner Bevölkerung. Als den Quangels das bewusst wird, drohen sie noch tiefer in der Hoffnungslosigkeit zu versinken. Aber der Akt des Widerstands selbst hat sie bereits gerettet, denn er hat ihnen den moralischen Sieg geschenkt. Und wenn sie am Ende ihren Verfolgern gegenüberstehen, sind es die Quangels, die Hoffnung und sogar Freude erfahren. Nicht ihre Verfolger.
Die Quangels sind nicht die Einzigen, die sich auf diese Weise vor der Hoffnungslosigkeit retten. Dr. Reichhardt, Ottos Zellengenosse, gelingt dies, indem er so weiterlebt, wie er es immer getan hat: Er geht jeden Tag spazieren (auf und ab in seiner Zelle) und begegnet jedem, egal ob gut oder böse, mit Freundlichkeit und Güte. Eva Kluge, die ehemalige Postbotin, tut es, indem sie aus der Partei austritt, nachdem sie erfahren hat, dass ihr geliebter Sohn Karlemann dabei fotografiert wurde, wie er einen dreijährigen jüdischen Jungen an einem Bein mit dem Kopf gegen ein Auto schleudert. Mit diesen Taten riskieren sie ihr Leben, aber sie bewahren sich ihre Selbstachtung. Wie Eva es ausdrückt: »Dann hat sie eben das im Leben erreicht, dass sie anständig geblieben ist.«
Es klingt, als wäre es eine Kleinigkeit, aber das ist es nicht. Ohne Selbstachtung sind wir nichts. Mit ihr wird unser Leben bemerkenswert, reich, bekommt eine Bedeutung. Hoffnungslosigkeit kann daneben nicht existieren. *Jeder stirbt für sich allein* lehrt uns, dass es nur ein Mittel gegen die Hoffnungslosigkeit gibt: sich beharrlich, stolz und ungehorsam an das zu halten, was wir für gut und anständig erachten.

▸ *Depression, psychische*

HORMONE; UNTER IHNEN LEIDEN

- ▸ *Prämenstruelles Syndrom*
- ▸ *Pubertät*
- ▸ *Schwangerschaft*
- ▸ *Weinen; sich tüchtig ausheulen*

HUMORLOSIGKEIT

Die Lachmuskeln werden bei jedem Menschen von etwas anderem aktiviert. Finden Sie anhand dieser Liste heraus, was bei Ihnen Lacher auslöst.

- ▸ *Nörgeln, Hang zum*
- ▸ *Übellaunigkeit*

DIE ZEHN BESTEN BÜCHER, DIE EINEN ZUM LACHEN BRINGEN

Der amerikanische Investor **Jan Peter Bremer**
Das Tagebuch der Bridget Jones **Helen Fielding**
Tom Jones **Henry Fielding**
About a Boy **Nick Hornby**
Das ist nicht wahr, oder? **Jenny Lawson**
Gentlemen bevorzugen Blondinen **Anita Loos**
Mieses Karma **David Safier**
Unendlicher Spaß **David Forster Wallace**
Die nachhaltige Pflege von Holzböden **Will Wiles**
Ohne mich, Jeeves! **P. G. Wodehouse**

HUNDERT JAHRE ALT SEIN – UND ÄLTER

DIE ZEHN BESTEN ROMANE FÜR ÜBER HUNDERTJÄHRIGE

Das Hörrohr **Leonora Carrington**
Das Rätsel der Sandbank **Erskine Childers**
Solo **Rana Dasgupta**
Wir sind doch Schwestern **Anne Gesthuysen**
Das Glasperlenspiel **Hermann Hesse**
Der Hundertjährige, der aus dem Fenster stieg und verschwand **Jonas Jonasson**
Die Unsterblichkeit **Milan Kundera**
Pu der Bär **AA Milne**
Dracula **Bram Stoker**
Gullivers Reisen **Jonathan Swift**

HUNGER

Hunger
Knut Hamsun

Sollten Sie in jener Zeit in dieser seltsamen Stadt umhergehen und hungern, der Stadt, die keiner verlässt, ehe er von ihr gezeichnet worden ist; sollten Sie mit der Macht der Gewohnheit darüber nachgrübeln, ob es irgendetwas gibt, worauf Sie sich am heutigen Tag freuen können, und sollten Sie merken, dass Sie keine einzige Krone mehr in der Tasche haben, dann müssen Sie Knut Hamsun hervorziehen. Sie werden sich von diesem Roman derart mit Energie versorgt sehen, dass Sie sich in der Lage fühlen, jedes Detail klar konturiert und überdeutlich wahrzunehmen, und es wird keine Frage mehr für Sie sein, dass der schiere Appetit Ihres Körpers zwar irgendwie gestillt werden muss, die Vornehmheit Ihrer Denkungsart aber unermesslich viel wichtiger ist. Wenn Sie sich nur hinsetzen und eine philosophische Abhandlung schreiben könnten, einen dreiteiligen Artikel, den Sie der Zeitung für wahrscheinlich zehn Kronen verkaufen können; wenn Sie sich nur hinsetzen und dieses Traktat jetzt sofort auf einer Parkbank in der Sonne schreiben könnten, dann hätten Sie bald das Geld, um sich eine ordentliche Mahlzeit zu kaufen. Alternativ könnten Sie auch Ihr Jackett zum Pfandleiher bringen, Ihr Wams, für eine Krone und fünfzig Øre. Sie sollten nur daran denken, Ihren Bleistift nicht in der Tasche zu lassen, so, wie es dem namenlosen Helden aus Hamsuns Roman passiert ist, denn dann werden Sie es nie schaffen, Ihren Artikel zu schreiben, der nicht nur Ihnen Geld einbringt, sondern auch der Jugend der Stadt zu einem besseren Leben verhilft. Sie geben Ihr Jackett natürlich nur deswegen zum Pfandleiher, weil es Ihnen ein bisschen eng geworden ist, und Sie werden es in wenigen Tagen wieder zurückholen, wenn der Artikel veröffentlicht ist. Dann können Sie dem Mann auf der Straße mit dem Bündel in den Händen, der viele, viele Tage nichts gegessen hat und der Sie zum Weinen gebracht hat, weil Sie ihm kein Fünf-Kronen-Stück geben konnten, ein paar Kronen geben. Natürlich haben auch Sie nichts gegessen, und Ihr Magen kann kein normales Essen mehr bei sich behalten, weil er schon so lange leer ist. Vergessen Sie aber trotzdem nicht, dass Sie diesen Zehn-Kronen-Schein, der für Ihr Gefühl fälschlicherweise in Ihrem Besitz war, der Kuchenverkäuferin geschenkt haben, Sie haben ihn ihr in die Hände gedrückt und sie wusste überhaupt nicht, warum, und vielleicht können Sie ja zu ihrem Stand gehen und um ein paar Kuchenstücke bitten, für die Sie sozusagen schon in Vorleistung gegangen sind. Vielleicht greift die Polizei Sie auf, weil Sie schon so früh am Morgen unterwegs sind, weil Sie keine Wohnung haben – aber was könnten Sie sich eigentlich noch mehr wünschen als eine herrlich saubere, trockene Zelle? Die Polizei hält Sie natürlich für einen prinzipientreuen Menschen von gutem Charakter, der sich einfach nur aus seiner Wohnung ausgeschlossen und zu Hause massenhaft Geld hat. Und dann gibt es ja auch noch Ihr Theaterstück, von dem Sie nur noch diesen sperrigen letzten Akt aufs Papier bringen müssen, und wenn dieses Stück erst mal veröffentlicht ist, brauchen Sie sich um Geld nie wieder Gedanken zu machen. Bis dahin werden Sie noch in den Zustand fröhlichen Wahnsinns geraten, den der Hunger mit sich bringt, und leer und frei sein von jeglichem Schmerz.

Leseleiden: Hype, angenervt sein von einem

Therapie: Erniedrigen Sie das Buch

Manchmal kriegt ein Buch ein derart großes Presseecho – vielleicht, weil es einen wichtigen Preis gewonnen hat oder der Autor ganz besonders jung oder gutaussehend ist –, dass Sie schon in dem Moment, in dem Sie dazu kommen, es zu lesen, gelangweilt davon sind. Sie haben so viele Besprechungen gelesen, dass Sie das Gefühl haben, das Buch schon zu kennen. Und Sie sind schon derart zugemüllt von der Meinung aller anderen, dass Sie keine Hoffnung mehr hegen, sich noch eine eigene bilden zu können.

Der einfachste Weg, einem solchen Buch noch eine Chance zu geben, ist, es im Gartenhäuschen, im Gewächshaus, in der Garage oder im Draußenklo aufzubewahren. Vielleicht packen Sie es auch einfach wieder ein, in ein Stück übriggebliebene Tapete, in Weihnachtsgeschenkpapier, eine braune Papiertüte oder Alufolie. Und wenn Sie dann eines Tages beim Tomatengießen eine kurze Pause einlegen, nehmen Sie es zur Hand und fangen an zu lesen. Die unpassende, unbuchmäßige Umgebung wird dem Buch eine demütige Ausstrahlung verleihen, ein schönes Gegengewicht zum Hype, und Sie ermutigen, sich ihm in einer großzügigeren, offeneren Haltung zu nähern.

Der geheime Garten
Frances Hodgson Burnett

Der geheime Garten ist ein höflicher Hinweis, dass viele Ihrer Leiden im Grunde nur Ihrer Einbildung entspringen. Der junge Colin hat sein Zimmer noch nie verlassen. Er ist davon überzeugt, ein Geschwür auf dem Rücken zu haben, das eines Tages zu einem Buckel heranwachsen und ihm unweigerlich ein frühes Ableben bescheren wird. Natürlich hat er kein Geschwür – es sei denn, die Wirbel an seiner Wirbelsäule gehen als Geschwür durch. Seine Pfleger ermutigen ihn noch in dem Glauben, dass er verkrüppelt ist und bald sterben wird und dass frische Luft reines Gift für sein Blut ist. Mary, seine verwöhnte Cousine, deren Befehlston und Wutanfälle denen Colins in nichts nachstehen, will davon nichts wissen. Sie ist als Einzige mutig genug, ihm zu sagen, dass er kerngesund ist, und ihre Wut über seine Weigerung, das Zimmer zu verlassen, kann es locker mit seinem Zorn über sein vermeintliches Schicksal aufnehmen. Hitzkopf Mary ist wild entschlossen, ihren geheimen Garten mit Leben zu füllen, die Luftblase von Colins Angst platzen zu lassen und ihm die Wahrheit vor Augen zu führen.
Marys Schwärmerei von den Wundern in ihrem geheimen Garten lockt Colin aus seinem Krankenzimmer und hinaus in die Welt der Vögel und Blumen – eine Welt, zu der auch der sommersprossige, unwiderstehliche Dickon gehört, der vor Gesundheit nur so strotzt. Lassen Sie sich von diesem Buch aus dem Krankenbett locken und finden Sie Ihren eigenen geheimen Garten, vielleicht sogar Ihren eigenen Dickon, und baldige und vollständige Genesung.

► *Erkältung*
► *Sterben*

I

IDENTITÄTSKRISE

Stiller
Max Frisch

Die Verwandlung
Franz Kafka

Wer sind Sie, verehrte Leserin, verehrter Leser? Eine Mutter, ein Vater, ein berufstätiger Mensch, ein Student, ein Kind? Sind Sie immer Sie selbst, oder haben Sie zwei Ichs – eines, das Sie nur bestimmten Leuten zeigen, und eines, das alle anderen zu sehen kriegen? Oder haben Sie eher das Gefühl, dass Ihr »wahres Ich« das Tageslicht überhaupt noch nie erblickt hat?

Die Literatur ist zum Bersten voll mit Leuten in Identitätskrisen – sei die Krise nun bedingt durch Gedächtnisverlust, durch einen psychischen Zusammenbruch oder durch andere, kaum erklärbare Prozesse. Der Erzähler in *Stiller*, einem Roman des Schweizer Nachkriegsautors Max Frisch, weist ständig die Behauptung von sich, er sei der verschollene Bildhauer Anatol Stiller. Und tatsächlich heißt er laut seinem Pass James (oder Jim) White. Aber Freunde, Bekannte und sogar seine Frau erkennen Stiller in ihm – ein Rätsel, das uns genauso verwirrt wie White (oder sollen wir sagen Stiller?) selbst. Während sich die Wahrheit Stück für Stück herausschält, erhaschen wir einen der seltenen Blicke auf die Fragilität unserer Beziehung zu uns selbst.

Sollten Sie das Pech haben, Ihrer Identität vollständig verlustig gegangen zu sein, ist das beste Medikament, um das Sie Ihre Fühler legen können, tatsächlich *Die Verwandlung* von Franz Kafka. Der Handlungsreisende Gregor Samsa wacht eines Morgens auf und findet sich in ein ungeheures Ungeziefer verwandelt, eines mit einem weichen Panzer. Genau wie er selbst ekelt sich auch seine gesamte Familie vor ihm; sein Leben wie vor seiner Verwandlung unverändert fortzuführen ist ihm unmöglich. Die Nahrungsaufnahme ist eine Herausforderung, Kommunikation unmöglich, simple Körperpflege erst recht zur Disposition gestellt. Langsam sinkt Gregor in einen leeren, grüblerischen, aber doch friedvollen Zustand – und verhungert.

Sie können von Glück sagen, dass Sie, auch wenn Sie nicht wissen, wer Sie sind, zumindest sicher sein können, ein Mensch zu sein. Bewundern Sie Ihre Finger, Ihre Zehen und Ihre Nasenspitze. Genießen Sie es, Ihre Gliedmaßen zu benutzen. Lesen Sie den letzten Absatz von Kafkas Meisterwerk laut. Erfreuen Sie sich der Tatsache, dass Ihre Stimme nicht wie das entsetzlichen Schaben eines Insekts klingt. Feiern Sie Ihre Menschlichkeit – wessen Menschlichkeit sie auch sein mag.

▸ *Unsicherheit über die eigene Lese-Identität*

IDIOT; SICH WIE EINER FÜHLEN

Der Idiot
Fjodor Dostojewski

Onno Viets
Frank Schulz

Im Raum wird es still, und Sie merken, dass ein Meer aus Gesichtern Sie anstarrt. Es dämmert Ihnen, dass Sie die einzige Person sind, die nicht versteht, was an dem, was Sie gerade gesagt haben, falsch sein soll. Und schon fängt jemand an zu lachen, und einer nach dem anderen fallen die anderen ein. Sie merken, wie Ihnen die Röte heiß ins Gesicht steigt, gefolgt von einem Schamgefühl, das ihren Adern alles Blut entzieht (▸ *Scham*). Diese Menschen lachen nicht mit Ihnen, sie lachen *über* Sie.

Wir alle haben das schon erlebt. Sich wie ein Idiot zu fühlen ist fast genauso unvermeidbar wie sich zu verlieben. Tatsächlich ist es gar nicht unbedingt schlecht, der Idiot zu sein.[1] Der liebenswürdige Prinz Leo Myschkin aus Dostojewskis *Der Idiot* ist eher im sozialen denn im intellektuellen Sinne ein Idiot, der außerhalb der Gesellschaft steht, weil er kei-

1 Wohingegen sich zu verlieben ziemlich häufig eine üble Angelegenheit ist – zumindest, wenn man sich in die falsche Person verliebt. ▸ *Liebe, unerwiderte*, ▸ *Liebe, zum Scheitern verurteilte*.

nerlei Verständnis für deren Mechanismen hat: Geld, Status, Small Talk und die feinen Unwägbarkeiten des Alltags sind ihm schleierhaft. Aber wir als Leser denken an Prinz Leo nicht mit Gering-, sondern mit absoluter, liebevoller Wertschätzung. Ja, jeder, der diesem Prinzen im Roman begegnet, regt sich über ihn genauso auf, wie er gleichermaßen entzückt von dessen tiefgehendem Verständnis einer Facette der Wirklichkeit ist, die die meisten von uns nicht sehen.
Wenn Sie von genialen Idioten der Weltliteratur noch nicht genug haben, sollten Sie den hier unbedingt kennenlernen: Onno Viets, der Held aus Frank Schulz' Roman *Onno Viets und der Irre vom Kiez*. Er trägt Stoppersocken, lebt von Hartz IV, ist Meister seiner Hamburg-Eppendorfer Pingpong-Runde und hat eine geniale Idee: Er wird Privatdetektiv. Nun beginnt ein unerhört komisches Roadmovie, eine brillante Hamburgmilieu-Studie, ein Sprachkunstwerk quer durch Dia- und Soziolekte, an dessen Ende – man staune und ziehe den Hut vor dem vermeintlichen Idioten – Onno Viets, der Leistungsverweigerer und Versager, ein hervorragender Ermittler geworden ist.
Wenn Sie diese beiden Romane gelesen haben, und wenn es mal wieder still um Sie werden sollte – Leute kramen verlegen in ihren Handtaschen oder spielen ostentativ mit ihrem Smartphone –, dann denken Sie einfach an Dostojewskis Prinzen oder stellen Sie sich vor, wie Onno Viets jedem einzelnen schmutzigen Geheimnis dieser Leute auf die Schliche kommt.

▸ *Außenseiter sein*

IMPOTENZ

Die Liebesblödigkeit
Wilhelm Genazino

Alles stimmt: Ihr Handy ist ausgeschaltet, der Alkohol ist in wohldosierten Mengen geflossen, Ihr Atem ist so frisch wie die Bettlaken, Christina Aguilera singt *Dirty* und die Kerzen flackern verheißungsvoll. Doch dann: Sie können nicht. Oder vielmehr: Sie fürchten, nicht zu können. Bereits die Furcht nimmt Ihren Absichten den Schwung und Ihrer Erektion die Kraft. Vage murmeln sie etwas von einer anstrengenden Woche und viel zu wenig Schlaf, pusten die Kerzen aus und schieben die *Keinohrhasen*-DVD in den Player …

Das Tabu, mit dem Impotenz belegt ist, ist mächtiger als das der Homosexualität im Profifußball. Erektionsstörungen zu thematisieren fällt schwer, sogar oder gerade der Partnerin (oder dem Partner) gegenüber. Dabei sind sich Selbsthilfegruppen und Sexualtherapeuten einig: Reden hilft. Wir haben eine Romanmedizin, die vielleicht kein Viagra ersetzen kann, aber die Ihnen zumindest dabei hilft, das Schweigen zu brechen.

Der Ich-Erzähler in Wilhelm Genazinos *Die Liebesblödigkeit* führt seit Jahren eine gut organisierte Ménage-à-trois mit einer 41-jährigen Sekretärin und einer 51-jährigen Klavierlehrerin. Genazinos Held ist Apokalyptiker, was bedeutet, dass er seine dekadente Klientel in ihrem Unbehagen gegenüber Zivilisationsdeformationen (übermäßiger Fernseh-, Fastfood- und Entertainmentkonsum) bestätigt. Kein Wunder, dass sein übermäßiger Liebeskonsum ihn mit zunehmendem Alter moralisch und körperlich überfordert und sich sein persönliches Armageddon durch nahende Impotenz ankündigt. Und so sieht sich unser Held veranlasst, sein gut organisiertes, aber kräftezehrendes Liebesleben zu entschlacken. Aber wie und an welcher Stelle damit beginnen …?

Dieser schwächelnde, alternde Held, der am Ende mithilfe seines Freundes, des Panikberaters, seine Angst vor dem Tod überwindet, wird vor allem eins tun: Er wird Sie zum Lachen bringen. Und er wird der Impotenz den Schrecken nehmen und sie als das zeigen, was sie ist: eine lästige, aber angesichts des Jüngsten Gerichts letztlich kleine körperliche Malaise, die man überwinden oder mit der man leben kann. Legen Sie *Die Liebesblödigkeit* nach abgeschlossener Lektüre Ihrer Partnerin/Ihren beiden Partnerinnen/Ihrem Partner auf den Nachttisch und dann: Lachen und reden Sie miteinander. Nur eine Nebenwirkung dieser Therapie gilt es zu verhindern: Zerstreuen Sie möglichst rasch den Verdacht, eine andere Person sei der Grund ihrer sexuellen Überforderung …

- ► *Minderwertigkeitskomplex*
- ► *Orgasmen, zu wenige*

INTELLIGENZ, AUSSERGEWÖHNLICHE

Franny und Zooey
J. D. Salinger

Scherbenpark
Alina Bronsky

»Ich weiß nicht, wozu es gut ist, wenn man so viel weiß und einen so scharfen Verstand hat und so, wenn es einen nicht glücklich macht«, erklärt Mrs. Glass in J. D. Salingers Erzählung *Franny und Zooey* – und sie sollte es wissen, denn als Mutter von sieben altklugen Wunderkindern, die alle in der Rundfunkserie *Das kluge Kind* mitgewirkt haben, hat sie Ihren Ältesten (Seymour) bereits durch Selbstmord verloren und muss nun mit ansehen, wie ihre Jüngste (Franny) auf der Wohnzimmercouch ganz offensichtlich einen Nervenzusammenbruch erleidet.
Schlauer zu sein als alle anderen sollte eigentlich etwas Gutes sein. Weil aber bekanntermaßen das Mittelmaß nichts mehr hasst, als seine Mittelmäßigkeit derart vorgeführt zu bekommen, ist jedes überdurchschnittlich intelligente Kind zu lebenslänglichem Außenseitertum verdammt. Die Glass-Kinder werden entweder als »eine unerträgliche Bande ›hochnäsiger‹ kleiner Ekel« bezeichnet, »die man am besten schon vor der Geburt ertränkt oder vergast hätte« oder – etwas freundlicher, aber voller Misstrauen – als »glaubwürdig, über ihr Alter hinaus gewitzt und klug, auf eine ungewöhnliche, gar nicht beneidenswerte Art«. Und wenn die überdurchschnittlich Intelligenten nicht von anderen weggestoßen werden, dann sind oft sie selbst diejenigen, die andere wegstoßen. Schlaue Menschen fühlen sich schnell von ihren Mitmenschen enttäuscht und gelangweilt. Der Anlass für Frannys scheinbaren Zusammenbruch ist ein Date mit ihrem Collegefreund Lane, während dem sie unablässig an ihm herumkritisiert. »Ich mußte einfach *alles* aussprechen, was ich dachte«, jammert sie, »es war schrecklich. Fast von dem Augenblick an, als er mich am Bahnhof abholte, hackte

und hackte und hackte ich auf jeder seiner Ansichten und jedem seiner Wertmaßstäbe herum – einfach auf allem, aber auch auf allem.« Und dafür hasst sie sich selbst.

Probleme mit Jungs hat auch Sascha, die 17-jährige Heldin in Alina Bronskys *Scherbenpark*. Ihr Zuhause ist ein Hochhausghetto, bevölkert von Jugendgangs und Klebstoffschnüfflern – ein Kontrastprogramm zu dem katholischen Eliteinternat, das Sascha wegen ihrer Hochbegabung aufgenommen hat. Die Jungs im ›Ghetto‹ haben dicke Muskeln und noch dickere Goldketten, und Sascha hat nur Verachtung für sie übrig: »Ich kann nur mit Männern, die lesen können [...]. Hartz IV und gebrochenes Deutsch machen mich einfach nicht an. Da habe ich Orgasmus-Probleme.«

Im wahren Leben sind es in der Regel die Lanes dieser Welt, die bemitleidet werden, diese ›normalen‹ Menschen, die unter dem ›abnormalen‹ Verhalten anderer leiden müssen. Doch die Literatur schlägt sich gern auf die Seite der Freaks, und so werden überdurchschnittlich intelligente Menschen Frannys und Saschas Schilderung mit Erleichterung lesen. Glücklicherweise lieben die Leser sie für eben die Eigenheiten, für die sie von ihren Mitmenschen ausgeschlossen werden, und das sollte allen, die so sind wie sie, ein gewisser Trost sein.

Wenn Ihre Intelligenz Sie wie Franny – und ebenso ihren Bruder Zooey – zum Außenseiter gemacht hat, sollten Sie Ihre Wut nicht gegen andere richten. Unsere Lektürekur wird Sie dabei unterstützen: Denn Sascha versöhnt sich mit ihrem Umfeld und findet einen Weg aus dem Scherbenpark, und Franny und Zooey werden am Ende einen Ausweg aus ihrer Lage finden, und zwar dank einer Epiphanie, die es ihnen erlaubt, Gott in jedem Menschen zu sehen. Sie mögen sich wohler fühlen, Gott nicht da mit reinzuziehen, aber in diesem Fall geht es im Grunde einfach darum, den anderen zu lieben. Diese beiden Bücher werden Sie mit einem Gefühl der Solidarität erfüllen und Ihr Reservoir an Liebe wieder auffüllen, wenn es auszutrocknen droht.

▶ *Anderssein*

Wolf Solent
John Cowper Powys

INTERNETSUCHT

Was ist nur aus uns geworden? Wir sind eine Spezies, die millionfach Stunden und Tage und Jahre hintereinander dasitzt, in einsamer Entrücktheit auf ihre Monitore starrt und sich an eine vernachlässigbare, jenseitige Wirklichkeit verliert. Auch wenn wir hin und wieder aufstehen, um zu essen, Sex zu haben oder uns eine Tasse Kaffee zu machen, rufen uns unsere Computer und Smartphones wie Sirenen, damit wir zurückkommen, interagieren, updaten, reloaden. Wie Motten, die von Helligkeit und Wärme angezogen werden, scheinen wir unfähig, diesem Ruf zu widerstehen – obwohl unsere Augen brennen, unsere Rücken schmerzen und unsere Konzentrationsfähigkeit erheblich nachlässt (▸ *Konzentrationsschwierigkeiten*). Es kann manchmal so aussehen, als ob das Leben auf unserem Bildschirm verlockender ist als das andere, als ob die Cyber-Realität realer ist und unsere Zeit mehr verdient als die Realität hinter unserem gebeugten Rücken.

Unsere Therapie für diese beklagenswerteste aller modernen Krankheiten verlangt von Ihnen, dem Leben noch ein paar weitere Stunden den Rücken zu kehren – und zwar der mystische Roman *Wolf Solent*, den der wundervoll exzentrische John Cowper Powys 1929 geschrieben hat. Es handelt sich dabei um einen dicht geschriebenen Wälzer, der in der Szenerie von Westengland spielt. Und wir versprechen Ihnen: Er ist das Lesen wert. Haben Sie JCP, wie wir ihn ab jetzt nennen, erst einmal entdeckt, werden Sie Ihren Monitor in den nächsten Müllcontainer pfeffern und für den Rest Ihrer Tage unter Vögeln und Bienen leben.

Wolf Solent beginnt damit, dass der titelgebende Held – ein unansehnlicher Fündunddreißigjähriger mit koboldhaften Gesichtszügen – die Flucht aus London antritt, wo er zehn Jahre lang an eine stumpfe Lehrtätigkeit gefesselt war. Er kehrt in die Stadt seiner Kindheit zurück, wo er »in seine Seele versinken« will. Denn in Wolfs Innerstem lebt das, was er seine persönliche »Mythologie« nennt, eine Art mystischer Ort, an den er sich zurückzieht, um mit der Natur in Verbindung zu treten. Und ab dem Augenblick, an dem er, noch im Zug, einen ersten Dufthauch eines Frühlingsmorgens in Dorset erschnuppert – frische grüne Schößlinge, schlammige Gräben, Schlüsselblumen auf grasbewachsenen Ufern –, fängt sein »wirkliches Leben« wieder an. Er erlebt, was er als eine »berauschende Erweiterung der Persönlichkeit« beschreibt, die ihre Kraft aus der Natur bezieht.

Diese Lektüre steigt einem zu Kopf – und zwar immer mehr. Kurz nach Wolfs Ankunft und dem Beginn seines neuen Jobs als Forscher für den niederträchtigen Squire Urquhart, verliebt er sich gleichzeitig in zwei Frauen – in die verführerische Gerda, die das Zwitschern einer Amsel nachahmen kann, und in Christie, die seine Leidenschaft für Bücher teilt. Während Wolf sich abmüht, einen Weg zu finden, wie er beide lieben kann, jagt er all den Sinneseindrücken hinterher, die ihm das Gefühl geben, lebendig zu sein. Es ist unmöglich, seiner ungeschliffenen, ekstatischen Reaktion auf die Welt des Naturhaften zu widerstehen, und durch Wolfs Augen werden Sie bald wieder die animalische Energie in anderen Menschen sehen können. Als Mittel zur Wiederentdeckung dessen, was für ein – sinnliches, sexuelles, unter vollständiger Einbindung von Geist und Körper gelebtes – Leben man in dieser Welt haben kann, ist dieses Buch ungeschlagen. Und vielleicht wird es, genau wie für Wolf, auch für Ihre Augen Linderung, für Ihren Rücken Stärkung und vor allem für Ihr kaputtes Hirn Rückkehr zur vollen Leistungsfähigkeit bedeuten, wenn Sie von diesem üppigen Blühen umgeben sind.

▸ *Konzentrationsschwierigkeiten*
▸ *Menschenscheu*

K

KARRIEREWEG; DEN FALSCHEN EINGESCHLAGEN HABEN

Die Sisters Brothers
Patrick DeWitt

Seine berufliche Laufbahn aufzugeben und noch einmal von vorn anzufangen ist leichter gesagt als getan. Zuerst einmal nimmt Ihr derzeitiger Job Sie wahrscheinlich so sehr in Anspruch, dass Sie einfach nicht die Zeit und die Energie haben, sich zu überlegen, was Sie lieber machen würden. Und bei dem Gedanken, das alles, was Sie sich im Laufe der Jahre beruflich aufgebaut haben, für die Katz gewesen sein soll, wird Ihnen ganz mulmig. Ebenso wie bei dem Ausblick, sich von dem schicken silbernen Audi zu trennen. Oder bei dem Gedanken an den Gesichtsausdruck Ihrer Frau oder Ihres Mannes, wenn Sie verlauten lassen, dass Sie Ihren lukrativen Job an den Nagel hängen und stattdessen ein Hutgeschäft aufmachen wollen.

Um nicht gleich einen der vielen herrlichen Sätze in diesem spannenden Western vorwegzunehmen, werden wir Ihnen nicht verraten, was genau die Brüder Charlie und Eli Sisters beruflich machen. Sagen wir einfach, es ist nicht leicht, das Rentenalter lebend zu erreichen. Vor dem Hintergrund des amerikanischen Goldrausches beginnt der jüngere der beiden Brüder, Eli, allmählich an seiner Eignung für diesen Beruf zu zweifeln, ganz besonders, als er auch noch von einer komischen Alten mit einem Fluch belegt wird. Von diesem Augenblick an beginnt Eli, sich für sich selbst und für das, was er tut, zu schämen, und überrascht seinen unsentimentalen älteren Bruder mit Entscheidungen, die er früher sicherlich nicht so getroffen hätte (► *Geschwisterrivalität*). Als das Schicksal ihm ein gutes, kräftiges schwarzes Pferd in die Hände spielt, lehnt er es ab und behält lieber seinen

treuen, lebensbedrohlich langsamen und halbblinden alten Tub. Nicht lange, und er verteilt sein Geld unter Fremden. Als er Hermann Kermit Warm begegnet, einem Mann, der sich von seinem persönlichen Interesse und seiner Genialität – und seinem Streben nach ehrlicher Freundschaft – bei der Suche nach einem Job, dem er mit ganzer Leidenschaft nachgehen kann, hat leiten lassen, ist Eli von Bewunderung und Neid erfüllt. Und als er sieht, wie Hermann den materiellen und spirituellen Lohn seiner Mühen erntet, ist das sein persönliches Damaskus. Er überredet seinen sonst so dominanten Bruder Charlie, sich ihm anzuschließen, und erfährt einen Moment ekstatischen Glücks – zum Teil, weil die physischen Aspekte ihres neuen Jobs so angenehm sind (im Fluss zu stehen, im warmen Licht der Sonne, während ein lauer Wind durch das Tal weht), aber auch, weil er hier er selbst sein kann – ein Selbst, das ihm gefällt.
Stellen Sie sich neben Eli in den Fluss und lassen Sie sich von Hermann Warm inspirieren. Wenn auch Sie einen Weg finden könnten, Ihr Geld auf eine Weise zu verdienen, die sich geistig und finanziell für Sie lohnen würde – und bedeutete, dass Sie Ihre Tage mit einer Tätigkeit verbrächten, die Ihnen Freude macht –, was wäre das?

▸ *Chance, verpasste*
▸ *Montagmorgen-Gefühl*
▸ *Unzufriedenheit*

KAUFSUCHT

Zärtlich ist die Nacht
F. Scott Fitzgerald

American Psycho
Bret Easton Ellis

Der heutige Zwang zum Geldausgeben und immer noch mehr Geldausgeben hat so manche/n übereuphorische/n Käufer/in schöner Dinge mit der Kreditkarte zwischen den Zähnen untergehen sehen. Entweder wir enden verschuldet (▸ *Pleite sein*) oder eingesperrt im Hamsterrad des Geldverdienen-Müssens, um uns über Wasser zu halten (▸ *Arbeitssucht*). Eine unserer Lieblingsshopperinnen ist die schöne, durchgeknallte Nicole aus F. Scott Fitzgeralds Roman *Zärtlich ist die Nacht*, deren Fähigkeit, schamlos und ohne schlechtes Gewissen Geld auszugeben, man nur bewundern kann. Und obwohl wir gerne zugeben, dass der reine Akt des Kaufens einem schon ein Hochgefühl verschaffen kann, ist es doch bitter zu erkennen, dass Frauen wie Nicole – die »It-Girls« ihrer Zeit – vielleicht nicht ganz so leichtsinnig Geld ausgeben müssten, wenn sich ihr Selbstwertgefühl weniger an ihrem Äußeren und ihrer Kleidung festmachen würde (▸ *Selbstbewusstsein, mangelndes*).

Die Überfülle an Designermarken, die die Seiten von *American Psycho* besudeln, Bret Easton Ellis' bahnbrechendem, nervenzerrüttendem Vorstoß in den Kopf eines Psychopathen und Massenmörders, wird als frühes Warnzeichen einer Welt gezeigt, die ihre Werte verloren hat. Aber sollten Sie tatsächlich so tapfer sein, diesen Roman durchzulesen (und wir wollen betonen, dass Sie *sehr* tapfer sein müssen), wird Sie das ein für alle Mal von der Welt der Designerwaren abschrecken.

Patrick Bateman ist ein schrecklicher Prinzipienreiter und Pedant. Man muss manikürt, frisiert, dauergebräunt und vom Fitnessstudio gestählt sein – und man muss die richtigen Klamotten tragen. Im besten Fall einen wollseidenen Anzug von Ermenegildo Zegna, ein Hemd aus reiner Baumwolle mit Doppelmanschetten von Behar, eine Seidenkrawatte von Ralph Lauren, lederne Budapester von Fratelli Rossetti und eine Hornbrille von Oliver Peoples (natürlich). Man muss in den angesagtesten Restaurants (Dorsia, Barcadia, Orso) essen gehen und dort beim Essen gesehen werden, und der Unterschied zwischen Erfolg und Misserfolg im Leben bemisst sich danach, ob man genug Einfluss hat, einen guten Tisch zu ergattern.

Ganz langsam beschleicht einen die Idee, dass Pat Bateman vielleicht die Wahrheit sagt, als er in Anwesenheit seiner Freundin Evelyn vor sich hinmurmelt, er sei weit davon entfernt, der nette Junge von nebenan zu sein, wie sie ihn nennt, sondern eigentlich ein teuflischer Psychopath. Und sobald wir dann selbst Zeuge von Batemans willkürlichen, hasserfüllten Morden, Verstümmelungen und Folterungen werden (noch einmal: Seien Sie gewarnt, diese Szenen sind

grässlich und bleiben Ihnen ein Leben lang erhalten), werden diese Taten zur eiskalt plausiblen Fortsetzung der herablassenden, kontrollsüchtigen und unmenschlichen Fassade, die wir bislang gesehen haben. Einmal macht Bateman eine Liste mit Dingen, die er als Weihnachtsgeschenke für seine Wall-Street-Kollegen kaufen will, und wenn es Ihnen nur ein bisschen so geht wie uns, dann werden Sie einer versilberten Weinkaraffe sowie allen anderen Dingen auf der Liste dieses Psychopathen nie wieder über den Weg trauen.
Jetzt seien Sie doch nicht gleich eingeschnappt. Wir behaupten doch gar nicht, dass Sie auch ein/e Psychopath/in sind. Aber beobachten Sie bitte Ihre Ausgebegewohnheiten. Stieren Sie nicht ganz so verbissen auf die sternenhellen Labels und verlieren dabei das wirklich Wichtige aus dem Blick. Und Achtung bei dem Mann mit dem ledernen Aktenköfferchen von Tumi, der mit den perfekten Nägeln, der es ablehnt, die Aubergine zu essen, weil sie nicht richtig zubereitet wurde … ja genau, der. Aber er wird Sie schon nicht behelligen, schließlich haben Ihre Socken nicht die richtige Farbe.

► *Buchkäufe, zwanghafte*
► *Gier*
► *Pleite sein*

KINDER HABEN

► *Alleinerziehend sein*
► *Familie; mit ihr zurechtkommen*
► *Kinder, die zu viel Aufmerksamkeit verlangen*
► *Lärm, zu viel*
► *Mutterschaft*
► *Pleite sein*
► *Schwiegermutter; eine sein*
► *Vaterschaft*
► *Zeit, zu wenig*
► *Zeit zum Lesen, keine haben*

Therapie: Einführung einer Lesestunde

Wenn Ihre Kinder ununterbrochen geliebt, gefüttert und gewaschen werden wollen, dann bleibt Ihnen nur die Möglichkeit, es wie die Leute zu Zeiten Königin Viktorias zu machen und nach dem Mittagessen eine Ruhezeit einzuführen, zu der jeder ein Buch liest. Wenn Ihre Kinder noch zu klein sind, um selbst zu lesen, versuchen Sie es mit einem Hörbuch. Während dieser Lese-(oder Hör-)stunde darf niemand Lärm machen, außer um als Reaktion auf das geschriebene (oder gesprochene) Wort zu kichern oder zu weinen. Anschließend können die Kinder Ihre Aufmerksamkeit wieder in Anspruch nehmen – und Sie können sich die Geschichten erzählen, die jeder von Ihnen gelesen (oder gehört) hat. Sie werden überrascht sein, wie gerne die Kinder eine solche Ruhepause annehmen. Wenn den Kleinen die Stunde zu lang wird, versuchen Sie mal, ein Buch gemeinsam laut zu lesen. Zusammen ein schönes Buch zu lesen, besonders vor dem Kamin, ist wohl die schönste Art, mit seinen Kindern eine ruhige Stunde zu genießen.

KINDER; UNTER DRUCK STEHEN, WELCHE ZU HABEN

Wir müssen über Kevin reden
Lionel Shriver

Wenn Sie es satt haben, sich immer für Ihre Kinderlosigkeit rechtfertigen zu müssen; wenn Sie mit Ihrem Leben zufrieden sind, so wie es ist, und Sie es nicht ruinieren wollen; wenn Sie finden, dass die Welt bevölkert genug ist; wenn Sie wissen, dass Sie eine schlechte Mutter oder ein schlechter Vater wären; wenn Sie ungestörte Nächte und Ihr cremefarbenes Sofa ohne Tapser kleiner Hände lieben; dann sollten Sie dem Nächsten, der Sie danach fragt, wann denn nun endlich auch in Ihrem Haus mal die Schritte winziger Füße zu hören sein werden, dieses Buch zu Weihnachten schenken. Sie werden nie wieder fragen.

► *Dreißiger*

KLAUSTROPHOBIE

Unsere kleine Farm
Laura Ingalls Wilder

Wenn Sie unter Platzangst leiden, sollten Sie niemals einen geschlossenen Raum betreten ohne *Laura in der Prärie*, den zweiten Band der vielgeliebten Reihe *Unsere kleine Farm* über das Leben der Siedler, verfasst von der Pionierin Laura Ingalls Wilder. Im Nu werden Sie die Zügel auf dem Bock des Planwagens in den Händen halten und über die endlosen Weiten der kanadischen Prärie fahren, durch wogendes Gras »im Spiel von Licht und Schatten«, über sich den blauen Himmel. Dort steht Pa (Michael Landons Bravourrolle) und spaltet das Holz, während Ma im Schatten sitzt und an einem Quilt näht und Laura und ihre Schwestern, die Sonnenhüte in den Nacken geschoben, im hohen Gras nach Vogelnestern suchen. Nicht lange, und Sie werden hundemüde in die Zinnwanne mit frischem Wasser aus dem Fluss steigen, um sich kräftig abschrubben zu lassen. Dann werden Sie sich draußen vor der Hütte an den Tisch setzen und Ihr Abendessen aus Maisbrei mit Bratensoße von der Präriehenne verschlingen, während die Melodien aus Pas Fiedel in den sternenübersäten Nachthimmel hinaufsteigen.

Und dabei werden Sie vergessen, dass Sie gerade mit fünfzehn anderen Menschen im Aufzug steckengeblieben sind, Ihre Nase gegen die Achselhöhe eines Fremden gedrückt und kein Notausgang oder Lüftungsschlitz in Sicht ist.

KLEIN SEIN

Die Blechtrommel
Günter Grass

Der kleine Hobbit
J. R. R. Tolkien

Wenn Sie zu den vertikal Benachteiligten gehören, gibt es wenig Erbaulicheres als die Lektüre eines echten Klassikers über jemanden, der klein ist, dabei aber stark und ungemein charismatisch. Wir bieten Ihnen hier nicht nur einen, sondern gleich zwei solcher Helden, deren Geschichten Ihnen jegliche Komplexe über zu kurz geratene Körpermaße gründlich austreiben werden.

Oskar Matzerath ist ein Bündel an geballter Energie, ein Mann, der seine geringe Körpergröße mittels seiner elektrisierenden Kraft der Mythenbildung wettmacht. Die Hauptrolle dabei spielt er selbst. Erzählt wird die Geschichte von Oskar selbst aus einem Heim für Geisteskranke, in das man ihn für den Mord an Schwester Dorothea eingewiesen hat. Schnell wird deutlich, dass wir es hier mit einem unzuverlässigen Erzähler zu tun haben, der unter anderem behauptet, seine eigene Geburt bei vollem Bewusstsein erlebt zu haben. Oskar erklärt außerdem, dass an seinem dritten Geburtstag drei grundlegende Dinge geschahen: Er beschloss, nicht weiter zu wachsen; er bekam die titelgebende Trommel, von der er sich nicht wieder trennen wird; und er hörte auf zu sprechen und kommunizierte von nun an nur noch per Trommel.

Diese Trommel wird in den folgenden siebenundzwanzig Jahren Oskars Stimme, und trotz seiner vielen Fehler und Schwächen besitzt dieser kleine Mann die Faszination eines Jazz-Solos. Doch was ihn am Ende zu etwas Besonderem macht, ist seine Macht über seine körperliche Vorherbestimmung, denn seine vermeintlich selbst herbeigeführte Kleinwüchsigkeit ist ein Symbol der Stärke – und des Widerstands.

Der stille, würdevolle Bilbo Beutlin in Tolkiens *Der Hobbit* ist das genaue Gegenteil. Bilbo gehört zu einem Geschlecht nur etwa halb so groß wie wir Menschen, mit großen, haarigen Füßen, deren Sohlen so dick sind, dass sie jegliches Schuhwerk überflüssig machen. Hobbits mögen es komfortabel und warm und brauchen mindestens sechs Mahlzeiten pro Tag sowie ein ruhiges, vorhersehbares Leben ohne Reisen. Bilbos Schicksal jedoch ist es, ein wahrhaft episches Abenteuer zu erleben, und als plötzlich dreizehn Zwerge vor seiner Tür stehen und ihn um Hilfe dabei bitten, dem Drachen Smaug ihren rechtmäßigen Schatz wieder abzunehmen, erwacht in Bilbo ein tiefsitzendes Verlangen nach Abenteuer und Magie.
Fasset Mut, oh, Ihr von niederer Statur, und nehmt Euch ein Beispiel an diesen stämmigen Helden. Sie mögen von kleinem Wuchs sein, doch ihr Wirken und ihr Mut sind überragend. Lassen Sie sich niemals einreden, kleine Menschen seien unbedeutend.

▶ *Selbstbewusstsein, mangelndes*

KLEMME; IN EINER STECKEN

Schiffbruch mit Tiger
Yann Martel

Der unvergleichliche Jeeves
P. G. Wodehouse

Klemmen kommen in ganz unterschiedlichen Formen und Beschaffenheiten daher, aber sie können wohl kaum unangenehmer sein, als die von Pi Patel, der mit einem Zebra, einer Hyäne, einem übellaunigen Orang-Utan und einem drei Jahre alten bengalischen Tiger namens Richard Parker in einem Rettungsboot sitzt. Der sechzehnjährige Held in Yann Martels mit dem Booker Prize ausgezeichneten Roman *Schiffbruch mit Tiger* ist sich der Gefährlichkeit der Raubkatze sehr wohl bewusst (denn es dauert nicht lange, bis nur noch er und Richard Parker im Boot sitzen, nachdem das Zebra und der Orang-Utan der Hyäne und diese wiederum dem Tiger zum Ofer gefallen sind). Als die beiden sich zum ersten Mal gegenüberstehen, die Raubkatze mit funkelnden Augen und angelegten Ohren, die Waffen gezückt, springt Pi kurzerhand über Bord.

Was ohne Zweifel die richtige Reaktion ist. Ebenso wie die Entscheidung, ein Floß zu bauen und an das Boot zu täuen, um für sich und den 450 Pfund schweren Fleischfresser getrennte Schlafzimmer zu schaffen. Aber das, was Pi als Nächstes tut, ist wirklich bewundernswert: Nachdem er die Schwäche seines Gegners erkannt hat – Richard Parker ist seekrank –, bietet er alles auf, was er im Zoo seines Vaters gelernt hat, und zwingt den prächtigen, furchteinflößenden Tiger mit reiner Willenskraft zu widerstrebendem Gehorsam. Die Konfrontation, in der der Junge seine Macht sichert, ist wohl der beste Niederstarr-Wettkampf in der Literatur. Es kann nicht schaden, diesen Roman zur Hand zu haben, wenn Sie mal wieder versuchen, sich aus einer (hoffentlich weniger unangenehmen) Klemme zu befreien. Dass selbst in einem so zarten und hungrigen Jungen wie Pi die Fähigkeiten stecken, Herr einer solchen Lage zu werden, sollte uns eine Quelle der Inspiration sein.

Denjenigen, die sich in einer eher emotionalen oder zwischenmenschlichen Klemme befinden, die sich ständig in Fettnäpfchen manövrieren, aus denen es keinen Ausweg ohne eine jämmerliche Demütigung zu geben scheint, empfehlen wir, sich einen Gefährten wie Jeeves zuzulegen, den Kammerdiener in den Romanen von P. G. Wodehouse. Wenn Sie sich keinen echten leisten können, tut es auch ein fiktiver. Dieser schmeichlerische, augenbrauenhebende Kammerdiener, der sich mit Dostojewski ebenso auskennt wie mit der Art und Weise, einen scharlachroten Kummerbund zu tragen[1], befreit seinen Arbeitgeber, den unglückseligen Bertie Wooster, aus jeder Klemme. Reich und adlig, aber in Fragen der richtigen Garderobe sowie allen Dingen des Verstandes eher minderbemittelt, weiß Wooster sehr wohl, dass er nicht einen einzigen Tag ohne Jeeves und dessen heilsame Tassen Tee überleben würde – auch wenn er es nicht zugibt. Auch wir empfinden Jeeves' Anwesenheit in unserem Leben als wunderbar beruhigend – und sobald Sie

1 Tun Sie's nicht.

mit ihm bekannt gemacht wurden, wird es Ihnen genauso ergehen.[2]

Wann immer es brenzlig wird – ob mit einem Tiger oder einem nervigen Frauenzimmer, mit dem man plötzlich ohne eigenes Zutun verlobt ist –, überlegen Sie einfach, was Pi oder Jeeves Ihnen raten würden.

KONTROLLVERLUST

- ▸ *Alkoholismus*
- ▸ *Drogenkonsum, übermäßiger*
- ▸ *Pubertät*
- ▸ *Risikobereitschaft*
- ▸ *Achtlosigkeit*

2 Allerdings werden Sie auf Ihren scharlachroten Kummerbund verzichten müssen.

Therapie: Einfach mal abschalten

In unserer heutigen Zeit mit all ihren Möglichkeiten, unser Hirn zu verwuscheln, von den visuellen Reizen, die das Internet uns bietet, zu den auditiven Anschlägen der Podcasts, den taktilen Versuchungen der Tablet-PCs und dem Zwang sozialer Netzwerke – alles in schmackhaften Häppchen serviert, die wir hastig verschlingen und uns nicht wirklich auf der Zunge zergehen lassen –, entspricht es nicht mehr dem Zeitgeist, sich auf ein Buch zu konzentrieren. Und was noch schlimmer ist: Viele von uns scheinen generell die Fähigkeit verloren zu haben, sich über längere Zeit auf eine Sache zu konzentrieren. Wir sind so daran gewöhnt, von einer bunten Blume zur nächsten zu hüpfen, sobald wir auch nur den leisesten Hauch von Langeweile oder mentaler Herausforderung verspüren, dass die Lektüre eines ganzen Buches – das sich unter Umständen Zeit lässt, bis es seinen kostbaren Nektar preisgibt – unbequem und mühsam ist.
Lassen Sie Ihr Hirn nicht in kleine Stückchen zerfallen. Nehmen Sie sich einen Nachmittag in der Woche, um mal wieder abzuschalten. Zwei Stunden Minimum, nach oben sind keine Grenzen gesetzt. Schalten Sie alle Telefone aus und auch alle anderen Quellen, die Sie ablenken könnten. Und dann nehmen Sie sich ein Buch und suchen Sie sich einen ruhigen Ort. Im Grunde ist es völlig egal, wohin Sie gehen, obwohl wir eine echte Leseecke empfehlen (▸ *Hausarbeit; von ihr abgelenkt sein*), denn es geht einfach darum, ein paar Stunden ungestört denken zu können. Nach und nach wird Ihr Hirn sich wieder zusammensetzen, und Ruhe und Beständigkeit werden zurückkehren.

KRANKENHAUSAUFENTHALT

Wenn man im Krankenhaus ist, sehnt man sich nach dem zarten Geleit eines Engels – oder nach der Flucht an einen wilden, geheimnisvollen Ort. Man wähle aus unserer »Engel«- oder »Abenteuer«-Liste.

► *Langeweile*
► *Schmerzen*

DIE ZEHN BESTEN KRANKENHAUSLEKTÜREN

ENGEL
Zeit des Mondes **David Almond**
Paradies verloren **Cees Nooteboom**
Ein gutes Omen **Neil Gaiman und Terry Pratchett**
Engel des letzten Tages **Michal Viewegh**
Das Spiel des Engels **Carlos Ruiz Zafón**

ABENTEUER
Der zufällige Krieg des Don Emmanuel **Louis de Bernières**
Die Frau und der Affe **Peter Høeg**
Der Ruf der Wildnis **Jack London**
Der Weltensammler **Ilja Trojanow**
Reise zum Mittelpunkt der Erde **Jules Verne**

KRANKENPFLEGE

Das Zimmer
Helen Garner

Wenn ein geliebter Mensch erfährt, dass er unheilbar krank ist, und Sie selbst sich plötzlich in der Rolle der oder des Pflegenden wiederfinden, kann das eine enorm schwierige Zeit sein. Nicht nur, dass Sie diesen Menschen emotional stützen und seine – und auch Ihre eigenen – Sorgen und Ängste auffangen müssen, Sie werden sich auch zur Krankenschwester, Köchin, Reinigungskraft, Buchhalterin und Privatsekretärin weiterbilden müssen – denn im Grunde übernehmen Sie alle häuslichen Pflichten, die der oder die Kran-

ke nicht mehr selbst erledigen kann. Sie werden gebeten werden, sie oder ihn bei Entscheidungen zur weiteren Behandlung zu unterstützen, sich mit den Ärzten auseinanderzusetzen und als Vermittler zu den besorgten Verwandten und Freunden aufzutreten. Besuche zu arrangieren oder abzuwehren, je nachdem, wie es ihm oder ihr geht. Und sie werden feststellen, wie schwer es Ihnen fällt, anderen zu gestehen, dass auch Sie mal eine Pause brauchen. Denn wer unterstützt *Sie* eigentlich, während Sie all diese Aufgaben stemmen, dem oder der Kranken all die Fürsorge zuteilwerden lassen und die gesamte Verantwortung schultern?
In schwierigen Zeiten hilft es, von anderen Menschen zu lesen, die etwas Ähnliches durchmachen. Zu sehen, wie andere Schwierigkeiten meistern – oder eben nicht –, wird Ihnen Kraft geben und das Gefühl, nicht allein zu sein. Deshalb bieten wir Ihnen hier einen großartigen Roman, der sich mit den Auswirkungen einer Krankheit auf das Leben der Angehörigen beschäftigt.
Das Zimmer von Helen Garner schildert sowohl die quälende wie auch die humorvolle (wenn auch schwarzhumorige) Seite dieser Situation. Als Hel erfährt, dass ihre alte Freundin Nicola nach Melbourne kommt, um sich einer alternativen Krebstherapie zu unterziehen, bereitet sie das Gästezimmer für sie vor. Schon bald erkennt sie, dass Nicola sterben wird – und es selbst nicht wahrhaben will. Hel kocht vor Wut über den Quacksalber Theobald Clinic, der Nicola das Geld aus der Tasche zieht und ihr falsche Hoffnungen macht, und sie glaubt, dass sie ihrer Freundin sagen muss, was die Therapeuten mit ihrer Vitamin-C-Kur Nicola verheimlichen. Als die Pflege ihrer Freundin allmählich ihr gesamtes Leben einnimmt, explodiert sie förmlich vor Wut und kämpft gegen ihre Selbstverachtung, bis sie sich wünscht, Nicola möge gefälligst woanders weitersterben. Garner beweist ein enormes Verständnis und Mitgefühl für ihre Figuren, aber es ist der bittere Humor, gepaart mit dem Grauen dieser schlimmen Situation, die dieses Buch so lesenswert machen. Es ist eine Geschichte für alle, die dazu neigen, an ihren eigenen Ansprüchen zu scheitern, während sie vierundzwanzig

Stunden am Tag für ihre Lieben parat stehen. Ganz gleich wie sehr Sie helfen möchten, Sie müssen trotzdem dafür sorgen, dass Sie auch weiterhin funktionieren. Zudem erinnert diese Geschichte uns daran, dass Lachen immer hilft – egal wie aussichtlos alles ist.
Versuchen Sie, die Gefühle, mit denen Sie besonders zu kämpfen haben, isoliert zu betrachten – für den Anfang siehe z. B. ▸ *Übellaunigkeit* oder ▸ *Schuldgefühle*, ▸ *Empathie, Mangel an*, ▸ *Angst* und ▸ *Stress*. Einen kranken Menschen zu pflegen ist keine einfache Aufgabe, weder rein praktisch noch emotional. Diese Romane werden Ihnen helfen, zu sehen, dass Sie mit dieser Situation nicht allein dastehen. Sie nehmen Sie mit auf eine kathartische Reise, von der Sie mit mehr Widerstandskraft zurückkehren werden und mit dem Wissen, dass es für Ihrer beider Wohlergehen wichtig ist, ebenso für sich selbst zu sorgen wie für Ihre Lieben.

▸ *Alzheimer*
▸ *Empathie, Mangel an*
▸ *Zeit, zu wenig*

KREBS HABEN

Wenn Sie in der Chemo sitzen, sich schwach fühlen, wenn Ihr Hirn seinen Dienst verweigert, wenn Sie nicht die Kraft für Gesellschaft haben … dann brauchen Sie unbedingt ein kurzes, perfektes Stück Prosa. Konsultieren Sie dafür die Liste auf der folgenden Seite.

▸ *Krankenhausaufenthalt*
▸ *Schmerzen*

DIE ZEHN ALLERBESTEN BÜCHER

Auf dem Weg zur Hochzeit **John Berger**
Frühstück bei Tiffany **Truman Capote**
Blade Runner **Philip K. Dick**
Das Haus an der Bunkerstreet **Helen Garner**
Der alte Mann und das Meer **Ernest Hemingway**
Daisy Miller **Henry James**
Hier im Regen **Lorenz Langenegger**
Sumchi **Amos Oz**
Flush **Virginia Woolf**
Die Schachnovelle **Stefan Zweig**

KRISE

Die Romantherapie **Ella Berthoud und Susan Elderkin**

Das war ich nicht **Kristof Magnusson**

New-Economy-Krise, Finanzkrise, Eurokrise, Lebenskrise, Glaubenskrise, Burnout-Krise, Midlife-Krise. Eine Krise jagt die nächste. Sie fühlen sich von Krisen umstellt, verfolgt, überrannt? Sie fürchten, in eine Dauerkrise, einen Krisenmarathon, gar einen Krisenteufelskreis zu geraten? Eine erste Hilfe gegen diverse Krisen liefert die vorliegende *Romantherapie*. Wir haben aber auch eine Romankur für Sie:
Atmen Sie tief durch und befolgen Sie bitte genau unsere Therapieanweisungen.
Erstens: Lesen Sie diesen Text ohne Unterbrechung zu Ende, lassen Sie sich weder vom Geldbriefträger noch vom Headhunter stören.
Zweitens: Gehen Sie aus dem Haus, in eine gute Buchhandlung, stöbern Sie eine Viertelstunde unter Vermeidung der Sachbuchtische und kaufen Sie Kristof Magnussons *Das war ich nicht* sowie anschließend im Kiosk eine Tüte Chips und zwei Flaschen Bier (alternativ eine Flasche Wein oder Apfelsaftschorle).
Drittens: Gehen Sie zurück nach Hause, schalten Sie alle elektronischen Medien aus, setzen Sie sich aufs Sofa, in die Hängematte oder ins Bett und lesen Sie *Das war ich nicht.*
Folgendes wird passieren:

Erstens: Sie werden, eingefangen von einer extrem gut gebauten Dramaturgie, langsam und stetig eine Seite nach der anderen umblättern. Ihr Puls wird sich beruhigen.
Zweitens: Sie werden einen britisch anmutenden, beiläufig-skurrilen Humor entdecken, der Sie erst zum Schmunzeln und dann zum Lachen bringt. Ihr Zwerchfell wird sich entspannen.
Drittens: Sie werden drei psychologisch glaubwürdige, menschliche und sympathische Figuren durch drei verschiedene Krisen begleiten.
Viertens: Am Ende des Buches werden Sie mit diesen Figuren in der Frühlingssonne sitzen und etwas begriffen haben: Der Mensch heißt Mensch, weil er gerne in der Frühlingssonne sitzt. Das ist schön. Daran kann keine Krise der Welt etwas ändern.

► *Existenzangst*

L

LANGEWEILE

Raum
Emma Donoghue

Ma und ich leben in Raum. Es gibt ein Fenster, das ist Oberlicht. Man muss sich auf Tisch stellen, um hindurchsehen zu können, und dann kann man den Himmel sehen. Es gibt auch Bett, Schrank, Regal, Fernseher, Tür und Trockenständer. Ma ist ganz traurig gewesen, bis ich in ihrem Bauch passiert bin. Jetzt bin ich Freund Fünf, weil ich heute Geburtstag hab. Mein Geburtstagsgeschenk war ein Bild mit Bleistift gemalt. Es ist von mir mit Augen zu. Wir hängen es in Schrank, damit Old Nick es nicht sieht. Manchmal kommt er in Raum, nach neun. Dann wird die Luft anders. Bevor ich aus dem Himmel gekommen bin, hat Ma Fernseher den ganzen Tag angelassen und sich in einen Zombie verwandelt, weil man vom Fernsehen eine weiche Birne kriegt. Jetzt schalten wir ihn immer nach *Dora* aus, dann vermehren sich die Zellen wieder. Jeden Morgen gibt es tausend Dinge zu tun in Raum, wie Trampolinspringen auf dem Bett, und *Simon Says*, und Orchester, dabei laufen wir rum und gucken, was für Krach wir mit allen möglichen Sachen machen können. Heute schneiden wir ein Stück aus der Cornflakes-Packung, das so groß ist wie Mas Fuß. Dann messen wir Raum. Manchmal stellen wir uns auf Tisch und spielen Geschrei, und ich schlage die Pfannendeckel zusammen wie Becken. Danach spiele ich mit Klorollen Telefon. Manchmal sagt Ma, sie will irgendetwas einschlagen, aber das tut sie nicht, weil sie nichts kaputtmachen will. Dann sagt sie, ehrlich gesagt würde ich mit Vergnügen etwas kaputtmachen. Am liebsten alles. Ich mag es nicht, wenn sie so ist.

Heute machen wir Geburtstagskuchen mit drei Eiern. Während der Kuchen im heißen Bauch vom Herd ist, sitzen wir davor und atmen die schöne Luft ein. Ma sagt, wenn es den Menschen in Draußen langweilig wird, sollen sie kommen und hier in Raum wohnen. Sie würden sich wundern, was es alles zu tun gibt.

► *Geistige Stagnation*
► *Lethargie*
► *Profanität; von ihr bedrückt sein*
► *Unzufriedenheit*

LANGEWEILE AUF REISEN

► Die zehn besten Romane für eine Zugfahrt (► *Übelkeit beim Autofahren*)
► Die zehn besten Romane für Flugreisen (► *Flugangst*)

LANGWEILIG SEIN

► *Analfixiertheit*
► *Humorlosigkeit*

LÄRM, ZU VIEL

Wenn es in Ihrer Umgebung zu laut ist – vielleicht, weil der Fernseher immer läuft, Ihre Mitpendler im Zug in Ihre Handys brüllen oder der Typ auf dem Laufband neben Ihnen hechelt –, schotten Sie sich ab und schließen sich mit einem Hörbuch (eine Auswahl der besten finden Sie auf der folgenden Seite) und einem Paar guter Kopfhörer in Ihrer eigenen Welt ein. Sie werden merken: Es ist ein Vergnügen, vorgelesen zu bekommen – und mit diesen Vorlesern wird es zu einer unvergesslichen Erfahrung.

DIE ZEHN BESTEN HÖRBÜCHER

Der Große Gatsby **Francis Scott Fitzgerald**, gelesen von Gert Heidenreich
Madame Bovary **Gustave Flaubert**, gelesen von Christian Brückner
Der alte Mann und das Meer **Ernest Hemingway**, gelesen von Christian Brückner
Odyssee **Homer**, gelesen von Christian Brückner und Kurt Steinmann
Ulysses **James Joyce**, gelesen von Corinna Harfouch und Dietmar Bär
Wölfe **Hilary Mantel**, gelesen von Frank Stöckle
Der Goldene Kompass – Die Trilogie **Philip Pullman**, gelesen von Rufus Beck
Der fliegende Berg **Christoph Ransmayr**, gelesen vom Autor
Harry Potter und der Stein der Weisen **Joanne K. Rowling**, gelesen von Felix von Manteuffel
Der Herr der Ringe **J. R. R. Tolkien**, gelesen von Achim Höppner

LETHARGIE

Himmel über der Wüste
Paul Bowles

Don Quijote
Miguel de Cervantes Saavedra

Vielleicht haben Sie es ja sogar aus dem Bett geschafft, aber Ihr Schritt ist trotzdem so federnd wie der eines schwangeren Nilpferds. Wenn körperliche und mentale Lethargie Sie überwältigt und Sie frei von jeglicher Motivation Ihre schweren Glieder durch die Gegend schleppen, ist ein Zustandswechsel bekanntermaßen schwer. Denn um Lethargie zu bekämpfen, brauchen Sie Energie – aber woher soll der für die Überwindung der Trägheit notwendige Energieschub bloß kommen?
Der erste Teil unseres zweistufigen Kräftigungsprogramms verlangt von Ihnen zunächst, in ein Bewegungslosigkeit und Lethargie förderndes Setting einzutauchen. Paul Bowles unnachahmlicher Roman *Himmel über der Wüste* – geheimnisvoll, schwer und dräuend, sehr dicht und voller düsterer Vorahnungen – ist eine geeignete Umgebung. Port, seine Frau Kit und ihr »erstaunlich hübscher« Freund Tunner – allesamt

US-Amerikaner, die ihr Heimatland zwar meiden, aber auch noch nichts Besseres gefunden haben – lassen sich durch die nordafrikanische Wüste treiben. Als seltsam kontur- und ruhelose Gruppe verbringen sie ihre Tage meistenteils damit, sich, den Einheimischen und jeder wirklichen Auseinandersetzung mit ihrem Leben aus dem Weg zu gehen. Immer, wenn sie auf Araber treffen, scheint eine unbestimmte Bedrohung in der Luft zu liegen – dunkle, lauernde Gestalten, denen nicht über den Weg zu trauen ist. Von unsichtbaren Händen werden Steine geworfen, Portemonnaies werden beinahe gestohlen. Und so reist das Trio ohne klares Ziel immer weiter, einen unheilschwangeren Wind im Rücken und einen »blendend weißen Himmel« über dem Kopf.
Kit funktioniert am allerwenigsten. Sie hat Tage, an denen sie derart von prophetischen Unheilsgefühlen erfüllt ist, dass sie alle zuvor vielleicht gehegten Pläne ad acta legt. Tunner mit seinem nichtssagenden Äußeren langweilt sie, seinen morgendlichen Gruß empfindet sie als »aufreizend munter«. Unterdessen ist für ihren Ehemann Paul eine »unendliche Traurigkeit« im Kern seines Daseins die einzige Gewissheit – immerhin beruhigend, weil vertraut. Als Port eines Tages zu Kit sagt: »Es ist keinem von uns bisher gelungen, wirklich zu leben«, trifft sie den Nagel auf den Kopf. Ihre Existenzen sind wie Petrischalen, in denen Lethargiebakterien gedeihen: Bakterien voller Mattigkeit, Unsicherheit und Fremdheitsgefühlen. Nehmen Sie sich selbst genau unter die Lupe und fragen Sie sich, ob es diese Petrischalen in Ihrem Leben auch gibt.
Die zweite Hälfte unserer Therapie, die Ihrem Körper einen quasielektrischen Schock versetzen wird, muss sofort begonnen werden, wenn Sie die letzte Seite von *Himmel über der Wüste* umgeblättert haben. Cervantes' liebenswürdiger, begeisterungsfähiger Don Quijote – der sich als fahrender Ritter geriert, sich ganz seinen äußerst vornehmen Romanzen ergibt und die ganze Nacht über wach bleibt, um zu lesen – ist all das, was die Charaktere in *Himmel über der Wüste* nicht sind. Er steht früh auf, steigt in die aufpolierte Rüstung seines Großvaters und macht sich auf die Suche nach

Abenteuern – ein in Bedrängnis geratenes Burgfräulein, das es zu erretten und zu lieben, ein Bösewicht, den es mit der Lanze zu durchbohren gilt. Wie sollte sich hier die Lethargie einnisten? Fürwahr, wir würden behaupten: Niemals! Während Bowles' Null-Bock-Amerikaner das Geheimnis und die Schönheit der Wüste derart als unberechenbar und absonderlich herabsetzen, dass sie ihnen emotional nichts anhaben kann, verwandelt Don Quijote einfache Kneipen am Wegesrand in silbrig bezinnte Schlösser und Windmühlen in eine Armee von Riesen. Er tut all das mit einer unbändig beschwingten, fröhlichen Herangehensweise, die immun ist für die Warnungen seines treuen Knappen.
Nehmen Sie dieses Buch unverdünnt ein, so, wie es voller Tatendrang, atemlosem Schwung und ritterlichem Ruf zu den Waffen und zur Minne aus Cervantes' Feder quoll. Ein elektrisierenderes – und dabei ganz legales – Elixier für träge, verlangsamte Menschen hat die Literatur nicht zu bieten.

► *Bett; Unfähigkeit es zu verlassen*
► *Ehrgeiz, zu wenig*
► *Langeweile*

LIBIDOVERLUST

Lob der Stiefmutter
Mario Vargas Llosa

Sollte sich Ihr Geschlechtstrieb im Sturzflug befinden, lassen Sie sich von diesem verruchten kleinen Possenroman des südamerikanischen Autors Vargas Llosa inspirieren. Jede Nacht nach seinen akribisch vorgenommenen abendlichen Waschungen schließt Don Rigoberto seine Frau Doña Lucrecia in die Arme und murmelt: »Fragst du mich nicht, wer ich bin?« Doña Lucrecia kennt das Spiel. »Wer, wer mein Liebling?«, antwortet sie mit gebotener Ungeduld. Und Don Rigoberto, ein Genussmensch und Kunstliebhaber, der sein Glück, in der Mitte des Lebens noch einmal die Liebe und eine Stiefmutter für seinen halbwüchsigen Sohn Alfonso gefunden zu haben, gar nicht fassen kann, fängt an, aus der Perspektive einer Figur auf einem berühmten Gemälde zu erzählen. Denn es macht ihn an, wenn Doña Lucrecia und er in ihrer Fantasie in die Figuren auf diesen Gemälden schlüpfen. Eines Nachts ist er der König von Lydien, der wie auf dem Bild des flämischen Meisters Jacob Jordaens stolz die Vorzüge des ausladenden Hinterteils seiner Frau preist. In der nächsten erregt ihn François Bouchers »Diana im Bade«, und er stellt sich Lucrecia vor als die Göttin der Jagd, die ihren Körper mit Honig einreiben und ihre Zehen einen nach dem anderen von ihrer Liebhaberin lutschen lässt. In einer etwas anspruchsvolleren Nacht ist es Francis Bacons gequälter, unansehnlicher »Kopf I«, der ihre Säfte fließen lässt.

Möglicherweise übertreiben sie es. Als sie als Venus in Tizians »Venus mit Amor und Musik« besetzt wird, wird Doña Lucrecia so sehr davon erregt, wie ihr Ehemann Cupido beschreibt, der sie mit seinen Flügeln »an den geeigneten Stellen« kitzelt und sich »auf der samtweichen Geographie ihres Körpers« wälzt, dass sie anfängt, schmutzige Gedanken hinsichtlich ihres Stiefsohns Alphonso zu hegen. Der goldhaarige Junge auf der Schwelle zu seiner erwachenden Sexualität ist nur zu begierig darauf, sie zu mehr anzustiften.

Es ist auf jeden Fall nichts Falsches daran, sich aus Kunst und Literatur ein bisschen Inspiration zu borgen, um das Feuer des Begehrens in einem müden Ehebett wieder zu entfachen. Im Geiste eher von Don Rigoberto als von Doña Lucrecia empfehlen wir dies hier – und zusätzlich eine große Auswahl an literarischen Erotica unter ▸ *Orgasmen, zu wenige*. Wir hoffen, Sie finden etwas, das die Fenster Ihrer Wohnung beschlagen lässt.

▸ *Orgasmen, zu wenige*
▸ *Sex, zu wenig*

LIEBE; DIE GROSSE LIEBE SUCHEN

▸ *Der/Die Richtige; ausharren für ihn/sie*
▸ *Der/Die Richtige; auf der Suche nach ihm/ihr sein*
▸ *Glück, Suche nach dem*
▸ *Single sein*

Bel Canto
Ann Patchett

Die Leiden des jungen Werther
Johann Wolfgang von Goethe

Am grünen Rand der Welt
Thomas Hardy

Erste Liebe
Iwan Turgenjew

LIEBE, UNERWIDERTE

Unerwiderte Liebe fließt als Einbahnliebe immer nur in eine Richtung. Ein gelungenes Beispiel dafür liefert Ann Patchett in ihrem Roman *Bel Canto* (unsere Therapie für ▶ *Der/die Richtige; auf der Suche nach ihm/ihr sein*). In der Klemme benachbarter Sitze auf einem Achtzehnstundenflug bricht aus dem jungen schwedischen Klavierbegleiter der berühmten Sopranistin Roxane Loss das Geständnis unsterblicher Liebe für sie so heftig heraus, dass die Sängerin sich vor Fremdscham windet. Völlig aus dem Nichts und ohne jegliche zumindest freundschaftliche Basis oder gar gegenseitige Anziehung schießt dieses Geständnis massiv übers Ziel hinaus und kommt viel zu früh – und stinkt geradezu vor draufgängerischem Wagemut. »Die Liebe, die so schnell und auf so törichte Weise zu jedwedem Opfer bereit ist, ist immer die Liebe, die nicht erwidert wird«, schreibt Patchett. Wie soll das Objekt Ihrer Begierde Sie denn des Zurückgeliebt-Werdens wert genug finden, wenn Sie sich nackt wie ein Stück Fleisch zu seinen Füßen werfen?

Es ist nur eine Frage der Zeit, bis der Klavierbegleiter sich buchstäblich selbst opfert – hat sich der arme Tropf doch tatsächlich in die masochistische Zerstörungskraft seiner hoffnungslosen Liebe verstrickt. Als die Terroristen, die die Sopranistin und ihr Publikum als Geiseln genommen haben, alle diejenigen freilassen wollen, die dringende medizinische Hilfe benötigen, hält der von der Liebe so heftig erwischte Mann den Mund, obwohl er mit seiner Diabetes nur durch regelmäßige Insulinspritzen überleben kann. Dennoch zu bleiben, um Roxane »zu beschützen«, bedeutet für ihn den sicheren Tod. Na, vielen Dank, du schwedischer Klavierbegleiter, dass du mir noch die Schuld an deinem Tod aufbürdest, könnte Roxane sehr zu Recht einwenden. Das nennst du Liebe?

In der Literatur wimmelt es nur so vor ähnlich gequälten, törichten Typen, die aus Liebe zu einer Frau, die diese Liebe überhaupt nicht will, sterben. Kein schöner Anblick. Der Schlimmste von allen ist Goethes *Werther*, das zartbesaitete

Seelchen, den seine aussichtslose Liebe zu Lotte – die zum Zeitpunkt des Kennenlernens schon glücklich mit einem anderen verlobt ist – schließlich in den verzweifelten Selbstmord treibt. Werther erdreistet sich sogar, sein Ableben so einzufädeln, dass Lotte ihm die Pistole schickt, die zum Instrument seines Todes wird. Was für eine Frechheit! Nach der Erstveröffentlichung dieses Romans im Jahr 1774 fingen sensible Künstlertypen von Ostende bis nach Neapel an, sich zu kleiden wie der junge Werther, und einige brachten sich entsetzlicherweise in Nachahmungsselbstmorden mit Pistole und aufgeschlagenem Buch um. Dieses Phänomen wurde als der ›Werther-Effekt‹ bekannt. Goethe war schnell bei der Hand, diese emotionsgetriebenen jungen Männer zu verurteilen (nun – jener ›Sturm und Drang‹ bereitete aber eben auch mit den Nährboden für den Erfolg seines Romans). Auch wir prangern an. Falls Sie den Verdacht hegen, ein Typ zu sein, der sich in der Tragik seiner unerwiderten Liebe suhlt, empfehlen wir Ihnen, einen großen Bogen um den *Werther* zu machen. Halten Sie sich lieber an *Am grünen Rand der Welt*.

Dieser klassische Hardy-Roman, der in Hardys geliebtem Essex spielt, ist das beste Buch, um einem beizubringen, wie die Sache mit der Liebe geht – und wie nicht. Zu Beginn gibt es nur Missverständnisse. Bathsheba – hübsch, heiratsfähig, bald reich – ist eitel und egoistisch und spielt mit den Männern, wie es ihr passt. Gabriel Oak, der mit seinem strahlenden Lächeln eigentlich von der allerersten Zeile an liebenswert erscheint, ist in seinem Flirt-Ansatz etwas einfach gestrickt. Bathsheba macht ihn an, ohne den Worten Taten folgen zu lassen. Für Gabriel ist das ganz in Ordnung – und wir wissen ja bereits, dass ein Preis, der es wert ist, gewonnen zu werden, ein bisschen schwer zu kriegen sein muss. Die Valentinskarte jedoch, die Bathsheba ihrem Nachbarn William Boldwood in einem Moment unüberlegter Albernheit schreibt, erweist sich als Akt der Verantwortungslosigkeit, den sie ihr Leben lang bereuen wird. Denn die Karte setzt dem bis dato Bathsheba gegenüber ungerührten Boldwood den Floh ins Ohr, sie zu lieben, und schon bald hat er sich kopfüber in einen Werther-haften Strudel unerwiderter Liebe gestürzt, in dessen Tiefen er sich ziemlich unnötig opfern wird.

Bathshebas dritter Verehrer, Sergeant Troy, ist im Grunde seines Herzens ein guter Mensch, auch wenn er wie Bathsheba ein bisschen zu viel über sein Äußeres nachdenkt, was ja nie ein sympathischer Charakterzug ist (▸ *Eitelkeit*, ▸ *Arroganz*). Aber er hat etwas auf dem Kerbholz, was ihn fast noch verachtenswerter macht als Bathsheba: Er hat nämlich eine von ihm schwangere Frau sitzen lassen. Gabriel Oak ist der Einzige, der sich bewährt, indem er eine klare Haltung einnimmt, als treuer Freund während des ganzen Durcheinanders mit den beiden anderen Männern zu Bathsheba hält und darauf wartet, dass Bathsheba seinen Wert erkennt – aber auch ihren eigenen unter Beweis stellt.

Sollten Sie trotz allem nun aber darauf beharren, zumindest für eine gewisse Zeit in den Ekstasen und Torturen unerwiderter Liebe zu schwelgen, dann tun Sie das mit Turgenjews *Erster Liebe*. In dieser sonnendurchfluteten Novelle ist der sechzehnjährige Vladimir völlig vernarrt in die einundzwanzigjährige Zinaida. Sie wird von einer ganzen Handvoll Verehrer umschwirrt, und auch wenn sie Vladimir behandelt wie ihren jugendlichen Vertrauten, nimmt sie seine Avancen nicht im Entferntesten ernst. Sie spielt mit all ihren für sie entflammten Liebhabern – und erst ganz am Ende stellt sich heraus, zu wem sie sich wirklich hingezogen fühlt. Natürlich endet das Ganze in einer Tragödie. Ergötzen Sie sich zusammen mit Vladimir ein letztes Mal an Ihrer Liebe, aber beschließen Sie hiernach, Ihre Karten nah am Körper und für alle anderen nicht einsehbar zu halten. Nur so werden Sie das Rennen machen.

Wenn die Liebe, die Sie empfinden, nicht erwidert wird, legen Sie in Ihrem törichten Überschwang mal eine Pause ein und stellen sich die folgende Frage: Haben Sie sich in Ihrem starken Verlangen nach Liebe unliebenswert gemacht, weil Ihnen die Selbstachtung abhanden gekommen ist? Sollte die Antwort hierauf »Ja« sein, wird es Ihnen nicht gelingen, mehr zu bekommen als ein schuldbewusstes »Nein«. Reißen Sie sich zusammen. Blicken Sie sich selbst in die Augen und errechnen Sie Ihren Wert. Und tragen Sie diesen Wert dann mit einem Verhalten zur Schau, das ein so wunderbarer Mensch wie der, den Sie lieben, sicher verdient.

► *Der/Die Richtige; ausharren für ihn/sie*
► *Eifersucht*
► *Liebe, zum Scheitern verurteilte*
► *Selbstbewusstsein, mangelndes*

LIEBE, ZUM SCHEITERN VERURTEILTE

Wir
Jewgenij Samjatin

Lady Chatterleys Liebhaber
D. H. Lawrence

Manchmal kann einfach jeder sehen, dass Ihre aktuelle Liebschaft nicht funktionieren wird. Vor Seligkeit völlig weggeschossen sitzen Sie in Ihrer Liebesblase und können nicht über den Sie umgebenden, betörenden Perlmuttschimmer hinausblicken. Einer unter einem schlechtem Stern geborenen Liebe – wie die zwischen Tristan und Isolde, Cathy und Heathcliffe, Tess und Angel Clare – zuzusehen ist furchtbar. Aber ein Paar, dessen Liebe unter einem solchen Stern steht, hat meist nicht die leiseste Ahnung davon, dass ihre Blase bald platzen wird. Aber wenn erst mal die Außenhaut durchstochen ist, bemerken meist auch die zum Scheitern verurteilten Liebenden ihre Torheit. Zu diesem Zeitpunkt – im Todeskampf einer Romanze – sollte unser Medikament eingenommen werden.

Denn egal, wie es am Ende um Ihre eigene Affäre bestellt sein mag – so hoffnungslos zum Scheitern verurteilt wie die der beiden unglückseligen Liebenden aus Jewgenij Samjatins dystopischem Roman *Wir* kann sie gar nicht sein. D-503 (männlich) und I-330 (weiblich) können sich nur im Geheimen treffen, denn sie leben im »Einzigen Staat«, einer vom »Wohltäter« eingerichteten Gesellschaft, der jedes menschliche Leben kontrolliert. Alle gehen ihren Beschäftigungen innerhalb gläserner Wände nach und können also jederzeit gesehen werden. D-503 und I-330 haben ihr erstes geheimes Rendezvous in der einzigen Ecke eines Gebäudes, die nicht einsehbar ist.

Nach und nach enthüllt I-330 D-503, dass sie zu einer Untergrundorganisation gehört, die die »grüne Mauer« einreißen will, die das Gemeinwesen von der Welt draußen abschirmt. Wir bekommen die freien Menschen in dieser anderen Welt immer mal wieder ganz kurz zu sehen; sie tragen Pelz. Ein von der Heftigkeit ihrer Zuneigung gespeister Fluchtplan lässt uns für die gemeinsame Zukunft der beiden die Daumen drücken. Aber Samjatin verarbeitete seine Erfahrungen im Russland des frühen 20. Jahrhunderts, wo sein Buch über viele Jahre verboten war – und wir wissen, dass der Einzige Staat voller Spione steckt … Wenn Sie *Wir* lesen, werden Sie sich mit Ihrer eigenen Unfähigkeit, der Kurzlebigkeit Ihrer Affäre ins Auge zu sehen, besser fühlen.

Auch die Liebe zwischen Lady Constance Chatterley und dem Wildhüter Mellors scheint von Anfang an zum Scheitern verurteilt. Connie ist nicht nur mit dem gelähmten, impotenten Sir Clifford verheiratet, mit dem es zwar mental, aber nicht körperlich funkt, sie ist außerdem noch eine Adlige und Mellors ein bloßer »Gemeiner«. Der relativ vernunftbegabte Mellors ist besorgt, weil er, kurz nachdem sie ihre leidenschaftliche, zutiefst sexuelle Affäre begonnen haben, die ganzen »Komplikationen« schon wittert. Im Vergleich zu seiner Vernunft wirkt Connies flehentliches Drängen, sie nicht fallenzulassen, naiv, und als Leser kann man nicht anders, als diese Affäre für ebenso defizitär zu halten wie Connies Ehe – wenngleich hier etwas anderes fehlt als dort: Die körperlichen Funken fliegen, aber die beiden haben sich nichts zu sagen.

Doch die Geschichte entwickelt sich anders, als man als Leser vielleicht erwarten würde. Connie beginnt mehr und mehr, ihre intellektuelle Verbundenheit mit Clifford abzutun, sind es doch »nur viele Worte«, wohingegen Mellors »die Frau« in ihr berührt.Und dann gibt es für sie kein Zaudern mehr. Der Roman entlässt uns, während die beiden warten – Mellors darauf, dass seine Scheidung Erfolg hat, und Connie darauf, dass Sir Clifford ihr die Freiheit wiedergibt. Ihre bis dahin noch gänzlich ungestaltete Zukunft schwebt vor ihnen, aber da Connie ein Kind von Mellors er-

wartet und beide der Welt ihre Liebe gestanden haben, wird es wohl kein Zurück geben.
Und wenn es Hoffnung gibt für Lady Chatterley und Mellors, sollten Sie vielleicht gar nicht so pessimistisch sein, was Ihre eigene Liebe anbelangt.
▶ *Der/Die Falsche; bei ihm/ihr landen*
▶ *Liebe, unerwiderte*

LIEBESKUMMER

Salz und sein Preis
Patricia Highsmith

Literarsche Heldinnen und Helden im Mittelalter vergingen regelmäßig vor Liebeskummer. Bestes Beispiel dafür ist Chaucers Erzählung, in der Palamon aus dem Fenster des Turms, in dem er gefangen gehalten wird, die holde Emelye erblickt und dann fast davon dahingerafft wird, dass er sie zwar sehen, aber nicht haben kann. Erst in unserem weniger romantischen Zeitalter werden in einem solchen Fall Psychotherapeuten verständigt und Medikamente verschrieben. Liebeskummer wird immer durch die Abwesenheit des oder der Geliebten verursacht, sei diese Abwesenheit nun durch eine erzwungene Trennung oder durch Zurückweisung zustande gekommen (▶ *Liebe, unerwiderte*) oder durch den Tod des oder der Geliebten (▶ *Tod eines geliebten Menschen*). Die Symptome können erstaunlich offensichtlich zutage treten, sie reichen von Ohnmachtsanfällen über Schokoladensucht und Siechtum bis hin zu Rückzug aus dem Leben. All diese Leiden können für Freunde und Familie überaus lästig sein (Betroffene sollten in diesem Fall nachlesen unter: ▶ *Familie; mit ihr zurechtkommen*). Unser nichtmedikamentöses Heilmittel ist eine anregende Dosis erwiderter Liebe.[1]
Auf die Idee zu ihrem zweiten Roman kam Patricia Highsmith, als sie in einem Kaufhaus als Puppenverkäuferin ar-

1 Wir entschuldigen uns dafür, dass wir das Ende verraten, aber dieses Buch wird einem nicht vermiest, wenn man schon weiß, dass das Mädchen am Ende das Mädchen kriegt.

beitete, genau wie Therese in *Salz und sein Preis*. Dort geschah es, dass sie von einer Kundin, die von innen heraus zu leuchten schien und ihr das Gefühl gab, eine Vision gehabt zu haben, derart umgehauen wurde, dass sie nach Hause ging und die Rohfassung des Buches in zwei Stunden niederschrieb.

Die Geschichte ist die einer unerwartbaren Leidenschaft zwischen zwei Frauen: Carol, Mitte dreißig, mit einer Tochter und einem Mann, von dem sie sich gerade trennt, und Therese, neunzehn, die von Job zu Job driftet, aber Talent zur Bühnenbildnerin hat. Es ist die Verkäuferin Therese, die die Affäre anstößt.

Zunächst ist Therese eindeutig die Verliebte, während Carol noch spielerisch etwas auf Abstand bleibt. Thereses Freund ist beunruhigt; sie hat gar nicht erst versucht, ihre Fixierung vor ihm zu verbergen. »Dein Zustand ist schlimmer als Verknalltheit«, sagt er ihr, »weil es völlig irrwitzig ist.« Er schafft es nicht, an die bloße Möglichkeit gleichgeschlechtlicher Liebe zu glauben. Als Carol und Therese eine Reise quer durch die USA antreten, lässt Carol sich auf Therese ein und die beiden werden ein Paar. Ihre sinnliche Romanze wird wunderbar beschrieben: »Der schwere und leicht süße Duft ihres Parfums wehte wieder zu Therese, ein Duft wie von dunkelgrüner Seide, der ihr allein gehörte … Am liebsten hätte sie den Tisch weggeschoben und wäre ihr in die Arme gesprungen, um die Nase in dem grüngoldenen Schal zu vergraben, der eng um ihren Hals geschlungen war.« In einer Phase, in der die beiden voneinander getrennt sind (sie glauben, für immer), leidet Therese unter wahnsinnigem Liebeskummer: totale Antriebslosigkeit und Verzweiflung auf die gute mittelalterliche Art. »[W]ie sollte die Welt wieder lebendig werden? Wie sollte sie ihr Salz wiederfinden?« Nur Carol kann sie aus diesem liebeskranken Stadium retten. Und das tut sie.

Welche sexuelle Orientierung Sie auch haben mögen: Wie Therese ihren Liebeskummer aushält, wird Sie stärken. Sollten Sie eine Carol in Ihrem Leben haben, jagen Sie ihr nach. Das Salz wird bald zurückkommen. Sollten Sie jede Hoffnung fahren lassen, lesen Sie weiter unter ► *Liebe, zum Scheitern verurteilte*, ► *Liebe, unerwiderte* und ► *Herz, gebrochenes*.

► *Gelüste; keine mehr verspüren*
► *Herz, gebrochenes*
► *Konzentrationsschwierigkeiten*
► *Lust*
► *Obsession*
► *Romantisch sein, hoffnungslos*
► *Sehnsucht, allgemeine*
► *Schlaflosigkeit*
► *Tod eines geliebten Menschen*
► *Verliebtheit*

LIEBESLEBEN, PROBLEME IM

► *Menschenscheu*
► *Orgasmen, zu wenige*
► *Sex, zu viel*
► *Sex, zu wenig*

LÜGEN

Die Abenteuer des Joel Spazierer
Michael Köhlmeier

Abbitte
Ian McEwan

Lügen haben viele Farben und Schattierungen. Außer den weißen, die man vorbringt, um einen anderen vor unnötigem Schmerz zu bewahren, sind Lügen im Normalfall gemein und/oder egoistisch – und entspringen dem Bedürfnis, jemandem Unheil zuzufügen oder sich selbst vor Beschämung oder Bestrafung zu schützen. Unterschätzen Sie nicht den Schaden, den sie anrichten können. Nehmen Sie sich hier und da kleine Unehrlichkeiten heraus, wie unbedeutend auch immer diese wirken mögen, und Sie schieben sich nicht nur selbst in die Kategorie jener Menschen ab, denen man nicht vertrauen kann, sondern Sie laufen zusätzlich Gefahr, sich selbst oder anderen Verletzungen zuzufügen, die ein Leben lang bleiben.

Um Sie davor zu bewahren, schlagen wir eine Kombination

zweier verschiedener Wirkstoffe vor: Zunächst sollten Sie sich mit Michael Köhlmeier den moralischen Ambivalenzen, den Verlockungen der Lüge ausliefern, um dann, gewappnet mit neuen Erkenntnissen über den mächtigen Feind, mit Ian McEwan in die moralische Eindeutigkeit des Neunten Gebots zurückzufinden.

Genüsslich dekliniert Michael Köhlmeier sie in *Die Abenteuer des Joel Spazierer* durch, die Spielarten der Lüge. Joel Spazierer, die Hauptfigur dieses wuchtigen und extrem lesbaren Romans, der uns quer durch das 20. Jahrhundert führt, ist, klinisch gesprochen, ein Psychopath, ein komplett amoralischer Mensch: »Ich besaß nie den Ehrgeiz, ein guter Mensch zu werden.« Zugleich ist er ein geschickter Manipulator mit großer Menschenkenntnis, der seine Mitmenschen schon als Kind lesen und steuern kann. Und hat dabei ein Gesicht, so engelsgleich, als könne er kein Wässerchen trüben mit seinen blonden Locken und Sommersprossen. Mit neun Jahren verdient er sich ein üppiges ›Taschengeld‹ als Stricher, später als Erpresser, und noch vor dem Abitur begeht er seinen ersten Mord. Später dealt er u. a. in einem Priesterseminar und macht als vermeintlicher illegitimer Enkel von Ernst Thälmann Karriere in der DDR.

Während der Lektüre werden Sie erfahren, dass lügen eine kreative und ebenso eine strategische Leistung ist. Sie werden erfahren, wie wichtig es ist, die Hauptlüge zu kennen, aber auch, von ihr abzuweichen; und dass es der Glaubwürdigkeit guttut, sich als schlechter Erzähler zu inszenieren, weil die Menschen dazu neigen, dem Ungeschickten zu vertrauen. Parallel werden Sie an sich selbst beobachten, wie Ihre moralische Abscheu vor den fiesen Taten dieses Mannes bröckelt, wie Sie Sympathie für ihn empfinden, ihm verfallen, sich sogar – mit ihm identifizieren. An diesem Punkt könnte es geschehen, dass Sie auf die Idee kommen, Ihre neuen Kenntnisse anzuwenden. Warum nicht ein bisschen lügen, so wie dieser sympathische, abenteuerlustige, charmante Joel Spazierer? Nun möchten wir Sie bitten, sich an eins zu erinnern: Sie lesen. Joel Spazierer ist eine Figur. Sein Leben ein Roman. Sie hingegen sind ein Mensch, leben in der Realität und sind dem raffinierten Erzähler und Verführer Michael Köhlmeier auf den Leim gegangen, Ihre moralischen Standards sind korrumpiert. Jetzt lesen Sie den Roman bitte zu Ende, genießen Sie jeden Satz. Sie kennen jetzt die Verführungskraft der Lüge. Machen Sie sich bereit für den zweiten Teil der Kur: die Austreibung.

Sehen Sie sich an, was der dreizehn Jahre alten Briony in Ian McEwans *Abbitte* passiert. Sie lässt nämlich zu, dass ihre überaus lebhafte Fantasie mit ihr durchgeht, gepaart mit ihrer Tendenz zur Melodramatik und ihrem Selbstbild einer altruistischen Beschützerin – vielleicht einfach deshalb, weil sie immer noch darunter leidet, dass sie Robbie, dem Sohn der Haushälterin, der wie ein Familienmitglied groß geworden ist, ihre kindliche Schwärmerei gestanden hat. Als sie ihre Schwester Cecilia und Robbie in der Bibliothek *in flagranti* erwischt, könnte man es noch ihrer Naivität zuschreiben, dass sie die Situation vollkommen falsch interpretiert. Aber als sie später im Dunkeln über ihre vollkommen aufgelöste Kusine Lola stolpert, die von einer schattenhaft wegrennenden Gestalt zusammengeschlagen und vergewaltigt worden ist, gibt es für sie nur einen Schuldigen. Der gesellschaftlich unter ihr stehende Robbie mit seinen »kräftigen, linkischen Gliedern« und seinem »freundlichen, kantigen Gesicht«, der sie früher »huckepack getragen« hat und mit ihr im Fluss schwimmen gegangen ist, verwandelt sich in ihrer fiebrigen Vorstellung von jetzt auf gleich in einen brutalen Unhold, der die Gastfreundschaft der Familie auf entsetzliche Art und Weise missbraucht hat und bestraft werden muss.

Ihr jugendliches Alter entschuldigt Briony nicht. Sie verfängt sich in ihrer eigenen Einbildung, spinnt verwickelte Geschichten fort, die sich aus Missverständnissen speisen, und übertönt dabei ihre innere Stimme, die sie an die Wahrheit gemahnt. Um die lügenhafte Geschichte, die sie in die Welt gesetzt hat, aufrechterhalten zu können, entscheidet sie sich dazu, jeden Zweifel auszulöschen. Und so lügt sie, als der Kommissar sie fragt, ob sie Robbie deutlich und mit eigenen Augen gesehen habe.

Diese Lüge ruiniert nicht nur das Leben von Robbie und Cecilia, sondern auch ihr eigenes. Während sie um Buße für ihr Vergehen ringt, geht sie die Details in einer ewigen Leier immer und immer wieder durch, wie einen Rosenkranz, den man ein Leben lang durch die Finger gleiten lässt. Dieser Roman sollte als Schutzimpfung gelesen werden gegen die Versuchung, die Unwahrheit zu sagen. Lesen Sie ihn und behalten Sie ihn als ständige Mahnung im Kopf.

LUST

Sieben Jahre
Peter Stamm

Lust hat natürlich ihre Berechtigung. Ohne sie würden wir uns nicht lebendig fühlen. Aber wenn es darum geht, Entscheidungen zu treffen, sollte man die Lust hintanstellen. Das menschliche Begehren ist ungemein mächtig, dabei aber auch komplett unvernünftig, ihm fehlt jeder Sinn und Verstand. Der Lust Entscheidungen fürs Leben zu überlassen, ist, offen gestanden, ungefähr so klug wie einem dreizehnjährigen Jungen den Schlüssel Ihres neuen Aston Martin auszuhändigen und ihm vorzuschlagen, doch mal eine Runde zu drehen.

Von einer solchen Lust handelt Peter Stamms Roman *Sieben Jahre.* Für Alex haben sich alle Träume erfüllt: Er hat ein gut laufendes Architekturbüro, das er mit seiner schönen Frau Sonja betreibt, ihre gemeinsamen Freunde sind reich und intellektuell, ihre Feste ausgesucht, ebenso wie ihre Projekte. Niemand versteht Alex' obsessive Lust auf Iwona, die plumpe, unscheinbare, spröde Polin, die er als Student in einem Biergarten kennengelernt hat – Alex am allerwenigsten. Peter Stamm erzählt von dieser Obsession in seiner berühmt kühlen, präzisen Prosa, erklärt nichts: »Ich war fast bewusstlos vor Lust.« Offenbar kann sie nur beschrieben, nicht gedeutet, interpretiert, psychologisiert werden. Gerade weil Stamm sich Erklärungen verbietet, ist dieser Roman ein großes Stück Literatur über Abhängigkeiten, über Macht und Ohnmacht, über das falsche Leben im richtigen (► *Sackgasse, biographische*). Ihnen kann er zudem eine Warnung sein, wenn Sie einer fatalen Begierde zu verfallen drohen: Möchten Sie Ihre Geschichte wirklich mit diesen Worten beschließen: »Hast du das nie erlebt [...] dass du etwas getan hast, obwohl du wusstest, dass es falsch war?« Falls Sie das nicht abschrecken kann, dann nur zu, rufen Sie ihn/sie an!

▸ *Liebeskummer*
▸ *Sex, zu viel*
▸ *Verliebtheit*

LUSTLOSIGKEIT

Ragtime
E. L. Doctorow

Lustlosigkeit ist ein berüchtigtes Leiden, ist es doch schwer zu diagnostizieren. Leicht zu verwechseln mit Langeweile (die eigentlich nur von mangelnder Fantasie herrührt; ▸ *Langeweile*) und Lethargie (die sich als körperliche Trägheit manifestiert, obwohl auch sie einen psychischen Auslöser hat; ▸ *Lethargie*), kann Lustlosigkeit dem ungeübten Auge als Ausdruck eines stumpfsinnigen Charakters erscheinen. Wenn man sie nicht behandelt, kann sie ein ganzes Leben zerstören – und zwar nicht nur das des/der Betroffenen. Lustlos zu leben heißt, ohne den Hunger auf neue Erfahrungen zu leben und die Würze, die Saftig- und die Holprigkeiten zu verpassen, die das Leben erst spannend machen. Es bedeutet, mit stumpf gewordenen Sinnen zu leben, mit nicht entfachten Leidenschaften und ungeweckter Neugierde. Es bedeutet, die Menschen um sich herum endlos runterzuziehen – und uns selbst ohnehin. Tun Sie uns allen einen Gefallen. Lesen Sie diesen Roman und legen Sie bei sich den Schalter um.
Das Thema von *Ragtime* sind die USA nach der Wende vom 19. zum 20. Jahrhundert – eine Zeit, in der sich die gesamte Nation im beschwingten Griff von Aufbruch, Erfindung und Wandel befand. Überall im Land wurden neue, glänzende Schienen verlegt. »Model T«-Fords flossen von den Montagebändern. Hohe Gebäude katapultierten die Menschen himmelwärts, und an Bord von Flugzeugen sausten

sie davon. Unablässig summten Telefone. Knaller und Feuerwerksraketen explodierten am Himmel. In den Wohnungen kitzelte Niespulver den Leuten in der Nase, und Plastikrosen, aus denen Wasser spritzte, brachten sie zum Lachen.
In dieser Atmosphäre spielt die Geschichte einer gut situierten Familie in New Rochelle, New York. Eines Tages starrt der Sohn (der einfach nur als »der kleine Junge« auftritt) auf eine dicke, auf dem Fliegengitter herumkrabbelnde Schmeißfliege, als draußen vor der Tür Harry Houdini einen Autounfall baut und die Familie ihn auf einen Tee hereinbittet. Kurz darauf entdeckt die Mutter ein schwarzes Baby im Garten und holt das Kind ins Haus – womit sie das erste in einer ganzen Reihe von kulturellen und geschlechterrollenspezifischen Tabus bricht. Als der Vater von einer Arktisexpedition zurückkehrt und merkt, dass die Mutter seinen Handel mit Feuerwerkskörpern übernommen hat, werden ihm die Schauplätze des häuslichen Lebens zusehends fremd, und der familiäre Zusammenhalt zerfällt.
Indem er von lebhaften Großaufnahmen in große, beeindruckende Totalen zoomt und Begegnungen zwischen echten und erfundenen Charakteren an den Kreuzungspunkten eines überaus komplexen Spinnennetzes inszeniert, verpasst E. L. Doctorow seinem Roman – und seinen Lesern – einen enormen Auftrieb. Während Einwanderer aus Italien und Osteuropa – wie Tateh und seine schöne Tochter – in die heruntergekommenen Mietshäuser der Lower East Side strömen und der Bankier J. P. Morgan in punkto Reichtum und Macht neue Maßstäbe setzt, bietet Houdini mit immer neuen, Furcht einflößenden Kunststückchen dem Tod die Stirn. Freud legt Amerika auf die Couch, und der Onkel des Jungen, Mutters jüngerer Bruder, stellt Evelyn Nesbit nach, der ersten Sexgöttin des Landes.
Beim Lesen wird augenfällig, wie die Mutter und der kleine Junge ›Ja‹ sagen zu Fortschritt und Veränderung. Sehen Sie sich an, wie sich der Vater im Gegensatz dazu weigert, mit der Zeit zu gehen. Lassen Sie sich wie Tateh vom taumelnden Tumult der Doctorow'schen Sätze aus dem allzu Bekannten und Nichtssagenden reißen. Steigen Sie in den Zug in ein

neues Leben. Nehmen Sie für sich die Neugierde des Jungen auf die allerneuesten Erfindungen mit. Machen Sie sich Opas Freude beim Anblick des Frühlings zu eigen (passen Sie aber auf, dass Sie, sollten Sie über siebzig sein, nicht bei einem spontanen Tänzchen ausrutschen und sich die Hüfte brechen, wie es ihm passiert). Seien Sie an einem Ort, wo Veränderung tatsächlich geschieht, und spüren Sie, wie Lust und Antrieb in Sie zurückfluten.

► *Gelüste; keine mehr verspüren*

M

MALAISE DES 21. JAHRHUNDERTS

Super Sad True Love Story
Gary Shteyngart

Das Unwohlsein, das alle empfinden und das so bezeichnend für dieses Jahrhundert ist, kommt von der Diskrepanz zwischen der eigenen Sehnsucht nach einem zufriedenen, erfüllten, ja sogar abenteuerlichen Leben und der Absurdität einer Gesellschaft, wie sie sich um uns herum entfaltet. Fürs Erste seien als Mitverursacher der Depression dieses Jahrhunderts genannt: Bürokratismus, Political Correctness, Sicherheitsgesetzgebung und die durch die übertriebene Nutzung von Technologie verursachte Dysfunktionalität Einzelner.

In Gary Shteyngarts *Super Sad True Love Story* leben Lenny und Eunice in einer zwar zukünftigen, sich jedoch von der unsrigen gar nicht so sehr unterscheidenden Welt, in der die Individuen von einem Datenstrom ständig auf den neuesten Stand ihrer Kreditwürdigkeit und ihres Rankings in sozialen Netzwerken gebracht werden, während sie zusätzlich tagesaktuelle Shopping-Anregungen und den neuesten Tratsch ihrer Freunde bekommen. Lenny ist ein 39-jähriger jüdischer Einwanderer aus Russland, der Bücher ganz unzeitgemäß sowohl liebt als auch liest (vor allem Tolstoj, was seine Freunde für ungesund halten). Das Objekt seiner Begierde heißt Eunice und ist eine junge Studentin aus Korea. Ihre Geschichte wird abwechselnd durch Tagebucheinträge erzählt, Lenny schreibt ganz althergebracht, Eunice auf ihrem »Global-Teens Account« – eine Art allumfassende Version von Facebook –, weswegen uns der Spaß zuteilwird, Eunice beim »Teenen« zuhören zu dürfen. Die Einträge von Eunice offenbaren ihre Angst vor der Zukunft und die Zufriedenheit, die sie zu ihrer eigenen Überraschung mit Lenny erlebt. Währenddessen befindet sich New York um sie herum in Auflösung, die USA führen Krieg gegen Venezuela, und alle sind derart bei den Chinesen verschuldet, dass der Geldhahn jede Sekunde zugedreht werden wird. Lenny bangt um ihre Zukunft – die jedes Einzelnen, aber auch die der Nation.

Diese Tour de force durch eine ach so medienverrückte, postliterarische Welt, in der sich nach Unsterblichkeit sehnende »Nee-ger« (eine liebevolle Bezeichnung für Freunde jeglicher Hautfarbe) abchecken, sich gegenseitig »EmotePads« ans Herz halten, um die Gefühle der anderen zu kennen, werden Sie nach einem »gebundenen, gedruckten, nicht streambaren Medienerzeugnis« greifen wollen lassen – vielleicht nach einem Tolstoj, so wie Lenny –, sogar dann, wenn dadurch Ihre Stellung im Ranking sinkt. Lenny Abramov, der letzte Leser der Welt, hat am Ende in ziemlich vielen Punkten Recht.

► *Ernüchterung*
► *Stadtmüdigkeit*
► *Unzufriedenheit*

MATERIALISMUS

Frau Jenny Treibel
Theodor Fontane

Also, dann wollen wir mal sehen. Zunächst ein kurzes Anamnesegespräch: Wie oft haben Sie in den vergangenen 24 Stunden Ihr Onlinebankkonto gecheckt? Soso. Wissen Sie, wie sich der Zins auf Ihren Konten in den letzten acht Wochen entwickelt hat? Aha. Rechnet ihr Gehirn mitunter ungefragt Riesterfreibeträge aus? Nun gut. Machen Sie sich keine Sorgen, der Materialismus steckt bei Ihnen noch in den Kinderschuhen, hat noch nicht komplett von Ihnen, Ihrem Leben, Ihren Gedanken Besitz ergriffen. Noch nicht. Vollständige Heilung ist möglich. Immer vorausgesetzt, Sie handeln rasch. Es wird Zeit für Theodor Fontane und *Frau Jenny Treibel.*

Niemand will das Leben von Jenny Treibel führen. Niemand will sich gegen die Liebe und für den sozialen Aufstieg ent-

scheiden, niemand will beständig hohle Wagnerphrasen dreschen, um künstlerisches Interesse zu simulieren. Niemand möchte seinem Sohn vorschreiben, wen er zu heiraten hat. Schon gar nicht möchte man seinem Sohn vorschreiben, sich lebenslang an eine stinklangweilige Person zu binden, nur weil sie Kohle hat. Niemand will sich voll und ganz der Vermehrung seiner Währung verschreiben.
Und genauso wenig will man seine Tage damit verbringen, Konten zu checken oder die Vorteile von Index-Fonds zu diskutieren. Materialismus oder das Jenny-Treibel-Syndrom verläuft schleichend. Es fängt mit ein paar Fonds an und ehe man es sich versieht, fiebert man nicht mehr der nächsten Staffel *Breaking Bad* entgegen, sondern der Schlussglocke der Wall Street. Und dann dauert es nicht mehr lange und man studiert die Forbes-Liste der reichsten Männer und überlegt, mit wem man seinen Nachwuchs verheiraten könnte …
Aber das wird Ihnen nicht passieren. Theodor Fontante und seine abschreckende Frau Treibel werden Sie heilen. Denn eins ist völlig unstrittig: Niemand, wirklich niemand möchte eine solche Zielscheibe abgeben. Möchte mit derart beißendem Spott, derart ätzender Häme porträtiert werden und noch zweihundert Jahre später als Inbegriff des bornierten, visionslosen Spießers gelten. Übrigens ist Materialismus von gestern. Weniger ist mehr.

MENSCHENHASS

Der Erwählte
Thomas Mann

Sollten Sie ein Feind der Spezies Mensch sein, versuchen Sie mal, siebzehn Jahre lang auf einem Felsen mitten in einem großen See zu leben. Wie Gregorius. Gregorius hatte allerdings bestechend gute Gründe für sein Misstrauen in die menschliche Natur. Er heiratete seine Mutter, tötete seinen Vater und war selbst das Kind eines Bruders und einer Schwester. So weit, so Ödipus Rex. Gregorius beschließt, Buße tun zu müssen für seine (alles andere als willentlich verübten) Sünden, und zieht sich zum Leben auf eine steinerne Insel mitten in einem See zurück. Er lässt sich mit einem Fußeisen an den Fels ketten, einfach nur, um seine Selbstkasteiung noch schmerzhafter zu machen. Bei seiner recht schmalen Kost schrumpft er im Lauf der Jahre auf die Größe eines Igels.

Unterdessen ist der letzte Papst gestorben, und zwei Bischöfe haben eine Vision von einem blutenden Lamm, das ihnen zu verstehen gibt, man werde den nächsten Papst auf einer Insel in der Mitte eines Sees finden. Mit großer Abscheu und schwer verwirrt bringen die Bischöfe das struppige Wesen über das Wasser zurück. Sobald das Festland erreicht ist, wird Gregorius' normale menschliche Gestalt wie durch ein Wunder wiederhergestellt – und zwar als die eines wenn auch etwas haarigen, so doch ziemlich gutaussehenden, charismatischen Mannes –, infolgedessen er einer der größten Päpste aller Zeiten wird, bewundert für seine Mildtätigkeit, seine Weisheit und seinen Witz.

Wenn Sie wie Gregorius dazu tendieren, sich abseits der Menschheit zu stellen und das, was Sie sehen, zu verachten, sollten Sie sich fragen, ob Ihr Hass nicht eigentlich ein Selbsthass ist. Eignen Sie sich wie Gregorius den Ausdruck »Absolvo te« an (»Ich vergebe dir«) und wenden Sie ihn nach innen. Haben Sie erst einmal gelernt, sich selbst zu lieben, wird es Ihnen nicht schwerfallen, sich auch wieder in alle anderen zu verlieben.

► *Dinnerpartys, Angst vor*
► *Egoismus*
► *Menschenscheu*
► *Übellaunigkeit*

MENSCHENSCHEU

Unter dem Tagmond
Keri Hulme

Sie bleiben also lieber zu Hause und lesen ein Buch? Nun, das ist natürlich völlig in Ordnung. Aber Sie müssen versprechen, auch wirklich zu lesen und nicht dazusitzen und sich selbst zu bemitleiden, weil niemand kommt, um Sie *abzuholen*, und weil alle sich amüsieren, nur Sie nicht.

Bleiben Sie zu Hause und ziehen Sie *Unter dem Tagmond* aus dem Regal. Machen Sie die Bekanntschaft der unentschuldbar antisozialen Kerewin Holme, die allein in einem spärlich möblierten sechsstöckigen Turm mit einem Kruzifix im Eingangsflur lebt. Kratzbürstig, ungeduldig, schroff, mit ihrer Familie zerstritten und etwas sonderbar, wie Menschen manchmal sind, wenn sie zu viel Zeit allein verbringen (sie redet unaufhörlich mit sich selbst), ist Kerewin sicherlich nicht jedermanns Fall.

Ebenso wenig wie Simon den generellen Vorstellungen eines netten kleinen Jungen entspricht. Der seltsame Bengel, der in Kerewins Turm einbricht, ist stumm, störrisch, missmutig, »widerlich gnomenhaft« und ein »Klugscheißer«, so lautete Kerewins Urteil, als sie ihn zum ersten Mal sieht, steif und gerade in eine schmale Fensternische gequetscht. »Emotional gestört«, wie der lokale Telefonist es nennt. »Ein störrisches, boshaftes, völlig verdrehtes Kind.«

Auftritt Joe Gillayley, Simons Vater, im Grunde ein netter Kerl, aber ein Alkoholiker, der dazu neigt, im Suff gewalttätig zu werden und den Jungen zu schlagen – und sich dann mit Schuldgefühlen zu quälen. Kein wirklich attraktives Dreigestirn. Doch Kerewin ist aufgrund ihrer eigenen Andersartigkeit bereit, Simon und Joe zu akzeptieren. Allmählich beginnen die drei sich zusammenzuraufen und eine seltsame kleine Familie zu bilden, in der sie die Wärme, Kameradschaft und Ungezwungenheit erleben können, die ihre antisozialen Tendenzen ihnen zuvor verwehrt haben.

Lassen Sie die Freundschaft der drei auf sich abfärben. Die Tatsache, dass Sie im Grunde Ihres Wesens menschenscheu sind, muss Sie nicht zwangsläufig davon abhalten, starke und wundervolle Bindungen zu anderen Menschen einzugehen. Wenn nächstes Mal jemand in Ihrem Umfeld eine Party schmeißt, gehen Sie hin. Vielleicht treffen Sie ja jemanden, der genauso menschenscheu ist wie Sie.

▸ *Dinnerpartys, Angst vor*
▸ *Hang, mehr zu lesen als zu leben*
▸ *Menschenhass*

Ein fliehendes Pferd
Martin Walser

Das Jahr des Hasen
Arto Paasilinna

Haben Sie Fantasien, wie Sie in einem PS-starken, unter Ihnen bebenden Sportwagen in den Sonnenuntergang brausen, stolz auf dem Lederpolster thronend und einen festen, glänzenden Schaltknüppel in der Hand? Haben Sie Ihre Sekretärin schon auf ihre Qualitäten als mögliche Beifahrerin hin gemustert? Ersparen Sie sich die Schmach. Stecken Sie, wenn Sie das nächste Mal auf Geschäftsreise gehen, diese beiden schmalen Büchlein in Ihr Handgepäck und kommen Sie darauf zurück, wenn dieser Midlife-Crisis-Drang Sie wieder befällt.

In Martin Walsers Erfolgsnovelle *Ein fliehendes Pferd* wird Helmut Halm gleichsam von außen in eine Midlife-Crisis genötigt: Der Oberstudienrat lebt ein ruhiges, sicher arrangiertes Leben ohne größere Leidenschaften und Krisen. Seit elf Jahren verbringen er und seine Frau ihren Urlaub am Bodensee, immer in derselben Wohnung. Die Sexualität in seiner Ehe ist eingeschlafen und einer unangestrengten Vertrautheit gewichen, die Halm angenehm ist. Dieses Gleichgewicht wird erschüttert, als sein ehemaliger Kommilitone Klaus Buch auftaucht. Der Journalist ist ein besessener Macher, ein Erfolgsmensch, der Anerkennung und Ruhm hinterherjagt und keine Anstrengung scheut, dem Leben noch die letzte Steigerung abzutrotzen. Er ist mit einer jüngeren Frau verheiratet, die eine starke erotische Anziehungskraft auf Halm ausübt. Halm gerät also gleich doppelt unter Druck: sexuell und in Bezug auf seinen Lebensstil.

Martin Walser bezeichnet *Ein fliehendes Pferd* selbst als Versuch, seinen Lebensentwurf zu verteidigen: »Ich war, als ich das Buch schrieb, der Meinung, ich vertrete mit meiner Spielfigur Helmut Halm einfach meine eigene Position gegenüber einer Reihe von Figuren, die ich in Wirklichkeit kenne und die ich zusammengefasst habe in der Figur Klaus Buch.«

Und wenn am Ende der Novelle (nach der unerhörten Begebenheit) offenbar wird, dass Klaus Buch nicht von Lebenslust und -gier, sondern von seinen eigenen, sehr alltäglichen

Dämonen gejagt wird, dann kann man nur zu dem Schluss kommen, dass die Halm'sche Lebensposition ihre Berechtigung hat, auch wenn Sie immer mal wieder auf die Waagschale gelegt werden sollte (Walser schreibt die Geschichte von Helmut Halm fort: In seinem Roman *Brandung* befindet sich das Ehepaar Halm weit weg vom Bodensee: in Kalifornien, wo Halm als Gastdozent an einem College lehrt).

Klassischer fällt die Midlife-Crisis des Journalisten Vatanen, Held aus *Das Jahr des Hasen*, aus. Er ist einer der beiden unzufriedenen, zynischen Helden mittleren Alters – der andere ist sein Kollege, ein Fotograf. Auf der Heimfahrt von einem Pressetermin fahren die beiden mit dem Auto einen Hasen an, und Vatanen steigt aus und entdeckt, dass das Tier ein Bein gebrochen hat. Während er sich um den Hasen kümmert, wird sein Kollege zunehmend ungeduldiger und fährt schließlich ohne ihn weiter. Was ihm aber nichts ausmacht, hat er doch sowieso kein allzu großes Bedürfnis, nach Helsinki und zu seiner Frau zurückzufahren.

Und so gerät er in eine Reihe von Abenteuern, die ihn quer durch Finnland führen – mit dem Hasen, versteht sich: Er hat es mit einem Waldbrand zu tun; er wohnt mit einem Hauptkommissar in dessen Blockhaus auf dem Land, wo der Polizist Vatanen bei einer Flasche Wodka verstörende Beweise dafür unterbreitet, dass der Präsident von Finnland vielleicht überhaupt nicht ist, was zu sein er vorgibt; und er wird verhaftet, weil er verdächtig aussieht, als er mit seinem Hasen im Korb mitten im Wald bei Fremden an die Tür klopft, weil er einen Platz zum Schlafen braucht. Zudem ist er mehrfach schwer betrunken (in einem Fall acht Tage lang), erlebt einen Flug im Hubschrauber und gerät in eine hochgradig dramatische Bärenjagd.

Mit Vatanen zu reisen ist freudvoll energetisch und lebenssteigernd. Die Lektüre von *Das Jahr des Hasen* wird Sie mit all den Abenteuern versorgen, nach denen es Sie dürstet, und zwar ohne die zerstörerische Kraft, die sie entfalten würden, wenn Sie sie selbst erlebten.

► *Altern; Angst davor haben*

► *Altersunterschied in einer Partnerschaft, großer*

- *Fünfziger*
- *Glück, Suche nach dem*
- *Hinschmeißen wollen, alles*
- *Karriereweg; den falschen eingeschlagen haben*
- *Klaustrophobie*
- *Scheidung*
- *Unzufriedenheit*
- *Verheiratet sein*
- *Vierziger*

MINDERWERTIGKEITSKOMPLEX

Winnetou I-III
Karl May

Es ist zwar schon eine Weile her, dass Sie beim Volleyball als Vorletzte gewählt wurden und die Einladung zur Party des Monats einfach nicht kommen wollte, aber die Stimme, die Ihnen zuflüstert, dass Sie ein nichts könnendes, ungeliebtes Nichts sind, erhebt sich immer noch ab und an in Ihrem Kopf. Klar, inzwischen haben Sie ein Haus, ein Boot und ein Pferd sowie jede Menge Strategien, die Stimme zum Schweigen zu bringen, aber manchmal, besonders nachts, flüstert sie beharrlich weiter: von verpatzten Projekten, kleinen und großen Fehlern, verlorenen Freunden … In diesen Nächten hilft Karl May. Und zwar nicht die Verfilmung mit Pierre Brice, die ist gut gegen verregnete Sonntagnachmittage, nein, hier brauchen wir das Buch.
Am besten legen Sie Winnetou I auf Ihren Nachttisch. Sie kleben ein Post-it an die Stelle, in der Old Shatterhand den Grizzly mit dem Messer besiegt, ein weiteres an die Stelle, in der er sich vom Marterpfahl der erzürnten Mescalero-Apachen befreit, und ein weiteres an die, in der er Winnetous Blutsbruder wird. Sie lesen und schwelgen in der schönsten Omnipotenzfantasie, seit Kolumbus die ›Indianer‹ entdeckt hat. Sollte die Stimme noch nicht verstummt sein, lesen Sie in Winnetou II, wie Old Shatterhand es mit dem Ku-Klux-Klan aufnimmt, oder in Winnetou III, wie er aus dem Llano Estacado, einer fürchterlichen Wüste, entkommt. Und wenn es dann immer noch leise flüstert, dass

Old Shatterhand eben viel klüger und stärker ist als Sie, dann flüstern Sie zurück, dass dessen geistiger Vater, Karl May, es allein mittels seiner Omnipotenzfantasien vom Sohn einer armen Weberfamilie, vom verhafteten Hochstapler zum gefeierten Autor gebracht hat. Einem Autor, der solche Menschenaufläufe verursachte, dass die Leute von der Feuerwehr mit der Wasserspritze auseinandergetrieben werden mussten. Und der ungestraft und unangefochten von sich behaupten durfte: »Ich spreche und schreibe: französisch, englisch, italienisch, spanisch, griechisch, lateinisch, hebräisch, rumänisch, arabisch 6 Dialekte, persisch, kurdisch 2 Dialekte, chinesisch 6 Dialekte, malayisch, Namaqua, einige Sunda-Idiome, Suaheli, hindostanisch, türkisch und die Indianersprachen der Sioux, Apachen, Komantschen, Snakes, Uthas, Kiowas, nebst den Ketschumany 3 südamerikanische Dialekte, Lappländisch will ich nicht mitzählen …«

Wenn die Stimme jetzt noch nicht verstanden hat, dass sie gegen Ihre innere Stärke keine Chance hat, dann müssen Sie noch Karl Mays Orient-Zyklus dranhängen. Kleiner Vorgeschmack: Hier entkommt Kara Ben Nemsi der Pest …

MOBBING

Katzenauge
Margaret Atwood

Mobbing hat viele Gesichter. Unter Männern trägt es häufig aggressive und handgreifliche Züge, während Frauen eher hintenrum und verbal mobben. Und es wird nicht nur bei der Arbeit gnadenlos gemobbt, sondern ebenso auf dem Schulhof oder im Privatleben. Unsere Therapie beschäftigt sich mit Mobbing unter Jugendlichen, aber sie enthält eine allgemeingültige Zutat, nämlich die Scham und die Verwirrung des Opfers, die es, zumindest anfangs, davon abhalten, seine Situation zu durchschauen und Hilfe zu suchen. Wenn Sie den Verdacht haben, gemobbt zu werden, dann wird dieses Buch Ihnen ein paar Hinweise geben, woran Sie es erkennen. Wenn Sie tatsächlich ein Mobbingopfer sind, dann wird die Lektüre Sie stärken.

Die Malerin Elaine in Margaret Atwoods schaurigem Roman *Katzenauge* kehrt nach dreißig Jahren für eine Ausstellung ihrer Arbeiten in ihre Heimatstadt Toronto zurück. Sie fragt sich, ob sie wohl ihre ehemalige Schulfreundin Cordelia wiedertreffen wird, und was sie ihr sagen würde, wenn sie ihr gegenüberstünde. Cordelia war damals in der Schule die Anführerin eines Mädchentrios, zu dem Elaine so gerne gehört hätte, diejenige, der sie am meisten gefallen wollte. Wenn Cordelia einen guten Tag hatte und sich bei Elaine einhakte, um singend und lachend mit ihr über den Schulhof zu laufen, glühte Elaine vor Dankbarkeit – und Angst. Denn früher oder später würde Cordelia sich von der Freundin in eine Feindin verwandeln, und ihre beiden Anhängerinnen Carol und Grace würden ihr dabei folgen. Als Elaine Jahre später nun in Toronto eine Murmel findet, die sie an das Katzenauge erinnert, das ihr Bruder Stephen ihr damals als Talisman gegeben hat, brechen die traumatischen Erinnerungen, die sie so lange verdrängt hat, wieder über sie herein.

Jeder, der einmal das Opfer von Mobbing geworden ist, wird Elaines Gefühl der Taubheit wiedererkennen und sich nicht über ihre Unfähigkeit wundern, sich von dem Trio zu lösen. Mobbingopfer erkennen es häufig nicht sofort, wenn sie schikaniert werden, und fühlen sich in einer seltsamen Komplizenschaft zu ihren Peinigern hingezogen; sie sehnen sich danach, von ihnen akzeptiert zu werden, während sie gleichzeitig ihre Ablehnung und ihre Verachtung fürchten. Wie Elaine sind Sie unter Umständen so eingeschüchtert, dass Ihnen die Kraft und das Selbstvertrauen fehlen, um sich gegen sie zur Wehr zu setzen (▸ *Selbstbewusstsein, mangelndes*, falls das auf Sie zutrifft). Erst als die Schikane zu weit geht, wacht Elaine endlich auf und findet die Kraft, sich von Cordelias Einfluss zu befreien: »Es ist genauso, als springe man von einer Klippe und glaube, dass einen die Luft tragen wird. Und sie tut es.« Wenn Sie sich selbst in der Dynamik dieser kleinen Gruppe wiedererkennen, dann wird es Zeit zu lernen, wie man sich einer solchen Situation entzieht, bevor die Taubheit einsetzt. Denn wer kann schon sagen, wie lange die Narben auf Ihrer Seele brauchen werden, um zu verheilen? Elaine spürt sie noch bis weit ins Erwachsenenalter. Erst als sie diese Szene aus ihrer Kindheit in Gedanken noch einmal nachspielt, kann sie die Geister der Vergangenheit ruhen lassen. Fassen Sie Mut und nehmen Sie sich ein Beispiel an Elaine! Sie mag lange unter den Auswirkungen ihrer Erfahrungen gelitten haben, aber am Ende haben sie sie stärker gemacht.

- ► *Alpträume*
- ► *Angst*
- ► *Selbstbewusstsein, mangelndes*
- ► *Unzugehörigkeitsgefühl*

MONTAGMORGEN-GEFÜHL

Mrs. Dalloway
Virginia Woolf

Wenn der Gedanke an den Montagmorgen Sie in Weltuntergangsstimmung versetzt und Sie mit einem tonnenschweren Gewicht auf der Brust aus dem Schlaf erwachen, dann päppeln Sie sich mit der ersten (oder, sollten Sie das Buch dann nicht weglegen können, mit der zweiten oder sogar der dritten) Seite von *Mrs. Dalloway*. Virgina Woolf hat für dieses Meisterwerk eine ganz neue Art zu schreiben ersonnen, eine Methode, Gedanken in einen konstanten Fluss zu bannen, um die durch die Adern einer Frau pulsierende Vitalität zu spüren, einer Frau, die Augenblick für Augenblick einen Tag im Juni durchlebt, in ihrem geliebten London, direkt nach Kriegsende. Eigentlich ist dieser Tag kein Montag, sondern ein Mittwoch, und Mrs. Dalloway trifft Vorbereitungen für eine Abendgesellschaft.

Sie beschließt, die Blumen selbst zu kaufen. Montagsverweigerer, bitte bedenken Sie: Vielleicht könnte es auch Ihnen Spaß machen, eine Aufgabe anzugehen – eine erfreuliche, eine sinnliche –, die Sie normalerweise anderen überlassen. Der Gedanke daran wird Ihnen aus dem Bett helfen. Trinken Sie während des Frühstücks Mrs. Dalloways – Clarissas – Ausgelassenheit und ihre kristallklaren Beobachtungen (»Was für ein Vergnügen! Was für ein Sprung!«) bis zur Neige und bleiben Sie auch bei dem nun folgenden et-

was längeren, gewundeneren, sich Geräusche aufsammelnd durch die Zeit krümmenden Gedankengang bei der Stange: »Denn so war es ihr immer vorgekommen, wenn sie, mit einem leichten Quietschen der Angeln, das sie jetzt hören konnte, die Fenstertür zum Garten aufgerissen hatte und in Burton ins Freie gesprungen war.« Was für ein Satz! Was für eine Einladung! Können Sie nicht auch das Quietschen hören, den sanften Druck gegen die nachgebenden Türflügel spüren, die klare, kalte Luft auf der Zunge schmecken? Nehmen Sie über die Augen und den Geist Clarissas Lebenshunger und Lebenslust in Ihren Körper auf. Bewohnen Sie ihre deutlich umrissene, vogelgleiche Gestalt, wie sie unbeschwert, federnd und ziemlich aufrecht am Bordstein steht und die Straße überqueren will. Nehmen Sie die »besondere Stille« und die »unbeschreibliche Pause« kurz vor dem Glockenschlag des Big Ben wahr. Machen Sie sich, wie auch sie es tut, die Präsenz des Todes bewusst – all diese umhereilenden Leute werden eines Tages nur mehr Staub und Knochen sein – und nehmen Sie dieses Bewusstsein mit in den Tag. Stärken Sie an diesem ganz besonderen Montag so Ihr Gefühl, am Leben zu sein. Lassen Sie sich dabei helfen, das Beste aus Ihrem Tag zu machen. *Ihrem* Montag.
Und dann treten Sie vor die Tür. (Bitte schauen Sie zuerst nach rechts und links – wir wollen ja nicht, dass es mit all Ihren Montagen an dieser Stelle vorbei ist, was Sie übrigens hoffentlich mittlerweile auch nicht mehr wollen.) Und … warum nicht? Gehen Sie los und kaufen Sie Blumen für sich selbst.

► *Bett; Unfähigkeit es zu verlassen*
► *Karriereweg; den falschen eingeschlagen haben*
► *Unzufriedenheit*

Thérèse Raquin
Émile Zola

MORDGELÜSTE

Jeder hat sie. Auch Kinder. Sogar Katzen. Geben Sie also ruhig zu, dass auch Sie Mordgelüste haben. Die Menschen um Sie herum lassen ihre Teebeutel in der Spüle liegen. Hinterlassen lange rote Haare in der Seife. Kommen Ihnen beim Sprechen immer ein bisschen zu nah. Kauen mit offenem Mund. Manchmal könnten Sie sie umbringen.

Die meisten von uns belassen es bei einem kurzen innerlichen Wutanfall, gefolgt von ein paar Stunden des Schmollens – wonach wir uns wieder an die guten Seiten des anderen erinnern und vor allem daran, dass Mord keine gute Idee ist.

Doch manche von uns gehen tatsächlich einen Schritt weiter. Wenn Sie sich also dabei ertappen, dass Sie tatsächlich konkrete Pläne schmieden, dann ist Émile Zolas *Thérèse Raquin* Ihr Weckruf. Bei seiner Beschreibung des freudlosen Lebens des Ehepaars Thérèse und Camille Raquin, das mit Camilles Mutter in einer Wohnung über ihrem Geschäft in der Passage du Pont Neuf wohnt, hat Zola die Trostlosigkeit dick aufgespachtelt: »Wenn an schönen Sommertagen die Sonne drückendheiß auf die Straßen niederbrennt, fällt eine blässliche Helligkeit durch die schmutzigen Scheiben und kriecht kläglich die Passage entlang. An hässlichen Wintertagen, an nebligen Vormittagen werfen die Scheiben nur Dunkelheit auf die schmierigen Steinplatten, schmutzige, scheußliche Dunkelheit.«

Das Leben der beiden ist so trist, dass man es Thérèse nicht übelnimmt, dass sie sich auf der Suche nach ein wenig Leidenschaft und Abwechslung einem anderen Mann zuwendet – Laurent, einem Taugenichts, der sich die Zeit mit Malen vertreibt. Doch als die beiden beschließen, Camille zu ermorden, um sich ungestört ihrer Leidenschaft hingeben zu können, stellt Zola unsere Sympathie für seine Heldin auf eine harte Probe – was nicht heißt, dass Camille uns plötzlich leidtäte: Zola schildert ihn ganz bewusst als rückgratlosen, verwöhnten Hohlkopf, der unser Mitleid nicht verdient – es sei denn allein dafür, dass eben auch er ein

Mensch ist. Stattdessen werden einem Thérèse und Laurent im Laufe der Geschichte immer unsympathischer. Wir wollen nichts vorwegnehmen, aber die Botschaft ist eindeutig: Seine Verwandten zu ermorden führt zu bösen Träumen, schlechtem Sex und am Ende gar zu weiteren Mordgelüsten. Also lassen Sie das Pläneschmieden, atmen Sie tief durch und lenken Sie sich mit dieser machtvollen Abschreckung ab. Dann siehe unsere Therapien für ► *Schnarchen*, ► *Langeweile* und ► *Verheiratet sein.*

► *Rachegelüste*

► *Wut*

MORGENÜBELKEIT

► *Schwangerschaft*

MUSTERKNABE; EINER SEIN

Der Meister und Margarita
Michail Bulgakow

An einem milden Frühlingsabend in den 1930ern erscheint plötzlich der Teufel in einem Moskauer Park und zwängt sich zwischen zwei Bücherwürmer, die, in eine anregende Diskussion vertieft, auf einer Parkbank sitzen. Einer der beiden ist Berlioz, der glatzköpfige, beleibte Chefredakteur einer Literaturzeitschrift. Der andere ist Besdomny, ein junger Lyriker. Dem Teufel fällt es nicht schwer, den weiteren Verlauf der Unterhaltung – bei der es um die Existenz oder Nicht-Existenz von Jesus Christus geht – unter seine Kontrolle zu bringen. Denn der Teufel, in seinem teuren grauen Anzug, seinen »ausländischen« Schuhen, einer grauen Baskenmütze »flott aufs Ohr geschoben«, hat mehr Charisma als beide Männer zusammen. »Oh, wie entzückend!«, ruft er aus, als seine beiden neuen Freunde erklären, sie seien Atheisten. Der Teufel ist unberechenbar und kindisch, schnell gelangweilt und immer auf der Suche nach einem Spaß – idealerweise auf Kosten anderer. Im einen Moment bricht er in ein derart lautes Gelächter aus, dass der Spatz über ihnen vom Baum fällt, im nächsten prophezeit er Berlioz, dass er noch am selben Abend unter einem Straßenbahnwagen seinen Kopf verlieren wird (und so kommt es auch). Und als Berlioz ihn fragt, wo er während seines Aufenthaltes in Moskau unterkommen wird, zwinkert er und antwortet: »In Ihrer Wohnung.«

Der Teufel hat Biss, er ist nicht dumm. Wie in Miltons *Verlorenem Paradies* hat er die besten Sprüche drauf und hält alle auf Trab. Als Besdomny das Bedürfnis verspürt, eine Zigarette zu rauchen, liest der Teufel – oder Professor Voland, wie es auf seiner Karte steht – seine Gedanken und zieht sogleich ein eindrucksvolles goldenes Zigarettenetui mit Besdomnys Lieblingsmarke aus der Tasche. Er und seine bizarr anmutende Entourage – unter ihnen ein riesiger, schwarzer, Wodka trinkender Kater namens Behemoth – überraschen das Publikum einer Theateraufführung, indem sie eine ganze Kollektion Pariser Haute Couture – Hüte, Kleider, Handtaschen, Lippenstifte – auf der Bühne erscheinen lassen und alle anwesenden Damen einladen, sich auszuziehen und neu einzukleiden.

Und selbstverständlich gibt der Teufel auch die besten Partys. Nie zuvor – und auch niemals danach – hat Moskau etwas Derartiges erlebt: Einen Mitternachtsball bei Vollmond, in dessen Verlauf der Ehrengast (Margarita) mit Blut und Rosen gewaschen wird. Aus den Brunnen sprudelt Champagner, rotbrüstige Papageien kreischen »Ich bin entzückt! Ich bin entzückt!«, und das Orchester wird von Johann Strauss dirigiert. Aber wir haben es hier mit dem Teufel zu tun, und es ist nicht alles nur ein unschuldiger Spaß. Abgesehen von Margarita befinden sich die Gäste des Balls ausnahmslos in unterschiedlichen Stadien der Verwesung, denn sie kommen direkt aus der Hölle.

Was nicht heißen soll, dass Sie allem Guten abschwören und sich dem Bösen zuwenden sollen. Wir wollen damit einfach sagen: Bringen Sie ein wenig Schwung in Ihr Leben, ein wenig mehr Biss. Vielleicht sollten Sie nicht unbedingt anfangen, durch die Gegend zu laufen und anderen Menschen den Kopf abzureißen wie Behemoth, aber schmeißen Sie doch mal ein paar skandalöse Partys. Bewahren Sie sich ein verschmitztes Funkeln in den Augen, ein wenig Verruchtheit im Ärmel. Es wird Sie zu einem Menschen machen, mit dem man auch mal Spaß haben kann.

MUTTERSCHAFT

Working Mum
Allison Pearson

Ein ziemlich modernes Bild von Mutterschaft zeichnet uns Allison Pearson mit *Working Mum*. Das Buch ist eine vergnügliche Sektion der Jonglagefertigkeiten, die es braucht, um einen Spitzenjob zu schmeißen, sich einen Geliebten zu halten, so zu tun, als sei man verheiratet, und »eine Mutter« zu sein. Das Buch fängt damit an, wie Kate Reddy, fünfunddreißig Jahre alt, am 13. Dezember um 1.37 Uhr in der Nacht aufsteht, um Weihnachtsgebäck aus dem Supermarkt zu verschandeln, damit es selbstgemacht aussieht. Sie ist wild entschlossen, keine von der »anderen Sorte« zu sein, sondern zumindest den Anschein einer »richtigen Mutter« zu erwecken, einer »aufopfernden Bäckerin von Apfelstrudel und sauber geschrubbten Hüterin der Doppelkammerwaschmaschine«, genau die Art Mutter, die in ihrer Kindheit in den Siebzigerjahren ein so schlechtes Ansehen hatte.
Tagsüber ist Kate Fondsmanagerin bei einer Investmentfirma, wo ihr Boss ihr auf die Brüste starrt, abends bleibt sie lange auf, um sich ihrem Hauptfreizeitvergnügen hinzugeben, einer E-Mail-Affäre mit dem fast unwirklich großartigen Jack Abelhammer. Ständig leidet sie darunter, wichtige Momente im Leben ihrer Kinder zu verpassen (»Heute ist der erste Geburtstag meines Sohnes, und ich sitze am Himmel über Heathrow fest«), und regt sich über die frauenfeindliche Welt auf, durch die sie in diese Situation gekommen ist. Ihre Ehe macht definitiv den Eindruck, als stamme sie aus dem letzten Jahrhundert, schließlich trägt sie die Hauptlast bei allem, was bezüglich der Kinder zu organisieren ist, was Hausarbeit und Schulwegtransporte anbelangt – sein Metier ist lediglich die Fernbedienung.
Pearson schreibt derart humorvoll, dass die Lektüre für Ihre nachgeburtliche Beckenbodenmuskulatur eine gewisse Her-

ausforderung darstellt. Sollten Sie das Reich der Mutterschaft noch nicht betreten haben, aber neugierig sein, was hinter dem Zaun so los ist, wird Ihnen dieser Roman eine Warnung sein vor dem Versuch, alles haben zu wollen. Und diejenigen, die bereits auf der anderen Seite des Zauns leben, werden viel spitzbübisches Vergnügen daran haben, wie Kate Reddy sich für ihren nächsten Schritt bereitmacht – und dabei immer noch erfreulich mit den Bällen ›Ehe‹, ›Karriere‹ und ›Kinder‹ jongliert. Sie können alles haben; Sie müssen einfach nur immer ein Nudelholz bereithalten, um die im Laden gekauften Törtchen zu zerschlagen.

► *Alleinerziehend sein*
► *Kinder, die zu viel Aufmerksamkeit verlangen*
► *Schwiegermutter; eine sein*

N

NAH AM WASSER GEBAUT SEIN

► *Prämenstruelles Syndrom*

► *Weinen; sich tüchtig ausheulen*

NAPOLEON-KOMPLEX

► *Klein sein*

NARZISSMUS

► *Arroganz*

► *Egoismus*

► *Eitelkeit*

► *Selbstbewusstsein, übermäßiges*

NEID

► *Eifersucht*

NERVENSÄGE; EINE SEIN

► *Bedürftigkeit*

► *Humorlosigkeit*

► *Liebeskummer*

► *Menschenhass*

► *Menschenscheu*

► *Nörgeln, Hang zum*

► *Papas Mädchen sein*

► *Pubertät*

► *Übellaunigkeit*

Leseleiden: Neue Bücher; von ihnen in Versuchung geführt werden

Therapie: Erlernen Sie die Kunst des Noch-mal-Lesens

Es ist verführerisch, Bücher wie Technikspielkram wahrzunehmen und zu denken, dass man immer die allerneueste, allermodernste Version haben muss. Aber nur, weil ein Roman neu ist, heißt das noch lange nicht, dass er auch gut ist; wenn man bedenkt, dass alle drei Minuten ein neues Buch veröffentlicht wird[1], stehen die Chancen, dass jedes davon gut ist, sogar eher gering. Besser, man wartet ab, ob ein Roman aus eigener Kraft die Zeit überdauert, und liest in der Zwischenzeit einen, der schon unter Beweis gestellt hat, dass er lesenswert ist. Denn die Kunst des Noch-mal-Lesens ist eine verkannte – wenn auch im Vergleich mit der Erstlektüre aus guten Gründen die eigentlich wichtigere.
Manchmal besticht ein Roman allein durch seine Handlung; in diesem Fall wird die Zweitlektüre ein verwässerter Aufguss der ersten sein. Die besten Bücher allerdings sprechen den Leser auf vielen verschiedenen Ebenen an, aber in der Eile, herauszufinden, was als Nächstes passiert, schwimmen wir über Dinge hinweg. Ein zweites Mal Lesen fängt auch diese Fische ein. Nicht mehr geblendet vom Was, können wir auch das Wie und das Warum genießen. Uns fällt zum Beispiel viel eher auf, welch ominösen Schatten die Ereignisse vorauswerfen, und wir können zusammen mit dem Autor darüber lächeln, wie die Figuren sich selbst betrügen – während wir ihm beim ersten Mal noch auf den Leim gegangen sind. Ein besonders geschätztes oder geliebtes Buch immer wieder zur Hand zu nehmen könnte zu einem Fünf-Jahres-Ritual werden, das Ihnen dabei hilft, wahrzunehmen, inwiefern Sie sich verändert haben bzw. an welchen Punkten Sie der- oder dieselbe geblieben sind. Jagen Sie nicht immer nur dem Neuen nach. Es ist wie mit guten Freundschaften und Wein: Die besten Bücher werden über die Jahre besser.

---

1 Außer an Sonntagen.

DIE ZEHN BESTEN ROMANE FÜR NEUNZIG- BIS HUNDERTJÄHRIGE

Ein verborgenes Leben Sebastian Barry
Eines Menschen Herz William Boyd
Alice hinter den Spiegeln Lewis Carroll
Bleak House Charles Dickens
Die unendliche Geschichte Michael Ende
Wer ist Martha? Marjana Gaponenko
Der alte Mann und das Meer Ernest Hemingway
Das Buch vom Lachen und Vergessen Milan Kundera
Im Westen nichts Neues Erich Maria Remarque
Früchte des Zorns John Steinbeck

Therapie: Bekehren oder verlassen

Sollten Sie mit jemandem zusammenleben, der keine Bücher liest, kann es schwer sein, Lesezeit für sich herauszuschinden und daran festzuhalten – besonders dann, wenn Ihr Partner/Ihre Partnerin lieber fernsieht, sich mit Ihnen unterhalten möchte oder sich, wenn Sie im Bett lesen, zwischen Sie und Ihr Buch drängt. Sie haben zwei Möglichkeiten: Bekehren. Oder verlassen.

Um einen nichtlesenden Partner zu bekehren, blättern Sie zur Ideenfindung in diesem Buch, nehmen ihn dann mit in eine schnuckelige kleine Buchhandlung und spendieren ihm ein neues Buch. Sollten Sie Ihren Partner nicht dazu kriegen, das zu lesen, was Sie gekauft haben, starten Sie den Versuch, ihm oder ihr laut vorzulesen oder sich von ihm/ihr vorlesen zu lassen. Das ist eine wunderbare Art und Weise, das Erleben eines Buches zu teilen und gemeinsam Zeit zu verbringen, was wiederum Ihre Beziehung festigt. Weitere Anregungen finden Sie in unserer Liste mit den jeweils zehn besten Büchern für nichtlesende Partner (männlich und weiblich, siehe folgende Seite).

Sollte es so nicht funktionieren, besorgen Sie ein paar Hörbücher, die Sie auf langen Autofahrten, oder während Sie sich gemeinsam der Hausarbeit widmen, hören – etwas, das Ihnen beiden gefällt (unter ► *Lärm, zu viel*, finden Sie unsere Liste der zehn besten Hörbücher). Falls er/sie sich für einen bestimmten Schriftsteller begeistern sollte, können Sie ihm/ihr als Fortsetzung ein physisches Exemplar eines anderen Werks desselben Autors in die Hand drücken.

Wenn all das nicht funktioniert und Ihnen klar wird, dass ein Leben mit Ihrem Partner ein Leben ohne Bücher bedeutet, dann haben Sie keine Wahl. Verlassen Sie ihn/sie und finden Sie jemand anderen. Siehe auch ► *Der/Die Richtige; auf der Suche nach ihm/ihr sein.*

DIE ZEHN BESTEN ROMANE, UM IHREN MANN AUF ROMANE HEISS ZU MACHEN

Aus unerfindlichen Gründen lesen Männer nicht so viel erzählende Literatur wie Frauen. Sollten Sie mit einem Mann geschlagen sein, der seit seiner Schulzeit keinen Roman mehr angefasst hat, geben Sie ihm einen der folgenden (und sagen Sie ihm, es sei ein verkapptes Sachbuch):

Die Wespenfabrik Iain Banks
Eines Menschen Herz William Boyd
Die unglaublichen Abenteuer von Kavalier & Clay Michael Chabon
Der Name der Rose Umberto Eco
Die Flashman-Manuskripte George MacDonald Fraser
Catch 22 Joseph Heller
Solaris Stanisław Lem
Galatea 2.2 Richard Powers
Fool on the Hill Matt Ruff
Atem Tim Winton

DIE ZEHN BESTEN ROMANE, UM IHRE FRAU AUF ROMANE HEISS ZU MACHEN

Aus ähnlich unerfindlichen Gründen lesen auch manche Frauen keine Romane. Verführen Sie Ihre Partnerin mit einer wirklich guten Geschichte.

Alias Grace Margaret Atwood
Regenroman Karen Duve
Der größere Teil der Welt Jennifer Egan
Zimmer mit Aussicht Edward M. Forster
Tausend strahlende Sonnen Khaled Hosseini
Das Hotel New Hampshire John Irving
Vom Winde verweht Margaret Mitchell
Liebesleben Zeruya Shalev
Zähne zeigen Zadie Smith
Troposphere Scarlett Thomas

NICHTTRINKER; EINER SEIN

Lebwohl, mein Liebling
Raymond Chandler

Wir alle wissen, dass es nicht verkehrt ist, an der Mineralwasserflasche zu hängen. *Straight edge* zu leben lässt einen die Dinge klarer und unverfälschter sehen, und viele Gesundheitsfachleute – außer denen aus Frankreich – plädieren für generelle Abstinenz. Aber in einer Welt voller Trinker als Einzige(r) nicht zu trinken ist schrecklich öde. Man kann sich nur durch eine begrenzte Anzahl alkoholfreier Cocktails schlürfen, bis man von einem seiner Freunde doch mit einem *Death in the Afternoon* überrascht wird. Und wie stünde es um die haarige Situation: Ihr Schwiegervater in spe schlägt mit einem Whiskey in der Hand einen ›Augenblick von Mann zu Mann‹ vor? Kriegen Sie seine Tochter, auch wenn Sie den Drink ablehnen? Und wie einen Toast zum hundertsten Geburtstag der Urgroßmutter ausbringen? Etwa mit einem verweichlichten »Eine Limonade für mich, bitte«?[1]
Im Normalfall sind Trinker in der Literatur immer die Figuren, die am meisten Spaß machen. Und keine Figur macht mehr Spaß als der große Philip Marlowe in den Detektivromanen von Raymond Chandler. Der beste davon, finden wir, ist *Lebwohl, mein Liebling*, obwohl eigentlich jedes der acht Marlowe-Bücher Sie von Neuem an den unabweisbaren Zusammenhang zwischen dem Alkohol und einer gewissen dekadenten, mühelosen Coolness heranführt, wie ein Marlowe in Bestform sie an den Tag legt: »Ich brauchte einen Drink, ich brauchte eine hohe Lebensversicherung, ich brauchte Urlaub, ich brauchte ein Häuschen auf dem Land. Was ich hatte, war eine Jacke, ein Hut und eine Pistole.« Wem Marlowe auf den Fersen ist, der schenkt ihm ein warmes und gleichzeitig leicht säuerliches Lächeln, denn alle wissen, dass er irgendwie schlagendes Beweismaterial aus

1 Sollten Sie ein(e) trockene(r) Alkoholiker(in) sein, ist die Antwort auf all diese Fragen: Ja. In diesem Fall ist diese Therapie nichts für Sie. Bitte überblättern Sie das Folgende und lesen direkt weiter unter ► *Alkoholsucht* und ► *Dinnerpartys, Angst vor.*

ihnen herauskriegen wird. Das allerdings tut er mit derartiger Verve, dass die bösen Buben sich fast geehrt fühlen, wenn er sie überführt; und so, wie er ganz nach seinem eigenen Gerechtigkeitsempfinden lebt und die Schuldigen nur dann der Polizei übergibt, wenn er sie für unverbesserlich hält, schafft er es, ein Agent des Guten, nie aber ein gutmenschelnder Musterknabe zu sein (▸ *Musterknabe; einer sein*). Was zumindest teilweise mit dem Trinken zu tun hat.

Natürlich sollen Sie es nicht übertreiben – wer übertreibt, ist überhaupt nicht interessant. Marlowe trinkt elegant und zurückhaltend. Er hat eine Schwäche für Roggenwhisky, den er gelegentlich als medikamentöse Einschlafhilfe einsetzt. Und mit einem Kurzen egal welcher Provenienz kriegt er jeden seiner Verdächtigen dazu, auszupacken. Sollten Sie zum Abstinenzlertum neigen, verbringen Sie ein, zwei Bücher lang Zeit mit Marlowe. Sie werden merken, wie die trickreiche Schläue dieses schweigsam-heldenhaften Detektivs wie ein Roggenwhisky-Highball in Ihre Blutbahn sickert. Trinken Sie beim Lesen, und Ihre Gedanken werden derart abgebrüht, schlau und trocken werden, dass Sie bald flink wie eine Katze durch die Nachbarschaft schleichen und sich fragen, was Sie Ihr ganzes Leben lang mit Ihrem Hirn gemacht haben, so, wie Sie die ganze Zeit auf dem Sofa geklebt haben. Im Handumdrehen haben Sie dann sämtliche Mafiosi hinter Schloss und Riegel gebracht, und Blondinen schenken Ihnen ein Lächeln, das Sie bis in Ihre Gesäßtasche hinunter spüren.

Folgen Sie Marlowes Beispiel, treiben Sie es mit der Therapie aber nicht zu weit. Wenn Sie merken, dass Sie doch auf die andere Bahn geraten, siehe ▸ *Alkoholsucht*.

▸ *Musterknabe; einer sein*

NICHT ZUM PUNKT KOMMEN

Die Straße
Cormac McCarthy

Mustergültig in Sachen Umstandslosigkeit. Wir haben dieses Buch gerade nochmal gelesen und werden zur Veranschaulichung seiner heilsamen Wirkung kein weiteres Wort darüber verlieren.

NÖRGELN, HANG ZUM

Picknick auf dem Eis
Andrej Kurkow

Man kann sich über viele Dinge im Leben beschweren. Wenn Sie dieser Aussage zustimmen, sind Sie einer von denen. Einer dieser anstrengenden Menschen, die an Jammrigkeit oder dem ständigen Drang, zu klagen und sich zu beschweren, leiden, eine Krankheit, die nicht nur eine gewisse Eigendynamik entwickelt – mit dem Entschluss, die Welt in Schwarz und Weiß zu sehen, kann man sicher sein, jede Farbe auszubleichen –, sondern die Sie vor allem davon abhält, das Geschenk des Lebens überhaupt wahrzunehmen.
Viktor, der angehende Romanschriftsteller in Andrej Kurkows *Picknick auf dem Eis* – geschrieben mit der trockenen Präzision eines Nachrufs –, könnte sich über vieles beklagen. Seine Freundin hat ihn vor einem Jahr verlassen, er ist »zwischen journalistischen Versuchen und kleinen Prosaarbeiten steckengeblieben«, der Strom ist ausgefallen, als er nach Hause kam, und sein einziger Freund ist sein Haustier, der Pinguin Mischa – der selbst unter Depressionen leidet. Und trotzdem jammert Viktor nicht. Er erträgt sein Schicksal in stummer Duldung, die es unwahrscheinlich macht, dass irgendetwas je besser werden wird.
Aber das wird es. Der Chefredakteur der *Hauptstadtnachrichten* bietet ihm 300 Dollar monatlich, wenn er eine ganze Liste von »Kreuzchen« anfertigt, Nachrufe auf Vorrat, deren Gegenstand noch am Leben ist. Viktor reagiert auf dieses Angebot zunächst besorgt – das klingt ja nach echter Arbeit! Aber als er erst mal angefangen hat, merkt er, dass es ihm Spaß macht. Ziemlich bald allerdings wird ihm die Schattenseite seines Tuns bewusst: Nachdem er schon hun-

dert Nachrufe geschrieben hat, ist ihm immer noch nicht die Freude zuteilgeworden, seine Arbeit auch gedruckt zu sehen. Die Menschen, über die er geschrieben hat, sind sturköpfig alle noch am Leben. Als ihm ein Kontaktmann des Herausgebers – ein Mann, der den selben Namen trägt wie Viktors Pinguin und deswegen dann Mischa-Nicht-Pinguin genannt wird – einen Besuch abstattet, bricht aus Viktor sein ganzer Frust heraus: »Ich schreibe und schreibe, und niemand sieht, wie ich ackere.«

Und wundersamerweise sterben ab diesem Zeitpunkt, einer nach dem anderen, die Prominenten.

Jammern Sie niemandem etwas vor. Sie könnten die falsche Art von Hilfe bekommen – und Sie machen anderen ganz sicher schlechte Laune. Aber jammern Sie auch nicht in sich hinein. Nachdem die Nachrufe auch gedruckt werden müssen, wird Viktors Leben in vielerlei Hinsicht besser. Dafür ist aber seine alte Fähigkeit verschwunden, das, was ihm das Leben bringt, einfach hinzunehmen. Stattdessen jammert er über alles, was gut ist. Denjenigen, die sich das Herumjammern zur Angewohnheit gemacht haben und die ständig sauer sind über das ganze Leben, gelingt es vielleicht ebenso wie Viktor nicht, das Glück zu erkennen, obwohl es ihnen auf dem silbernen Tablett serviert wird.

▸ *Reizbarkeit*
▸ *Unzufriedenheit*

O

OBSESSION

Der Tod in Venedig
Thomas Mann

Moby Dick
Herman Melville

Es stimmt natürlich, dass Besessene gar nicht geheilt werden wollen. Am meisten Angst macht ihnen nicht etwa der Tod, sondern das Ende ihrer Obsession und des damit einhergehenden gesteigerten Lebensgefühls. Aschenbach im *Tod in Venedig* sind die drei, vier Stunden, die er jeden Tag damit verbringt, am Strand zu sitzen und Tadzio beim Spielen zuzuschauen – und hernach dem Jungen und dessen Schwestern durch die zunehmend übelriechenden Straßen des von der Cholera gebeutelten Venedig hinterherzuschleichen –, viel zu lieb, um sie aufzugeben. Er geht um neun Uhr ins Bett, weil es nichts gibt, wofür sich aufzubleiben lohnte, wenn Tadzio erst die Bildfläche verlassen hat; tatsächlich kann er sich ein Leben ohne den grauäugigen Jungen mit dem einnehmenden Lächeln nicht mehr vorstellen. Er weiß, dass er eigentlich verantwortungsbewusst handeln und Tadzios Mutter vor der sich in Venedig ausbreitenden Krankheit warnen, anschließend die Hand zum ersten und letzten Mal auf Tadzios Kopf legen und sich verabschieden sollte. Indem er die Warnung nicht ausspricht, geht er das Risiko ein, dass sowohl Tadzio und seine Familie als auch er selbst Opfer der Epidemie werden. Aber er weiß, dass er ansonsten den Zauberbann brechen und er sich wieder in den alten, vernünftigen Aschenbach zurückverwandeln würde – was er nicht will.

Großen Anteil an der nachhaltigen Dauer von Aschenbachs Obsession hat die Tatsache, dass Tadzio Pole ist und Aschenbach nichts von dem versteht, was er sagt. So wird aus allem, was »das Alltäglichste« sein könnte, in Aschenbachs Ohren

Musik. Wenn Tadzio mit nassen, in der Sonne glänzenden Locken dem Meer entsteigt, kann auch das, was er seinen Geschwistern am Strand zuruft, diesen Moment nicht zerstören. In Aschenbachs Augen ist er die große Liebe, ein junger, »zarter Gott«.

Auch Melville schwingt sich in *Moby Dick* zu mythologischen Dimensionen auf. Die Schiffsbesatzung hat schon lange bevor sie dem großen Leviathan selbst begegnet, Gerüchte gehört und miterlebt, wie der Wal von ihrem getriebenen Kapitän Besitz ergriffen hat. Als man den Wal schließlich ortet, ist er nur teilweise zu sehen – ein Buckel, eine Schwanzflosse oder ein himmelwärts geblasener heißer Dampfstrahl –, während der »ganze Schrecken« seiner ungeheuerlichen, geheimnisvollen Masse unter Wasser bleibt. Die Unerforschlichkeit von Moby Dick gibt ihm Macht über die Besatzung der Pequod, und genauso ist es mit dem unergründlichen Kapitän Ahab. Ishmael bekommt den Kapitän erst nach einigen Reisetagen zu Gesicht, und auch dann sieht er in Ahabs Zügen nur einen »heiligen Gram«, einen Ahab, der so in seinen eigenen hochfliegenden Gedanken versunken ist, dass er unnahbar wirkt. Aber wie, wenn nicht kraft seines Charismas, hätte Ahab seine Mannschaft sonst dazu bringen sollen, Moby Dick weiter nachzujagen, obwohl das Schiff randvoll ist mit Tran, sie alle davon reich werden könnten und die Weiterfahrt wohl den sicheren Tod bedeutet? Die ganze Besatzung unterliegt einer Macht, die auch Ahab im Griff hat: die Macht der Obsession.

Für die Leser von *Der Tod in Venedig* ist Tadzio nur ein Junge. Moby Dick dagegen ist nie nur ein Wal, und Kapitän Ahab nie nur ein Mensch. Als Ahab und Moby Dick gemeinsam unter dem »dunklen Laken des Meeres« verschwinden, bleibt doch ihre Anziehungskraft bestehen – etwas Monströses, Betörendes, Fürchterliches bleibt zurück, etwas, das sich einem ständig wieder entzieht. Wodurch die Macht der Obsession vom Wal auf das Buch selbst übergeht. Wie vielleicht keinem anderen Roman in der Literaturgeschichte gelingt es *Moby Dick*, den Leser so an den Haken zu kriegen, dass er sein ganzes Leben lang immer wieder auf ihn zurückfällt.

Wenn es Aschenbach möglich gewesen wäre, Tadzio wirklich kennenzulernen, wenn es Ahab möglich gewesen wäre, seinen Wal wirklich kennenzulernen, wenn es der Besatzung der Pequod möglich gewesen wäre, Ahab wirklich kennenzulernen, wenn es den Lesern des *Moby Dick* möglich wäre, den *Moby Dick* wirklich kennenzulernen, wenn Herman Melville …

Aber wozu das alles? Sie sind ja schon derart besessen, dass Sie in Wahrheit gar nicht wissen wollen, wie man eine Obsession loswird.

► *Ehrfurcht vor Büchern, übermäßige*
► *Einsamkeit, durchs Lesen verursachte*
► *Hang, mehr zu lesen als zu leben*
► *Liebe, unerwiderte*
► *Science-Fiction; nicht mehr von ihr loskommen*
► *Verliebtheit*

OPTIMISMUS

Candide
Voltaire

Alles, was wir geben mussten
Kazuo Ishiguro

Unheilbare Optimisten müssen manchmal auf den Wurm im Apfel beißen, damit ihre übermäßige Erwartungsfreude vom Geschmack der Realität gedämpft wird. Obwohl wir Optimisten in unser Herz geschlossen haben, ist es uns doch ein Bedürfnis, sie davor zu warnen, angesichts der unhintergehbaren Ungerechtigkeit und des Leids in der Welt *allzu* vergnüglich beschwingt zu sein. Man kann nämlich nicht immer von den allerbesten Motiven hinter dem Handeln oder den Worten der anderen ausgehen; und was ist, wenn man sich wehren oder gar flüchten muss? Oftmals hadern Naivität und Optimismus miteinander.

Candide ist dafür ein Paradebeispiel. Von seinem Lehrer Pangloss in einer paradiesähnlichen Idylle großgezogen, wurde ihm beigebracht, dass »in dieser besten aller Welten« immer alles zum Besten bestellt ist. Der erste Eindruck von der Welt hinter den Mauern seiner Kindheit versetzt ihm folglich einen kleinen Schock. Als illegitimer Neffe eines Barons verliebt er sich heftig in Cunégonde, die Tochter des

Barons. Aber der Baron hat andere Pläne mit Cunégonde, und als er die beiden beim Knutschen erwischt, verbannt er Candide, dessen Zukunftsaussichten wenig rosig sind, aus dem Schloss. Das ist schon schlimm genug, aber es kommt noch schlimmer.

Zwangsweise von der bulgarischen Armee eingezogen, wird Candide Zeuge einer furchtbaren Schlacht. Als er anschließend vom Heerlager aus einen Spaziergang macht, peitscht man ihn brutal als Deserteur aus. Auch danach folgt eine Prüfung auf die nächste, aber der junge Mann hält resolut an seiner optimistischen Einstellung fest. Erst gegen Ende beginnt er zu wanken – nachdem ihm sein Vermögen geraubt wurde und er mit einer deutlich gealterten Cunégonde zusammenlebt, nachdem sein geliebter Pangloss gehängt, zerteilt und zu Brei geschlagen wurde (aber auch hier ist das Ende der Geschichte noch nicht erreicht) und nachdem Cunégonde laut die Frage stellt, ob es nicht fast besser wäre, von einer Horde Bulgaren mehrfach vergewaltigt zu werden, als weiter das zu tun, was sie tut, nämlich nichts. Auch Sie werden sicherlich gleichermaßen töricht wie freundlich grinsen, während es solcherlei Katastrophen hagelt.

Wenn sich Ihr Optimismus noch schwerer brechen lassen sollte als der von Candide, schaffen Sie es unter Garantie, ihn mittels *Alles, was wir geben mussten* von Kazuo Ishiguro aus seiner Verankerung zu reißen. Kathy, Tommy und Ruth wachsen in dem geheimnisumwitterten Hailsham House auf, wo sie dazu angehalten werden, ihrer Fantasie freien Lauf zu lassen, künstlerisch tätig zu sein und Beziehungen aufzubauen. Aber gleichzeitig wirken sie merkwürdig unterdrückt und abgeschnitten von der Welt. Mehr verraten wir nicht. Es genügt zu sagen: Wir gehen derart fest vom Erfolg dieser Therapie aus, dass wir unseren rechten Arm geben würden, wenn Sie am Ende immer noch an die beste aller möglichen Welten glauben. Für den Fall, dass Sie zu stark ins gegenläufige Fahrwasser geraten, schlagen Sie unter ▸ *Pessimismus* nach, um Ihre Mitte wiederzufinden.

On the Road
Jack Kerouac

ORGANISIERT SEIN, ÜBERMÄSSIG

Es ist ein unschöner Nebeneffekt eines umtriebigen Lebens, dass man ein Meister darin wird, seine Tage ausschließlich in Halbstunden-Abschnitte zu zerstückeln, denen eine ganz bestimmte Nutzung zugewiesen wird – arbeiten, schlafen, Sport, essen, Lebensmittel einkaufen, shoppen, Freunde treffen –, wobei man vergisst, auch den Facetten des Lebens ein Bröckchen Zeit zuzuteilen, die man nicht unter ein bestimmtes Schlagwort subsumieren kann. Was ist zum Beispiel mit: einfach nur rumsitzen? Oder: völlig planlos in eine völlig willkürliche Richtung losfahren? Was ist mit: auf der Straße zufällig jemandem über den Weg laufen? Sollten Sie auf dem Sterbebett nicht erkennen wollen, dass Sie zwar alles auf Ihrer Liste abgehakt haben, aber eigentlich nie aus der Tür getreten sind und das Leben nie auf sich haben zukommen lassen, verbringen Sie bitte etwas unverplante Zeit in Gesellschaft von Sal Paradise, der »großen liebenden Seele« von Dean Moriarty und *On the Road*, Jack Kerouacs Hymne auf eine Generation, die noch wusste, wie man seine Zeit vertändelt.

Niemand in *On the Road* fasst jemals mehr als einen nur sehr vagen Plan. Und wenn sie sich auf den Weg machen, tun sie das schnell, sie springen auf den Bus oder die offene Ladefläche eines Lastwagens, wenn sie den »neuen Ruf« hören, eine »Ode aus der Prärie«, der immer prinzipiell aus westlicher Richtung kommt. Viel haben sie nicht bei sich – nur ein paar Sachen in einem Leinensack, ihren bloßen, speedinduzierten Tatendrang und die Liebe zu den unendlichen Möglichkeiten des Lebens. Denn Sal, Dean und Deans neue, hübsche Freundin Marylou schwimmen auf einer Welle der Freude, die sie voll unbekümmerter Begeisterung quer durchs Land spült, während sie zum Beat des Bebop improvisieren und die ganze Zeit über quatschen und johlen. Sie sind Menschen, denen alles gefällt, die in das »ganze verrückte Chaos« dessen geraten wollen, was ihnen begegnet. Und wenn sie dann in Denver ankommen oder in Chicago oder in New Orleans oder wohin auch immer sie fah-

ren, dann machen sie dort genau das, was man dort eben so macht. Denn:
Lassen Sie es sich von diesen Jungs gesagt sein. Organisiert zu sein, alles frühzeitig zu planen und, Dinge schon im Vorhinein zu entscheiden ist nicht der heilige Gral des Daseins. Sollten Sie sich ein wirklich intensives, kerouaceskes Leben wünschen, ziehen Sie sich jeden Morgen erst mal eine Dosis *On the Road* rein und leben Sie den Beat aus.

▸ *Analfixiertheit*
▸ *Ehrfurcht vor Büchern, übermäßige*
▸ *Musterknabe; einer sein*

ORGANISIERT SEIN, UNGENÜGEND

▸ *Risikobereitschaft*
▸ *Überwältigt sein von der Menge der Bücher in der Welt*
▸ *Achtlosigkeit*

ORGASMEN, ZU VIELE

▸ *Sex, zu viel*

ORGASMEN, ZU WENIGE

Kann man denn überhaupt genug davon haben?, könnte man zu Recht fragen. Früher war man der Überzeugung, dass zu viele Orgasmen einem zu viel »Chi« abzapfen und ergo die Lebenserwartung verkürzen, aber heute scheinen Experten der Meinung zu sein, dass man, je mehr man kommt, auch umso weiter kommt – in jeder Hinsicht. Für manche aber ist eine ansonsten glückliche, innige Beziehung getrübt von der Unmöglichkeit, leicht – oder überhaupt – zum Orgasmus zu kommen. Dieser als Anorgasmie bekannte Zustand ist bei Frauen häufiger anzutreffen als bei Männern, und auch wenn die Wissenschaft den Grund dafür noch nicht genau kennt, wird doch oft eine aus dem Glauben, weiblicher sexueller Ausdruck sei irgendwie ›falsch‹, entstehende Hemmung ins Feld geführt, ein Überbleibsel aus viktorianischen Zeiten. Wir schlagen deshalb vor, dass Betroffene ihre literarische Diät dementsprechend anpassen: keine schönfärberischen oder ausweichlerischen Viktorianer mehr (wir nennen keine Namen[1]). Machen Sie sich stattdessen ein bisschen locker, mit Autoren und Autorinnen, die zum Expliziten tendieren.

Für viele Heranwachsende sind es heute Vampirromane mit ihren dunklen, unerfüllten Sehnsüchten, die die gerade sexuell Erwachenden zu ihrem ersten literarischen Höhepunkt bringen. Virginia Andrews inzestuöse Gefangene in ihrer *Blumen der Nacht*-Reihe fesseln bis heute, mehr explizit sexuelle Begegnungen bieten Autorinnen wie Ellen Hopkins et al. Erwachsenen geht in der Literatur auf derart viele verschiedene Arten einer ab, dass wir kaum unsere Fingerspitze befeuchtet und schon das Gefühl haben, eine lange, ausführliche Liste einfügen zu müssen – einerseits mit Romanen, die Vorschläge machen, wie man zum Orgasmus kommt, andererseits mit erotisch derart zwingenden, dass Sie vielleicht gar nichts weiter brauchen außer dem Text, über dem Sie nur zu Ihrem eigenen Vergnügen brüten. Aber wir beschränken uns hier auf ein paar wenige. *Fanny Hill*, John Clelands Roman von 1748, üblicherweise für den ersten pornografischen Roman in englischer Sprache gehalten, wird Sie überraschen mit seinen jungen weiblichen Prostituierten, die sich der gegenseitigen Masturbation, der Diskussion von Penisgrößen und auch mal mehrere Tage dauernden Sexspielen hingeben. Im 20. Jahrhundert hat *Lady Chatterleys Liebhaber* – für diejenigen, die ein Exemplar in die Hände kriegen konnten – die Richtung vorgegeben, mit einer schamlos derben Sinnlichkeit und unverhohlenen Anspielungen auf männliche und weibliche Geschlechtsorgane, wie es sie in dem zugeschnürten Jahrhundert auf keiner Buchseite gegeben hatte (mehr zu diesem Buch finden Sie unter ▸ *Liebe, zum Scheitern verurteilte*). In Thomas Pynchons *Die Enden der Parabel* findet eine richtiggehende,

1 Dickens.

in ihrem die allgemeine Ausgelassenheit noch ergänzenden marinen Setting besonders erotische Orgie an Bord der *Anubis* statt. Ein öffentliches Hinternversohlen kulminiert darin, dass alle an Bord gleichzeitig zum Höhepunkt kommen. Blooms Selbstbefriedigungsfantasien im *Ulysses* könnten es für Jungs richten, während Mollys Erinnerungen daran, wie sie sich bei ihrem Sexnachmittag »drinnen ganz feurig« fühlte, vielleicht für Mädels funktioniert. In *Doing It* von Melvin Burgess bekommen wir die Gelegenheit, das nervöse, linkische sexuelle Herumprobieren von Teenagern ein zweites Mal zu erleben, während es in Kate Grenvilles *Eine Ahnung von Vollkommenheit* schweißnassen Geschlechtsverkehr in Metzger-Overalls gibt. Nun ja. Die Heldin in Rebecca Millers *Pippa Lee* kommt als Teenager zu frühreifen Orgasmen, indem sie Brustschwimmen betreibt, und Pauline Réages *Geschichte der O* entfesselt eine sadomasochistische Fantasie über eine Sexsklavin, welche auf das erste Werk dieses Genres zurückgreift, nämlich auf die aus dem späten 19. Jahrhundert stammenden *Venus im Pelz* (mehr dazu unter ▸ *Eifersucht*) – halten Sie für diese beiden Bücher Peitschen bereit. Mittlerweile hat auch die schwullesbische Literatur die Jahre der Diskriminierung mit wollüstiger Hingabe wieder wettgemacht: Sich Bahn brechende Homosexualität wird in Edmund Whites *Selbstbildnis eines Jünglings* behandelt, einer Ode an die junge schwule Liebe, während Jean Genets eher gequälter Mann-gegen-Mann-Ansatz in *Notre-Dame-des-Fleurs* in Blumenmetaphern explodiert. Mit *Die Muschelöffnerin* von Sarah Waters, der Königin lesbischer Erotik, können Frauen noch das Historiendrama in ihr Repertoire aufnehmen. Diejenigen, die an gelegentlicher oder ständiger Anorgasmie leiden, sollten sich diese Romane neben ihr Bett legen und die erhaltenen Anregungen alleine oder zu zweit ausprobieren.

▸ *Unzufriedenheit*
▸ *Verheiratet sein*
▸ *Sex, zu wenig*
▸ *Single sein*

P

PAPAS MÄDCHEN SEIN

Emma
Jane Austen

Papas Mädchen zu sein hat noch niemandem gutgetan. Solange Sie das verhätschelte kleine Mädchen sind, das einfach nichts falsch machen kann, ist ja alles noch prima, doch wenn Sie erwachsen werden und feststellen, dass der Rest der Welt Ihre kleinen Marotten nicht ganz so bezaubernd findet wie Ihr Papa, wird das ein bitteres Erwachen für Sie. Und auch Ihr neuer Freund wird nicht allzu begeistert sein, wenn er merkt, dass er niemals die Nummer eins in Ihrem Herzen sein wird. Aber das ist vielleicht gar nicht so dramatisch, denn er wird eh nicht lange Bestand haben; schließlich ist niemand gut genug für Papas Mädchen, und Papa wird schon dafür sorgen, dass er es erfährt.

Emma, die gleichnamige Heldin in Jane Austens Satire über die Ehe im 19. Jahrhundert, ist das ultimative Papamädchen. In den Augen ihres nervösen, gebrechlichen und törichten Vaters – dessen gesamtes Leben sich darum dreht, sich vor Zugluft zu schützen und seine Freunde zum Verzehr eines nahrhaften gekochten Eies zu beschwatzen – ist die schöne, kluge Emma ein Muster an Tugend und verdient es, dass alle Welt nach ihrer Nase tanzt. Dabei hilft es Emmas verzerrtem Selbstbild nicht im Geringsten, dass das elterliche Dreieck durch eine abwesende (tote) Mutter und eine allzu treu ergebene Gouvernante vervollständigt wird.

Und so schickt ihr unglückseliger, hoffnungsloser Fall von einem Vater die junge Emma im Alter von einundzwanzig Jahren mit einer übermäßig hohen Meinung von sich selbst und einer Ichbezogenheit, die ihr zwangsläufig Kummer bereiten wird, in die Welt hinaus. Als sie in Liebesdingen mit der ebenso vollkommenen, jedoch mittellosen Jane Fairfax wetteifert, verhält sie sich biestig und verstößt zudem mit unangebrachten Bemerkungen auch gegen die unausgesprochenen Regeln des Anstands für den Umgang mit sozial Tiefergestellten. Eine Zeitlang riskiert sie, den Respekt der Menschen um sie herum zu verlieren – eine Katastrophe für jemanden in ihrer Stellung. Und wir machen ihren törichten Vater dafür verantwortlich. Denn wer könnte die Fehler eines Kindes besser korrigieren als die Eltern, die es bedingungslos lieben? Stellen Sie sich vor, wie viel gerechter und stärker Emma hätte sein können, wenn sie über die Jahre liebevoll aufgezogen worden wäre.

Nehmen Sie sich diese lehrreiche Geschichte zu Herzen. Liebe Väter: Tun Sie Ihren Töchtern so etwas nicht an. Und Töchter: Hüten Sie sich davor, einen lächerlich in Sie vernarrten Mr. Woodhouse als Vater zu haben. Und falls doch: Hören Sie auf, das brave Mädchen zu spielen, und zeigen Sie ihm, was für ein ungezogenes Gör Sie sein können.

PARANOIA

Die Versteigerung von No. 49
Thomas Pynchon

In diesem Roman dreht sich alles nur um Sie. Auch Ihr Name steht darin. Versuchen Sie's mal auf Seite 49.[1]

1 Eigentlich dreht sich das Buch natürlich um etwas sehr viel Interessanteres als um Sie. Um nie aufhörende Bewegung nämlich, um Entropie, LSD, ein Postsystem im Untergrund und eine Ära der amerikanischen Kulturgeschichte, die wir gerne miterlebt hätten. Aber weiter im Text. Denn wir werden Sie von Ihrer Paranoia erlösen, indem wir Ihnen beweisen, dass Sie, wenn Sie beim Lesen dieses Romans nur lange genug nach etwas suchen, dieses Etwas auch finden. Lassen Sie sich deswegen – anstatt nach den Verschwörungstheorien zu suchen, die Sie finden wollen – lieber von Pynchons fantastisch komplexer, sonderbarer Weltsicht auf eine Reise in die seltsame Gedankenwelt der Oedipa Maas mitnehmen, die ihren eigenen Verschwörungen nachgeht. Wenn Sie mit diesem Mägdelein auf der Suche nach dem Ritter der Erlösung erst mal quer durch San Narciso gerannt sind, werden Sie nicht mehr nach

PARTYS; SICH SEHNEN NACH

So was von da
Tino Hanekamp

Die letzte Clubnacht ist schon eine Weile her und im Freundeskreis wird immer häufiger zum Grillen oder Brunchen eingeladen. Zu lauter Musik singen Sie höchstens noch im Auto und auch das nur bei mindestens 120 km/h. Ohne Abschiedsgruß haben sich die Partys aus Ihrem Leben geschlichen, Sie fühlen sich sitzengelassen. Keine Sorge: Tino Hanekamp, Clubbesitzer und Autor, hat genau für Sie einen Roman geschrieben. *So was von da* heißt er und »knallt gut los« – findet Udo Lindenberg.
Wenn Sie nach 304 Seiten mit Oskar Wrobel in seinem Club die letzte Nacht vor der Schließung durchgefeiert haben, wenn Sie mit ihm alternde Rockstars mit ihrem Leben und ihrer Familie versöhnt haben, wenn Sie Kiezkalle entkommen sind, ungeliebte Lokalpolitikerinnen gedemütigt und Ihre große Liebe zurückerobert haben – vor allem aber, wenn Sie alle Phasen einer Clubnacht von »gelangweilt in der Gegend rumstehen« über »Enthemmung. Kontrollverlust. Euphorie« bis zu »weg hier, bevor irgendein Trottel das Putzlicht anschaltet« durchlebt haben, dann haben Sie es geschafft. Sie haben mitgefeiert, mitgetrunken und mitgetanzt. Nur mitleiden müssen Sie am nächsten Tag nicht. Komplett katerfrei können Sie zum Brunch ihrer ehemaligen WG-Mitbewohner in die Vorstadt fahren. Und haben jede Nostalgie, jeden Wunsch, wieder zwanzig zu sein, abgelegt. Denn beim Lesen ist Ihnen wieder eingefallen, wie unerfreulich es ist, nach drei Stunden Anstehen einen halbleeren Club zu betreten, wie enttäuschend, dass der DJ niemals ihren Lieblingstrack spielt, und wie anstrengend, dass auch der kleinste Smalltalk bei Technobeats in einem verständnislosen »Was?« und Kopfschütteln untergeht.
Falls es Ihnen aber nach drei Stunden bei pochiertem Ei, Latte macchiato und Kindergeschrei doch wieder in den

---

Ihren falschen Ängsten süchtig sein, sondern nach Oedipas Geschichte – und anstatt ständig in Ihr Inneres zu schauen, schauen Sie nach draußen.

Füßen juckt, dann schnappen Sie sich einen Stift und tragen Sie einen Clubbesuch in Ihren Kalender ein (denn Spontaneität ist rein biologisch ab dem dreißigsten Lebensjahr nicht mehr möglich). Die Stimmen in Ihrem Kopf, die Ihnen einreden wollen, dass Sie auf der Party niemanden kennen werden, dass Sie der oder die Älteste sein werden, bringen Sie mit den Beastie Boys und ihrem »Fight for Your Right (To Party!)« zum Schweigen. Schließlich nennt Tino Hanekamp seinen Roman »eine Hymne auf den Wagemut, die Abenteuerlust und Selbstaufgabe«. Da sind Sie dabei.
► *Midlife-Crisis*

PENSIONIERUNG

Das Rätsel der Ankunft
V. S. Naipaul

Für viele ist der Moment, in dem sie ihren Job an den Nagel hängen, einer, der ihnen Angst macht – wenn nicht ihnen selbst, dann vielleicht ihrem Partner oder ihrer Partnerin. Was werden Sie in den kommenden paar Jahrzehnten noch anstellen? Sich auf eine abenteuerliche Weltreise begeben, Ihre Verschrobenheiten kultivieren, Sanskrit lernen oder der Familie und den Nachbarn ins Gehege kommen, weil sie nervigerweise andauernd *da* sind?
Die Pensionierung bietet Ihnen nach sehr langer Zeit die erste Gelegenheit, ein bisschen nachzudenken, und um damit anzufangen, lesen Sie *Das Rätsel der Ankunft*, V. S. Naipauls fiktionalisierte Meditation über sein eigenes Leben – darüber, wie es dazu kam, dass er aus seinem Heimatland Trinidad fortging und sich für seine letzten Lebensjahre im englischen Dorset niederließ. Als junger Mann studierte Naipaul an der Universität von Oxford, danach bereiste er ausgiebig und immer wieder von neuem die Welt – Afrika, Indien, Amerika und die islamischen Staaten. Jetzt richtet Naipaul seinen Außenseiterblick auf das uralte Herz Englands, dorthin, wo er »wahrhaft fremd« war, wo er aber trotzdem fühlt, eine zweite Chance zu bekommen – die Chance auf »ein neues Leben, reicher und ausgefüllter als jedes, das ich sonstwo gehabt hatte«. Zum ersten Mal ist er

»in Einklang mit einer Landschaft«: Die Hagebutten und Weißdorne Englands entsprechen seinem Temperament eher als die üppige tropische Vegetation Trinidads. Eine überraschende und inspirierende Entdeckung für jemanden in diesem Abschnitt seines Lebens. Müssen auch Sie noch die Landschaft finden, mit der Sie im Einklang stehen, zu der Sie gehören?

Bukolisch und beschaulich wird *Das Rätsel der Ankunft* Ihnen Mut machen, eine Bestandsaufnahme Ihres Lebens vorzunehmen und sich darüber zu freuen, wie sich neue Möglichkeiten entfalten. Versuchen Sie – wie es Naipaul so wunderschön gelingt –, die Einzelheiten des Lebens in den Blick zu bekommen, zum Beispiel so etwas wie die Beobachtung, dass das Gras auf einem gemähten Weg durch einen Obstgarten von einem Rasenmäher geschnitten wurde, der in zwei Richtungen unterwegs war, »eine Schwade hinauf, eine Schwade hinunter … die eine Schwade im entgegengesetzten Strich zum Gras der anderen, so dass die beiden Schwaden zwei deutlich unterschiedliche Farben zeigten, eine grün, eine beinahe grau«. Nur weil Sie pensioniert sind, heißt das noch lange nicht, dass Sie nicht mehr lernen können, die Welt neu zu sehen – gerade jetzt, wo Sie endlich Zeit dafür haben.

► *Abschiede*
► *Langeweile*

PERFEKTIONISMUS

► *Analfixiertheit*
► *Ehrfurcht vor Büchern, übermäßige*
► *Organisiert sein, übermäßig*

Robinson Crusoe
Daniel Defoe

Der erste Roman über die Macht des Optimismus ist Daniel Defoes *Robinson Crusoe* aus dem Jahr 1719. Zu Beginn ist Crusoes Lage wirklich desolat: Als einziger Überlebender eines Schiffsunglücks strandet er auf einer kargen, unbewohnten Insel, mit nichts als einem Messer, einer Pfeife und ein paar Krümeln Tabak. In seiner Verzweiflung läuft er wie wahnsinnig am Strand auf und ab und ist überzeugt, schon bald einem wilden Tier zum Opfer zu fallen.

Wie wir alle wissen, kann man nicht viel bewirken, während man sich die Augen aus dem Kopf heult (▶ *Herz, gebrochenes*, ▶ *Depression, psychische*). Doch Crusoe zwingt sich, positiv zu denken. Mit Papier und Stift, die er auf dem Schiff gefunden hat, beschließt er, »die Annehmlichkeiten [seiner] Lage den Leiden und Mühseligkeiten« gegenüberzustellen – mit anderen Worten: Er schreibt eine Pro-und-kontra-Liste. Und dabei entdeckt er etwas, was sein Leben verändern wird: Die Vorteile wiegen die Nachteile auf! Ein Beispiel: »Ich bin auf eine einsame Insel verschlagen, ohne Hoffnung, je wieder fortzukommen« wird aufgewogen durch »Aber ich bin doch am Leben und nicht ertrunken wie alle meine Kameraden«. Er beschließt, dass es »kaum einen Zustand auf der Welt gibt, und sei er noch so elend, der neben dem Üblen auch etwas Gutes hat, dafür man dankbar sein kann«. Hurra!

Und so, durch seinen Optimismus gestärkt, tut Robinson Crusoe alles, um am Leben zu bleiben: Er jagt, züchtet Ziegen, sät Getreide, legt sich einen Papagei als Gefährten zu und wird zu einem echten Heimwerker (und zu einem ziemlich guten obendrein; wäre er das nicht, hätten wir ihn auf ▶ *Heimwerken* verwiesen). Als Experte für Selbstversorgung überlebt er am Ende ganze achtundzwanzig Jahre lang auf der Insel.

Erfolg im Leben bedeutet herauszufinden, was in einem steckt – besonders in harten Zeiten. Wenn Sie sich weigern, selbst in den dunkelsten Momenten dem Pessimismus und der Verzweiflung zu verfallen, und stattdessen ein wenig Optimismus hervorkramen können, dann haben Sie nicht nur das Beste aus sich herausgeholt, sondern Sie werden sich selbst lieben lernen. Wir würden sogar behaupten, mit der richtigen Einstellung im Leben ist es egal, was einem widerfährt. Also her mit den Schiffbrüchen! Machen Sie sich Robinson Crusoe zum Gefährten, dann werden Sie Ihren inneren Optimisten finden und mit prallen Segeln durchs Leben gleiten.

▸ *Depression, psychische*
▸ *Glauben; ihn verlieren*
▸ *Hoffnungslosigkeit*

PHOBIEN

▸ *Klaustrophobie*
▸ *Fremdenfeindlichkeit*

PLEITE SEIN

Der große Gatsby
F. Scott Fitzgerald

Gierig
Martin Amis

Anton Reiser
Karl Philipp Moritz

Sie sind pleite. Das ist die eine Hälfte des Problems. Vielleicht haben Sie Ihren Job verloren (▸ *Arbeitslosigkeit* und ▸ *Depression, wirtschaftliche*) oder Sie geben mehr aus, als Sie verdienen. Aber Sie sind davon überzeugt, dass sich all Ihre Probleme lösen würden, wenn Sie nur ein bisschen mehr Geld hätten. Das ist die andere Hälfte. Kümmern wir uns zuerst um diese.

James Gatz – alias Jay Gatsby – hat die gleiche blöde Idee, nämlich dass Geld ihm geben würde, was er sich am meisten wünscht. In seinem Fall: Daisy Buchanan. Also verschafft er sich – auf nicht ganz legale Art und Weise – ein Vermögen, kauft das protzigste Haus in West Egg und verschleudert dann sein Geld für Hunderte von ausschweifenden Partys, um die hübsche Daisy zu sich zurückzulocken wie eine Motte zum Licht.

Gatsby ist einer der mächtigsten Träumer der Literatur (weshalb er ja auch »der Große« heißt), und seine Leidenschaft und sein Verlangen nach Daisy sind so faszinierend wie das kleine grüne Licht am Ende ihres Bootsstegs. Doch Tatsache ist: Mehr Geld zu haben, als man für die nötigsten Dinge im Leben braucht (Essen, Kleidung, ein Dach über dem Kopf und natürlich Bücher), bringt mehr Probleme, als es löst. Nicht nur, dass das Glück, das Gatsby sich mit seiner Daisy erkauft hat, nicht lange währt, nein, um sein Vermögen zu erlangen, hat er sich selbst verraten und verkauft. Was denkt er sich nur dabei, wenn er jeden mit seinem falschen englischen Akzent »Alter Junge« nennt, mehr Hemden besitzt, als er jemals tragen kann, und Partys ausrichtet, die ihm keinen Spaß machen? Und welche Reaktion hat er von Daisy erwartet, als sie erfährt, wie er zu seinem Geld gekommen ist? Wenn das Licht flackert und schließlich erlischt, kann er nur sich selbst die Schuld geben.

Der große Gatsby ist aber schon die zweite Dosis unserer Kur: Beginnen Sie mit *Gierig* von Martin Amis – der Titel sagt genug –, um zu sehen, auf welch schreckliche Weise Geld den Charakter verderben kann, und lesen Sie dann den *Großen Gatsby*. Tun Sie, was James Gatz hätte tun sollen: Finden Sie sich damit ab, dass Sie arm sind, und suchen Sie sich jemanden, der Sie so liebt, wie Sie sind. Vielleicht sind Sie aber auch gar nicht so arm, wie Sie glauben? Um das zu prüfen, lesen Sie Karl Philipp Moritz' *Anton Reiser* und entdecken Sie, was es tatsächlich heißt, arm zu sein. Kostprobe gefällig? »Mehrere Wochen hindurch aß er wirklich die Woche eigentlich nur einen einzigen Tag, wenn er zum Schuster Schantz ging, und die übrigen Tage fastete er und hielt mit nichts als Tee oder warmem Wasser, das Einzige, was er noch umsonst erhalten konnte, sein Leben hin [...] eines Kunstgriffes bediente er sich doch, wodurch es ihm gelang, sich vom Verhungern zu retten. – Er bat sich nämlich für einen Hund, den er bei sich zu Hause zu haben vorgab, [...] die harte Kruste von dem Teig aus, worin das Haar zu den Perücken gebacken wurde, und diese Kruste nebst [...] dem warmen Wasser, das er trank, war es nun, womit er sich hinhielt.« Sie haben ein Dach über dem Kopf, ein gemütliches Bett und neben Frühstück und Abendbrot eine warme Mahlzeit? Ab und an gehen Sie sogar ins Kino? Sehen Sie?!

Stellen Sie nach der Lektüre *Gierig* den *Großen Gatsby* und *Anton Reiser* nebeneinander ins Bücherregal (sie werden sich einiges zu erzählen haben), hören Sie auf, Ihr Geld für Lottoscheine zu verschwenden, schrauben Sie Ihre Ansprüche runter und lernen Sie, mit dem auszukommen, was Sie haben (und falls Sie wirklich zu wenig haben, falls Ihr Job nicht genug einbringt, um über die Runden zu kommen, dann suchen Sie sich einen neuen). Hören Sie auf zu jammern und leben Sie mit Ihren bescheidenen Mitteln glücklich und zufrieden bis an Ihr Ende.

PRÄMENSTRUELLES SYNDROM (PMS)

Ihre Beine tun weh. Sie frieren ständig. Sie wollen sich nicht übermäßig schnell bewegen. Alles, was sich nach zu großer Herausforderung anfühlt, bringt Sie zum Weinen. Machen Sie es sich mit einer Wärmflasche und einem guten Mädchenbuch als alles einhüllendem Schmerzmittel unter der Bettdecke gemütlich.

► *Bett; Unfähigkeit es zu verlassen*
► *Reizbarkeit*
► *Schmerzen*

DIE ZEHN BESTEN ROMANE FÜR TAGE UNTER DER BETTDECKE

Das Geisterhaus **Isabel Allende**
Léon und Louise **Alex Capus**
Die Selbstmord-Schwestern **Jeffrey Eugenides**
Bridget Jones: Am Rande des Wahnsinns **Helen Fielding**
Der Drachenläufer **Khaled Hosseini**
1Q84 **Haruki Murakami**
Silver Linings **Matthew Quick**
Der Winterpalast **Eva Stachniak**
Das Licht zwischen den Meeren **M. L. Stedman**
Der Schatten des Windes **Carlos Ruiz Zafón**

Die entführte Prinzessin
Karen Duve

Sie sehnen sich nach einem Eimer schwarzer Farbe, wenn Sie kleine Mädchen in pinkfarbenen Lillifee-Ganzkörperoutfits auf der Straße mit Feenstäben hantieren sehen? Sie würden liebend gerne die gesamte Spiegelburg in Schutt und Asche legen und anschließend Hello Kitty mit einem der genannten Feenstäbe das rosarote Herz durchbohren, und Sie geraten regelmäßig mit Fünfjährigen in Diskussionen über Role Models? Ihnen kann geholfen werden.
Karen Duve, die Frau mit den bösen, todtraurigen Beziehungsromanen und den knallharten Ansichten über Geflügelfarmen, hat einen Fantasyroman geschrieben. Auf den ersten Blick stimmt alles: Das Cover ist pink, die Prinzessin schön, der Prinz mutig und der Drache gefährlich ... Aber Karen Duve wäre nicht Karen Duve, wenn das schon alles wäre. Ihrer Prinzessin nützt ihre Schönheit wenig, ist doch ihre Mitgift viel zu »popelig«. Der Prinz, ein gelangweilter Chauvie, entführt die Prinzessin nicht aus übergroßer Liebe, sondern um seine schreckliche Mutter mit der bettelarmen Braut zu brüskieren, diese wiederum zwingt die zukünftige Schwiegertochter, buchstäblich schmutzige Wäsche zu waschen. Außerdem gibt es einen pubertierenden Drachen, einen Zwerg mit Popstar-Allüren und eine Psychotherapeuten-Fee.
Für eine lillifeegeplagte Person ist es die reinste Labsal, Fantasyfiguren mit modernen Problemen kennenzulernen, Figuren, die keine Schicksalsberg-Heldennummer durchziehen, sondern psychologisch grundiert sind, sich entwickeln und urkomische Dialoge führen. Nach dieser Kur geht Ihnen das Rollenspiel im Kinderzimmer leichter von der Hand: warum nicht Prinzessin Lillifee über chauvinistische Zwerge schimpfen lassen? Bedauerlich ist nur, dass es Karen Duves Psychotherapeutenfee nicht als Anziehpuppe gibt, die hätte Hello Kitty einiges zu sagen gehabt ...

► *Der/Die Richtige; ausharren für ihn/sie*
► *Mutterschaft*

PROFANITÄT; VON IHR BEDRÜCKT SEIN

Wenn Ihnen die Welt schrecklich eintönig und profan erscheint, sollten Sie dringend die Fähigkeit von fantastischer Literatur, uns ganz weit weg zu versetzen, entdecken. Und wir meinen nicht nur Harry Potter[1]. Breiten Sie mit der untenstehenden Liste Ihre Flügel aus. Auf ihnen reisen Sie ins Reich des Erstaunlichen, Sagenhaften und Wunderbaren.

► *Ernüchterung*
► *Langeweile*
► *Malaise des 21. Jahrhunderts*
► *Unzufriedenheit*

DIE ZEHN BESTEN FANTASY-ROMANE

Das letzte Einhorn **Peter S. Beagle**
Jonathan Strange & Mr. Norrell **Susanna Clark**
Tintenherz **Cornelia Funke**
Die Brautprinzessin **William Goldman**
Erdsee-Zyklus **Ursula Le Guin**
Das Lied von Eis und Feuer **George RR Martin**
Einfach göttlich **Terry Pratchett**
Harun und das Meer der Geschichten **Salman Rushdie**
Der kleine Hobbit **J. R. R. Tolkien**
Der König auf Camelot **T. H. White**

1 Auch wir lieben ihn sehr, aber zur fantastischen Literatur zählt mehr als Hogwarts und Quidditch.

Was vom Tage übrigblieb
Kazuo Ishiguro

Warum heute schon besorgen, was man tun kann auch noch morgen?
Ganz einfach: Weil eine unerledigte Aufgabe mit jedem Tag größer wird und die Motivation, sie zu erledigen, immer kleiner.
Prokrastination, die Kunst des Aufschiebens, hat nicht das Geringste zu tun mit Faulheit oder Überbeschäftigtheit. Ihre Ursachen sind emotionaler Natur. Der Aufschieber vermeidet einfach (man könnte auch sagen: ziemlich vernünftig) nur die Aufgaben, die er oder sie bewusst oder unbewusst mit unangenehmen Gefühlen in Verbindung bringt, etwa wie Langeweile (▸ *Langeweile*), Unbehagen (▸ *Angst*) oder Versagensangst. Das Problem mit einem unangenehmen Gefühl, dem man das Recht gibt, sich einem in den Weg zu stellen, ist, dass eine eigentlich relativ einfach zu bewältigende Aufgabe sowohl in unserer Vorstellung und oft auch in Wirklichkeit immer größer wird, sobald sie einmal aufgeschoben wurde – bis sie auf derart bedrückende Art und Weise über uns hängt, dass es sich lohnt, sie aufzuschieben. Und während wir mit dem Aufschieben und der Vermeidung dieser unangenehmen Gefühle beschäftigt sind, ziehen ungezählte Möglichkeiten auf Glück und Erfolg – manchmal sogar ein ganzes Leben – an uns vorbei. Wir sollten lieber versuchen, dieses Gefühl eines nur zur Hälfte gelebten Lebens und das darauffolgende starke Bedauern vermeiden – nicht ein paar unangenehme Emotionen, die auf jeden Fall schnell wieder vorbei sind. Was Menschen, die zum Aufschieben neigen, deshalb brauchen, ist eine Lektion in den katastrophalen Konsequenzen, die das Wegrennen vor jedem unangenehmen Gefühl mit sich bringt. Und wer könnte uns eine solche Lektion besser erteilen als dieser sehr englische, zugeknöpfte Butler von Darlington Hall in Kazuo Ishiguros *Was vom Tage übrigblieb*.
Mr. Stevens ist ein Erzvermeider von Gefühlen – allen Gefühlen. So gesehen hat er den perfekten Job. Denn er glaubt, dass es die Fähigkeit ist, sein wahres Selbst zu unterdrücken

und zu jedem Zeitpunkt eine rein professionelle Fassade zur Schau zu stellen, die den wirklich guten Butler vom nur kompetenten Butler unterscheidet. Als Beispiel führt er den Butler an, der auch dann nicht in Panik gerät, als er unter dem Esstisch einen Tiger entdeckt. So verbringt er sein Leben damit, in Unerschütterlichkeit der bestmögliche Butler zu sein – sogar noch, als sich herausstellt, dass Lord Darlington, sein Herr, ein Nazisympathisant ist, und sein eigener Vater im Sterben liegt. Und so kommt es, dass Mr. Stevens, als sein Vater sich von ihm verabschieden möchte, nur daran denken kann, wie er möglichst schnell wieder die Treppe hinaufkommt, um den Portwein zu servieren. Und als die Haushälterin Miss Kenton leises Interesse an ihm zeigt, weist er sie aus der sicheren Festung seiner Butler-Rolle kühl und distanziert zurück.

Es gehen zwanzig Jahre ins Land, bis er merkt, was er verpasst hat. Weil er es nicht geschafft hat, auf die »Wendepunkte« in seiner Beziehung zu Miss Kenton dann zu reagieren, als sie im Raum standen – diese kostbaren Momente, in denen er mit dem Mut, sich verwundbar zu zeigen, vielleicht die Mauer hätte einreißen können, um sich seine Gefühle einzugestehen –, hat er ihnen beiden die Chance auf ein glückliches Eheleben verbaut. Stattdessen hat er gelebt, als hätte er noch »eine nicht enden wollende Anzahl von Tagen, Monaten, Jahren zur Verfügung, um die Verschlungenheiten [seiner] Beziehung zu Miss Kenton zu ergründen«. Jetzt ist es natürlich zu spät. Es bleiben ihm die traurigen Reste »seiner Zeit«. Sogar das unerschütterliche Herz von Mr. Stevens bricht, als ihm das klar wird.

Aufschieber und Vermeider: Ihnen steht keine unbegrenzte Zahl an Tagen zur Verfügung, um die Aufgaben zu erledigen, die Sie so eifrig umschiffen. Durch die ewige Aufschieberei geben Sie nur Ihren negativen Gefühlen Raum, in einem ansonsten tätigen und vorwärts fließenden Leben zu Hindernissen zu werden. Ob es Unbehagen ist oder Angst, die Sie überkommt, wenn Sie auch nur an die zu erledigenden Aufgaben denken: Strecken Sie die Hand aus und begrüßen Sie Ihre Gefühle eines nach dem anderen. Holen Sie sie herein, bitten Sie sie, sich zu setzen und es sich gemütlich zu machen. Und gehen Sie dann in ihrer Gesellschaft die Aufgabe an. Wenn Sie erst einmal angefangen haben, werden Sie feststellen, dass diese Gefühle nicht lange sitzen bleiben. Und wenn Sie kurz vor Beendigung der Aufgabe hochblicken, werden Sie deutlich erfreulichere emotionale Gefährten an ihrer Stelle sitzen sehen, die darauf warten, mit Ihnen zu feiern, sobald Sie fertig sind.

► *Angst, ein Buch zu beginnen*
► *Chance, verpasste*
► *Entschlusskraft, fehlende*

PUBERTÄT

Der Fänger im Roggen
J. D. Salinger

Die Froschkönigin
Lorrie Moore

Crazy
Benjamin Lebert

Die Hormone spielen verrückt. Haare sprießen an Stellen, die gerade noch glatt waren. Der Adamsapfel schwillt an und die Stimme bricht. Die Pickel wuchern geradezu. Der Busen wächst. Und Herz – und Lenden – entflammen beim leichtesten Reiz.

Zuerst einmal solltest du dir klarmachen, dass du mit diesem Problem nicht allein dastehst. Was auch immer du durchmachst, Holden Caulfield kennt es. Wenn du glaubst, dass alles »mies« ist, wenn du keinen Nerv hast, darüber zu reden, wenn deine Eltern »jeweils ungefähr zwei Blutstürze« hätten, wenn sie wüssten, was du gerade machst, wenn du schon mal von der Schule geflogen bist, wenn du denkst, dass alle Erwachsenen Heuchler sind, wenn du trinkst/rauchst/versuchst, ältere Jungs/Mädchen abzuschleppen, wenn deine angeblichen Freunde dich ständig sitzenlassen, wenn deine Lehrer dir vorwerfen, dass du dich hängenlässt, wenn du versuchst, dich mit deinem coolen Gang, deiner Sprache, deinem zur Schau getragenen Desinteresse an deiner Zukunft vor der Welt da draußen zu schützen, wenn die Einzige, die dich versteht, deine kleine Schwester Phoebe ist – wenn ein oder mehrere dieser Dinge auf dich zutreffen, dann wird *Der Fänger im Roggen* dich da durchbringen.

Solltest du nach dieser Lektüre den Gedanken zulassen, dass

du möglicherweise doch nicht der einzige Mensch auf der Welt bist, der durch diese Hölle geht, dann kannst du direkt weitermachen mit Benjamin Leberts *Crazy*: Ein halbes Jahrhundert später ist Benjamin Leberts Held Benjamin genauso verwirrt, verzweifelt und einsam wie J. D. Salingers Holden, aber er hat eine neue Waffe für den Überlebenskampf Pubertät, den Holden nicht hatte: Ironie. Lies selbst, wie er seine erste Nacht im Internat resümiert: »Das war alles ein wenig viel für mich heute: Anstatt zu schlafen, eine Feuerleiter hinaufzuklettern, zu saufen, was das Zeug hält, mal eben ein bisschen zu vögeln und nebenbei erwachsen zu werden. Das reicht für eine Nacht. Da würde jeder kotzen, glaube ich.«

Pubertät kann man nicht heilen (aber sie geht ja ohnehin von selbst vorbei. Bei den meisten zumindest), aber es gibt Mittel und Wege, das Beste daraus zu machen, z. B. tolle Partys, Freunde – und eine gesunde Portion ironische Distanz zu sich selbst.

Berie, die Erzählerin in Lorrie Moores *Froschkönigin*, kennt all die typischen Pubertäts-Gräuel. Sie ist eine Spätentwicklerin, die ihre Verlegenheit überspielt, indem sie sich über ihre »Spiegeleier« und »plattgewalzten Blechdosen« lustig macht. Sie und ihre beste Freundin Sils krümmen sich vor Lachen, als sie daran denken, dass Sils mal versucht hat, ihre Pickel wegzurasieren. Die beiden lachen viel zusammen, und sie tun es in heftigen, krampfartigen Anfällen, »bei denen zunächst kein Laut nach außen« dringt. Und sie singen – alles von Weihnachtsliedern über Fernsehmelodien bis zu Dionne Warwick. Und das ist gut so. Denn wenn wir mit vierzehn nicht laut und schief mit unseren Freunden singen, um uns im Herzen auf »etwas Großes, Überwältigendes« vorzubereiten, wann dann?

Die Pubertät muss nicht die Hölle auf Erden sein. Vergiss nicht, dass es deinen Freunden nicht anders geht als dir, und wenn ihr könnt, tut euch zusammen, um gemeinsam diese Schwelle zu meistern. Ob mit oder ohne Freunde, sieh zu, dass du all die dummen, verrückten Dinge machst, die man nur als Teenager macht. Und wenn du während der

Schulzeit keine Gelegenheit dazu hast, dann nimm dir anschließend eine Auszeit. (Aber vergiss nicht, die richtigen Bücher einzupacken, Vorschläge siehe unten.) Denn dann kannst du irgendwann auf diese wunderbare, berauschende, hormongesteuerte Zeit zurückblicken – und lachen.

▸ *Bett; Unfähigkeit es zu verlassen*
▸ *Internetsucht*
▸ *Reizbarkeit*
▸ *Risikobereitschaft*
▸ *Teenager sein*

DIE ZEHN BESTEN ROMANE FÜR EINE AUSZEIT NACH DER SCHULE

Kultbücher, die dich dein Leben lang begleiten werden. Mit einem davon in deinem Rucksack wirst du immer etwas haben, worüber du mit anderen reden kannst. Sie werden zur künftigen Messlatte – und nicht nur zur literarischen.

Der Meister und Margarita **Michail Bulgakow**
Das Hotel New Hampshire **John Irving**
On the Road **Jack Kerouac**
Blumen für Algernon **Daniel Keyes**
Faserland **Christian Kracht**
Hundert Jahre Einsamkeit **Gabriel García Márquez**
All die schönen Pferde **Cormac McCarthy**
Moby Dick **Herman Melville**
Der Wolkenatlas **David Mitchell**
Onno Viets und der Irre vom Kiez **Frank Schulz**

R

RACHEGELÜSTE

Sturmhöhe
Emily Brontë

Sich zu rächen ist immer eine schlechte Idee. Es setzt eine Kettenreaktion aus Rache und Gegenrache in Gang, die in ihrer Heftigkeit unausweichlich eskaliert und äußerst schwer zu stoppen ist.

So ein Dominoeffekt entfaltet sich in seiner ganzen, fürchterlichen Herrlichkeit auf den gequälten, windgepeitschten Hochmooren von Emily Brontës *Sturmhöhe*. Als Mr. Earnshaw, der Herr von Wuthering Heights, die Waise Heathcliff in sein Haus holt, nehmen ihm das seine eigenen Kinder, Hindley und Catherine, übel (▶ *Geschwisterrivalität*). Und als Mr. Earnshaw anfängt, Heathcliff den Vorzug vor Hindley zu geben (während sich Catherine und Heathcliff auf kindische Art verlieben), ist Hindley natürlich erst recht verstimmt und rächt sich an Heathcliff. Als Mr. Earnshaw das mitbekommt, rächt er sich wiederum an seinem Sohn, indem er ihn zum Studieren wegschickt. Kurz darauf rächt Mr. Earnshaw sich dann an allen zusammen, indem er stirbt. Hindley erbt Wuthering Heights und fängt sofort damit an, sich an Heathcliff zu rächen, indem er sich (mit seiner neuen Frau Frances) wieder auf Wuthering Heights niederlässt und Heathcliff zur Arbeit auf die Felder schickt. Frances stirbt bei der Geburt ihres Sohnes Hareton, und Hindley verkommt zum Spieler und Trinker, wobei er sich in seiner Trunkenheit sogar noch mehr an Heathcliff rächt. Ungefähr zur selben Zeit heiratet Cathy, obwohl sie Heathcliff liebt, Edgar Linton, der mit seiner Schwester Isabella auf der anderen Seite des Moores auf Thrushcross Grange wohnt, und Heatcliff rächt sich an Cathy, indem er wegläuft. Dann kommt er zurück und rächt sich an Hindley, indem er es so einfädelt, dass die Ausbildung von Hindleys Sohn Hareton nicht fortgesetzt wird, der Junge also ungebildet aufwächst. Außerdem leiht er Hindley Geld, damit Hindley noch mehr spielt und trinkt und schließlich stirbt. Heathcliff erbt Wuthering Heights und rächt sich dann an Cathy dafür, dass sie Edgar geheiratet hat, indem er Edgars Schwester Isabella heiratet, was bedeutet, dass er der Erbe von Thrushcross Grange wäre, sollte Edgar sterben. Isabella gegenüber verhält er sich abscheulich, als Rache an Edgar, weil Edgar Cathy geheiratet hat. Dann bekommt Cathy, die auf Thrushcross Grange lebt, eine Tochter namens Catherine und stirbt[1], und Heathcliff rennt über das Moor und wünscht sich, dass er sich nicht an Cathy gerächt hätte oder sie sich an ihm, und kurz darauf rächt sich Isabella an Heathcliff, indem sie nach London geht und dort einen Sohn bekommt, dem sie den Namen Linton[2] gibt. Dann geht es im Schnelldurchlauf dreizehn Jahre in die Zukunft, als Cathys Tochter Catherine das Moor von Thrushcross Grange nach Wuthering Heights überquert und auf Hareton trifft, den ungebildeten Sohn von Hindley und Frances. Dann stirbt Isabella[3], und Linton lebt bei Heathcliff auf Wuthering Heights. Heathcliff ist schrecklich zu ihm, höchstwahrscheinlich aus Rache an allen. Dann lernt Catherine Linton auf Wuthering Heights kennen und sie verlieben sich, obwohl sich herausstellt, dass Heathcliff Linton dazu überredet hat, Catherine zu verführen, denn wenn Linton und Catherine heiraten, erbt Linton sowohl Thrushcross Grange als auch Wuthering Heights und Heathcliffs Rache an Edgar Linton wäre perfekt. Irgendwann hält Heathcliff Catherine auf Wuthering Heights gefangen, so lange, bis sie einwilligt, Linton zu heiraten. Kurz darauf stirbt Catherines Vater Edgar Linton, genauso wie der junge Linton, viel-

1 Cathys Tod könnte man auch als Racheakt an Heathcliff deuten, dafür, dass er sich über die Heirat mit Isabella an ihr gerächt hat.

2 Interessanterweise stirbt Isabella nicht nach der Geburt. Was man wohl als ihre Rache an Heathcliff interpretieren könnte. Aber auch sie stirbt natürlich später noch.

3 Was haben wir gesagt?

leicht aus Rache an Heathcliff, weil der ihn gezwungen hat, Catherine zu heiraten. Deswegen erbt Heathcliff auch Thrushcross Grange und zwingt Catherine, zusammen mit ihm und Hareton[4] auf Wuthering Heights zu leben. Während Catherine und Hareton sich verlieben, rächt sich Cathys Geist immer mal wieder an Heathcliff, indem er ihn in den Wahnsinn treibt, und in einer sturmgepeitschten Nacht stirbt Heathcliff, vermutlich aus Rache an Cathy, aber auch aus Rache an sich selbst. Hareton und Catherine erben Wuthering Heights und Thrushcross Grange und beschließen zu heiraten, und die Leser rächen sich an Emily Brontë (deren Vorhaben es war, einen Roman über den Wahnsinn von Rache zu schreiben[5]), indem sie auf der gesamten Strecke des Buches für Heathcliff sind, wegen seiner überwältigend großen Liebe für Cathy und völlig ungeachtet der Tatsache, dass er, seitdem Hindley sich das erste Mal an ihm gerächt hat für etwas, das er nicht verschuldete, nur noch bösartig war und sich an schlichtweg allen gerächt hat.
Begreifen Sie jetzt? Tun Sie's nicht. Die Rache, die Sie zurückbekommen, wird schlimmer sein als die Rache, die Sie zuerst geübt haben – und sie könnte einen Rachekreislauf in Gang setzen, der Ihr ganzes Leben über andauert.

▸ *Mordgelüste*
▸ *Wut*

4 Wir sind unsicher, ob das ein Racheakt ist, und falls ja, gegen wen er sich richtet.

5 Das stimmt so eigentlich nicht. Aber egal: Bevor Sie sich an uns rächen, indem Sie Ihr Exemplar der *Romantherapie* aus dem Fenster werfen, weisen wir Sie lieber darauf hin, dass man allgemein davon ausgeht, dass Brontë mit ihrem Roman eigentlich eine Warnung gegen die allzu große Liebe verfassen wollte. Sollte das der Fall sein, spricht die Tatsache, dass die Leser für den ewigen Romantiker Heathcliff sind, aber immer noch dafür, dass Brontës Plan nach hinten losgegangen ist und dass die Behauptung, die Leser rächten sich mit ihrem Wohlwollen für Heathcliff an Brontë dafür, dass sie so gut über Liebe schreibt, immer noch ihre Berechtigung hat.

Die Odyssee
Homer

Der Drang, ständig unterwegs zu sein, ist gut und schlecht zugleich. Dauernde Veränderungen und neue Erfahrungen können uns zwar zu Einsichten und größerer Reife verhelfen, gleichzeitig aber schaden wir der Umwelt jedes Mal, wenn wir mit dem Flugzeug oder Auto unterwegs sind (▶ *Fernweh*), und laufen zudem Gefahr, ein Stein zu werden, der kein Moos ansetzt. Denn wie baut man sich ein Leben an vielen verschiedenen Orten auf? Man muss sich auf einen bestimmten Ort einlassen, wenn man Wurzeln schlagen (▶ *Bindungsangst*), Beziehungen düngen und zur Blüte kommen lassen will. Um also Ihr Jucken in den Füßen zu mildern oder gar ganz zu stillen, empfehlen wir deswegen jeden Morgen vor dem Frühstück ein Kapitel aus der *Odyssee*. Sie wird Ihren Kreislauf in Schwung bringen und Ihr Bedürfnis nach ständiger Bewegung befriedigen.

Odysseus selbst war unrettbar von Rastlosigkeit befallen. Als König von Ithaka hat er seine Heimat schon zehn Jahre bevor überhaupt die Handlung mit den Anfängen des Trojanischen Kriegs beginnt, verlassen. Er macht sich also auf den Weg zurück zu seiner Ehefrau Penelope und seinem kleinen, aber bedeutsamen Reich. Aber es wird ein weiteres Jahrzehnt vergehen, bevor er den Boden von Ithaka wieder unter den Sohlen seiner abgetragenen Sandalen spürt – und ehrlich gesagt kann man für seine ganzen Irrfahrten nicht nur die Götter verantwortlich machen. Die Verantwortung für seine vielen Umwege ist ihm auch selbst zuzuschreiben.

Zugegebenermaßen wird er einige Jahre von der Meernymphe Kalypso gefangen gehalten. Und auch der Zyklop Polyphem sperrt Odysseus für einige Zeit zusammen mit seinen Männern und Schafen in eine Höhle, bevor Odysseus seinen Kerkermeister listenreich blendet. Ständig ist er dem zornigen Poseidon auf Gedeih und Verderb ausgeliefert, der Stürme schickt, die ihn und seine Mannschaft auf die Insel der Circe spülen, wo sie alle zeitweilig in Schweine verwandelt werden. Nun: Es ist aber auch dämlich von Odysseus, Polyphem seinen Namen zuzurufen, was Poseidon überhaupt

erst dazu bringt, ihn zu verfolgen. Hätte er den Mund gehalten, hätte er sich, seiner Frau und seinen Untertanen einige turbulente Jahre erspart.
Schließlich kehrt er mit zwanzig Jahren Verspätung gerade noch rechtzeitig nach Hause zurück, um seine Frau vor einer erzwungenen Neuvermählung zu retten. Machen Sie nicht den gleichen Fehler und lassen Ihr Leben in Ihrer Abwesenheit an Ihnen vorbeiziehen. Wenn Sie diesen uralten Roman mit seinen abenteuerlichen Kapriolen zu Ende lesen, haben Sie bis an Ihr Lebensende stellvertretend genug Reisen unternommen. Und jetzt machen Sie mit Ihrem Leben da weiter, wo Sie sind.

► *Fernweh*
► *Glück, Suche nach dem*
► *Hinschmeißen wollen, alles*

RATIONALISMUS, ÜBERSTEIGERTER

Homo Faber
Max Frisch

Kennen Sie jemanden, der die Schönheit einer Blume über deren Symmetrieachsen erfassen will? Oder die Masse des Mondes berechnet, statt ihn zu bestaunen? Der Statistiken gegen Intuition ausspielt und jeden als Esoteriker abstempelt, der Shakespeare mit »Es gibt mehr Ding' im Himmel und auf Erden, als Eure Schulweisheit sich träumt« zitiert? Ein solcher Jemand würde wohl niemals unsere *Romantherapie* in die Hand nehmen, geschweige denn ein literarisches Werk. Helfen Sie ihm und jubeln Sie ihm Max Frischs *Homo Faber* unter.
Die Geschichte des Ingenieurs Walter Faber (»Ich mache mir nichts aus Romanen, so wenig wie aus Träumen«), den das Leben zwingt, zu erkennen, dass die Technik der Natur keineswegs überlegen ist und dass es zu allem Überfluss auch noch so etwas wie ein Unterbewusstsein gibt, ist heute so lesenswert wie 1957 (und wird es immer bleiben, auf Papier oder E-Reader – völlig egal). Es ist ein wahrer Zaubertrank gegen übersteigerte Ratio, ein Pamphlet für den Instinkt, das Gefühl, die Phantasie und die Poesie. Gut, Sie

müssen damit rechnen, dass der Patient zu Beginn der Therapie Symptome einer Erstverschlimmerung zeigt. Es könnte sein, dass er sich zum Beispiel einen solarbetriebenen Akku für sein Smartphone kauft, damit er, im Falle eines Flugzeugabsturzes, nicht ohne Technik in der Wüste sitzt wie Walter Faber. Aber seien Sie ganz ruhig. Niemand kann sich auf Dauer der Magie entziehen, mit der Max Frisch seine Motive führt: Faber ist getrieben von dem Wunsch, sich die Natur zu unterwerfen, greift wie unter Zwang zum Rasierapparat, um sich das Natürlich-Kreatürliche aus dem Gesicht zu rasieren, die Nähe von Sand ist ihm genauso unheimlich wie Sexualität und Fortpflanzung.
Ihr Rationalist wird sich in Faber wiederfinden, er wird sich verstanden fühlen, und schon ist der Boden bereitet für den Wandel in Form einer wunderbaren Bildungsreise durch das Alte Europa, die er gemeinsam mit Faber unternimmt: Er wird mit Walter Faber lernen, die Natur wahrzunehmen, Kunst zu genießen und Poesie zuzulassen, er wird tief darüber erschüttert sein, dass Walter Fabers Ratio bei der wichtigsten Frage seines Lebens fundamental versagt. Er wird das Buch geläutert zuschlagen, stirnrunzelnd seinen solarbetriebenen Akku betrachten und sich unsere *Romantherapie* auf den Nachttisch legen.

RAUCHEN; ES AUFGEBEN

Buntspecht
Tom Robbins

Zenos Gewissen
Italo Svevo

Heutzutage zu rauchen steht so oder so nicht wirklich zur Debatte – nachdem das Rauchen noch den letzten Rest Glamour eingebüßt hat, ist es jetzt einfach nur noch schlecht für Sie. Was das mit dem Aufhören aber auch nicht einfacher macht. Wenn man auf einen schnellen Energieschub aus ist, kann ein gutes Buch so effektiv sein wie ein Nikotinpflaster. Aber versuchen Sie bloß nicht, ohne die Hilfe der folgenden beiden Romane mit den Kippen Schluss zu machen. Der erste erlaubt Ihnen, im Kosmos des Rauchens zu schwelgen, ohne dabei selbst zu inhalieren. Der zweite begleitet Sie durch die Qualen des Aufhörens und die Verlockungen des Wieder-

anfangens und kippt eine Ladung Spott über dem scheiternden Nichtraucher aus, der Ihren Ehrgeiz anstacheln wird.
In dem Moment, in dem Sie sich *Buntspecht* in die Tasche stecken, erleben Sie mit fast 100-prozentiger Sicherheit einen Kick – wie wenn Sie sich ein Päckchen Camel hineinschieben. Die verlegerische Berechtigung für diesen schamlosen Markenklau ist, dass die Heldin, die rothaarige Prinzessin Leigh-Cheri, unzählige Stunden über diesen ikonischen Pyramiden und Palmen auf einer Camel-Schachtel meditiert, während ihr gesetzloser Freund Bernard Mickey »Buntspecht« Wrangle im Gefängnis sitzt und genau wie sie außer einem Päckchen Camel keine Gesellschaft hat. Als sie spürt, dass dieses geteilte Symbol eine geistige Verbindung zwischen ihr und Mickey herstellt, beschließt sie, dass sie die Zigaretten nicht rauchen kann, denn ihre Fantasiewelt würde zerstört, wenn sie das Päckchen öffnete. Was sie aber dann schon tut, ist, mit Beduinen und Scheichs, die sie in der Wüste trifft, auf Reisen zu gehen, und zwar auf einem Kamelrücken. Im Zuge ihrer Meditation lernt der Leser faszinierende Dinge über Pyramiden, Rothaarige und den Sinn und Zweck des Mondes und darf über die angeborene Weisheit unbeseelter Dinge nachdenken.
Gegen Ende des Romans sind Leigh-Cheri und Buntspecht Wrangle in einer echten Neubau-Pyramide gefangen und glauben, auf ewig begraben zu sein, mit nichts zu essen außer Hochzeitstorte und Champagner. Sie machen sich Mickeys Erfahrenheit mit Schießpulver zunutze und landen in einer gemeinsamen Halluzination, in der sie in ein weiteres Päckchen mit Camel-Zigaretten fallen. Das alles macht so viel mehr Spaß als tatsächlich eine Zigarette zu rauchen, dass Sie sehr froh sein werden, dass es nur das Buch ist, das Ihnen die Gesäßtasche ausbeult.
Und damit die Zigarettenpackung auf keinen Fall den Weg zurück in Ihre Hosentasche findet, inhalieren Sie nach *Der Buntspecht* tief Italo Svevos *Zenos Gewissen*. Für diesen Roman haben alle Leser und zukünftigen Nichtraucher James Joyce zu danken. Nach zwei erfolglosen Romanen hatte Svevo das Schreiben schon aufgegeben, bis er Joyce traf, der ihn

ermunterte. Zum Glück! Denn *Zenos Gewissen* ist ein grandioser Roman, mit einer wundervoll ambivalenten Hauptfigur, tragikomisch, ironisch. Und eine wunderbare *Endlich-Nichtraucher*-Lektüre. Gleich im ersten Kapitel erzählt Zeno Cosini von seinen Versuchen, das Rauchen aufzugeben. Die Versuche sind redlich, aber die Zigarette ist stärker. Sie werden sich glänzend amüsieren über Zenos Versuche, sich diesen Umstand schön zu reden und immer neue Begründungen zu finden, warum es doch eine gute Idee sein könnte, eine Zigarette zu rauchen. So etwa nach dreißigminütiger Abstinenz: »Ich war also völlig geheilt, aber unheilbar lächerlich!« Sie werden sich verstanden fühlen, und Sie werden mehr wollen von Zenos Erzählungen. Und über die Freude an seiner grotesken Schilderung seiner Vaterbeziehung, seiner Brautschau, seiner Ehe, seiner Affäre und seiner geschäftlichen Aktivitäten (ja, das Rauchen hat einen gleichberechtigten Platz in diesem Reigen männlicher Lebensthemen!) werden Sie möglicherweise vergessen, zur Zigarette zu greifen (wenn Sie es sich einfacher machen wollen, lesen Sie einfach in einem Café oder machen eine Reise in Svevos Heimatstadt Triest, wo eigentlich gar nicht mehr geraucht werden darf).

► *Angst*
► *Hunger*
► *Reizbarkeit*
► *Übellaunigkeit*

REIZBARKEIT

Das Feuerschiff von Blackwater
Colm Tóibín

Wenn jemand gereizt ist, kann man sich sicher sein, dass das nur die Spitze des Eisbergs ist und unter der Oberfläche ein anderes, unausgesprochenes Gefühl lauert. Reizbarkeit ist oft ein Zeichen dafür, dass Probleme verdrängt werden (► *Harmoniebedürfnis, übermäßiges*). Wenn man sich ihnen nicht stellt, kann das verbale Schnappen zu einer reflexartigen Gewohnheit werden, die man selbst oft kaum noch wahrnimmt.

Hinter der harmlosen Fassade von Hugh, dem Ehemann der Erzählerin Helen im *Feuerschiff von Blackwater*, lauern keinerlei unausgesprochene Gefühle. Er ist »unkompliziert«, »verlässlich«, »bescheiden« und »ohne Geheimnisse, ohne etwas Unausgesprochenes«. Helen dagegen ist »rastlos und argwöhnisch« – ein wahres Eisgebirge, das sie selbst nur zur Hälfte begreift. Colm Tóibín seziert in diesem Buch die Verbitterung und die Verletzungen, die sich in das Verhältnis von drei Generationen – Großmutter Mrs. Devereux, Mutter Lily und Tochter Helen – geschlichen haben, seit der Vater von Helen und Declan vor vielen Jahren gestorben ist.
Als Helen erfährt, dass ihr Bruder Declan an Aids sterben wird, muss sie diese Nachricht ihrer Mutter Lily beibringen – der Mutter, mit der beide Geschwister zerstritten sind, die Helen sieben Jahre zuvor nicht zu ihrer Hochzeit eingeladen und die Helens Ehemann und die beiden Söhne noch nicht einmal kennengelernt hat. Und als die Geschwister beschließen, Declan ins Haus der Großmutter nach Blackwater zu bringen – wo Helen und Declan schon hinfuhren, als ihr Vater krank wurde, der dann aber mit der Mutter »für Tests« nach Dublin entschwand und nie zurückkehrte –, wird Helen in eine Welt zurückgeworfen, die sie hoffte nie wieder betreten zu müssen.
Lily und Helen gehen sich schon an die Gurgel, bevor sie überhaupt ankommen – denn Lily ist entsetzt, dass Helen bereits seit Jahren wusste, dass Declan schwul ist, es ihr aber nie gesagt hat. Sobald dann erst mal alle in dem kleinen Haus mit seinem unbehaglichen Bettzeug und seiner Stickigkeit versammelt sind, fliegen die geharnischten Kommentare nur noch so durch die Luft. »Ich weiß wirklich nicht, wie er es mit dir aushält«, sagt Lily über Helens Mann Hugh – den sie, wir erinnern uns, noch nie getroffen hat. Helen hält sich schadlos, indem sie ungeniert das Thema wechselt, sobald Lily auch nur eine Frage stellt. Mrs. Devereux, die Großmutter, ist keinen Deut besser, beleidigt alle und rechtfertigt ihr Verhalten mit der Narrenfreiheit, die ihr Alter ihr erlaube.
Und so liegt Declan, der als Einziger nicht mit in all ihre

Streitigkeiten hineingezogen wird, in ihrer Mitte, während der Scheinwerfer des Leuchtturms in regelmäßigen Abständen über das Haus streicht – das in ähnlich aufgewühlter See liegt. Glücklicherweise sind noch zwei treue Freunde von Declan anwesend – der mitteilungsbedürftige Larry und der coole, direkte Paul, die die Frauen nacheinander zur Seite nehmen und sie dazu drängen, mit ihren wahren Empfindungen nicht länger hinterm Berg zu halten. Und bald liegen die Eisberge frei.
Am Ende der Geschichte verstehen Helen, ihre Mutter und ihre Großmutter den Groll der jeweils anderen deutlich besser. Warten Sie gar nicht erst, bis eine Krise den wahren Anlass Ihrer Reizbarkeit zwangsläufig an den Tag bringt. Sollten Sie häufig gereizt sein, laden Sie einfach zwei redselige Freunde ein und reden Sie so lange, bis Ihre Eisberge aus dem Wasser auftauchen.

▶ *Nörgeln, Hang zum*
▶ *Übellaunigkeit*
▶ *Unzufriedenheit*
▶ *Wut*

RISIKOBEREITSCHAFT

Atem
Tim Winton

Aufzeichnungen aus dem Kellerloch
Fjodor Dostojewski

Sollten Sie draufgängerisch veranlagt sein und dazu neigen, Ihre Liebsten und Nächsten in Angstzustände zu versetzen, weil Sie mal wieder mit Yaks abseits der Piste durch den Tiefschnee fahren, in einer Zorbing-Kugel wacklige Seilbrücken überqueren oder zum Wildwasser-Rafting in Kriegsgebiete fahren müssen, sollten Sie diesem Hang mit waghalsiger, aber letzten Endes doch vernünftiger Literatur einen kleinen Riegel vorschieben.
Fangen Sie mit *Atem* von Tim Winton an. Als Geschichte über den Drang heranwachsender Jungs, an ihre Grenzen zu gehen, nimmt dieser Roman die Freundschaft zwischen zwei jungen Männern in den Blick. Bruce Pike (Pikelet) hält Rückschau auf seine Jugendjahre. Damals ging er mit Loonie im örtlichen Fluss tauchen, wetteifernd, wer am längsten un-

ten bleiben konnte, und die Panik genießend, die dieser Wettstreit bei allen Zuschauern auslöste. Eines Tages begegnen die beiden Sando, einem älteren Mann, der vom Surfen geradezu besessen ist. »Wie merkwürdig war es doch, Männer etwas Schönes tun zu sehen«, sinniert Pikelet, der von der Anmut der Surfer deswegen so fasziniert ist, weil sie die direkte Antithese zu seinem Vater darstellt, der als Fischer nicht schwimmen kann. Die Jungs fangen auch an zu surfen, und Sando stachelt sie zu immer wagemutigeren Kunststückchen an. »[I]rgendwann surften wir, wie um den Tod herauszufordern –, aber für mich war da immer noch dieses ungehörige Gefühl, etwas Anmutiges zu tun, als wäre das Tanzen auf dem Wasser das Beste und Tapferste, was ein Mann vollbringen konnte.«

Dann schiebt sich Pikelet auf seinem Brett in eine fürchterlich reißende Brandung, und es ist keiner da, um ihn im Falle des Falles zu retten. Er weiß, er ist noch nicht bereit dafür, ist aber gegen seinen inneren Drang machtlos. Nachdem er seine Seetaufe überlebt hat, freundet er sich mit Sandos Frau an. Selbst eine ehemalige Surferin mit einer bleibenden Verletzung, spielt sie ihr eigenes gefährliches Spiel mit ihm und liebäugelt als Ersatz für den Kick der Wellen mit anderen gefährlichen Aktivitäten. Es ist ein Roman, der stellvertretend Ihren Wunsch erfüllen wird, an Ihre Grenzen zu gehen. Gespickt mit mehreren Nahtoderfahrungen, soll er Ihnen eine Warnung sein vor dem, was passiert, wenn Sie zu weit gehen.

Lesen Sie als klares Gegenstück zu dieser australischen Outdoor-Fabel über eine leichtsinnige Jugend Fjodor Dostojewskis *Aufzeichnungen aus dem Kellerloch*, ein Amalgam aus Tragödie und Satire, das einem aufzeigt, was passiert, wenn ein Mensch seinen existenziellen Antrieb radikal verleugnet. In diesem zwar nicht besonders langen, dafür aber für die Weltliteratur umso folgenreicheren Roman (er trägt die Keime für *Schuld und Sühne* und *Der Spieler* in sich) versetzt sich Dostojewski in den sich auflösenden Verstand eines Mannes, der freiwillig beschlossen hat, überhaupt gar nichts mehr mit seinem Leben anzufangen.

Der namenlose Erzähler blickt aus seinem gegenwärtigen Leben als verbitterter, die Menschen hassender Mann über vierzig auf sein früheres Ich zurück, als die Begegnung mit einer Prostituierten namens Lisa alles hätte ändern können. Aber er ist jemand, der lieber nachdenkt, anstatt zu leben, und entsprechend folgerichtig »nichts tut« (▶ *Prokrastination*). Er hat stets er ein überzeugendes Argument zur Hand für die Sinnlosigkeit, überhaupt zu handeln – man denke an die Risiken! Wir wollen Ihnen nicht nahelegen, seinem Beispiel zu folgen und ein aktives Leben vollständig zurückzuweisen; aber vielleicht können Sie ja zu einem Punkt auf halber Strecke zwischen Ihren wagemutigen Tendenzen und der kompletten Reglosigkeit kommen. Es gibt einen Mittelweg zwischen Winton und Dostojewski, und mit diesen beiden Extremen bewaffnet können Sie ihn angstfrei gehen.

▶ *Achtlosigkeit*
▶ *Egoismus*
▶ *Optimismus*
▶ *Selbstbewusstsein, übermäßiges*
▶ *Spielsucht*

ROMANTISCH SEIN, HOFFNUNGSLOS

The Go-Between
L. P. Hartley

Verstreuen Sie jeden Abend im Bett Rosenblätter, erwarten Sie von Ihren Verehrer(inne)n, mit Schokolade bewaffnet zu Ihrem Balkon hochzuklettern, und legen Ihrem/Ihrer Partner(in) Liebesbriefchen in den Kühlschrank? Würden Sie Tausende Kilometer weit reisen, um die erste Walderdbeere des Jahres zu pflücken und Sie Ihrem/Ihrer Geliebten zum Frühstück zu reichen? Und erwarten Sie, dass er/sie dasselbe für Sie tut?

Sollte die Antwort auch nur auf eine dieser Fragen Ja sein, dann sind Sie in der Tat hoffnungslos romantisch. Wir spenden Ihnen in gleichem Maße Beifall, wie wir Sie bedauern. Auch wenn wir hoffnungslose Romantiker sehr schätzen, haben wir doch Angst um Ihr Herz und hoffen, dass es nicht allzu häufig gebrochen wird (▶ *Herz, gebrochenes*). Als erste Schutzmaßnahme gegen den unausweichlichen Herzschmerz legen wir Ihnen mit Nachdruck nahe, sich *The Go-Between* zuzuwenden. Alljährlich zu Beginn des Frühlings gelesen (wenn die Wahrscheinlichkeit einer Romanze mit der Temperatur steigt), wird dieses Buch Sie vor dem final gebrochenen Herzen schützen, indem es schon mal ein bisschen vorzerschmettert und so die vollumfängliche Zerschlagung bei Ihnen später verhindert.

Im Prolog treffen wir auf Leo Colston als alten Mann, der über ein Tagebuch stolpert, das er als Zwölfjähriger im Jahr 1900 geschrieben hat. Das kleine Büchlein schürt in Leo das schreckliche Gefühl, dass er sein Leben vertan hat, denn ein ganz bestimmtes Ereignis, an das das Tagebuch ihn wieder erinnert, hat seine Fähigkeit, eine glückliche Beziehung zu führen, ein für alle Mal zunichtegemacht. Das kam so: Das Einzelkind Leo wird von seinem Schulfreund Marcus Maudsley eingeladen, die Sommerferien bei ihm zu verbringen. Als er in Brandham Hall eintrifft, ist er für die aristokratische Gesellschaft, in der er sich wiederfindet, nicht richtig ausgestattet, seine Kleider sind zu warm, zu eng und kneifen. Aber langsam gewöhnt er sich mit der Hilfe seiner Gastgeber, die ihm einen leichten Anzug kaufen, an die neue Umgebung. Nach und nach wird er als Überbringer geheimer Nachrichten in die Affäre von Marcus' älterer Schwester Marian und dem ortsansässigen Bauern Ted Burgess hineingezogen. Dem unbedarften Leo ist völlig unklar, was für gesellschaftliche Konsequenzen diese Affäre haben wird – bis er sich schon viel zu tief in das Netz verstrickt hat. Die tödliche Schwarze Tollkirsche, die am Holzschuppen wächst und ihn gleichermaßen fasziniert wie abstößt, ist ein Symbol für die im Dunkeln lauernden Geheimnisse auf dem Grund dieses Romans, die ihren ahnungslosen Gefolgsmann in einen magischen, vergifteten Bann schlagen.

Aus dem Prolog wissen wir, dass die stickigen Ereignisse jenes Sommers Leo zumindest teilweise zerstören werden. Aber ganz am Ende stellen wir fest, dass er tief in seinem Herzen immer noch ein hoffnungsloser Romantiker ist. Statt sein Leben lang verstört die Finger von der Romantik zu lassen, idealisiert und ehrt er das romantische Ideal immer noch, behandelt die Figuren seiner Geschichte wie die Götter der Tierkreiszeichen und sich selbst wie Merkur, den Götterboten. Deswegen ist sein Leben nicht so ganz aufgegangen. Er ist wie ein Auto mit einem Riss in der Windschutzscheibe – immer noch fahrtüchtig, doch der Fahrer sieht nicht, wohin er fährt. Machen Sie nicht denselben Fehler. Begraben Sie Ihre romantischen Ideale – zusammen mit Ihren Tagebüchern. Nehmen Sie sich der Scheibe mit einem Hammer an und fahren Sie weiter.

RÜCKGRATLOSIGKEIT

▸ *Feigheit*
▸ *Selbstgefälligkeit*

RUHELOSIGKEIT

▸ *Angst*
▸ *Fernweh*
▸ *Hinschmeißen wollen, alles*
▸ *Klaustrophobie*
▸ *Rastlosigkeit*

S

SACKGASSE, BIOGRAPHISCHE

Grenzgang
Stephan Thome

»Ach«, sagte die Maus, »die Welt wird enger mit jedem Tag. Zuerst war sie so breit, daß ich Angst hatte, ich lief weiter und war glücklich, daß ich endlich rechts und links in der Ferne Mauern sah, aber diese langen Mauern eilen so schnell aufeinander zu, daß ich schon im letzten Zimmer bin, und dort im Winkel steht die Falle, in die ich laufe.« – »Du mußt nur die Laufrichtung ändern«, sagte die Katze und fraß sie.

(Franz Kafka, *Kleine Fabel*)

Sitzen Sie auch vor der Falle? Dann sollten Sie mit Stephan Thome einen Grenzgang unternehmen.
Nur alle sieben Jahre wird in Bergenstadt ausgelassen gefeiert: beim »Grenzgang«, einem dreitägigen Volksfest. Stephan Thome beschreibt drei Grenzgänge (1992, 1999, 2006) und findet so den perfekten Zugriff, um aus dem Stoff von Kafkas *Kleiner Fabel* einen Roman zu gestalten: Groß waren die Erwartungen, weit und verheißungsvoll die Zukunft, als Kerstin Werner beim Grenzgang ihren Mann kennenlernte. Jahre darauf ist sie geschieden, pflegt ihre alzheimerkranke Mutter (siehe übrigens ▸ *Alzheimer*), schlägt sich mit ihrem pubertierenden Sohn herum und ihre Träume sind in sich zusammengefallen. Thomas Weidmann ist als Akademiker gescheitert und in seinem Geburtsort Gymnasiallehrer geworden. Täglich ist er mit den Ambitionen seiner Schützlinge konfrontiert und entkommt nie der Erinnerung an seine eigenen.
Stephan Thomes Prosa leuchtet das Innere dieser beiden Ent-

täuschten wie mit einem Xenon-Scheinwerfer aus. Hass, Wut und alles schwärzender Sarkasmus werfen lange, dunkle Schatten. Die Grenzgangfeste sind ein zunehmend schwächer werdendes Aufbegehren gegen das allmähliche Scheitern, das Näherrücken von Kafkas Mauern.

Diese Lektüre bietet Ihnen Trost oder Aufrüttelung – je nachdem, was für ein Mensch Sie sind. Trost bietet sie dem, der sich eigentlich doch ganz wohl fühlt zwischen den Mauern seiner eigenen Biographie, er kann sich nach der Lektüre entspannt zurücklehnen und »ganz so schlimm ist es bei mir nicht« denken. Aufrüttelung erfährt derjenige, der die Mauern überwinden will, der Gauloises wegen ihres Werbeslogans raucht (»Liberté toujours«), und der die Kraft oder den Eigensinn hat, eingefahrene Strukturen zu überwinden und Dinge oder Menschen, die längst ihre Relevanz für ihn verloren haben, hinter sich zu lassen. Er wird Thome mit einem großen Provinzekel und massiver Mauerphobie zuklappen und endlich die Weltreise buchen oder sich in die Online-Stellenbörse des Auswärtigen Amtes einloggen.

► *Fernweh*
► *Midlife-Crisis*

SCHADENFREUDE

Der Glückliche
Hansjörg Schertenleib

Schadenfreude ist ein erlesenes Wort, das die Engländer derart bewundern, dass sie es von uns ausgeborgt haben. Aber Schadenfreude selbst ist schon nicht mehr so schön. Sollten Sie sich der Schadenfreude schuldig gemacht haben, dann sind Sie nicht nur blind für die Leiden anderer (► *Empathie, Mangel an*), sondern empfinden sogar noch großes Vergnügen daran, sie leiden zu sehen. Kurz gesagt: Sie sind jemand, den wir hoffentlich nie kennenlernen müssen. Reißen Sie Ihre Schadenfreude mit der Wurzel heraus, wie eine Warze. Wenn Sie *Der Glückliche* lesen, jeden Tag ein kleines Stückchen, werden Sie lernen, sich stattdessen über die Freude anderer zu freuen, und sich nach Gelegenheiten umsehen, Anlässe für diese Freude zu stiften, wann immer es in Ihrer Macht steht.[1]

Der Glückliche ist ein Roman über einen Mann, der wirklich und wahrhaft glücklich ist, und das aus gutem Grund. Er spielt Trompete in einer Jazzband, ist mit einer Töpferin verheiratet und hat eine Tochter, die mit ihren vierzehn Jahren kompliziert, aber liebevoll ist. Die Geschichte spielt während einiger weniger Tage in Amsterdam, wo This Stude mit einer Band auftritt, deren Mitglieder er kennt, seit er zwanzig ist. Die Beschreibung von This' einfach gestrickter Beziehung zu seinem besten Freund Henk wirft den ein oder anderen Blick zurück auf das bisherige Leben des glücklichen Mannes – auf die Zeit, als er und Henk Gitarre spielend und Mätzchen machend Pendler in einem glühend heißen Zug unterhielten. Er ist sich seines Glücks bewusst, was ihn zu einem »*geluksvogel*«, einem Glückskind macht. Und er weiß, wie er mit diesen Früchten eines glücklichen Schicksals umzugehen hat: Er und seine Frau bringen sich immer noch gegenseitig zum Lachen. »Mit wem habe ich heute das Vergnügen?«, fragt sie ihn jeden Morgen neckisch. »Heute heiß ich Sacharin Sacharus!«, ruft er. Er hat immer noch Verlangen nach ihr und liebt den Kokosnussgeruch ihrer Haut.

Wenn Sie jetzt auf das große »Aber« warten: Es gibt keins, zumindest nicht für This. Ein derart ungetrübtes Glück in einem literarischen Leben ist selten. Es ist nicht so, schreibt Schertenleib, dass wir uns über das Unglück eines anderen freuen, »aber wir brauchen es, um unser eigenes zu tragen«. Aber kann eine Geschichte mit Happy End eine gute Geschichte sein? Schertenleib beweist es. Wie This sein eigenes Glück genießt, macht umgehend gute Laune und wird noch den allerhämischsten Schadenfreudigen in seine Schranken weisen.

Sinnieren Sie mit dieser Erzählung über das Glück. Bringen

1 Sollte unsere Therapie nicht anschlagen, kleben Sie sich Klebeband auf den Mund. (Klebeband, auf die betroffene Stelle am Fuß geklebt, ist übrigens auch ein ganz gutes Mittel gegen Warzen.)

Sie sich bei, es zu feiern, wenn Sie es bei anderen entdecken. Werden Sie zum Weltmeister des glücklichen Lebens – in der Kunst und in der Wirklichkeit.

▶ *Menschenhass*

SCHAM

Gute Geister
Kathryn Stockett

Scham ist ein tiefsitzendes, primitives Gefühl – und eines der ersten, die sich in unschuldigen Herzen breitmachen. Die Beschämten spüren das unwillkürliche Verlangen, davonzulaufen und sich zu verstecken, in den Untiefen des Wäschekorbs oder in einem dunklen Schrank, wo niemand sie findet. Denn es ist hart, sich der Welt zu stellen, wenn man sich schämt. Nehmen Sie unser Heilmittel mit in den Schrank, und wenn Sie wieder herauskommen, werden Sie bereit sein, die Suppe auszulöffeln, die Sie sich eingebrockt haben.

Gute Geister spielt in Jackson, Mississippi, zu Beginn der Bürgerrechtsbewegung. Der Roman schildert, wie mehr und mehr afroamerikanische Dienstmädchen, deren billige Arbeitskraft in vielen weißen Familien über Generationen hinweg missbraucht und ausgebeutet wurde, auf damals beispiellose Weise ihre Stimme erheben – und wie es ihnen gelingt, die weiße Welt aus deren Traum einer ewigen ›schwarzen Knechtschaft‹ herauszureißen.

Ins Rollen gebracht wird die ganze Sache von der jungen und ehrgeizigen – und weißen – Eugenia Phelan. Eugenia, genannt ›Skeeter‹, ist fest entschlossen, Schriftstellerin zu werden, aber sie weiß nicht recht, worüber sie schreiben soll. »Schreiben Sie über das, was Sie aufregt, vor allem, wenn es sonst niemanden beschäftigt«, rät ihr Elaine Stein, die Lektorin, die ihr Buch am Ende herausbringen wird. Ein genialer Rat, zumal in der dreiundzwanzigjährigen Skeeter just in dieser Zeit ganz zaghaft ein unbehagliches Gefühl aufflackert, wenn sie an all die schwarzen Dienstmädchen denkt, die sie selbst und ihre Freunde im Laufe der Jahre großgezogen haben. Die Geschichten dieser Frauen, zum ersten Mal und in ihrer eigenen Sprache erzählt, würden wohl erstklassiges Material für ein Buch hergeben. Doch als Skeeter versucht, jemanden zu finden, der bereit ist, ihr seine Erlebnisse zu schildern, begegnen die Dienstmädchen ihr mit Angst und Misstrauen. Wer würde sie noch einstellen, wenn sie die Wahrheit über ihre Arbeitgeber erzählen?

Am Ende werden Skeeters Erwartungen sogar noch übertroffen. Aibileen, die siebzehn weiße Kinder großgezogen und ihren eigenen Sohn bei einem Unfall verloren hat, und Minny, die das Herz auf der Zunge trägt, was sie schon manche Anstellung gekostet hat, sind mutig genug, den Stein ins Rollen zu bringen. Und so öffnet Skeeter die Büchse der Pandora und bringt das empfindliche Gleichgewicht einer Gesellschaft ins Wanken, die sich auf skandalöse Ungerechtigkeit und Rassismus gründet.

Wir heißen Rache nicht grundsätzlich gut (▸ *Rachegelüste*), aber wenn die Schuldigen sich für Ihre Vergehen nicht einmal schämen, ist ein ›Wie du mir, so ich dir‹ gerechtfertigt. Die völlig gerechte Strafe, die Hilly Holbrook zuteilwird, die Verfechterin getrennter Toiletten für Schwarze und Weiße, ist perfekt. Und wenn Minny ihrer Arbeitgeberin Hilly ihr angemessenes Dessert serviert, bekommt diese etwas weitaus Schlimmeres zu kauen als eine einfache Pastete. Von so viel Mut und Tapferkeit bestärkt, sollten Sie sich aus dem Schrank wieder heraustrauen. Entschuldigen Sie sich für das, wofür Sie sich schämen. Was auch immer Sie getan haben, überlassen Sie es nicht anderen, das, was Sie beschämt, an Ihrer Stelle zu offenbaren.

▸ *Scham, lektürebezogene*
▸ *Schuldgefühle*

Therapie: Das Buchcover verstecken

Sie wurden auf frischer Tat dabei ertappt, beim Warten auf Ihr Kind am Schultor *Shades of Grey* zu lesen? Sie scheuen sich davor, während Ihrer Nachtschicht über *Zwei an einem Tag* zu schluchzen? Es ist Ihnen peinlich, beim Friseur unterm Haartrockner Proust herauszuziehen? Und was wäre, wenn Ihre Schüler Sie, ihre emanzipierte Deutschlehrerin, im Bus entdeckten, vertieft in *Bis(s) zum Morgengrauen*? Wechseln Sie ins digitale Fach. Diskretion ist das Geschenk des E-Readers. Entweder das – oder Sie häkeln sich einen Buchumschlag. Es geht niemanden etwas an, welches Buch Ihren Mund sich sanft öffnen und Ihre Augen glänzen lässt. Ihre Romane sind zu Ihrem Vergnügen da – und zwar zu Ihrem Privatvergnügen.

SCHEIDUNG

Das doppelte Lottchen
Erich Kästner

Trennungen sind schlimm, Trennungen mit Kindern sind furchtbar. Und natürlich bringt kein Roman der Welt Sie beide wieder zusammen. Unsere Romanempfehlung ist als Trostpflaster gedacht, das Ihnen erlaubt, zu lächeln und von geheilten Wunden zu träumen, ohne Sie mit trivialem Herz-Schmerz zu beleidigen.

Das doppelte Lottchen war zunächst eine Filmidee, erst im zweiten Schritt hat Erich Kästner den Stoff zu einem Roman verarbeitet. Der Plot von den getrennten Zwillingen, die sich im Ferienlager kennenlernen und die Rollen tauschen ist so einfach wie genial: Wir dürfen uns über den Eifer der Zwillinge freuen, wenn sie einander bis ins kleinste Detail für das getauschte Leben coachen, wir dürfen lachen, wenn es der wilden Luise mit Lottes braven Zöpfen nicht gelingt, die einfachsten Gerichte zu kochen, und wir dürfen Tränen verdrücken, als Lotte vor Kummer über die Neuverlobung ihres Vaters krank wird.

Das authentische und für ein Buch von 1945 erstaunlich moderne Setting (es gibt eine alleinerziehende, berufstätige Mutter!) bekommt einen romantisch-märchenhaften Anstrich, als es den Kindern gelingt, die Verfehlungen ihrer Eltern auszubügeln und ein Happy End herbeizuführen. Die Szene, in der Luise und Lotte heimlich die Versöhnung ihrer Eltern beobachten, geht ohne Umweg direkt ins Herz. Lesen Sie und gestatten Sie sich die Fantasie einer heilen Welt, in der es möglich ist, zerschlagenes Porzellan so zusammenzufügen, dass keine Risse bleiben.

Neben dem wohlig-warmen Bauchgefühl erteilt *Das doppelte Lottchen* zerstrittenen Eltern aber auch eine konkrete Lektion: Was auch geschieht, Zwillinge trennt man nicht!

► *Alleinerziehend sein*
► *Herz, gebrochenes*
► *Schlussmachen*
► *Vaterschaft*
► *Zurückweisung*

SCHLAF, ZU VIEL

► *Arbeitslosigkeit*
► *Bett; Unfähigkeit, es zu verlassen*
► *Chance, verpasste*
► *Depression, psychische*
► *Ehrgeiz, zu wenig*
► *Lethargie*
► *Pubertät*

SCHLAF, ZU WENIG

► *Alpträume*
► *Arbeitssucht*
► *Depression, psychische*
► *Erschöpfung*
► *Schlaflosigkeit*
► *Schnarchen*
► *Schwangerschaft*
► *Sex, zu viel*
► *Stress*
► *Zeit, zu wenig*

SCHLAFLOSIGKEIT

Das Buch der Unruhe des Hilfsbuchhalters Bernardo Soares
Fernando Pessoa

Jeder leidet gelegentlich darunter. Aber wenn man jede Nacht davon betroffen ist, kann das verheerende Folgen haben für die Beziehung, die Karriere und die Fähigkeit, durch den Tag zu kommen. Sollten Sie es mit dieser Sorte Schlaflosigkeit zu tun haben, fühlen Sie sich wahrscheinlich in einem Teufelskreis gefangen: Schließlich hält Sie nichts mehr vom Einschlafen ab als die Angst, dass Sie vielleicht nicht einschlafen können.

Schlaflose halten sich oft ans Lesen, um diese einsamen frühen Morgenstunden hinter sich zu bringen. Wir stimmen voll und ganz zu, dass man mit dieser ansonsten verlorenen Zeit nichts Besseres anstellen kann – allerdings nur, wenn

Sie beim Seitenumblättern niemand anderen stören. Und: Es muss der richtige Roman sein.[1]

Der beste Roman, nach dem man in ruhelosen Stunden greifen kann, ist *Das Buch der Unruhe* – ein Roman ohne eine Geschichte, der einen zwar nicht direkt einschläfert (obwohl auch das passieren kann; dazu kommen wir noch), der einem aber das Verharren in diesem schweren Stadium des Vorschlafs erlaubt, das man vollständig durchleben muss, bevor man Zutritt zum Reich des wahren Schlummers bekommt. *Das Buch der Unruhe* ist das Tagebuch von Soares, Hilfsbuchhalter bei Vasquez & Co auf der Rua dos Douradores – eine Arbeit, die ungefähr so fordernd ist wie ein Nachmittagsschläfchen. So sehr Soares an der Eintönigkeit seines Lebens auch verzweifelt, so sehr feiert er sie auch, denn ihm ist bewusst, dass alles, was er denkt und fühlt, nur aus der Verneinung und Flucht vor seiner Arbeit heraus entsteht. Und das sind mal Gedanken und Gefühle! Denn Soares, ein Mann mit einen derart nichtssagenden Gesicht, dass es ihm fürchterliche Pein verursacht, sich auf einer Fotografie zu sehen, ist ein Träumer, seine Aufmerksamkeit ist immer geteilt zwischen dem, was wirklich passiert, und seinen Hirngespinsten.

Bei all seiner Enttäuschung über sich selbst, seiner Verträumtheit und seinem ständig aufs Neue gebrochenen Herzen ist es ein Ding der Unmöglichkeit, sich nicht in Soares zu verlieben. Ruhig, zurückhaltend und schwermütig; ein Mann, der andauernd schläfrig ist; der trotz seiner Neigung zu Nostalgie und Phasen der Trostlosigkeit nicht unempfänglich ist für die Freude und dadurch zum perfekten nächtlichen Begleiter wird. Soares bleibt Stunde um Stunde mit Ihnen auf, um zum Beispiel darüber nachzudenken, ob das Leben tatsächlich die wache Schlaflosigkeit unserer Träume ist und Schlaf unsere eigentliche Existenz. Denn Soares

---

1 Es kann natürlich sein, dass vor allem diejenigen, die Ihr Bett teilen, die Schuldigen sind – sei es durch den Nachhall ihrer Atemwege (► *Schnarchen*) oder durch das, was sie vor dem Zubettgehen zu Ihnen gesagt haben (► *Ehebruch*, ► *Schuldgefühle*, ► *Übellaunigkeit*).

denkt viel übers Schlafen nach. Im Grunde unterscheidet er kaum zwischen Wach- und Schlafzuständen, denn er träumt, während er lebt *und* während er schläft, weswegen Schlafen, so sagt er, immer noch Leben ist.
Und zusätzlich zu alldem findet man nirgendwo in der Literatur Prosa, deren Rhythmus besser abgestimmt ist auf den wunderbar schwerfälligen Gang der schlaflosen Stunden. Sollten Ihnen die Lider beim Lesen doch zufallen: Egal. Soares würde das nichts ausmachen. Sie können morgen Nacht an jeder beliebigen Stelle die Konversation mit ihm fortsetzen. Er wird auf Sie warten, bereit, die nächste existenzielle Frage zu stellen.

▸ *Depression, psychische*
▸ *Erschöpfung*
▸ *Reizbarkeit*

SCHLAFWANDELN

Die Schlafwandler
Hermann Broch

Wenn wir träumen, begibt sich unser Gehirn auf lebhafte Fantasiereisen. Die Verschaltungen, die den Impuls, sich zu bewegen, vom Hirn zum Körper übertragen, sind bei den meisten Menschen im Schlaf blockiert – wir liegen ruhig da, und außer vielleicht einem Zucken, Schluchzen oder Quietschen gibt es kein äußerlich sichtbares Anzeichen unserer inneren Reisen. Wie es scheint, funktioniert diese Verschaltung vor allem bei älteren Kindern manchmal nicht richtig, und die Pläne des Hirns werden auf den Körper losgelassen, was den Träumer zu einem umherwandernden Somnambulen macht, der jedes andere Familienmitglied, dem er zufällig am Treppenabsatz begegnet, zu Tode erschreckt. Mit seinen glasigen Augen ist sich ein Schlafwandler nicht im Geringsten bewusst, barfuß umherzutapsen – und wenn man ihn aufweckt, um es ihm zu sagen, wird man ihn wahrscheinlich ebenfalls zu Tode erschrecken.
Wir geben Ihnen den Rat, noch mal über den Begriff »Schlafwandler« nachzudenken. Versuchen Sie ihn ab jetzt als Metapher zu sehen, so wie es Hermann Broch in *Die Schlaf-*

wandler macht. In diesem großartig experimentellen Epos der Moderne – das eigentlich aus drei einzelnen, jeweils in sehr eigenem Stil geschriebenen Romanen besteht – benutzt Broch diesen Begriff, um Menschen zu beschreiben, die im Umbruch vom 19. zum 20. Jahrhundert zwischen zwei Wertvorstellungen festsitzen, einer alten und einer neuen.

Im ersten Teil der Trilogie geht es um den preußischen Adligen Joachim von Pasenow, einen Romantiker, der ein so starker Verfechter traditioneller Werte ist, dass er die standesgemäße, aber lieblose Ehe mit der emotional distanzierten Elisabeth eingeht. Aber Pasenow hat auch ein leidenschaftliches Verhältnis mit der sinnlichen Ruzena, einer böhmischen Prostituierten, mit der er nicht in der Öffentlichkeit gesehen werden will. Im Zentrum des zweiten Buchs steht August Esch, ein bodenständiger, verlässlicher Buchhalter, aber auch ein Anarchist, der alles hinschmeißt, um als Schausteller zu arbeiten – nur um zu merken, dass ihm das auch nicht passt, und dann wieder Buchhalter zu werden. Im dritten Roman schließlich, in dem auch Pasenow und Esch wieder auftreten, haben wir es mit Huguenau, dem Opportunisten, zu tun, einem Mann, der betrügt, mordet und vergewaltigt, um das zu bekommen, was er will und der dafür nie irgendeine Quittung kriegt. Und wir sitzen als Leser, metaphorisch gesprochen, wie Schlafwandler, die nicht richtig schlafen und nicht richtig wach sind, zwischen den Stühlen der unterschiedlichen Lebensauffassungen. Leben wir unser Leben in vollem Bewusstsein und entlang gesetzter Prinzipien, oder jagen wir in jedem erdenklichen Augenblick irgendeiner falschen Gottheit nach, heißt sie nun Kunst, Politik, Geschäftsleben oder Vergnügen, und haben nur Augen für die Sache und denken nicht über die Konsequenzen nach? Mit anderen Worten: Wie sollen wir leben?

Vertrauen Sie sich da ganz unserem österreichischen Modernisten an, der sich – als Schriftsteller – so offenherzig der Auslotung einer philosophischen These gewidmet hat.

Und während Sie Schlafwandler sich noch mit den philosophischen, psychologischen, existenziellen, grammatischen, transzendentalen, translationalen (wir könnten hier endlos weitermachen ...) Fragen abmühen, die im metaphorischen Zustand des Schlafwandelns auftauchen, wird Ihnen eines der drei folgenden Dinge passieren: Entweder, Sie entdecken in sich selbst einen inneren Konflikt, weil ein Teil von Ihnen Ihre Art zu leben sanktionieren will und der andere das nicht tut, und dessen Lösung Ihre nächtlichen Wanderungen ein für alle Mal zügeln wird. Oder Sie haben Ihr Hirn mit der Lektüre dieser dichten, oft bewegenden, immer faszinierenden, manchmal abstrusen und eindeutig langen Trilogie überfordert, so dass Sie nur den tiefsten Schlaf im Schlafzyklus schlafen, in dem man weder träumt noch schlafwandelt. Oder Sie schlafen mitten im Satz ein, mit dem Buch auf der Brust, und dieser Ziegelstein von einem Wälzer nagelt sie, egal ob Sie träumen oder nicht, bis zum Morgen ans Bett.

SCHLECHTE LAUNE

▸ *Nörgeln, Hang zum*
▸ *Reizbarkeit*
▸ *Übellaunigkeit*

SCHLECHTER GESCHMACK

▸ *Geschmack, schlechter*

SCHLUCKAUF

Niemand kennt die Ursache für einen Schluckauf, aber jeder hat so seine Methode, ihn wieder loszuwerden. Wir legen Ihnen nahe, kurze, stechende literarische Schocks anzuwenden. Die besten ihrer Art warten nur darauf, Sie aus den Seiten heraus anzuspringen – welche das sind, sehen Sie auf der folgenden Seite.

DIE ZEHN BESTEN SCHOCKER

Die folgenden Romane häufen entweder im Verlauf ihrer Geschichte einen kleinen Schrecken auf den anderen oder kommen mit dem großen Knall auf einer ganz bestimmten Seite daher. Mehr verraten wir nicht, garantieren aber, dass Ihnen ein Eiswürfel den Rücken runterrutscht.

Señor Vivo und die Kokabriefe **Louis de Bernières**
Die Tribute von Panem **Suzanne Collins**
American Psycho **Bret Easton Ellis**
Lisa **Thomas Glavinic**
Owen Meany **John Irving**
Schindlers Liste **Thomas Keneally**
Der bemalte Vogel **Jerzy Kosiński**
Meeresrand **Véronique Olmi**
Anna Karenina **Lew Tolstoj**
Im Schatten des Vaters **David Vann**

SCHLUSSMACHEN

High Fidelity
Nick Hornby

Eine Beziehung zu beenden ist nicht leicht – da haben die Songschreiber schon Recht –, und ganz gleich, ob Sie derjenige sind, der geht, oder der, der verlassen wird, Sie sollten gar nicht erst versuchen, es alleine durchzustehen. Im Idealfall halten Ihnen Freunde die Hand, die selbst schon so was durchgemacht haben und wissen, wie es sich anfühlt. Für diese Rolle empfehlen wir Rob, den musikverrückten Helden in *High Fidelity*, Nick Hornbys Lobgesang auf die Popmusik. Auf unserer Liste der ewigen Top Ten der Trennungsromane (siehe drei Seiten weiter), steht dieses Buch auf Platz eins, denn auch wenn Robs geliebtes Vinyl überholt sein mag – die Erfahrungen, die Gefühle, die Lehren und Wahrheiten, die darauf eingeschrieben sind, sind es nicht.
Während er versucht zu verstehen, was mit seiner letzten Freundin Laura schiefgelaufen ist, überdenkt Rob noch einmal die Top Five seiner unvergesslichsten Trennungen, vom

ersten Korb, den ihm die damals zwölfjährige Alison Ashworth verpasst hat, weil sie aus damals wie heute unerklärlichen Beweggründen beschlossen hatte, nach der Schule lieber mit Kevin Bannister rumzuknutschen als mit ihm, bis hin zu der Demütigung, als Charlie Nicholson ihn für einen Typen namens Marco sitzenlässt. Auf jeder Seite dieses Buches klingelt es in der Erinnerung. Wer kennt sie nicht, die Welle des zaghaften Optimismus – eine Mischung aus Freiheitsgefühl und Nervosität –, die kurz nach einer Trennung über einen hinwegrollt, nur um von dem betäubenden Gefühl des Verlustes vernichtet zu werden, das mit aller Wucht auf einen herabdonnert, sobald man sich bewusst macht, dass er oder sie nicht wieder zurückkommen wird. Und wer hat sich nicht schon gefragt, was zuerst da war, die Musik oder das Elend, während er zu *Love Hurts* oder *Walk on By* im Liebeskummer ertrank?

Eine der schmerzhaften Wahrheiten, die Rob erkennen muss, ist, dass Trennungen nicht einfacher werden, je mehr man davon durchmacht. »Es wäre schön, wenn man glauben könnte, die Zeiten hätten sich geändert, seit ich erwachsen geworden bin, die Beziehungen seien kultivierter, die Frauen weniger grausam, das Fell dicker, die Reaktionen geschickter und die Instinkte schärfer geworden«, jammert Rob, mittlerweile fünfunddreißig. Und doch, mit ein wenig Unterstützung von Nick Hornby können wir versuchen, es beim nächsten Mal ein bisschen besser zu machen. Rob muss lernen, sich zu binden (▸ *Bindungsangst*), doch während Sie ihm zusehen, wie er sich durch die Scherben seiner zerbrochenen Beziehungen kämpft, werden Sie schnell erkennen, welche Lektionen sich zielgenau an Sie richten. Sind Sie der Typ, der wie Rob mit Mitte zwanzig als Reaktion auf das Ende seiner Beziehung das Studium schmeißt und in einem Plattenladen jobbt (bzw. dessen ältere Entsprechung)? Haben Sie, wie der ältere Rob, das Gefühl, Zurückweisungen förmlich anzuziehen – wobei Sie selbst ein paar gebrochene Herzen auf dem Gewissen haben? Die Weisheit dieses Buchs mag aus einer ziemlich maskulinen Ecke kommen, aber das Grundmuster lässt sich auf beinahe jedes Be-

ziehungsende anwenden und wird Ihnen helfen zu erkennen, welche Rolle Sie dabei spielen. Die Leserinnen werden gut daran tun, nicht zu übersehen, dass auch die Männer in ihre Kissen weinen. Und alle Sitzengelassenen werden ihre teuflische Freude an der Mittvierzigerin mit dem unnatürlich gebräunten Gesicht haben, die Rob die unbezahlbare Plattensammlung ihres Mannes für fünfzig Mäuse andrehen will, weil der Typ sich mit der dreiundzwanzigjährigen Freundin seiner Tochter nach Spanien abgesetzt hat. (Bevor Sie auf komische Gedanken kommen, sollten Sie sich Robs beeindruckend disziplinierte Antwort anschauen sowie ► *Rachegelüste.)*
Lassen Sie Ihr Herz all die Lektionen aufnehmen, die Sie aus Robs – und Ihren eigenen – Fehlern in der Vergangenheit lernen können. Sie suchen sich immer die falschen Kerle/Frauen aus? Sie können Ihrem Partner nicht die starke Schulter bieten, die er oder sie braucht? Machen Sie es nächstes Mal richtig, und die Trennung, unter der Sie gerade leiden, wird Ihre letzte gewesen sein.

► *Bett; Unfähigkeit, es zu verlassen*
► *Gelüste; keine mehr verspüren*
► *Herz, gebrochenes*
► *Liebeskummer*
► *Single sein*
► *Weinen; sich tüchtig ausheulen*

Das Ende der Geschichte **Lydia Davis**
Unsere schönste Trennung **David Foenkinos**
Das Ende einer Affäre **Graham Greene**
High Fidelity **Nick Hornby**
Der Glöckner von Notre-Dame **Victor Hugo**
Der grüne Heinrich **Gottfried Keller**
Die Herrenausstatterin **Mariana Leky**
Ein ganzes halbes Jahr **Jojo Moyes**
Bedeutende Objekte und persönliche Besitzstücke aus der Sammlung von Lenore Doolan und Harold Morris, darunter Bücher, Mode und Schmuck **Leanne Shapton**
Anna Karenina **Leo Tolstoj**

SCHMERZEN

Der Tod eines Bienenzüchters **Lars Gustafsson**

Es gibt kein Leben ohne sie. Auch wenn die moderne Medizin diverse Möglichkeiten im Angebot hat, sie zu betäuben, und die Literatur durchaus behilflich dabei sein kann, ihnen zu entfliehen (siehe auch ▸ *die zehn besten Romanfluchten* auf der übernächsten Seite), ist es doch nicht ganz einfach, Vorschläge zu unterbreiten, wie man Schmerzen ertragen und mit ihnen leben soll.
Aber genau das tut *Der Tod eines Bienenzüchters*. Über die Wahrnehmungen von Lars Westin, einem geschiedenen ehemaligen Lehrer, der mit seinem Hund und seinen Bienen auf einer schönen, abgelegenen Halbinsel im nördlichen Västmanland in Schweden wohnt, tauchen wir ein in die Welt des physischen Schmerzes – mit all seinen Tonhöhen, Frequenzen und Dezibelzahlen – und erfahren, wie es ist, den Schmerz ohne Medikamente zu ertragen. Lars hat Krebs. Zu Beginn der Schneeschmelze muss er erkennen, dass er den Herbst wahrscheinlich nicht mehr erleben wird, und beschließt, nicht ins Krankenhaus in die Stadt zu fahren und dort den Schmerz bekämpfen zu lassen, sondern zu bleiben, wo er ist – schließlich ist es sein Leben, und er will

es leben. So nimmt er also seinen Hund, macht lange Spaziergänge durch die graue Februarlandschaft mit ihren kahlen Bäumen und verrammelten Sommerhäuschen und lernt, mit dem Schmerz zu leben.

Zuerst wird ihm der Schmerz vor allem nachts bewusst, wenn er von ihm träumt, bevor er von ihm aufgeweckt wird. In seinen Träumen, so stellt er fest, versucht er buchstäblich, den Kopf von ihm abzuwenden. Der Schmerz macht ihm seinen Körper bewusster – macht ihm bewusst, dass er ein Körper *ist*. Aber Westin wendet den Schmerz auch nach außen. Manchmal nimmt die Landschaft auf seinen Spaziergängen den Schmerz auf sich – ein Baum etwa wird zu dem Baum, an dem sein Rücken sehr weh tat; ein Zaunpfahl wird zu der Stelle, an der er sich im Vorbeigehen die Hand angeschlagen hat und wo jetzt diese Hand »sozusagen am Zaun hängengeblieben« ist und er ohne sie weitergehen kann.

Aber als der Schmerz schlimmer wird, tritt ein Stadium ein, in dem der Schmerz so »absolut fremd, weißglühend und völlig überwältigend« ist, dass Westin sich schwertut, damit fertigzuwerden. In diesen Momenten wird ihm klar, dass die Kunst, den Schmerz zu ertragen, genau das ist: eine Kunst – wie Musik, Dichtung, Erotik oder Architektur –, mit dem Unterschied, dass ihr »Schwierigkeitsgrad so hoch ist, dass es niemanden gibt, der sie ausübt«. Er aber tut genau das – wie so viele andere, Tag für Tag.

Sollten Sie das Pech haben, Schmerzen diesen Grades zu haben, dann erfinden Sie sich als Künstler, der etwas so Anspruchsvolles und Schwieriges probt, dass er allein durch den Akt des Aushaltens schon zum Meister seines Faches wird. Und lassen Sie sich von dem Bienenzüchter begleiten. Denn mit ihm werden Sie verstehen, wie wenig hilfreich es ist, anderen die Schuld für Ihren Schmerz in die Schuhe zu schieben oder sich anderen gegenüber auch nur darüber zu beklagen. Mit dem Bienenzüchter werden Sie eine schreckliche, aber wunderbare Wahrheit entdecken: dass der Schmerz Sie lebendiger werden lässt.

Wenn Sie sich vom Schmerz in Ihrem Kopf, Herz oder Körper ablenken müssen, auf einen Bus warten, der nicht kommt, oder im Alltagstrott einfach nur auf die »Eject«-Taste drücken wollen, dann machen Sie sich heimlich mit einem dieser Bücher aus dem Staub:

Menschen im Hotel **Vicky Baum**
Corellis Mandoline **Louis de Bernières**
Der Atem der Welt **Carol Birch**
Die wilden Detektive **Roberto Bolaño**
Auf der Suche nach Indien **E. M. Forster**
Moby Dick **Herman Melville**
Krabat **Otfried Preußler**
Das Parfüm **Patrick Süßkind**
Rückkehr nach Missing **Abraham Verghese**
Die Geschichte des Edgar Sawtelle **David Wroblewski**

SCHNARCHEN

Mit jemandem, der schnarcht, in einem Bett zu schlafen, kann sich zu nächtlicher Folter auswachsen. Im besten Fall endet man in zwei Betten und sieht einer körperlich weniger intimen Zukunft entgegen. Im schlechtesten Fall verbringen Sie Ihre Tage im Nebel Ihrer durch die zerrissenen Nächte verursachten Gereiztheit und Ihre Nächte damit, den Geräuschverursacher mit überraschender Heftigkeit zu hassen. Um Ihre Gesundheit und Ihre Beziehung zu retten – möglicherweise sogar das Leben Ihres Partners –, investieren Sie in ein Paar Kopfhörer und irgendein Audiogerät, das man unters Kissen schieben kann, und halten immer einen Stapel beruhigender Hörbücher neben dem Bett bereit (siehe nächste Seite). Mit wohlklingendem Tonfall gelesen, werden diese Bücher das Schnarchen Ihres Partners garantiert übertönen, Sie aber trotzdem nicht vom Schlafen abhalten. Falls nötig, lassen Sie sie die ganze Nacht durchlaufen und dämmern Sie dabei hoch und wieder weg. Die optimale Schlafvoraussetzung wäre, das Buch gut zu kennen.

▸ *Lärm, zu viel*
▸ *Scheidung*
▸ *Schlaflosigkeit*

DIE ZEHN BESTEN HÖRBÜCHER, UM SCHNARCHER ZU ÜBERTÖNEN

Verstand und Gefühl **Jane Austen**, gelesen von Eva Mattes
Mittelreich **Josef Bierbichler**, gelesen vom Autor
Die Tore der Welt **Ken Follett**, gelesen von Joachim Kerzel
Garp und wie er die Welt sah **John Irving**, gelesen von Rufus Beck
Ulysses **James Joyce**, gelesen von Dietmar Bär und Corinna Harfouch
Ein Sommer, der bleibt **Peter Kurzeck**, erzählt vom Autor
Anne auf Green Gables **Lucy Maud Montgomery**, gelesen von Marie Bierstedt
Das Buch der Unruhe des Hilfsbuchhalters Bernardo Soares **Fernando Pessoa**, gelesen von Udo Samel
Der fliegende Berg **Christoph Ransmayr**, gelesen vom Autor
Der Weltensammler **Ilija Trojanow**, gelesen von Frank Arnold

SCHREIBBLOCKADE

Die Abenteuer meines ehemaligen Bankberaters
Tilman Rammstedt

Tun Sie sich schwer beim Verfassen von Geburtstagskarten? Die Anrede geht gerade noch, aber dann … wie nur die Formeln (»Alles Gute«, »neues Lebensjahr«, »wünsche ich Dir«) richtig gruppieren? Ist es mit Ihnen vielleicht schon so weit gekommen, dass Ihnen sogar Einkaufs- und To-do-Listen nicht mehr leicht von der Hand gehen? Trösten Sie sich! Das kann jedem passieren und nicht immer muss es enden wie bei Wolfgang Koeppen, dessen Blockade Jahre dauerte. Legen Sie die Geburtstagskarte getrost zur Seite und lesen Sie *Die Abenteuer meines ehemaligen Bankberaters.* Hier vertreibt Tilman Rammstedt die Schreibblockade seiner Hauptfigur Tilman Rammstedt, die Schwierigkeiten hat, seinen

Roman *Die Abenteuer meines ehemaligen Bankberaters* zu beenden …
Klingt für Sie wie Metafiktion für das Germanistenhauptseminar? Weit gefehlt! Freuen Sie sich auf eine vertrackte Handlung, einen schalkhaften Autor und Einblick in die Arbeit einer zwar mitunter blockierten, aber ungeheuer starken Vorstellungskraft. Und auf jede Menge Inspiration, um aus der Geburtstagskarten-Schreibkrise zu kommen: Tilman Rammstedt gelingt es durch hartnäckiges Mailen, Bruce Willis höchstpersönlich in seinen Roman hineinzuziehen (»Bei brenzligen Situationen sind Sie nun einmal der Erste, der einem in den Sinn kommt«), so die Handlung voranzutreiben (inklusive Beinahe-Happy-End) und die Blockade zu überwinden. Versuchen Sie doch auch einmal, einem (fiktiven?) Gegenüber Ihre Schreibnöte zu schildern (natürlich schriftlich). Klagen, jammern und schimpfen Sie ruhig ordentlich. Jeder Satz, den Sie schreiben, wird Sie weiter aus der Blockade herausführen …

Leseleiden: Schrumpfen der eigenen Bibliothek durch Verleihen von Büchern

Therapie: Schreiben Sie Ihren Namen in Ihre Bücher

Natürlich möchten Sie allen von dem neuen Buch erzählen, dass Sie gerade gelesen haben, und Sie möchten, dass all Ihre Lieben dieselbe tolle Lektüreerfahrung machen. Wir sind absolut dafür, dass Sie die Botschaft von dem großartigen Buch weitertragen, denn so verbreitet sich nun mal die frohe Kunde am effektivsten. Noch effektiver ist es, das Buch direkt zu verleihen. Doch was tun gegen die schwelende Angst, das Buch unter Umständen nicht wieder zurückzubekommen? Der schleichende Raubbau an den meistgeliebten Bänden der eigenen Bibliothek ist eine traurige Angelegenheit. Um Ihre Schätze zu schützen, gestalten Sie doch einfach ihr eigenes Exlibris, das Sie in jedes Ihrer Bücher kleben, wenn Sie es verleihen – einschließlich der sorgfältigen Ermahnung, das Buch nach der Lektüre umgehend zurückzugeben, und einer Warnung, was bei zu später oder gar keiner Rückgabe geschieht. (Lassen Sie Ihrer Fantasie freien Lauf. Unserer Erfahrung nach ist ein angedrohter Fluch sehr wirksam.)
Für besondere Härtefälle – wenn Ihre Bücher dazu neigen, schneller aus den Regalen zu verschwinden, als Sie welche nachkaufen können – empfehlen wir, über Ausleihen und Rückgaben Buch zu führen. Und setzen Sie einen Alarm in Ihren digitalen Kalender, der Sie an überfällige Leihfristen erinnert.

Schuld und Sühne
Fjodor M. Dostojewski

Haben Sie Ihren eigenen Verhaltenskodex verletzt oder gegen die allgemeinen Regeln der Moral gehandelt? Oder rühren Ihre Schuldgefühle vielmehr daher, dass Sie etwas *nicht* getan haben, das Sie hätten tun sollen?

Manche Menschen sind nicht in der Lage, Schuldgefühle zu empfinden, und solche Menschen sollte man meiden (Psychopathen, Babys …). Wir Übrigen sollten Empfindungen wie Schuld und ihre kleine Schwester Scham (▶ *Scham*) vielleicht sogar begrüßen, sind sie doch, wie manche Psychologen behaupten, unerlässlich für ein kollektives Moralempfinden, das unsere Gesellschaft zusammenhält und verhindert, dass wir uns gegenseitig Leid zufügen. Doch so wie jedes Gefühl, wenn es zu gären beginnt, wird auch die Schuld irgendwann anfangen, an Ihnen zu nagen, und kann eine zerstörerische Wirkung auf Sie selbst und andere entwickeln, da sie schnell in passive oder auch nicht ganz so passive Aggression, Kontrollsucht oder Wut umschlagen kann, die Sie dann von innen heraus auffressen wird (▶ *Wut*). Wir raten Ihnen also, sich mit Ihren Schuldgefühlen auseinanderzusetzen und sich augenblicklich in die von uns empfohlene Therapie zu stürzen. Haben Sie sich erst einmal mit Ihren Schuldgefühlen konfrontiert, können Sie sie an der Wurzel packen, genau studieren und – nachdem Sie sich bei den Betroffenen entschuldigt oder zumindest Ihre Schuld anerkannt haben – herausreißen.

Unser Therapievorschlag kommt in Form der radikalsten und tiefgehendsten Ergründung von Schuld in der Weltliteratur: Dostojewskis *Schuld und Sühne*, entstanden in einer Zeit, als der Autor selbst in bitterer Armut lebte und tief verschuldet war, während er zugleich versuchte, die Familie seines verstorbenen Bruders Michail zu unterstützen. In den Roman haben sich viele autobiographische Elemente und sicher auch persönliche Gefühlserlebnisse eingeschlichen. Der ehemalige Student Rodion Romanowitsch Raskolnikow wohnt in einer winzigen Kammer direkt unter dem Dach eines heruntergekommenen Mietshauses in St. Petersburg. Er ist reizbar und mittellos; die Kleider, die er am Leib trägt, sind kaum mehr als Lumpen. Zudem neigt er dazu, Selbstgespräche zu führen. Aber er sieht gut aus, ist intelligent und stolz. Man könnte also meinen, er hätte gute Chancen. Doch von Anfang an besteht kein Zweifel, dass Raskolnikow etwas Furchtbares im Schilde führt – und tatsächlich hat er vor, die alte Pfandleiherin Aljona zu ermorden, um an ihr Geld zu kommen, und redet sich ein, dass ihr Handeln moralisch verwerflich und ihr Tod somit vertretbar sei. Dummerweise wird er bei seiner Tat von Aljonas Halbschwester Lisaweta überrascht, und im Eifer des Gefechts tötet er auch sie.

Die Wertgegenstände, die Raskolnikow aus der Wohnung stiehlt, versteckt er unter einem Stein. Doch schon bald plagen ihn Gefühle der Schuld, des Grauens und der Scham angesichts dessen, was er da getan hat. Auch ist er ein schlechter Lügner, und der Untersuchungsrichter Porfiri Petrowitsch, der ihn mehrere Tage lang verhört, hat allen Grund, ihn zu verdächtigen, denn Raskolnikow leidet unter Fieberträumen, streift ruhelos durch St. Petersburg und zieht die Aufmerksamkeit der Polizei auf sich. Doch dann gesteht ein anderer den Mord, und Raskolnikow könnte tatsächlich ungeschoren davonkommen, wenn da nicht sein Gewissen und die Freundschaft zu der klugen Sofja wären, die weiß, was aus einem Leben unter der Last von Schuldgefühlen werden kann.

Dostojewskis Schilderung der Leiden dieses jungen Mannes ist faszinierend und zugleich schmerzlich zu lesen. Es ist hauptsächlich Sofjas Verdienst, dass Raskolnikow überlebt. Wenn Sie selbst keine Sofja in Ihrem Leben haben, leihen Sie sich die von Raskolnikow. Gestehen Sie, tun Sie Buße, befreien Sie sich von Ihrer Schuld. Nur dann haben Sie die Sofjas dieser Welt auch verdient.

Therapie: Feste Zeiten für Lektüre festlegen

Sie haben sich den gerade erschienenen Roman gekauft, über den alle reden. Verführerisch blinzelt er Ihnen vom Regal neben Ihrem Bett zu. Sie haben auf jeden Fall vor, ihn zu lesen. Alle Ihre Freunde lesen ihn. Aber irgendwie scheinen Sie ihn nie … wirklich … zu lesen. Manchmal ist das ein Problem des Übereifers. Aus einer Laune heraus beschließen Sie, dass es an der Zeit ist, *Unendlicher Spaß* in Angriff zu nehmen. Oder sämtliche Gewinner des Booker Prize seit seiner Erstvergabe zu lesen. Aber, wenig erstaunlich: Sie fangen nie damit an.
Die Lösung für dieses Problem ist, in Ihrem Wochenplan regelmäßige Lektürezeiten festzulegen. Halten Sie sich eine Mittagspause pro Woche zum Lesen frei – auch wenn es nur eine halbe Stunde in einem Café in der Nähe Ihres Arbeitsplatzes ist. Reservieren Sie einen Abend pro Woche fix als Ihren Leseabend und verkünden Sie das jedem, mit dem Sie zusammenleben. Trennen Sie klar einen Teil des Wochenendes ab – zu Beginn vielleicht nur eine Stunde, sobald Ihre Lesemuskeln dann gekräftigt sind, zwei. Sie werden feststellen, dass Sie langsam gute Lesegewohnheiten entwickeln. Und ehe Sie es sich versehen, haben Sie Ihre lektürebezogenen Schuldgefühle gegen diverse andere Arten von Schuldgefühlen getauscht: Hausarbeitsschuldgefühle, Nicht-mit-dem-Hund-rausgegangen-Sein-Schuldgefühle, Hobbykellerschuldgefühle … Wir könnten noch so einiges aufzählen – aber wir müssen jetzt leider lesen gehen.

Schön macht's nicht, aber glücklich
Leonie Jakobs

SCHWANGERSCHAFT

Schwangerschaft. Wieso taucht dieses Stichwort in der *Romantherapie* auf? Schwangerschaft ist doch keine Krankheit, der abzuhelfen ist! Nein, ist es nicht. Aber ein sehr spezieller Zustand, in dem man gute Lektüre verdammt nötig hat. Und übrigens ist das einer von den drei blödesten Sprüchen, die Schwangere zu erdulden haben. Wenn Sie an den anderen beiden Sprüchen und an einer entspannten, amüsanten und vor allem undogmatischen Darstellung des Themas Schwangerschaft interessiert sind, lesen Sie *Schön macht's nicht, aber glücklich* von Leonie Jakobs.

Sollten Sie eine Kinderzimmereinrichtung ohne Bärchenmuster und eine Schwangerschaft ohne romantische Verklärung planen, dann haben Sie eine Komplizin: Linda. Linda wird Sie durch Telefonate mit Müttern, Schwiegermüttern und Großmüttern coachen. Sie wird bei Ihnen sein, wenn Sie wegen Ihres Bauchumfangs an der Beinrasur scheitern. Sie wird Sie beim Schokokuchengenuss ohne schlechtes Gewissen anfeuern. Sie wird Ihnen die Schulter streicheln, wenn Sie angesichts rührender Szenen in Straßenbahnen anfallartige Heulkrämpfe bekommen. Wenn Sie sich sinnlose Geburtseinleitungsmaßnahmen mit Sex und Eukalyptusbad ersparen wollen, sind Sie bei Linda richtig. Und ebenfalls richtig sind Sie, wenn Sie zu Gedankenspiralen über die Berechtigung, den Mutterschutz zu genießen, *obwohl* Sie gerne arbeiten, und die Frage, ob Ihre mangelnden Ambitionen, Chefin zu werden, etwas mit dem Kind zu tun haben und Sie möglicherweise mit Ihrer Schwangerschaft den Feminismus verraten, neigen.

Und Linda wird Ihnen helfen, die plötzlichen Momente reinen Glücks zu genießen, wenn von innen an die Bauchdecke geklopft wird oder Sie sehr kleine Kleidungsstücke nach Farben sortieren …

► *Mutterschaft*
► *Vaterschaft*

Schwiegertöchter
Joanna Trollope

Meine Damen, Sie haben unser tiefstes Mitgefühl. Schwiegermütter können nassforsche, sich ständig einmischende, in die Privatsphäre eindringende, kontrollsüchtige alte Kühe sein, die glauben, dass niemand gut genug ist für ihren Sohn/ihre Tochter, die nicht den kleinsten Versuch unternehmen zu verbergen, wie wenig sie Sie leiden können, die deutlich machen, dass sie sich niemals für Sie entschieden hätten, die immer für ihr Kind Partei ergreifen und von vornherein davon ausgehen, dass Sie im Unrecht sind.

Aber das heißt noch lange nicht, dass Sie aus dem Schneider sind. Auch generationsübergreifende angeheiratete Familienverhältnisse müssen von zwei Seiten her beackert werden. Denken Sie mal aus der Perspektive von Rachel, einer der Schwiegermütter aus Trollopes Roman, darüber nach. Ihre Identität als Frau kippt aus dem Gleichgewicht, als ihr dritter Sohn Luke heiratet. Plötzlich möchte niemand mehr, dass sie das tut, worin sie gut ist. Ohne Aufgabe und ohne Macht zurückgelassen, gerät sie in Panik – und wenn sie in Panik gerät, das gibt sie selbst zu, dann »faucht« sie. Es ist ja gar nicht so, dass sie die Schwiegertochter (Sie) nicht leiden kann, sie kann nur diese neue Rolle nicht leiden, in die sie durch ihr (Ihr) plötzliches Auftauchen gedrängt worden ist.

Schwiegermüttern muss man Paroli bieten – und Sie dürfen niemals Angst davor haben, genau das auch zu tun. Die alte Familiendynamik ist obsolet, eine neue muss aufgebaut werden. Aber während sich dieser Prozess vollzieht, seien Sie doch einfach genau die Art zweites Kind, dieser Prozess Ihre trauernde Schwiegermutter gerne hätte: liebevoll, hilfsbereit, großzügig, verständnisvoll, freundlich und lustig. Falls das nichts nützt: Wehren Sie sich.

► *Familie; mit ihr zurechtkommen*
► *Mordgelüste*
► *Scheidung*
► *Weihnachten*

Schwiegertöchter
Joanna Trollope

SCHWIEGERMUTTER; EINE SEIN

Meine Damen Schwiegermütter, bitte halten Sie einen Moment inne und überlegen Sie: Versuchen Sie wenigstens, sich über das Klischee hinwegzusetzen?[1] Sind Sie Ihrem Schwiegersohn oder Ihrer Schwiegertochter gegenüber liebevoll und hilfsbereit?[2] Haben Sie ihn oder sie großmütig so akzeptiert, wie er oder sie ist?[3] Sind Sie bemüht, die Dinge auch aus seinem oder ihrem Blickwinkel zu sehen[4] oder sich sogar mal auf seine oder ihre Seite und gegen Ihren eigenen Nachwuchs[5] zu stellen, weil Sie wissen, dass das letztendlich die Partnerschaft stärken und somit indirekt Ihrem Kind helfen wird?

Von den drei in Joanna Trollopes drastischer Erkundung angeheirateter, generationsübergreifender Familienverhältnisse vorkommenden Schwiegermüttern ist es Rachel – die Mutter von drei erwachsenen, verheirateten Söhnen und damit die Schwiegermutter von Sigrid, Petra und Charlotte –, die sich die längste Liste destruktiven Verhaltens zuschulden hat kommen lassen. Ist sie ihren aufwachsenden Söhnen einst eine energische, tüchtige und beschützende ›Tiger Mom‹ gewesen, ist sie jetzt, nachdem die Söhne ihre Partnerinnen an erste Stelle gesetzt haben, zu einer nassforschen, sich ständig einmischenden, in die Privatsphäre eindringenden, kontrollsüchtigen alten Kuh geworden. Charlottes Mutter Marnie dagegen wirkt auf den ersten Blick harmlos – sie ist großzügig und will dem Paar finanziell aus der Patsche helfen. Aber alle müssen bald feststellen, dass zwischen Helfen und Ersticken lediglich ein schmaler Grat verläuft.

Sollten Sie Ihre Söhne so erzogen haben, dass sie nie gegen Ihren Willen aufbegehren; sollten Sie sie ständig anrufen;

---

1 Natürlich ist niemand gut genug für Ihr Kind, aber ein Klischee ist es trotzdem.

2 Auch wenn Sie ihn oder sie eigentlich gar nicht leiden können.

3 Auch wenn Sie sich, wenn Sie die Wahl gehabt hätten, nicht für ihn oder sie entschieden hätten.

4 Außer natürlich, er oder sie irrt sich.

5 Auch wenn Ihr Liebling immer Recht hat.

sollten Sie darauf bestehen, dass Familientreffen bei Ihnen zu Hause stattfinden, und falls nicht, dass Sie das Essen mitbringen; sollten Sie intime Gespräche stören, indem Sie Ihren selbstgemachten Kuchen anpreisen; sollten Sie nach Immobilienangeboten fahnden, ohne dafür die Zustimmung Ihres Sohnes und seiner Partnerin eingeholt zu haben; sollten Sie von Ihren Schwiegertöchtern erwarten, ohne Wenn und Aber bei Ihren Söhnen zu bleiben aus reiner Dankbarkeit dafür, dass Sie sie so gut erzogen haben, und sollten Sie sie bei Zuwiderhandlung verstoßen; sollten Sie es nicht ertragen, dass Ihre Schwiegertochter (und auch Ihr Sohn) ihre postnatale Depression vor Ihnen geheimhalten will; und sollte sich Ihre Reaktion auf die Schwangerschaftsverkündigung Ihrer Schwiegertochter so anhören: »Ihr habt doch gerade erst geheiratet. Hättet ihr nicht noch warten können?« Sollte Ihnen also bewusst sein, dass Sie eine oder mehrere dieser Schwiegermuttersünden begangen haben, dann würden wir Sie doch sehr darum bitten, diesen Roman zu lesen.

Und sich dann als zweite Mutter für Ihre zusätzlichen Kinder neu zu erfinden. Sigrids Mutter ist in dieser Hinsicht beispielhaft. In aller Gemütsruhe besteht sie darauf, dass man seine erwachsenen Kinder nur dann erfolgreich gehen lassen kann, wenn man selbst eine interessante, fesselnde Arbeit hat – oder irgendein anderes kreatives Ventil –, zusätzlich eine ausreichend starke Beziehung zum eigenen Partner, so man denn einen hat. Nur dann wird man von seinen Kindern nicht die Zeit und Aufmerksamkeit einfordern, die sie ihren eigenen Familien entgegenbringen sollten.

Seien Sie liebevoll, hilfsbereit, großzügig, verständnisvoll, freundlich und lustig. Aber haben Sie bloß nicht die Zeit, sich einzumischen.

Das Schneemädchen
Eowyn Ivey

SCHWITZEN

Schwitzen kann wunderbar sein. Aber es gibt Grenzen. Wenn sich dunkle Ringe unter Ihren Achseln bilden und Sie sich schon selbst riechen können, haben Sie die magische Grenze zwischen einem leichten Glühen und einem ernsthaften Drüsenproblem überschritten. Dann sollten Sie diese Schneeflocke von einem Debütroman zur Hand nehmen und sich von der Kühle einer Winterelfe umschmeicheln lassen.

Mabel ist so einsam und verzweifelt, weil sie und ihr Mann Jack noch immer keine Kinder haben, dass sie absichtlich auf das unberechenbare Eis des Wolverine River hinausgeht. Das Eis kracht mächtig unter ihr, aber es hält, und sie kehrt unversehrt und mit neuer Hoffnung erfüllt nach Hause zurück. Bald darauf, im ersten Schneegestöber, bauen sie und Jack gemeinsam ein Kind aus Schnee und schnitzen ihm mithilfe von Jacks Taschenmesser sogar ein richtiges Gesicht. Doch am nächsten Morgen ist es mitsamt Hut und Handschuhen verschwunden. Fußspuren führen von der Stelle, wo das Schneemädchen gestanden hat, fort – doch keine führen dorthin.

Von nun webt sich dieses magische Kind, Faina, durch ihr Leben, verschwindet, wenn es warm wird, und erscheint in einem Wirbel aus Eiskristallen, sobald der Winter kommt. Wenn Ihre Körpertemperatur mal wieder Spitzenwerte erreicht, denken Sie an dieses wilde, eiskalte Schneemädchen, in deren Hand die Schneeflocken nicht schmelzen. Lassen Sie sich von ihrer eisigen Kälte umhüllen. Verlieren Sie sich im Zauber der Wälder Alaskas. Gehen Sie mit Jack und Faina auf die Jagd nach Elchen, und auf die Luchsjagd mit Garrett, dem Mann, der Sie liebt. Fangen Sie Schneeflocken mit Mabel, bis Ihnen so kalt ist, dass Schwitzen nur noch eine ferne Erinnerung ist.

Therapie: Geben Sie ihr eine Chance

Eine der häufigsten Leerstellen in der Lesegalaxie ansonsten durchaus vielseitiger Leser ist die Gruppe der Romane, über der das Science-Fiction-Banner schwebt. Aus nicht gänzlich geklärten Gründen jagt allein schon der Begriff vielen Leuten Schauer über den Rücken. Vielleicht, weil er Bilder von Aliens, Raumschiffen und intergalaktischen Schlachten heraufbeschwört, in deren Getümmel es keinen Platz für das menschliche Herz gibt. Vielleicht aber auch, weil die Nichtleser von Science-Fiction sich nicht vorstellen können, was fantastische Welten mit der Welt hinter ihrer Tür zu tun haben könnten.

Vielleicht werden Leserinnen und Leser aber auch abgeschreckt von einem Sammelbegriff, dem es nicht gelingt, die Bandbreite und die Güte dieses Genres zu vermitteln. Denken Sie statt an Science-Fiction doch lieber an ›spekulative Prosa‹, wie Margaret Atwood es einmal formulierte – also an eine Literaturgattung, die die Richtungen auslotet, in die die Menschheit sich möglicherweise entwickeln könnte. Autoren spekulativer Prosa haben bekanntermaßen unsere Gegenwart vorhergesehen: Ray Bradbury, Arthur C. Clarke und John Brunner haben sämtlich die technologischen Neuerungen von heute prophezeit, und das vor fünfzig Jahren. Die Autorinnen und Autoren dieser Literaturgattung sagen heute unser Morgen voraus, gestalten es so in gewisser Weise mit und sind weiterhin so etwas wie ein Frühwarnsystem. Denken Sie zum Beispiel daran, wie Literatur die Gefahren der Gen- (*Oryx und Crake*), Bio- (*Die Triffids*) und Sozialtechnik (*1984*) aufgezeigt hat. Wenn wir uns als Leser zugleich als Studierende dessen, was es heißt, Mensch zu sein, begreifen – sollten wir dann nicht ein genauso großes Interesse an unserer zukünftigen Identität aufbringen wie an unserer vergangenen?

In vielerlei Hinsicht ist Science-Fiction die logische Fortsetzung der Zauberwelten, in denen wir uns als Kinder verloren haben.[1] Spekulative Prosa eröffnet uns Paralleluniversen, in die wir uns flüchten können, um uns in der Wertschätzung all jener Dinge zu üben, die jenseits unseres Horizonts liegen. Diesen fantastischen Welten verschließen Sie sich nur auf eigene Gefahr.

DIE ZEHN BESTEN ROMANE FÜR SCIENCE-FICTION-ANFÄNGER

Diese Bücher haben sich, indem sie die Grenzen ihres Genres überschreiten, hinterrücks zu Klassikern gemausert. Fast ohne es zu merken, werden Sie sich in schönen neuen Welten wiederfinden.

Per Anhalter durch die Galaxis **Douglas Adams**
Das Jahr der Flut **Margaret Atwood**
Paradiese der Sonne **James Graham Ballard**
Die Neuromancer-Trilogie **William Gibson**
Schöne neue Welt **Aldous Huxley**
Alles, was wir geben mussten **Kazuo Ishiguro**
Die Zeitfalte **Madeleine L'Engle**
1984 **George Orwell**
Krieg der Welten **HG Wells**
Wir **Yevgeny Zamyatin**

1 Viele von uns lesen schon seit Jahren mit Genuss spekulative Prosa, ohne dass es uns überhaupt bewusst ist. Erinnern Sie sich noch an diesen Roman über den Mann, der in der Zeit reisen konnte, und was das für seine Frau bedeutete? Wenn der Verlag sich dazu entschieden hätte, Audrey Niffenegger als Science-Fiction-Autorin zu vermarkten, hätten viele Tausende von begeisterten Leserinnen und Lesern sie nicht mit dem Laserschwert angefasst.

Leseleiden: Science-Fiction; nicht mehr von ihr loskommen

Therapie: Entdecken Sie den Planeten Erde

Sie lesen außer Science-Fiction gar nichts anderes mehr. Es gibt in Ihrer Wohnung kein einziges Buch, das nicht ein alienhaftes Leuchten abstrahlt. Science-Fiction ist zu einem schwarzen Leseloch geworden, und Sie sind hineingefallen. Einerseits bewundern wir Sie für Ihre Fantasie und Ihre Fähigkeit, im Geiste weite Sprünge über die Gesetze der Physik zu tun, andererseits aber wollen wir Sie doch dazu drängen, einen derart gut trainierten Geist auch auf die künstlerische Beackerungen des Planeten vor Ihrer Haustür anzuwenden. Es gibt nämlich noch weitere literarische Universen da draußen. Wir schlagen vor, Sie machen mit uns eine kleine Führung durch dieses Neuland.
Anfangen sollten Sie mit Tolstojs *Krieg und Frieden*, diesem großen russischen Epos, das, wie Frank Herberts *Wüstenplanet*, drei Generationen von Krieg und Politik überspannt, dabei aber nie den Einzelnen aus dem Blick verliert, der sich in den Speichen des Glücksrades verfangen hat. Machen Sie dann weiter mit Hermann Hesses *Glasperlenspiel*, einem beruhigenderweise im 25. Jahrhundert spielenden Roman, der sich aber mit philosophischen und spirituellen Angelegenheiten beschäftigt. Von hier ist es nur noch ein kleiner Schritt zu all den anderen Romanen, die in unbekannten Regionen unseres eigenen Planeten spielen. Und dann arbeiten Sie sich durch unsere Liste der zehn besten Romane gegen Fernweh (▸ *Fernweh*). Wenn Sie am Ende angekommen sind, werden Sie offiziell von Ihrem Weltraumfimmel geheilt sein.

SECHZIGER

DIE ZEHN BESTEN ROMANE FÜR SECHZIG- BIS SIEBZIGJÄHRIGE

Alles zerfällt **Chinua Achebe**
Vom Ende einer Geschichte **Julian Barnes**
Nein! Ich will keinen Seniorenteller! **Virginia Ironside**
Die unwahrscheinliche Pilgerreise des Harold Fry **Rachel Joyce**
Das Fischkonzert **Halldór Laxness**
Wie bitte? **David Lodge**
Amerikanisches Idyll **Philip Roth**
Früchte des Zorns **John Steinbeck**
Letzte Runde **Graham Swift**
Väter und Söhne **Iwan S. Turgenjew**

SEELE; DIE EIGENE VERKAUFEN

Doktor Faustus
Thomas Mann

Diejenigen, die in der Literatur ihre Seele verkaufen, tun dies meist im Tausch gegen ewige Jugend, Wissen, Reichtum oder Macht. Im wirklichen Leben verliert man dabei in aller Regel seine künstlerische Integrität, hat dann zwar eimerweise Geld, aber keine Zeit zum Durchatmen und für seine alten Freunde mehr. Aber das Ergebnis ist dasselbe: Man verliert sich selbst. Und wozu bitte lebt man, wenn man nur zur Hälfte da ist?
John Self in Martin Amis' *Gierig*, der prototypische Konsument, hält sich selbst für einen großen Zampano der Filmwelt. Aber er hat sein Leben verpfändet – nicht an den Teufel, sondern an seine Gläubiger. In Joseph Conrads *Herz der Finsternis* ist Kurtz weniger interessiert an den Insignien der westlichen Zivilisation als an Macht und Kontrolle. Er verkauft seine Seele, um sich als Herrscher über seine Mitmenschen aufzuschwingen, und wird im selben Zuge zum Tier. Aber die beste Schablone für Aufstieg und Fall des Seele-Verkaufens ist bis heute Thomas Manns Meisterwerk *Doktor Faustus*. In dieser Version des Faust-Mythos ist es

ein Komponist, der vom Teufel umgarnt wird. Im Tausch gegen vierundzwanzig Jahre unvergleichlichen künstlerischen Schaffens soll seine Seele auf ewig Mephisto gehören.
Es ist nicht das erste Mal, dass Adrian Leverkühn sich auf drastische Maßnahmen verlegt. Bevor er auf die unterschiedlichen Verkörperungen des Teufels trifft, steckt er sich freiwillig mit Syphilis an, weil er glaubt, der damit einhergehende Wahnsinn werde seine künstlerische Empfindsamkeit vertiefen. Dann, während eines syphilitisch bedingten Anfalls von Umnachtung, hat er eine Vision von Mephisto, die nur für eine Halluzination zu halten der Teufel ihn warnt.
Unsicher und verängstigt kehrt Leverkühn an seine Arbeit zurück – und fängt sofort damit an, Meisterwerke zu erschaffen. Er ›erfindet‹ die radikale Zwölftonmusik, wird als Genie gepriesen und als bedeutendster Musiker seiner Generation gefeiert. Aber es ist etwas Beunruhigendes an ihm, etwas Kaltes, das Freunden wie Publikum auffällt und das nur als eine Art Abwesenheit beschrieben werden kann, so, als würden jegliche für Leverkühn gehegten Gefühle lautlos und ohne jeden Nachhall einfach verpuffen. Es ist kein Zufall, dass der Roman in einer Zeit spielt, in der ganz Deutschland kopfüber ins Inferno rannte.
Halten Sie an Ihrer Seele fest. Ihre vierundzwanzig Jahre Ruhm – oder nach welchen irdischen Reichtümern es Sie auch immer verlangt – bekommen Sie vielleicht trotzdem. Aber wer will schon ein seelenloser Mensch sein – oder mit einem solchen etwas zu schaffen haben?

SEHNSUCHT, ALLGEMEINE

Seide
Alessandro Baricco

Sich – schmerzhaft, endlos, vergeblich – nach etwas zu sehnen, von dem man glaubt, dass es ein inneres, anders nicht zu befriedigendes Bedürfnis stillen wird, ist eine schmerzhafte, endlose und vergebliche Art und Weise, das Leben zu vergeuden. Die zudem alle nervt, die das mit ansehen müssen. Das Leben ist zu kurz für so was. Zum Glück haben wir eine derart kurze Therapie in petto, dass uns das Ver-

schreiben nicht allzu viel Zeit kostet – genauso wenig wie Sie, wenn Sie sie anwenden.
Es ist ja gar nicht so, dass Hervé Joncour seine ihn liebende Ehefrau Hélène nicht gern hätte. Geduldig wartet sie auf ihn, wenn er auf dem Land- wie auf dem Seeweg seine alljährliche abenteuerliche Reise ins japanische Dorf Shirakawa unternimmt, um von dort Seidenraupeneier zurückzuschmuggeln – ein illegales Geschäft zu jener Zeit. Es ist nur einfach so, dass er sie noch lieber hätte, wenn er sich nicht so sehr nach der jungen Konkubine sehnen würde, die sein Herz in Shirakawa gefangen hält, mit der er aber nur auf Japanisch verfasste Schriftstücke tauscht. Messen Sie dem Unbekannten keinen höheren Wert bei als dem Bekannten. Lieben Sie lieber Ihren Partner/Ihre Partnerin im echten Leben (falls Ihnen das schwerfällt ▸ *Verheiratet sein*), nicht einen fernen, unerfüllbaren Traum.

SEHNSUCHT NACH ZU HAUSE

▸ *Heimweh*

SELBSTBEWUSSTSEIN, MANGELNDES

Schiffsmeldungen
Annie Proulx

Rebecca
Daphne du Maurier

Dass Quoyle, der Held der *Schiffsmeldungen*, an mangelndem Selbstbewusstsein leidet, ist nicht verwunderlich. In seiner Kindheit bekommt er ständig von seinem Vater zu hören, er sei ein Versager, der ältere Bruder Dick, Vaters Liebling, verprügelt ihn. Quoyle ist fett und hat ein abnorm großes Kinn, später kann seine Frau ihn nicht leiden und schläft sich durch fremde Betten, sein Arbeitgeber bezahlt ihn nicht angemessen, seine Eltern kriegen Krebs und bringen sich um, seine Frau verlässt ihn und nimmt beide Töchter mit (die übrigens Bunny und Sunshine heißen, was die Sache nicht besser macht), er wird entlassen, und dann stirbt auch noch seine Frau bei einem Autounfall – obwohl, Moment, das ist eigentlich einer der wenigen guten Momente. Aber Sie haben jetzt ungefähr ein Bild. Anzahl der Gründe, warum Quoyle nach den ersten Kapiteln (ja, das alles passiert gleich am Anfang, wir haben also noch nichts verraten) ein positives Selbstverhältnis haben sollte: null, ganz ehrlich.

Deswegen beschließt Quoyle, »voll Kummer und glückloser Liebe«, dann auch, sich an den Rat seiner Tante zu halten und in der eher wenig verheißungsvollen Umgebung von Neufundland, dem Geburtsort seines Vaters, ein neues Leben anzufangen – die Tante und die beiden zurückeroberten, kriminellen Töchter im Schlepptau. Was dann folgt, ist sicherlich eines der erstaunlichsten Comebacks der Literaturgeschichte. Menschen mit einem Mangel an Selbstbewusstsein sollten diesen Roman nicht nur als per se literarisch heilsame Erfahrung lesen, sondern als einen ganz konkreten Ratgeber. Machen Sie's so wie Quoyle, Schritt für Schritt. Sollten Sie für ein Leben auf Neufundland nicht über den entsprechenden Pass oder das dafür notwendige Visum verfügen, ersetzen Sie Neufundland einfach durch einen anderen unwirtlichen, schwer zugänglichen Ort, beispielsweise durch Island, die Äußeren Hebriden oder Nordsibirien. Legen Sie sich eine großzügige Lebensversicherung zu, arrangieren Sie den Tod Ihres Sie strapazierenden Partners/Ihrer Partnerin bei einem Autounfall und …

War nur ein Witz. Aber wir legen Ihnen wirklich nahe, für eine Zeit an dem Ort zu leben, aus dem Ihre Familie stammt, egal, wie sehr sie ihn – oder die Familie – hassen. Betreiben Sie während Ihres Aufenthalts Ahnenforschung. Vielleicht bringen Sie, wie Quoyle, einige eher wenig schöne Tatsachen über Ihre üblen Vorfahren in Erfahrung – Verbrechen und Wunden, die von einer Generation an die nächste weitergegeben wurden und vor allem anderen für Ihr mieses Selbstbewusstsein verantwortlich sind. Mit etwas Glück schaffen Sie es ebenfalls, wie Quoyle, den ererbten Kreislauf zu durchbrechen und neu anzufangen.

Wenn Sie sich ständig selbst kritisieren und derart Ihren Glauben an sich und Ihre Ansichten unterwandern, werden Sie in der Erzählerin von Daphne du Mauriers *Rebecca* eine verwandte Seele entdecken – die übrigens namenlos bleibt und so ihre fehlende Überzeugung in ihr Existenzrecht unterstreicht. Ab dem Moment, in dem sie ihre Rolle als die zweite Mrs. de Winter, Herrin von Manderley, annimmt – einem wunderschönen Landsitz, der ihrem älteren, deutlich mondäneren Ehemann Maxim gehört –, wird sie extrem linkisch, lässt andauernd ihre Handschuhe fallen, wirft Gläser um, tritt auf Hunde, errötet und entschuldigt sich, während sie auf Zehenspitzen herumschleicht, auf den Nägeln kaut und sich fragt, ob die Bediensteten über sie lachen. Unangemessen gekleidet und frisiert – was sie weiß –, hat sie nicht die geringste Idee, wie man einen Landsitz führt oder wie man sich das beibringen könnte, und überträgt ihre Autorität naiv an die Haushälterin Mrs. Danvers – ein boshaftes Schreckgespenst von einer Frau, die die erste Mrs. de Winter angebetet hat und die Selbstsabotage der jungen Frau nur allzu gern befördert. Direkt oder indirekt bezeichnet die Protagonistin sich als »zweite Wahl«, als »sonderlich« und »unzulänglich«. Als Mrs. Danvers ihr durch die Blume nahelegt, aus dem Schlafzimmerfenster zu springen, willigt sie, wenig überraschend, fast ein.

Die Heldin aus *Rebecca* ist eine Waise – wir könnten also auch hier wieder ihre toten Verwandten für ihr mangelndes Selbstbewusstsein verantwortlich machen. Aber ihr dabei zuzusehen, wie sie sich selbst niedermacht und sich ständig zu ihren Ungunsten vergleicht mit der eleganten, klugen und schönen Rebecca, ist nach einer Weile nur noch schwer zu ertragen. Alle, die ebenfalls dazu neigen, sich mit ihrem Selbstkritisch-Sein im Weg herumzustehen, werden beim Lesen dieses Romans in schuldhaftem Wiedererkennen erröten und sich schwören, derart autodestruktives Verhalten ein für alle Mal sein zu lassen.

▸ *Bedürftigkeit*

▸ *Versager; sich wie einer fühlen*

Der goldene Esel
Apuleius

Sie halten sich also für was Besonderes. Für jemanden, der was bewegen kann. Egal, was das Leben bringt, Sie werden's schon schaukeln. Sie wissen, wie's geht, und brauchen keine Hilfe, vielen Dank. Sie sind der König des Karaoke, die Königin der Comedy, und mal ganz ehrlich: Das machen Sie doch mit links. Bravo. Ein gesundes Selbstbewusstsein kann erfüllend und ansteckend sein. Aber zu großes Selbstbewusstsein kann sich leicht in Arroganz verwandeln (▶ Arroganz). Allerdings gibt es zwischen den beiden einen wichtigen Unterschied: Die allzu Selbstbewussten neigen dazu, mit einem breiten Grinsen statt einem selbstgefälligen Lächeln durchs Leben zu gehen. Sie halten sich selbst zwar für umwerfend, aber nicht unbedingt für besser als alle anderen – was sie sehr viel liebenswerter macht. Aber wissen Sie auch, Mr. oder Mrs. Ich-kann-alles, was Ihre Freunde hinter Ihrem Rücken über Sie reden? Halten die Sie womöglich für ein wenig eingebildet? Wenn dem so ist, zügeln Sie sich, und zwar mithilfe von Lucius Apuleius' *Goldenem Esel.*

Diese Nachdichtung einer griechischen Sage ist der einzig vollständig überlieferte Roman in Latein und stammt aus dem zweiten Jahrhundert nach Christus. Wie der Historiker und Philosoph Plinius der Jüngere schreibt, begannen Geschichtenerzähler gewöhnlich ihre Vorträge mit den Worten: »Gebt mir eine Kupfermünze, und ich werde Euch eine goldene Geschichte erzählen.« Dies nun ist eine goldene Geschichte, geschrieben, um ihre Leser zu fesseln, mit einer sehr eigenen Sprache und einer Moral am Ende.

Der Held, ebenfalls mit Namen Lucius, unterbricht seine Geschäftsreise nach Thessalien, um eine magische Erfahrung zu machen. Er hatte schon immer mehr über die Kunst der persönlichen Transformation erfahren wollen, und als er der schönen Sklavin Fotis begegnet, beginnt er mit ihr eine Affäre – nicht nur, weil er Gefallen an ihr findet, sondern weil er gehört hat, dass sie möglicherweise Zugang zu magischen Salben und Zaubern hat, die ihn in eine Eule verwandeln könnten. Lucius überredet Fotis, einige dieser magischen Salben von ihrer Herrin zu entwenden. Er reibt sich damit ein, spricht die magischen Worte – und kann seiner Wut fortan nur noch Ausdruck verleihen, indem er mit seinen riesigen, wässrigen Eselsaugen rollt. Wie sich herausstellt, hat Fotis die Salben verwechselt. Doch sie versichert ihm, dass er nichts weiter zu tun braucht, als ein paar Rosen zu fressen, die ihn wieder in seine menschliche Gestalt zurückverwandeln werden.

Tatsächlich wird Lucius ganze zwölf Monate lang in der Haut des Esels stecken und auf der Suche nach den erlösenden Blüten von einer Rosensaison zur nächsten ziehen. Und obwohl er sich über die ungewohnte Größe seines männlichen Organs freut und es genießt, so viele Haare zu haben (als Menschenmann drohte ihm eine Glatze), wird ihm jeder Spaß im Leben gründlich vergällt. Seine innere Stimme ist ironisch, bescheiden und immer humorvoll, aber sie beschreibt auch sehr anschaulich seine befremdliche und beunruhigende Situation. Lucius' Abenteuer als Esel, dem ständig der Tod durch Banditen, grausame Herren oder seine eigenen tollkühnen Eskapaden droht, führen ihn mehr und mehr zu wahrer Bescheidenheit.

Glücklicherweise wird er nicht ewig ein Esel bleiben. Und als Zeichen, dass er sich von seinen früheren Eitelkeiten losgesagt hat, beschließt Lucius, seine menschliche Glatze von nun an mit Stolz zu tragen. Am Ende dieses durch und durch komischen und unterhaltsamen Romans werden Sie sich fühlen, als hätten auch Sie die Ohren des Esels lange genug getragen, um wie Lucius Bescheidenheit zu erlangen. Und die Moral von der Geschicht', sowohl für die Römer als auch für Sie: Die allzu Selbstbewussten stürzen zwangsläufig von ihrem hohen Ross.

► *Arroganz*
► *Optimismus*
► *Risikobereitschaft*

Die Familie Hardelot
Irène Némirovsky

Wir können kaum glauben, dass Sie an dieser unangenehmen Eigenschaft leiden, schließlich lesen Sie ein Buch, das gerade dort ansetzt, wo man an sich arbeiten will. Und selbstgefällige Menschen finden sich ja bekanntermaßen selbst ziemlich gut und sehen also keinerlei Anlass, an sich zu arbeiten. Aber vielleicht sind Sie ja auch nicht selbstgefällig, sehen aber erste Anzeichen drohender Selbstgefälligkeit bei sich oder haben einen alten Freund, der sich zusehends in ein selbstgefälliges Arschloch verwandelt? In beiden Fällen kann Ihnen (oder dem Freund, wenn er es denn zulässt) geholfen werden: von Irène Némirovsky und ihrem Familienroman *Die Familie Hardelot.*

Die russische Jüdin Irène Némirovsky floh vor der Revolution nach Paris und wurde in den 1930ern zum gefeierten Star der Literaturszene. Unter deutscher Besatzung wurde Némirovsky im Juli 1942 verhaftet und kurze Zeit später in Auschwitz ermordet. *Die Familie Hardelot* schrieb sie 1940/41, bereits auf der Flucht vor den Deutschen. Ihre Angst vor der nahenden Katastrophe und ihr Zorn auf die Ignoranz der französischen Behörden – ihr wurde bis zuletzt die französische Staatsbürgerschaft verweigert – fließen in ihre bittere Schilderung der Geschichte der Industriellenfamilie Hardelot ein, die Status und Besitz zu ihren Götzen erhoben hat. Der Erhalt der Papierfabrik und die Steigerung von deren Rentabilität bedeutet ihr alles. Persönliches Glück, Freiheit und Freundschaften opfert sie diesem Ziel. Sogar ein Tag am Strand ist für die Familie kein Vergnügen, sondern erfordert Haltung und Entschlossenheit: »Die Mütter murmelten: ›Faß das nicht an, es gehört dir nicht. Verzeihen Sie, Madame, dieser Platz gehört meinem Sohn, und der hier ist meiner. Paß auf deine Spielsachen auf, sonst wird man sie dir wegnehmen.‹«

Lauschen Sie dieser gewieften Erzählerin, und ihrem Abgesang auf das Bürgertum, lesen Sie von verweigertem Liebes- und beschnittenem Lebensglück, und Ihr Selbstgefälligkeits-Verdacht wird sich verflüchtigen. Ihrem selbstgefälligen

Freund aber wird das Ende dieses Familienclans eine Lehre sein: Da wird der über Jahrzehnte verteidigte Besitz von der Katastrophe des Ersten Weltkriegs hinweggespült.

▶ *Arroganz*
▶ *Eitelkeit*
▶ *Materialismus*
▶ *Menschenhass*
▶ *Selbstbewusstsein, übermäßiges*

SELBSTVERTRAUEN, ZU WENIG

▶ *Bedürftigkeit*
▶ *Chance, verpasste*
▶ *Feigheit*
▶ *Harmoniebedürfnis, übermäßiges*
▶ *Mobbing*
▶ *Pessimismus*
▶ *Selbstbewusstsein, mangelndes*

SEX, ZU VIEL

Die Teufelin
Fay Weldon

Das Liebesleben der Hyäne
Charles Bukowski

Ja, man kann tatsächlich über die Maßen sexfixiert sein. Männer, die unter diesem Zustand leiden, sollten sich eine kalte Dusche in Form von Fay Weldons *Teufelin* verabreichen: Als Ruths attraktiver Ehemann Bobbo sie für die hübsche, zierliche Mary Fisher verlässt – ein Klischee, das direkt aus Marys eigenen millionenfach verkauften Liebesromanen entsprungen zu sein scheint –, beschließt Ruth, sich ihrer inneren Teufelin hinzugeben (▶ *Rachegelüste*). Sie schläft sich durch fremde Betten, bis Sex keine Bedeutung mehr für sie hat, und nutzt ihn dann, um Bobbos und Marys Leben mit verheerender Boshaftigkeit in Stücke zu reißen. Wenn Sie verheiratet sind und mit dem Gedanken spielen fremdzugehen, wird dieser Roman dafür sorgen, dass Sie sich das Ganze noch einmal überlegen (▶ *Ehebruch*). Und Ruths Erkenntnis, dass hübsche Frauen Sex benutzen, um ihre Männer zu manipulieren, wird Sie gebührend ernüch-

tern. Danach wird Ihnen der Zölibat nicht weniger verlockend erscheinen als ein hübscher Augenaufschlag.
Frauen, die einen Abtörner brauchen, finden ihn in Charles Bukowskis *Liebesleben der Hyäne.* Der Erzähler Henry Chinaski – dessen Figur im Grunde auf Bukowski selbst basiert – ist ein dauergeiler Fünfzigjähriger, dessen Hunger nach Titten und Ärschen niemals nachlässt. Ein halber Liter Whisky, einmal gekotzt vor dem Frühstück, und schon klebt er am nächsten weiblichen Hinterteil, dann wird geknutscht und sich gezofft – und dann wundert er sich, wieso sein Magen nicht mehr mitmacht. Das Buch hat Seele, und eine grelle, vulgäre Schönheit, die Sie faszinieren wird. Aber Ihre sexy Unterwäsche werden Sie garantiert in der Schublade lassen.

► *Erschöpfung*
► *Schmerzen*

SEX, ZU WENIG

Die tausend Herbste des Jacob de Zoet
David Mitchell

Wenn Sie das Gefühl haben, dass in Ihrem Schlafzimmer zu wenig los ist – was zu Frustration und Schwermut führen kann, dann empfehlen wir Ihnen, Ihr Leid einmal mit dem der Nonnen und Mönche in David Mitchells *Die tausend Herbste des Jacob de Zoet* zu vergleichen. Der Roman spielt im 18. Jahrhundert, auf einer Insel vor Japan, und erzählt von einem Schrein, dessen Bewohner sexuell so frustriert sind, dass sie sich ausgesprochen seltsame und beunruhigende Rituale ausdenken, um ihr Leid zu lindern. Sie werden so erleichtert darüber sein, von *diesem* Leben verschont worden zu sein, dass Sie Ihr eigenes von nun an mit Gleichmut ertragen werden. Arbeiten Sie an Ihren Verführungskünsten und flitzen Sie gleich mal zur Bücherei, um zu sehen, was – und wen – Sie da möglicherweise aufgabeln können.

► *Menschenscheu*
► *Orgasmen, zu wenige*
► *Single sein*
► *Verheiratet sein*

SIEBZIGER

DIE ZEHN BESTEN ROMANE FÜR SIEBZIG- BIS ACHTZIGJÄHRIGE

Josefine und ich **Hans Magnus Enzensberger**
Der Glaspalast **Amitav Ghosh**
Der abenteuerliche Simplicissimus **Hans Jakob Christoffel von Grimmelshausen**
Die Geschichte der Liebe **Nicole Krauss**
Blumenberg **Sibylle Lewitscharoff**
Die Liebe in den Zeiten der Cholera **Gabriel Garcia Márquez**
Watchmen **Alan Moore**
Die letzte Welt **Christoph Ransmayr**
Frankenstein **Mary Shelley**
Snow Crash **Neal Stephenson**

SINGLE SEIN

Schokolade zum Frühstück
Helen Fielding

Mittwoch, 2. Januar
7.17 Uhr, New Haven, unser Haus. Wache vor dem Kind auf. Ein Wunder. Liege eine halbe Stunde neben dem schnarchenden Ehemann und denke: Vor dem Kind aufstehen. Los jetzt. An seinem Zimmer vorbei, ohne es aufzuwecken. Frage mich, wann ich angefangen habe, das Kind als Eindringling und potenziell gefährliche Spezies zu betrachten. Nach unten schleichen, Kaffee aufsetzen.
7.29 Uhr. Von einem Schrei aus dem Elternschlafzimmer unterbrochen worden, der einem das Blut in den Adern gerinnen lässt. Hochgehetzt und das Kind senkrecht stehend vorgefunden, mit allen Gliedmaßen an den richtigen Stellen und keinerlei sichtbaren Zeichen von Blut oder Kotze. Kind zeigt auf die leere Stelle auf meiner Seite des Bettes. »Mama, du warst nicht da!« Ziehe in Erwägung, einfach wieder umzudrehen. Bemerke, dass die Augen des Ehemanns geschlossen sind. Er ist wahrscheinlich über Nacht taub geworden oder einfach im Schlaf gestorben. Kind wirft mir ein Buch

ins Gesicht. »Frühstück! Und die Raupe Nimmersatt! Sofort!«
8.15 Uhr. Genieße einen Augenblick des Friedens, während das Kind und ich Porridge essen. Bemerke dankbar, dass es nicht gleichzeitig essen und sprechen kann. Dann aber doch eine Unterbrechung durch grauenvoll schrilles Weckerklingeln in größtmöglicher Lautstärke, gefolgt von einer vom Ehemann gebrüllten Unflätigkeit. Dann Stille. Schließe: Er ist am Leben und doch noch im Besitz seines Hörvermögens.
8.17 Uhr. Gedanken unterbrochen von wiederholten Schlägen auf meinen Kopf, ausgeführt mit der *Raupe Nimmersatt.* Jetzt macht das Kind hoffentlich etwas weniger Nerviges, vielleicht malt es ein Bild.
8.19 Uhr. Mein Blick fällt auf eine uralte Ausgabe des *Tagebuchs der Bridget Jones*, das unter dem zu kurzen Tischbein klemmt.
10.00 Uhr. Verbringe eine ganze Stunde lesend unter dem Tisch, während das Kind mich als Leinwand für seine abstrakte Kunst benutzt. Giggele vor mich hin, als Bridget Fragen zu ihrem Liebesleben abschmettert (»Warum kapieren es verheiratete Leute einfach nicht, dass das keine höfliche Frage mehr ist? Wir stürmen doch auch nicht auf *sie* los und fragen: ›Wie läuft's mit Eurer Ehe? Schlaft Ihr noch miteinander?‹«). Kichere auch, als sie prähistorische Quasi-Anmach-E-Mails von Daniel Cleaver auf der Arbeit kriegt (»Nachricht an Jones: Du scheinst deinen Rock vergessen zu haben.«). Lache so sehr, dass ich mir den Kopf an der Unterseite der Tischplatte stoße. Bin plötzlich von der Nostalgie einer Single-Frau über dreißig erfüllt, die in Notfallsituationen mit besten Freundinnen flaschenweise Chardonnay in sich reinkippt und ganze Wochenenden in Vorbereitung auf ein Candlelight-Dinner mit einem emotional nicht verfügbaren Mann mit dem Peelen ihrer Ellbogen verbringt. Kann nicht glauben, so viel Zeit darauf verwendet zu haben, eine Zufriedene-Verheiratete zu sein, um jetzt als eine Verheiratete-Aber-Nicht-Zufriedene zu enden. Bemerke, dass der Tisch gefährlich kippelt, und schiebe mein Exemplar von

Glücklich verheiratet für Dummies unter das zu kurze Bein. Mentale Notiz: Lesen.
12.00 Uhr. Verzweiflung. Lese unter dem Tisch *Die kleine Raupe Nimmersatt* in Endlosschleife vor.
12.30 Uhr. Kind unterbricht mich und brüllt: »Mama, warum hast du aufgehört?« Sage dem Kind, dass ich nachgedacht habe. »Worüber?«, fragt das Kind. Höre mich selbst zum Kind sagen, dass ich mir vorgestellt habe, erst ein Messer in die kleine Raupe Nimmersatt zu rammen und dann ein Streichholz an ihr hinteres Ende zu halten. »Warum?«, fragt das Kind. »Weil ich als Single alles hätte tun können und es nicht getan habe«, sage ich. »Was ist ein Single?«, fragt das Kind. »Ich, bevor ich Papa kennengelernt und dich gekriegt habe.« »Und was hast du gemacht als Single?«, fragt das Kind. »Alles, was ich wollte, und zwar dann, wann ich es wollte und mit wem ich es wollte – innerhalb gewisser gesellschaftlich tolerierter Grenzen natürlich«, sage ich. »Und ich habe es nicht genug gemacht.« »Kann ich auch Single sein?«, fragt das Kind. »Nein«, sage ich. »Warum kann ich kein Single sein?«, heult das Kind.
12.31 Uhr. Entschuldige mich mit dem Grund, aufs Klo zu müssen. Schicke B. F. eine SMS und frage sie, warum wir es, als wir zwanzig, dreißig waren, nicht toll fanden, Singles zu sein. Sehe aus dem Fenster und denke an all die Dinge, die wir hätten tun können, anstatt aufs Telefon zu starren und darauf zu warten, dass es klingelt. Werde vom piepsenden Handy unterbrochen. »Weil wir nach dem Traummann gesucht haben«, simst B. F. zurück. »Weil wir Angst davor hatten, als alte Jungfern zu enden.«
12.45 Uhr. Unterbrechung durch den Ehemann, der ohne zu klopfen ins Bad kommt. Er sagt: »Ist das deine Unterhose?« und »Haben wir noch Eier?« und »Wieso riecht's hier so verbrannt?«
12.46 Uhr. Renne nach unten und ziehe mir im Laufen die alte graue Unterhose hoch, den Ehemann auf den Fersen. Das Kind sitzt unter dem Tisch und hält ein brennendes Streichholz an die mit einem Messer durchbohrte *Raupe Nimmersatt*. Das Kind fragt: »Bin ich jetzt Single, Mama?«

12.49 Uhr. Werde vom Ehemann unterbrochen, der fragt: »Wie kommt das Kind denn an eine Streichholzschachtel?« und »Haben wir jetzt noch Eier oder nicht?« und »Was soll das denn mit diesem Single-Sein?«
12.50 Uhr. Werde vom Kind unterbrochen, das schreit: »Mama!! Was sind gesellschaftlich tollisierte Grenzen?«
12.53 Uhr. Der Ehemann öffnet den Schrank und sieht hinein. Sagt »Eier!« und lächelt. Dann fragt er: »Und, hast du was geschafft heute Morgen?« und »Sollen wir später Sex haben?« und »Ich habe heute Morgen einen wirklich interessanten Artikel über das Wahlsystem in jungen Demokratien gelesen. Soll ich dir was darüber erzählen?«
12.54 Uhr. Starre den Ehemann an. Denke: Eier? Demokratie? *Sex?*

▸ *Der/Die Richtige; auf der Suche nach ihm/ihr sein*
▸ *Der/Die Richtige; ausharren für ihn/sie*
▸ *Dinnerpartys, Angst vor*
▸ *Einsamkeit*
▸ *Glück, Suche nach dem*
▸ *Sex, zu viel*
▸ *Sex, zu wenig*

SITZENGELASSEN WERDEN

▸ *Herz, gebrochenes*
▸ *Liebeskummer*
▸ *Mordgelüste*
▸ *Schlaflosigkeit*
▸ *Schlussmachen*
▸ *Weinen; sich tüchtig ausheulen*
▸ *Wut*

SORGEN

▸ *Angst*

SPIELSUCHT

Der Würfler
Luke Rhinehart

Nehmen Sie einen Würfel. Überlegen Sie sich sechs Dinge, die Sie heute tun könnten. Großartiges. Lächerliches. So vielleicht:

1. Sich alle Haare am Körper abrasieren
2. Denjenigen, der als Erstes an Ihnen vorbeiläuft, zum Abendessen einladen, egal wie alt, ob Mann, Frau oder Hund
3. Blind eine Nadel in eine Weltkarte stecken und dorthin reisen, egal wo das ist
4. Dieses Buch hier Ihrem Chef schicken und vorher alle Probleme markieren, die er oder sie in Angriff nehmen müsste
5. Eimer und Spaten nehmen und damit bis ans Meer laufen
6. Den *Würfler* von Luke Rhinehart lesen, um sich von der Spielsucht zu kurieren

Schwören Sie, dass Sie tun werden, was auch immer der Würfel befiehlt.
Nun, dann wissen Sie ja, was Sie zu tun haben.
► *Pleite sein*
► *Risikobereitschaft*

SPRACHFEHLER

Der dreizehnte Monat
David Mitchell

Wir kennen keine mitfühlendere Erkundung des Kummers und der Unannehmlichkeiten, die ein Sprachfehler – in diesem Fall das Stottern des dreizehnjährigen Jason Taylor – mit sich bringt, als *Der dreizehnte Monat* von David Mitchell. Jason beschäftigt sich sehr viel mit seinem Stottern, das eingesetzt hat, als er acht war, ungefähr zu der Zeit, als die Ehe seiner Eltern ins Wanken geriet. Jason fällt beispielsweise auf, dass »Henker«, wie er sein Stottern nennt, sich vor allem der Wörter bemächtigt, die mit ›N‹ anfangen (später geht er dann auf die »S-Wörter« über, die ja leider den dicksten Teil im Wörterbuch ausmachen), und dass man den Henker am besten »austricksen« kann, indem man einen Satz, schon bevor man ihn ausspricht, auf »Stotterwörter« untersucht und das, was man sagen wollte, durch das ersetzt, was man sagen *kann*. Außerdem weiß er, dass Stotterer niemals eine Auseinandersetzung mit einer schlagfertigen Antwort oder einer scharfen Erwiderung gewinnen können, »denn du brauchst nur steckenzubleiben, und z-z-zack hast d-d-du v-v-verloren!«

Während zu Hause die Spannungen größer werden und sein Stottern schlimmer wird, gehen die gefürchteten Schikanen los (► *Mobbing*). Es fängt ganz harmlos an, steigert sich aber ins Unerträgliche. Wir können nur zusehen, wie verzweifelt Jason sich an seinen immer schneller sinkenden Stern klammert, und seinen Schmerz mit ihm teilen. Aber dann passiert etwas Magisches: Jason entdeckt die Poesie. Und entwickelt mit Hilfe seiner Sprachtherapeutin Mrs. De Roo (und einer exotischen Einheimischen namens Madame Crommelynk, die sich darum kümmert, dass seine anonymen Einsendungen an das Gemeindeblättchen auch gedruckt werden) ein neues Verhältnis zu den Wörtern, lernt, sie zu lieben und so zu nutzen, dass sie seine Wahrheit sagen. Während Jasons Erzählen einen immer stärkeren lyrischen Einschlag bekommt – was Mitchell mit eindrücklicher Fingerfertigkeit gelingt –, beginnt seine Metamorphose von jemandem, der voller Neid auf jeden schaut, »der spontan sagen kann, was er will«, zu jemandem, für den Worte letztendlich ein wunderschöner Behelf sind.

Da jeder Sprachfehler andersartig ist, mag Jasons Heilmittel nicht das Ihrige sein. Aber ihm dabei zuzusehen, wie er den Punkt erreicht, an dem er mit einer atemberaubend sicher rhythmisierten Replik ein erschüttertes Schweigen im Klassenzimmer zustande bringt, wird Ihr Herz fast verglühen lassen. Alle, deren Zunge zu vergleichbaren Verhedderungen neigt, werden mindestens zwei Dinge aus diesem Roman mitnehmen: Erstens wird diese zusätzliche Schlacht, die Sie zu schlagen haben, Sie wie Jason zu einem reiferen Menschen machen. Und zweitens werden Sie, ebenfalls wie

Jason, wahrscheinlich feststellen, dass Sie zwar in einer Hinsicht gehandicapt, dafür aber in einer anderen extrem begabt sind.

SPRACHLOSIGKEIT

Lolita
Vladimir Nabokov

Wenn Sie vor Schreck sprachlos sind, dann warten Sie, bis Sie sich wieder erholt haben, und Ihre Sprachfähigkeit wird zurückkehren. Falls die Worte nicht herauskommen wollen, weil Sie stottern, siehe ► *Sprachfehler.* Aber wenn Ihnen die Worte fehlen, weil Worte nicht zu Ihren Freunden gehören, weil sie einfach nie da sind, wenn Sie sie brauchen, dann wählen Sie Humbert Humbert, den Erzähler in Vladimir Nabokovs *Lolita*, für eine Weile zum Gefährten, einen Mann, dem niemals die Worte fehlen.

Von Rechts wegen sollte Humbert Humbert – oder H. H., wie wir ihn nennen wollen –, der in seinem egoistischen Streben nach seiner pädophilen Vergnügung das Leben eines jungen Mädchens zerstört hat, vor Scham verstummen. Stattdessen steht er mit den Worten auf bestem Fuße, während er im Gefängnis auf den Prozess wartet, der sein weiteres Schicksal bestimmen wird. Tatsächlich kann H. H. es kaum erwarten, seine Geschichte zu erzählen. Denn hier im Gefängnis muss er die abscheuliche Kreatur, die er ist, nicht länger unterdrücken und verheimlichen. Nun endlich kann er sich den herrlichen Erinnerungen an seine Leidenschaften hingeben.

Eine dieser Leidenschaften ist die Sprache. Für H. H. sind Wörter dazu da, um mit ihnen zu spielen; er liebt Anspielungen und Doppeldeutigkeiten, denn sie bieten ihm Entspannung und ein Ventil für seinen boshaften Humor. Was H. H. da macht, ist natürlich nichts anderes, als uns, seine Leser, zu verführen, und zwar mit der Zunge. Wir sind genauso gebannt von seinen Beschreibungen der kleinen Lolita wie er von dem Mädchen selbst. Vom ersten Satz an, in dem er ihren Namen in seine drei köstlichen Silben »Lo-li-ta«, zerlegt, sind wir wie gefangen von diesem »nerven-

zermürbenden Balg«, süchtig nach der Sprache, in der es uns offenbart wird. Und so, im Bann seiner Schwärmerei, ebenfalls befleckt vom gemeinsamen Kitzel, wie können wir H. H. da verurteilen, ohne uns selbst zu verachten? Und genau damit spielt Nabokov. Am Ende sind wir so entzückt von H. H. s ekelerregendem Geständnis des Mordes, der Vergewaltigung, Pädophilie und Inzucht – »Mark klebt daran und Blut und schöne grünschillernde Fliegen« –, als schilderte er uns die moralisch einwandfreie Liebesgeschichte zweier Erwachsener. Nabokov hat eine abscheuliche Angelegenheit in ein außergewöhnliches Kunstwerk verwandelt.
Der Unterschied zwischen Ihnen – sprachlos, mit angsterfülltem Blick – und Humbert Humbert – wortgewandt, belesen, frankophon, mit einer Vorliebe für kleine Mädchen und *le mot juste* – besteht darin, dass dieser sprachgewandte Verbrecher etwas besitzt, was Ihnen fehlt: die Überzeugung, ein Recht darauf zu haben, seine Stimme zu erheben. Borgen Sie sich dieses Recht von ihm. Tauchen Sie ein in seine eleganten Rhythmen, aber nicht in seine uneleganten Aktivitäten. Betrachten Sie Sprache – und nicht Kindfrauen – als ihr Spielzeug, als Quelle privaten und geteilten Vergnügens. Machen Sie sich seinen verführerischen Charme – aber nicht seine Verführung junger Mädchen – zu eigen, lassen Sie Ihre Zungenspitze drei Sprünge den Gaumen entlang machen, bis Sie an die Zähne schlägt, und gestatten Sie Ihrer geplagten Zunge endlich zu sprechen.

STADTMÜDIGKEIT

Die Stadt und die Stadt
China Miéville

Das Leben in der Stadt kann ziemlich aufreibend sein. Die weiten Wege, die Hektik, die Anonymität. Die graue Trostlosigkeit endloser Betonlandschaften, die flackernden Werbetafeln, der Müll, die Kriminalität. Wenn Ihre Stadt Sie krank macht, dann raten wir Ihnen dringend, keinen Fuß mehr vor die Tür zu setzen, bevor Sie nicht *Die Stadt und die Stadt* von China Miéville gelesen haben. Miévilles so beunruhigende und doch so vertraute Geschichte ist einfach der beste Roman über das Leben in der Stadt, den wir kennen, und wird Ihnen eine 3-D-Brille aufsetzen, wo Sie bislang nur in 2-D gesehen haben.

Denn wenn Sie durch die Straßen der fiktiven Stadt Besźel gehen, dann müssen Sie die Leute, die neben Ihnen herlaufen, sich jedoch in einer anderen Stadt befinden, »nichtsehen« [sic!], denn sie leben in der Stadt Ul Qoma, die denselben geographischen Raum beansprucht. Um sich in diesen übereinanderliegenden Städten zurechtzufinden, müssen Sie die architektonischen Eigenheiten, die Kleidung und sogar den Gang und das Verhalten der Einwohner in Ihrer Stadt genau kennen und wissen, wie sie sich von denen der anderen Stadt unterscheiden. Wenn Sie nämlich die Grenze zwischen den beiden Städten überqueren, begehen Sie »Grenzbruch«, und wenn Sie Grenzbruch begehen, verschwinden Sie.

Inspektor Tyador Borlú ermittelt im Mordfall einer Studentin namens Mahalia, der sich in der Stadt Besźel ereignet hat. Nachdenklich und intelligent, wie er ist, erkennt er schnell, dass dieser Mord gegen alle Regeln des Zusammenlebens in jeder der beiden Städte verstößt. Der Akademiker Bowden, der einst behauptete, es habe noch eine dritte, unsichtbare Stadt namens Orciny zwischen Besźel und Ul Quoma gegeben, wird hinzugezogen. Mahalia scheint auf eben diese dritte Stadt gestoßen zu sein und ihre eigenen Recherchen darüber betrieben zu haben, wobei sie als neugierige Akademikerin in eine gefährliche Unterwelt hinabgezogen wird.

Die Genialität dieses fesselnden Romans – teils Detektivgeschichte, teils Thriller – liegt in der verstörenden Vertrautheit jenes unbewussten Zustands des »Nichtbeachtens«. Wie oft haben auch wir Menschen in unserer eigenen Stadt übersehen, weil es gefährlich sein könnte, mit ihnen in Kontakt zu kommen? Miévilles Geschichte wird sich so tief in Ihr Gehirn einbrennen, dass sich Ihr Blick auf Ihre eigene Stadt für immer verändern wird. Die Metropole, die Ihnen einst so vertraut erschien, wird eine völlig neue Dimension von

Raum, Wirklichkeit und Möglichkeit bekommen. Und Sie werden feststellen, dass Sie plötzlich eine Menge Menschen sehen, die Ihnen vorher irgendwie entgangen sind.

STERBEN

Metamorphosen
Ovid

Wir können den Tod nicht ewig aufhalten, und wenn unsere Zeit gekommen ist, sollten wir bereit sein. Hier im Westen neigen wir dazu, den Tod aus unseren Gedanken und unserem täglichen Leben zu verdrängen. Vorbei sind die Zeiten des Memento mori, des ständigen Bewusstseins der eigenen Sterblichkeit. Und doch ist es wichtig, dieses Bewusstsein wachzuhalten – um sicherzustellen, dass wir das Leben voll und ganz auskosten. Die beste Vorbereitung auf das Sterben sind die richtigen literarischen Begleiter, so dass wir, wenn die Zeit gekommen ist, dem Tod – unserem eigenen oder dem anderer – nicht ohne passendes Rüstzeug entgegentreten. Ganz gleich, ob Sie selbst auf dem Totenbett liegen oder einer Ihrer Lieben, dessen Hand langsam aus der Ihren gleitet – ein paar tröstende und beruhigende Worte, die uns sanft ermutigen, das Unvermeidliche zu akzeptieren, sind von unschätzbarem Wert. Sie werden froh sein, dieses Werk heiteren Gleichmuts und glasklarer Schönheit bei sich zu haben – entweder um es leise für sich zu lesen oder, wenn es Ihnen möglich ist, laut vorzulesen oder vorgelesen zu bekommen.

Ob wir an Gott glauben oder nicht: Uns allen wird der Gedanke der Verwandlung in einer solchen Zeit Trost spenden. Denn auch wenn wir glauben, dass der Tod das Ende ist, verändern wir in einem gewissen Sinne nur die Form. Lesen Sie Ovid. Er wird Ihnen helfen, sich als einen Teil des ewigen Kreislaufs des Lebens zu fühlen, denn sein Meisterwerk, die *Metamorphosen*, handelt davon, wie eins ins andere übergeht, ad finitum.

Dieses Buch birgt das gesamte Leben, von den Schöpfungsmythen zu den Leben der Philosophen, von Chaos zu Eros, von der Ankunft der Götter zu den Prüfungen des Herkules und Prometheus. Doch Ovids zentrales Thema ist die Liebe, die Kraft, die alles verwandelt. Um seine Begierde zu befriedigen, verwandelt Zeus sich in einen Schwan, einen Stier, in goldenen Regen. Seine Opfer werden zu Bäumen, Wassernymphen, Vögeln und wilden Tieren. Diana verwandelt Actaeon in einen Hirsch, weil er sie nackt gesehen hat. Narcissus wird vor lauter Selbstliebe zur Blume. Und Echo wird, nachdem sie vor Liebeskummer gestorben ist, ewig als immer wiederkehrender Hall existieren (▸ *Liebeskummer*, falls es noch nicht zu spät ist). Arachne wird in eine Spinne verwandelt, weil sie so gerne gewebt hat. Alles ist im Wandel begriffen, nichts bleibt, wie es ist, und jedes Lebewesen wechselt von einem Zustand in einen anderen – nicht sterbend, sondern werdend.

Und so schlagen Ovids Verse uns in ihren Bann, denn er schreibt von Mythen und Legenden, Liebe und Verlust, er zeigt uns, wie wir in wilden Blumen leben, in Olivenbäumen und Flüssen, und unsere Lebenskraft immer neue Formen annimmt, in niemals endenden Metamorphosen.

STRESS

Der Mann, der Bäume pflanzte
Jean Giono

Ihr Herz klopft wild. Ihr Atem geht schnell und flach. Ihre Fäuste sind geballt, Ihr Blick ist geschärft und Ihre Ohren sind gespitzt – es scheint, als gehe es um Ihr Leben!

Nein, Sie standen nicht gerade Aug' in Aug' einem Bären gegenüber. Sie warten auf den Zug, der Sie zur Arbeit bringt, Sie schmieren sich ein Brot oder grübeln gerade darüber, welches Klopapier Sie kaufen sollen – alles ganz normal, alltäglich. Außer, dass Sie unter einer der lähmendsten, kräftezehrendsten Epidemien der Moderne leiden: Stress.

Wir verschreiben einen Roman, der in seinem Auftreten so schlank und wenig einschüchternd ist, dass wir garantieren, dass er Ihnen nicht noch mehr Stress machen wird.[1] *Der*

1 Wenn wir ehrlich sind, ist es eigentlich gar kein Roman. Aber Sie in Ihrer Gestresstheit wird das gar nicht interessieren.

Mann, der Bäume pflanzte wird Ihre Seele schnell in einen Zustand der Gelassenheit versetzen. Es ist eine einfache Geschichte: In einem verödeten Landstrich Frankreichs lebt ein Schäfer. Er ist umgeben von dem, was er braucht, mehr nicht. Seine Knöpfe sind säuberlich ans Hemd genäht, sein Gewehr ist geölt, der Abwasch gemacht. Drei Jahre zuvor ist ihm aufgegangen, dass dieser Teil des Landes stirbt, weil ihm Bäume fehlen, und da er gerade nichts Besseres vorhatte, beschloss er, das zu ändern. Seitdem verbringt er seine Abende mit dem Auslesen von Eicheln, er trennt die guten von den schlechten, und pflanzt die guten dann ein.
Die üppigen Eichenwälder, die aus den Feldern um ihn herum emporsprießen, bereichern die Region, die dadurch nun zehntausend Menschen Arbeit schafft, sie ernährt und erfreut. Aber es sind nicht die Früchte seiner Arbeit, die dem Schäfer Seelenfrieden bringen. Es ist die Arbeit selbst – das Gehen, Graben, Pflanzen, Zusehen und Warten.
Es ist mehr oder weniger unmöglich, in Gesellschaft dieses Schäfers nicht gelassen zu werden. Und wenn Sie ausgelesen haben, gehen Sie raus. Der beste Weg, um Stress loszuwerden, ist die Lektüre des richtigen Romans. Der zweitbeste, sich zu bewegen. Packen Sie eine Schaufel in die Tasche und machen Sie einen schönen, langen Spaziergang.

► *Alpträume*
► *Angst*
► *Arbeitssucht*
► *Bluthochdruck*
► *Konzentrationsschwierigkeiten*

STUDIUM, GESCHMISSENES

Harzreise
Heinrich Heine

Tonnenschwer liegt Ihnen die Überdosis *Essen III* im Magen, die Prüfungsordnung gleicht dem Labyrinth des Minotaurus, das Semester zieht sich endlos, die Zukunftsaussichten sind düster und die Dozentin ist ständig abgehetzt? Dann wird es Zeit, das Studium zu schmeißen und mit Heinrich Heine auf *Harzreise* zu gehen.

Heine, der große Spötter, der Überwinder der Romantik und leidenschaftliche Dichter, war ein glückloser Student: 1819/20 hatte er in Bonn ein Jurastudium aufgenommen, wechselte aber bald nach Göttingen. Hier wurde er für ein Semester der Universität verwiesen, weil er eine verbotene Duellforderung ausgesprochen hatte, um eine antisemitische Beleidigung zu ahnden, später flog er wegen eines Bordellbesuchs aus seiner Studentenverbindung. Im September 1824 hatte er genug von Hörsälen und Bibliotheken und brach zu einer vierwöchigen Reise durch den Harz auf, während der seine berühmte Erzählung *Harzreise* entstand.
Heine bzw. sein Alter Ego ist endlos genervt von den bornierten Professoren und der spießigen Göttinger Gesellschaft, und es ist die reine Freude zu lesen (und zwar auch heute noch!), wie er seinen Ärger in höchst eleganten Spott verwandelt. Zum Beispiel: »Die Stadt Göttingen, berühmt durch ihre Würste und Universität [...] ist schön, und gefällt einem am besten, wenn man sie mit dem Rücken ansieht.« Oder hier: »... nur die alten Professoren bleiben stehen in dieser allgemeinen Bewegung, unerschütterlich fest, gleich den Pyramiden Ägyptens – nur daß in diesen Universitätspyramiden keine Weisheit verborgen ist.«
Wer auch so schön schimpfen kann, der richte sich einen Blog ein und schimpfe sich selbst den Frust aus dem Leib. Alle anderen können mit unserer *Harzreisen*-Kur Dampf ablassen. Wer mag, kann mit Heine in der Hand die Reise nachwandern und rufen: »Lebet wohl, ihr glatten Säle, Glatte Herren! Glatte Frauen! Auf die Berge will ich steigen, Lachend auf Euch niederschauen«, er kann mit Heine die Natur betrachten und erleben, wie der Fluss Ilse die Knoten in den Gehirngängen wegschwemmt und wie beim Anblick des Brockens Zukunftsängste zerbröseln. Und nach vollendeter Reise? Kann man sein Studium wieder aufnehmen und es wie Heinrich Heine zum Abschluss bringen. Oder man entscheidet sich, seinem Traum zu folgen und Ameisenflüsterer zu werden, Liebesbotschaften mit Fallschirmen auf den Himmel zu schreiben oder was man sonst für eine verrückte Idee hat. Denn Heinrich Heine hat sich nach diversen

gescheiterten Versuchen, als Jurist zu arbeiten, entschieden, als Schriftsteller seinen Lebensunterhalt zu verdienen. Und das war zu seiner Zeit eine ziemlich exotische Berufswahl.

▶ *Glück, Suche nach dem*

SÜCHTIG NACH ALKOHOL

▶ *Alkoholsucht*

SÜCHTIG NACH DROGEN

▶ *Drogenkonsum, übermäßiger*

SÜCHTIG NACH GLÜCKSSPIEL

▶ *Spielsucht*

SÜCHTIG NACH DEM INTERNET

▶ *Internetsucht*

SÜCHTIG NACH SEX

▶ *Sex, zu viel*

SÜCHTIG NACH SHOPPING

▶ *Kaufsucht*

SÜCHTIG NACH NIKOTIN

▶ *Rauchen; es aufgeben*

Die unglaublichen Abenteuer von Kavalier und Clay
Michael Chabon

Dieses Buch wird Ihr Leben retten
A. M. Homes

Stopp – sagen Sie nichts. Sie stellen sich vor, wie Sie in blaurotem Elasthan aussehen würden. Sie fragen sich, über welche Superkräfte Sie verfügen würden. Ein klitzekleiner Teil von Ihnen glaubt immer noch an das Diadem, das Gewehrkugeln aufhalten kann, die telepathischen Fähigkeiten und die Tippgeschwindigkeit von Wonder Woman (160 Wörter pro Minute, falls Sie's genau wissen wollen). Sie haben die Möglichkeit, dass Sie vielleicht eines Tages etwas Ähnliches besitzen werden wie Batmans Batmobil – wenn nicht sogar genau dieses –, noch nicht ganz abgeschrieben. Und gelegentlich sehen Sie während Ihrer alltäglichsten Verrichtungen kleine Blasen über Ihrem Kopf, in denen »Wuusch!«, »Bäng!«, »Kawumm!« oder »Zzzing!« steht. Das ist in Ordnung so. Manche Kinder wachsen aus so was raus; Sie eben nicht.

In diesem Fall werden Sie *Die unglaublichen Abenteuer von Kavalier und Clay*, Michael Chabons epische Geschichte über die beiden Comic-Autoren Josef Kavalier und Sammy Clay, längst gelesen und ins Herz geschlossen haben. Auf der Welle des goldenen Comic-Zeitalters erschaffen diese beiden eine ganze Reihe von Superhelden, allen voran den Eskapisten, der 1939 »[a]ll denen, die sich schinden in den Fesseln der Tyrannei und, ähm, den … Zwängen der Unterdrückung […] Hoffnung auf Erlösung und die Verheißung der Freiheit« schenkt, im Krieg gegen Hitler mit Füller und Tinte kämpft. Joe und Sammy werden jedoch selbst keine Superhelden; sollten Sie einen literarischen Mentor suchen, der Ihnen das Wie-wird-man beibringt, dann kennen wir jemanden, der weiß, wie es geht.

In A. M. Homes' *Dieses Buch wird Ihr Leben retten* ist Richard Novak seit seiner Scheidung vor dreizehn Jahren, in deren Folge er seinen vierjährigen Sohn in New York zurückgelassen hat, als er selbst nach Kalifornien zog, gefühlsmäßig abgestumpft. Sein jetziges Leben steht für alles, was an Los Angeles heute künstlich ist: Er lebt in einem Glaskastenhaus, das in die Wand eines Canyons gebaut ist, ist mit einem rauschunterdrückenden Kopfhörer ganz wunderbar von der Welt abgeschottet und hat ausschließlich Kontakt zu seiner Haushälterin, seiner Ernährungsberaterin, seiner Masseurin und seiner Fitnesstrainerin. Eines Tages fängt er wieder an *zu fühlen* – was mit einem überwältigenden, nicht diagnostizierbaren körperlichen Schmerz beginnt –, und nach und nach treten wieder Menschen in sein Leben: Anhil, der Besitzer des Donut-Ladens, Cynthia, eine sich ausgenutzt fühlende Hausfrau, und sein »umwerfend sexy« Nachbar Tad, ein Filmstar. Kaum dass er sich's versieht, verstößt er schon gegen seine eigenen Regeln – er trinkt Kaffee (»Echten Kaffee?«, fragt seine Ernährungsberaterin entgeistert. »Mit normaler Milch?«), isst einfach mal zwischendurch einen Donut, bricht in Tränen aus, macht Nickerchen … und will »mehr sein, mehr tun … er will heroisch sein, ein Übermensch – Leute aus brennenden Gebäuden retten, über die Dächer springen«. Anders gesagt: ein Superheld sein.

Richards diverse Heldentaten – bei einer findet unsere Lieblingsverfolgungsjagd in der Literaturgeschichte statt – werden Sie vor Superhelden-Verehrung glühen lassen. Schließlich braucht es den Quacksalber Lusardi, um klarzustellen, dass es bei dem ganzen Retten anderer eigentlich nur darum geht, sich selbst zu retten. Als schließlich sein mittlerweile siebzehn Jahre alter Sohn Ben auf seiner Türschwelle aufschlägt, ist Richard bereit für den Versuch, die wichtigste Beziehung von allen zu retten.

Die Wahrheit ist, dass man kein Superheld werden kann, wenn man vorher nicht gelitten hat. Richard hat zwar einen Sensor für die Bedürfnisse anderer; aber was ihn eigentlich treibt, ist sein Wunsch, die Dinge mit Ben wieder geradezurücken und etwas davon zurückzubekommen, was er verloren hat. Sollten Sie Motivation genug haben, Fehler, die Sie gemacht haben, zu korrigieren und das Leben anderer zu verbessern, können auch Sie ein Superheld werden.

T

TEENAGER SEIN

► *Pubertät*

DIE ZEHN BESTEN ROMANE FÜR TEENAGER

Das absolut wahre Tagebuch eines Teilzeit-Indianers **Sherman Alexie**
Andere Stimmen, andere Räume **Truman Capote**
Enders Spiel **Orson Scott Card**
Das also ist mein Leben **Stephen Chbosky**
Der Liebhaber **Marguerite Duras**
Der große Meaulnes **Alain Fournier**
Unterm Rad **Hermann Hesse**
Die Blütezeit der Miss Jean Brodie **Muriel Spark**
Die Farbe Lila **Alice Walker**
Die Bücherdiebin **Markus Zusak**

TINNITUS

Freiheit
Jonathan Franzen

Menschen, die unter einem Tinnitus leiden – einem ständigen und in den meisten Fällen unheilbaren Zischeln oder Klingeln im Ohr, das manchmal dem Zirpen von Grillen in einer Sommernacht ähnelt –, bekommen oft den Ratschlag, den Ton mit einer anderen Klangmauer abzuschirmen. Das Problem damit ist, dass die meisten alternativen Klangmauern einen noch wahnsinniger machen als der Tinnitus selbst – das beste Beispiel hierfür ist das gefürchtete New-Age-Rauschen von gegen den Strand schlagenden Wellen. Was also kann der akustisch anspruchsvolle Erkrankte tun?

Unser Vorschlag lautet: Bauen Sie in Ihrem Kopf eine innere Klangmauer, indem Sie *Freiheit* von Jonathan Franzen lesen – einen Roman, der die zeitgenössische US-amerikanische Gesellschaft auf ihre derzeitigen Beschäftigungen, Neigungen, Obsessionen und Ängste hin durchkämmt und sie zu einem Dokument zusammengefügt hat, das man, in einer Kapsel versiegelt, zu den Außerirdischen ins All schießen könnte. Denn Franzens Technik heißt: alles mit reinnehmen, nichts auslassen. Auf diese Art wird das Paar Patty und Walter Berglund im Zentrum der Geschichte zu einer reichen Fundgrube uns allen wohlvertrauter Charakterzüge – und nur ein Genie wie Franzen vermag es, diese auf ihre Quintessenz zu reduzieren und auf Romanseiten zu bannen.

Patty und Walter sind die »jungen Pioniere« von Ramsay Hill, die Speerspitze der Gentrifizierung dieses Viertels, und obwohl uns gleich am Anfang gesagt wird, dass »schon immer etwas nicht stimmte mit den Berglunds«, wissen wir erst mal nicht, was das sein sollte. Sie trägt Pferdeschwanz, er fährt mit dem Fahrrad zur Arbeit – sie sind ein glückliches Paar mit zwei Kindern, Joey und Jessica. Aber eine derart offensichtliche Vollkommenheit kriegt man natürlich nicht ohne eine schrill klingende, im Inneren schwingende Spannung, der das Zerreißen unausweichlich folgen muss. Und als sich der Riss dann tatsächlich auftut, kommen auch andere Macken und Laster ans Licht.

Freiheit ist ein sehr betriebsamer Roman, erzählt im typischen Franzen-Ton: ungemein schwatzhaft, eingerahmt von Straßenjargon, Markennamen und Verweisen aufs Weltgeschehen, inwendig gefüllt mit inneren Monologen und blitzenden Metaphern, die oft witzig, aber auch immer stimmig sind. Als solches ist dieses Buch die perfekte Klangmauer, um das Zischeln des Tinnitus zu übertönen: In dieser Mauer fehlt kein einziger Ziegelstein, und der Zement hat keine Risse. Dass einer der Charaktere, Richard nämlich, selbst unter einem Tinnitus leidet, ist eher der Beweis dafür, dass Franzen die Zinken seines Kamms gut justiert hat, als eine Spur zu einer möglichen Therapie. Es tut uns nur leid für Richard, dass er als Teil des Romans dieses Buch nicht selbst als Heilmittel einsetzen kann. Aber so ist das eben mit dem Tinnitus. Er sitzt drin, und auch wenn man sich kurzfristig Erleichterung verschaffen kann, gibt es letztendlich keinen Ausweg.

► *Lärm, zu viel*

TOD, ANGST VOR DEM

Hundert Jahre Einsamkeit
Gabriel García Márquez

Fragen Sie sich auch manchmal, wie es anderen gelingt zu funktionieren, obwohl sie wissen, das ihr Leben jeden Augenblick zu Ende sein kann? Wachen Sie nachts schweißgebadet auf, unfähig sich zu bewegen in dem schrecklichen Wissen, dass eine Ewigkeit der Nichtexistenz Sie erwartet?
Sie sind nicht allein. Das Bewusstsein unserer Sterblichkeit unterscheidet uns von den Tieren. Und die Art und Weise, wie wir damit umgehen – ob wir an Gott glauben und an ein Leben nach dem Tod, ob wir uns damit abfinden, dass der Tod das Ende ist, oder einfach jeden Gedanken daran verdrängen –, unterscheidet uns Menschen voneinander.
Ein Heilmittel, das Sie auf Ihrem Nachttisch liegen haben sollten, ist das Buch *Hundert Jahre Einsamkeit.* Diesen Roman über die Familie Buendía aus Macondo kann man wieder und wieder lesen, denn die Ereignisse folgen einem ewigen Zyklus, und das Buch ist so dicht geschrieben, dass Sie bei jedem Lesen etwas Neues entdecken werden. Da sich die Geschichte über ein ganzes Jahrhundert erstreckt, kommt der Tod häufig vor und wird sehr sachlich beschrieben. Und die Menschen in diesem Roman akzeptieren ihre Rolle in der natürlichen Ordnung der Dinge – eine Einstellung, die mit der Zeit auf Sie abfärben mag.
Lesen Sie das Buch wieder und wieder. Und eines Nachts, vielleicht, wenn Sie erschöpft auf der letzten Seite ankommen und wieder von vorn beginnen, werden Sie plötzlich erkennen, dass auch alles Gute zu einem Ende kommen muss.

► *Sterben*

Von allen Prüfungen, die das Leben für uns bereithält, ist wohl keine härter als diese.
Ob es nun ein Elternteil, der Lebenspartner, die Schwester, der Bruder oder das eigene Kind ist, den/die/das wir verloren haben; ein lebenslanger Freund oder jemand, den wir vielleicht erst seit Kurzem kannten – der Tod eines geliebten Menschen stürzt uns in ein verwirrendes Chaos an Gefühlen, die alle unter dem allgemeinen Begriff Trauer zusammengefasst werden können. Vielen hilft es, Ihre Trauer im Rahmen der fünf in den 1960er Jahren von Elisabeth Kübler-Ross definierten Stadien zu betrachten: Verleugnung, Zorn, Verhandeln, Depression und Akzeptanz. Zunächst wurden diese Stadien nur für den Sterbeprozess selbst identifiziert, später jedoch auch auf den Trauerprozess übertragen. Nicht jeder durchlebt alle fünf Stadien, und wenn doch, dann nicht unbedingt gleich stark ausgeprägt oder in derselben Reihenfolge. Doch wir wollen uns im Folgenden ein wenig an diesen Kategorien orientieren, um Ihnen möglichst *den* Roman empfehlen zu können, der Ihnen jeweils am besten Trost und Zuspruch spenden kann.
Falls Sie sich im Verdacht haben, Ihren Verlust zu verdrängen – was oft als Weg des Körpers gesehen wird, um massive Trauerattacken mittels Taubheit und Schock abzuwehren –, dann lesen Sie Tiffany Murrays *Lieber Gott und Otis Redding*. Der Roman spielt auf einer Farm in Wales, die zugleich als Tonstudio fungiert, und erzählt die Geschichte von Ivan und Dolly, einem sehr verliebten Paar, das dort zusammen arbeitet, unterstützt von seinen Kindern. Als Dollys früher Krebstod der Idylle ein jähes Ende setzt, beschließt Ivan, sich mit einem ›Tropfen‹ von Dolly in einer Phiole um seinen Hals auf die Reise zu machen und Dolly so all diejenigen Orte zu zeigen, die sie der vielen Arbeit wegen nie besuchen konnte. Die Postkarten, die er seiner Tochter Halo und der weiteren Familie – Großmutter, Pferd, und den Geistern unter dem Tisch – schreibt, sind alle im Präsens verfasst und von beiden, Ivan *und* Dolly, unterschrieben.

Lieber Gott und Otis Redding
Tiffany Murray

Lieber Osama
Chris Cleave

Extrem laut und unglaublich nah
Jonathan Safran Foer

Was ich liebte
Siri Hustvedt

Idylle mit ertrinkendem Hund
Michael Köhlmeier

Hier, wo wir uns begegnen
John Berger

Spricht daraus Ivans Leugnung von Dollys Tod? Oder hat er einfach eine andere Form gefunden, die glückliche Beziehung mit Dolly fortzuführen? Wie auch immer Sie es sehen: Dieser Roman erlaubt Ihnen, sich ganz ähnlich in Ihren Kokon zurückzuziehen. Machen Sie sich keine Sorgen, wenn Sie es erst mal nicht schaffen, wieder aus ihm herauszukriechen; Ihr Körper wird ihn abstreifen, wenn er so weit ist.

Sollte in Ihnen der Zorn über den Verlust überwiegen, dann ist es wichtig, diesem Zorn Luft zu machen, und dafür gibt es kein besseres Vorbild als *Lieber Osama*, Chris Cleaves herzergreifenden Angst- und Wutschrei einer Frau, die bei einem fiktiven Terroranschlag auf das Wembley-Stadion ihren Mann und ihren kleinen Sohn verloren hat. In einem Brief an Osama bin Laden – der mutmaßlich hinter dem Angriff steckt – hofft die Erzählerin, Osama ihren kleinen Sohn verstehen und lieben zu lehren, so dass er nie wieder einen Menschen töten wird. »... schreiben tue ich dir von der großen Leere, mit der ich plötzlich zurechtkommen musste, als du mir meinen Jungen genommen hast ... damit du in mein leeres Leben schauen und erfahren kannst, was so ein Junge wirklich ist, allein von dem tiefen Loch her, das er hinterlässt«, so schreibt sie. Ihre Stimme ist so unvergesslich wie ihre Botschaft, denn ihre ungeschliffene Sprache – voll grammatischer Fehler, plumper, umgangssprachlicher Ausdrücke und plakativer Phrasen – zeigt eine Frau, die sich nicht länger um Nebensächlichkeiten schert. Sie habe es nicht so mit Worten, erklärt sie Osama – aber die, die sie hat, hauen gehörig rein.

Völlig angstfrei und zunehmend wütender bei der Vorstellung, wie ihr kleiner Junge im Wembley-Stadion nach seiner Mama ruft, lässt sie Dampf ab, bis sie zusammenbricht. Doch am Ende wird deutlich, wie wichtig dieses Dampfablassen war. Ihr eigener Zorn mag Ihnen endlos erscheinen – und das sollte er auch, denn er ist Ihre umgewandelte Liebe. Aber er kann sich nur auflösen, wenn Sie ihm Luft machen. Es wird seine Zeit brauchen, bis Ihnen das gelingt.

Es ist nicht ungewöhnlich, wenn jemand, der unter akuter Trauer leidet, anfängt, mit sich selbst oder dem Schicksal zu verhandeln. Wenn wir nur die richtige Antwort auf dieses oder jenes finden könnten, so glauben wir, dann würde der Schmerz weggehen. Besonders Kinder neigen zu dieser Methode, wie die Suche des neunjährigen Oskar Schell in *Extrem laut und unglaublich nah* von Jonathan Safran Foer zeigt. In einer Vase im Schrank seines Vaters, der bei den Terroranschlägen des 11. September ums Leben gekommen ist, findet Oskar einen Umschlag mit einem kleinen Schlüssel. Auf dem Umschlag steht »Black«, sonst nichts. Oskar ist davon überzeugt, dass er, wenn er das Schloss zu dem Schlüssel fände, etwas darüber erfahren würde, was mit seinem Vater geschehen ist, und so macht er sich auf, alle Blacks aufzusuchen, die im New Yorker Telefonbuch stehen.

Die Suche entpuppt sich bald als fruchtloses Unterfangen – doch Oskar findet dabei etwas sehr viel Wertvolleres, ein Kapitel aus dem Leben seiner Großeltern nämlich, lange bevor er geboren wurde, das sein Verständnis von Leid und Verlust nachhaltig prägen wird; und er entdeckt – in einer Wendung, die Ihnen das Herz wieder erwärmen wird – sein Bedürfnis nach seiner vom Kummer gebeugten, ihn liebenden Mutter, die ihm helfen wird, diesen schrecklichen Verlust zu verwinden.

Das Stadium aber, vor dem wir alle uns wohl am meisten fürchten, ist die Depression. Es führt kein Weg daran vorbei, manches Leid kann man nicht lindern, und wir müssen uns selbst und anderen Zeit für diese trostlose, finstere Phase geben, in der alle Versuche, uns aufzuheitern, unangebracht und völlig nutzlos sind. Siri Hustvedts Roman *Was ich liebte* erforscht diesen Zustand mit entschlossener Unerschrockenheit. Der Erzähler Leo Hertzberg und sein Freund Bill Wechsler trauern. Einst so verheißungsvoll begonnen, scheinen die Leben der beiden Männer jetzt auseinanderzubrechen – und beide trauern der Vergangenheit nach, ihrem Leben als New Yorker Intellektuelle, von dem sie glaubten, es würde immer so weitergehen.

Hustvedts Charaktere, einschließlich der Kinder, sind eine intelligente, nachdenkliche Truppe. Hustvedt zeigt uns aber, dass Intelligenz uns nicht vor dem Schmerz beschützt, ja, dass sie es manchmal sogar erschwert, ihn zu überwinden. Schmerz ist unweigerlich ein Bestandteil unseres Lebens, und Ihren eigenen gemeinsam mit diesen Romanfiguren zu erleben wird Ihnen helfen, auch seine finstersten Winkel auszuloten – und falls Sie irgend Hoffnung haben, Ihre Trauer zu überwinden, ist das hier wohl das wesentlichste Stadium.

Michael Köhlmeiers *Idylle mit ertrinkendem Hund* stemmt sich noch gegen die Akzeptanz. Köhlmeiers Alter Ego, ein Schriftsteller, dessen Tochter Paula mit einundzwanzig Jahren bei einer Bergwanderung verunglückte, geht mit seinem Lektor (einer gespenstischen, clownesken Gestalt) durch die verschneite Landschaft des Alten Rheins. Plötzlich sehen die beiden, wie ein Hund über das dünne Eis des Flusses läuft und einbricht. Der Schriftsteller reißt einen Ast von einer Weide und kriecht über das Eis zu dem Hund, obwohl er weiß, dass er selbst einbrechen wird. Doch er kann unmöglich dem Tod auch dieses Leben überlassen.

Die literarische Rettung des Hundes steht für die Hoffnung, das Schicksal schreibend abzuwenden und so Trost zu finden. »Wie kann ich über den Tod unserer Tochter schreiben?«, fragt Köhlmeiers Autor seinen Lektor in Gedanken. »Alle Erinnerungen enden mit dem einundzwanzigsten Jahr. Ich will aufschreiben, was weiter gewesen sein könnte. Damit es außerhalb von mir ist, verstehst du das?«

Nicht jeder kann schreibend das Leben eines geliebten Toten fortführen. Aber sich mittels Fantasie gegen den Tod zu stemmen und ihm den geliebten Menschen zumindest für einen Moment zu entreißen, das können wir alle.

Manche Menschen finden den Weg zur Akzeptanz leichter als andere. Als der Erzähler in John Bergers *Hier, wo wir uns begegnen* seiner Mutter – die seit vielen Jahren tot ist – in einem Park in Lissabon begegnet, erkennt er sie zunächst an ihrem Gang. In der nachfolgenden Unterhaltung ertappt er sich dabei, wie er vertraute, liebgewonnene Gesten an ihr wahrnimmt – die Art, wie sie über ihre Unterlippe leckt, so wie sie es immer tat, wenn sie gerade Lippenstift aufgetragen hatte – und wie sehr ihn auch heute noch ihr »großartiges Auftreten« nervt, mit der sie nur, so scheint es, ihre Zaghaftigkeit und Verletzbarkeit kaschiert.

Bergers Erzähler – oder vielleicht ist es Berger selbst – reist von Stadt zu Stadt und stößt dabei immer wieder auf ›seine‹ Toten. In Krakau trifft er seinen alten Mentor Ken, und während sie gemeinsam einem Schachspiel zusehen, schmerzt ihn dessen Tod so heftig wie damals – was uns daran erinnert, dass Trauer uns das ganze Leben hindurch oft in zufälligen, unvorhersehbaren Momenten in Wellen übermannt. In Islington, London, trifft der Erzähler auf seinen Freund Hubert, der völlig überfordert damit ist, die Schubladen voller Skizzen, die seine tote Frau Gwen hinterlassen hat, auszusortieren. »Was soll ich nur damit anfangen?«, stöhnt er. »Ich schiebe die Entscheidung immer wieder auf. Aber wenn ich nichts tue, wird man alles wegschmeißen.«

Seine Wanderungen durch all diese Städte bieten dem Erzähler die Gelegenheit, sich zu erinnern, und die Gespräche mit den Toten eine Möglichkeit, seine Liebe für die, die er verloren hat, nochmals zu spüren und tief in sich zu verankern. »Seit ich tot bin, habe ich eine Menge gelernt«, erzählt ihm seine Mutter und verweist wenig später auf das »ewige Rätsel, wie aus nichts etwas wird«, denn das ist es, wie sie mittlerweile weiß, worum es im Grunde geht. Berger fragt sich, was man wohl am besten an einem Grab zurücklässt, (vielleicht einen seiner Lederhandschuhe?) und nimmt wahr, wie der Tod die Menschen noch einmal verändert – seine Mutter zum Beispiel hat eine neue, kecke Unverschämtheit an sich, »denn sie weiß genau, dass man sie für ihre Auskünfte nie belangen könnte«, und sein Vater behauptet, jetzt lieber Schwertfisch zu essen als Lachs. So gestattet Berger seinen toten Figuren, sich ebenso zu verändern und weiterzuentwickeln wie die lebenden. Hauchen auch Sie Ihrer Beziehung zu Ihren Verstorbenen neues Leben ein; Sie werden feststellen, dass es sich lohnt, sie nicht statisch hinter Schloss und Riegel zu halten.

Und so gelingt es uns im Laufe des (niemals endenden) Trauerprozesses, unsere Lieben als die zu sehen, die sie tatsächlich waren, mit all ihren guten und ihren schlechten Seiten. Das erlaubt uns, alte Rechnungen zu begleichen, und all die Dinge zusammenzutragen, die wir an ihnen liebten und die wir vermissen, und vielleicht einen Weg zu finden, sie auf eine andere, magische Art in unser Leben zu integrieren. Wandern Sie mit Berger zu den Orten, an denen Sie einst mit Ihren Lieben waren, tun Sie Dinge, die Sie früher gemeinsam getan haben, und genießen und feiern Sie all die Dinge, die sie Ihnen in Ihrem Leben gegeben haben – und die Sie Ihnen noch heute geben.

► *Alpträume*
► *Einsamkeit*
► *Gelüste; keine mehr verspüren*
► *Herz, gebrochenes*
► *Schlaflosigkeit*
► *Schuldgefühle*
► *Sehnsucht, allgemeine*
► *Wut*

TRAUER

► *Herz, gebrochenes*
► *Sehnsucht, allgemeine*
► *Tod eines geliebten Menschen*

TRÄUME, BÖSE

► *Alpträume*

U

ÜBELKEIT BEIM AUTOFAHREN

Wenn Ihnen beim Autofahren schlecht wird, sollten Sie aussteigen und den Zug nehmen. Zugfahrten bieten die perfekte Gelegenheit, endlich mal wieder zu lesen. Wann sonst haben Sie mal ein paar Stunden, in denen Sie nichts tun können, als sich ohne schlechtes Gewissen in der Gesellschaft anderer anonymer Leserinnen und Leser und mit einem sich ständig verändernden Ausblick aus dem Fenster in ein Buch zu vertiefen? Auch Autoren lieben Züge ganz offensichtlich, tragen diese ihre Romanfiguren doch mühelos in eine unbekannte Zukunft. Zudem besteht immer die Möglichkeit einer unerwarteten Liaison en route …

DIE ZEHN BESTEN ROMANE FÜR EINE ZUGFAHRT

Besessen **Antonia S. Byatt**
Mord im Orientexpress **Agatha Christie**
Orient-Expreß **Graham Greene**
Zwei Fremde im Zug **Patricia Highsmith**
Abteil Nr. 6 **Rosa Liksom**
Der Zug in die jüngste Nacht **Dacia Maraini**
Nachtzug nach Lissabon **Pascal Mercier**
Die Eisenbahnkinder **Edith Nesbit**
Sommer der Züge **Stewart O'Nan**
Der Zug **Georges Simenon**

ÜBELLAUNIGKEIT

Die Insel des Dr. Moreau
H. G. Wells

Sollten Sie ein ähnlicher Griesgram sein wie Doktor Moreau in H. G. Wells' Tierversuchspolemik von 1896, bedenken Sie, welche Auswirkungen das auf Freunde, Kollegen und Mitbewohner haben kann. Übellaunigkeit ist ansteckend – und zwar derart, dass Sie sich bald nur noch von anderen grantigen, streitsüchtigen Menschen umgeben sehen werden, die einst sonnige, unbeschwerte Zeitgenossen waren.
In der Abgeschiedenheit seiner Pazifikinsel versucht Moreau mit einer Mischung aus operativen Eingriffen und Konditionierung, unterschiedliche Vierbeiner – Schweine, Hyänen, Hunde und Leoparden – in Menschen zu verwandeln. Zeuge seiner Experimente wird Edward Prendick, ein schiffbrüchiger Engländer, der von Moreau erst gerettet, dann aber gefangen gehalten wird. Zunächst missversteht Prendick, was er sieht, glaubt, dass Moreau Menschen in Tiere verwandeln will, und fürchtet um sein Leben. Dann wird ihm klar, dass es genau andersherum ist. Moreau ist nur teilweise erfolgreich; seine halbmenschlichen Geschöpfe neigen dazu, in ihre tierischen Naturen zurückzufallen, auf allen vieren zu gehen und Kaninchen zu jagen – weswegen Moreau auch so schlechte Laune hat. Schlussendlich hat Prendick aber nichts von den Tiermenschen zu befürchten. Nachdem er mehrere Monate auf der Insel verbracht hat und Moreaus Übellaunigkeit ausgesetzt war, ist er genauso griesgrämig geworden wie er.
Ziehen Sie die anderen nicht mit runter. Behalten Sie Ihre schlechte Laune für sich. Lesen Sie unsere Therapievorschläge gegen ▸ *Reizbarkeit* und ▸ *Menschenhass*.
▸ *Nörgeln, Hang zum*
▸ *Unzufriedenheit*

ÜBERARBEITET SEIN

- ► *Alpträume*
- ► *Arbeitssucht*
- ► *Erschöpfung*
- ► *Karriereweg; den falschen eingeschlagen haben*
- ► *Schlaflosigkeit*
- ► *Stress*
- ► *Zeit, zu wenig*
- ► *Zeit zum Lesen, keine haben*

Leseleiden: Überspringen von Seiten; die Neigung dazu haben

Therapie: Immer nur eine Seite auf einmal lesen

Sollten Ihre Augen dazu neigen, die Seiten nach Dialogen und dramatischen Stellen, Sex und Affären zu scannen und beschreibende Passagen skrupellos zu überspringen, könnte es durchaus sein, dass Sie einen schlechten Roman lesen. Lassen Sie sich in diesem Fall von diesem Buch hier zu einem besseren geleiten. Genauso gut könnte es aber auch sein, dass Ihre Fähigkeit verkümmert ist, Belohnungen aufzuschieben, und Sie Ihrem Gehirn erst wieder antrainieren müssen, langsam zu machen und in Ruhe zu verdauen.

Als Therapie sollten Sie einen Roman Seite für Seite lesen – und zwar immer nur eine Seite auf einmal, nicht mehr und nicht weniger. Eine Seite vor dem Einschlafen, eine Seite beim Aufwachen, eine Seite zum Mittagessen. Am besten eignet sich zu diesem Zweck ein Buch, das auf jeder Seite nur so sprüht vor intelligenten Einfällen: Robert Musils *Mann ohne Eigenschaften* wäre ideal. Aber so richtig wichtig ist es auch wieder nicht, welches Buch Sie lesen. Es geht vielmehr darum, dass Sie zulassen, von Ihrer Lektüre gedanklich angeregt zu werden, Zeit mit diesen Gedanken zu verbringen und so auf immer tiefer liegende Schichten Ihrer selbst vorzudringen. Wir finden auch, dass es wichtig ist zu wissen, was als Nächstes passiert. (Auch Sex und Affären sind wichtig.) Aber wollen Sie Ihr Leben wirklich an der Oberfläche verbringen und immer nur die Glasur vom Kuchen pulen? Manchmal ist doch das Herumkauen auf einem Stück wirklich guten Brotes das Beste an einer Mahlzeit. Ganz sicher ist es das, was einen mit Brennstoff für den Rest des Tages versorgt.

Leseleiden: Überwältigt sein von der Menge der Bücher in der Welt

Therapie: Einen Bibliotherapeuten aufsuchen

Fakt ist: Man darf sich schlichtweg nicht der Hoffnung hingeben, jedes Buch lesen zu können, das es gibt. Noch nicht mal jedes gute Buch. Falls Sie beim Gedanken an die Größe des Lesebergs da draußen in blanke Panik geraten, atmen Sie tief durch. Die einzige Lösung ist rigoroses Selektieren. Man hat so selten Zeit zum Lesen, dass man keine Minute davon für ein auch nur mittelmäßiges Buch verschwenden sollte. Halten Sie sich jedes Mal nur an allerbeste Qualität. *Die Romantherapie* ist ein guter Ausgangspunkt, um einen etwas anspruchsvolleren Pfad durch den literarischen Dschungel zu beschreiten. Ziehen Sie zusätzlich in Erwägung, sich einen Termin bei einem Bibliotherapeuten geben zu lassen, der Ihren Lesegeschmack, Ihre Lesegewohnheiten und -sehnsüchte genauso analysieren wird wie Ihre Situation im Privat- und Berufsleben und anschließend eine exakt auf Sie zugeschnittene Leseliste anfertigen wird.
Gehen Sie für optimale Gesundheit, Glückseligkeit und Lesezufriedenheit mindestens einmal pro Jahr zu Ihrem Bibliotherapeuten – oder immer dann, wenn Sie das Bedürfnis nach einer Generalüberholung verspüren. Ein gutes Buch, zum richtigen Zeitpunkt gelesen, sollte Ihnen Auftrieb, Energie und Anregung geben und Sie begierig auf mehr machen. Wieso sollte man, wenn man aus so vielen Büchern auswählen kann, auch nur ein weiteres lesen, das einen eigentlich kaltlässt?

Leseleiden: Überwältigt sein von der Menge der Bücher in Ihrer Wohnung

Therapie: Sortieren Sie Ihre Bibliothek aus

Manchmal kann die schiere Masse an Büchern in Ihrer Wohnung überhand nehmen. Die Bücher haben nicht nur Ihre Wände in Besitz genommen, nein, sie stapeln sich auch neben Ihrem Bett und auf jedem Treppenabsatz. Im Klo gibt es auch einen Bücherberg, außerdem ist jedes Fensterbrett voll, der Schuhschrank und das Bett. Manchmal müssen Sie sogar Bücher aus der Küchenspüle räumen, bevor Sie den Abwasch machen können.
Liebe Leserin, lieber Leser, sortieren Sie Bücher aus. Machen Sie das jedes halbe Jahr, jeweils mit dem Ziel, Ihre Bibliothek um mindestens zehn Prozent zu verkleinern. Geben Sie jedes Buch weg, das Sie nicht zu Ende gelesen haben oder bei dem Sie sich zwingen mussten, es zu Ende zu lesen (▶ *Durchlesen; Zwang, jedes Buch zu Ende lesen zu müssen*). Bringen Sie die Bücher, die Sie enttäuscht haben, in den Secondhand-Laden einer wohltätigen Organisation. Behalten Sie nur die Bücher, die sich einer der folgenden Kategorien zuordnen lassen: Bücher, die Ihnen gefallen haben; Bücher, die als solche schöne Objekte sind; Bücher, die Sie für wichtig, erbaulich oder irgendwie notwendig halten; Bücher, die Sie eines Tages vielleicht wieder zur Hand nehmen werden; und Bücher, die Sie für Ihre Kinder aufbewahren wollen. Alles andere ist nur Papier, das Ihnen den Platz wegnimmt.[1] So halten Sie Ihre Bibliothek frisch und haben Platz für Neuzugänge.

1 Wie Susan Hill in *Howards End is on the Landing* schreibt: »Nur weil es ein Buch ist, muss man nicht seine Miete berappen.«

UNBESCHEIDENHEIT
► *Arroganz*

UNEHRLICHKEIT
► *Lügen*

UNENTSCHIEDENHEIT
► *Entschlusskraft, fehlende*

Leseleiden: Unfähigkeit zu entscheiden, welche Romane man in den Urlaub mitnehmen soll

Therapie: Vorausschauend planen, um Panikkäufe zu vermeiden

Machen Sie nicht den Fehler, der so vielen von uns unterläuft, und versuchen Sie, den perfekten Urlaubsroman noch in der Buchhandlung am Flughafen zu finden. Dort sind Sie in Eile und haben nur eine begrenzte Auswahl – und nehmen am Ende wahrscheinlich den nächstliegenden, massiv beworbenen Bestseller mit. Verschwenden Sie Ihren kostbaren Urlaub nicht mit Schundlektüre. Urlaub ist die perfekte Gelegenheit, sich einen Stoff genüsslich zu Gemüte zu führen, der einen in eine andere Epoche entführt. Verbringen Sie Ihre freie Zeit mit erwiesenermaßen sehr lesbarer, herrlich hedonistischer Historienlektüre:

DIE ZEHN BESTEN ROMANE FÜR DIE HÄNGEMATTE

Die Insel unter dem Meer **Isabel Allende**
Die unglaublichen Abenteuer von Kavalier und Clay **Michael Chabon**
Willkommen auf Skios **Michael Frayn**
Insel der Vergessenen **Victoria Hislop**
Eine englische Art von Glück **Andrea Levy**
Die tausend Herbste des Jacob de Zoet **David Mitchell**
Das Festmahl des John Saturnall **Lawrence Norfolk**
Pforte der Verdammnis **CJ Sansom**
Der Seidenfächer **Lisa See**
Die Muschelöffnerin **Sarah Waters**

Therapie: Ein Lieblingsbuchregal einrichten

Falls Sie den Eindruck haben, dass Sie nicht mehr wissen, welche Art Bücher *Ihre* Art Bücher sind – oder das vielleicht auch noch nie gewusst haben –, und sich also auch nicht entscheiden können, was Sie als Nächstes lesen wollen, schlagen wir vor, dass Sie sich ein Lieblingsbuchregal zulegen. Bestimmen Sie zehn Bücher, die Sie mit Wärme, Nostalgie und einem nervös-aufgeregten Flattern erfüllen. Wenn manche davon schon seit Ihrer Kindheit Ihre Lieblingsbücher sind, ist das fast noch besser. Lassen Sie diese Bücher Ihre Messlatte sein. Stellen Sie sie auf ein gesondertes Regal in dem Zimmer, in dem Sie üblicherweise lesen, oder an einen Ort, an dem Sie tagtäglich an ihnen vorbeimüssen. Falls möglich, lesen Sie sie erneut (zumindest teilweise). Sie werden Sie daran erinnern, was Ihnen an Literatur am besten gefällt und – falls Ihr Leben als Leserin oder Leser bislang reich war – wer Sie sind. Wenn Sie beim nächsten Mal nicht sicher sind, was Sie als Nächstes lesen sollen, konsultieren Sie Ihr Lieblingsbücherregal für Ihre literarische Seele. Sie wird Ihnen Antworten auf Fragen geben, von denen Sie noch nicht mal wussten, dass Sie sie hatten.

UNZUFRIEDENHEIT

Sternstunden der Bedeutungslosigkeit
Rocko Schamoni

Die Straße der Ölsardinen
John Steinbeck

Viele von uns leben in ständiger Unzufriedenheit – dem nagenden Gefühl, dass wir noch nicht genug geleistet haben, nicht genug vorweisen können für die Zeit, die wir bereits auf der Erde verbracht haben. Manchen geht es dabei um rein Materielles. Sie glauben, wenn sie sich nur dieses oder jenes neue technische Gerät oder diesen Badeanzug aus Goldlamé leisten könnten, wären sie zufrieden. Andere haben das Gefühl, nicht genug Zeit zu haben und durch endlose To-Do-Listen hetzen zu müssen, bevor sie endlich einmal durchatmen können (▸ *Zeit, zu wenig*). Und wieder andere fühlen sich emotional, intellektuell oder spirituell defizitär, nicht wirklich gesättigt, und sehnen sich nach einer erfüllteren Beziehung (▸ *Der/Die Falsche; bei ihm/ihr landen*), einem besseren Job (▸ *Karriereweg; den falschen eingeschlagen haben*) oder mehr Lifestyle (▸ *Pleite sein* und ▸ *Geschmack, schlechter*), was Ihnen das Gefühl geben würde, endlich angekommen zu sein und anfangen können zu leben.
Wir sagen das nur ungern, aber solange Sie nicht in sich selbst nach der Lösung suchen, wird die Unzufriedenheit bleiben. Hören Sie also auf, Schmetterlingen hinterherzujagen und bleiben Sie eine Weile ruhig stehen, um eine Bestandsaufnahme zu machen.
Fangen wir mit viel Verständnis an und liefern dem Unzufriedenen einen Seelenverwandten: Michael Sonntag, den verkrachten Kunststudenten (▸ *Ambitionen, künstlerische*) aus Rocko Schamonis *Sternstunden der Bedeutungslosigkeit.* Michael Sonntag haben dereinst »lodernde[r] Aktionslust« und »bleckende Neugier« in die Welt hinausgetrieben, gefunden hat er es aber nicht, das gute, das richtige Leben. Ziellos treibt er zwischen Saufgelagen, Gelegenheitsjobs, frustrierenden sexuellen Erlebnissen, Drogentrips und Therapiesitzungen umher. Glück, Sinn oder auch nur Zufriedenheit findet er bei keiner dieser Aktivitäten. Das kennt der Unzufriedene. Düster nickt er zu Michael Sonntags defätistischem Welt- und Menschheitsbild (an Schopenhauer trai-

niert!). Aber dann: Als er beinahe am Ende des Romans angekommen ist und sich wieder einmal darin bestätigt sieht, dass die Welt ein leerer Ort ohne Inspiration, Wärme und Bedeutung ist, dann schlägt es zu, das Glück: Großzügig reicht Rocko Schamoni seinem Helden einen Strohhalm und lässt alle Unzufriedenen mit der Aussicht zurück, dass es sie vielleicht doch gibt, die große Liebe, die allem und jedem Bedeutung verleiht …

Einen ganzen Ballen Stroh, eher noch ein gemütliches Bett im duftenden Strohlager bekommen Sie von John Steinbeck. In *Die Straße der Ölsardinen*, John Steinbecks Ode an das ambitionsfreie Leben der Stromer um die Cannery Row in Monterey, begegnen wir diesen auf dem »leeren Platz«, wo sie auf den alten, rostigen Rohren der Sardinenfabriken sitzen: Mack, Eddie, Hazel, Hughie und Jones, Männer, die drei Dinge gemeinsam haben: Keine Familie, kein Geld und keinen Ehrgeiz, der über essen, trinken und ein grundsätzliches Gefühl der Zufriedenheit hinausgeht.

Wobei, das stimmt nicht ganz, denn sie bilden ihre eigene kleine Familie – plus Doc, dem liebenswürdigen Betreiber des Western Biological Laboratory, der sein Leben inmitten von Einmachgläsern voller Meeresgetier führt. Doc hat seine väterliche Rolle in dieser Familie erkannt, und jeder, der sein Heim betritt, wird sogleich den erhebenden Klängen von Scarlatti oder Monteverdi oder einer Lesung aus dem Werk des chinesischen Dichters Li Po ausgesetzt. Und dann ist da noch Dora, die »Madam des örtlichen Hurentempels«, mit ihren leuchtend orangefarbenen Haaren und ihren nilgrünen Abendkleidern. Und Lee Chong, der Lebensmittelhändler und Banker, der allen billigen Whiskey verkauft und mit blitzendem Goldgebiss ihren Kreditrahmen erhöht. Und sie alle haben schon einen gewissen Ehrgeiz, denn sie wollen sich ein Heim schaffen – ein altes Fischmehllager, das sie »Palace Hotel und Grillroom« nennen und mit alten Teppichstücken und Stühlen »ohne und mit Polsterung« einrichten. Das Herzstück dieses Ortes jedoch ist ein »verschnörkeltes silbriges Ungetüm« von einem Ofen, den sie immer zu zweit über drei Tage ins Fischmehllager schleppen.

Viele halten sie für Taugenichtse, Diebe und Stromer. Doch für Doc sind sie eine lebende Erfolgsgeschichte – gesunde, »saubere« Männer, die ihre Tage damit verbringen, zu tun, was ihnen gefällt. Sie leben von der Hand in den Mund, von dem, was sie mit Gelegenheitsjobs verdienen, aber sie sind glücklich. Während andere durchs Leben hetzen und immer danach streben, mehr zu erreichen, mehr anzuhäufen und nicht zurückzufallen, ohne dabei jemals ihren eigenen Ansprüchen zu genügen, verfolgen Mack und die Jungs einen anderen Ansatz. Sie nähern sich ihrer Zufriedenheit »in aller Gemütsruhe« und genießen ihr Leben. »Was hülfe es dem Menschen, wenn er die ganze Welt gewänne und säße in deren Besitz mit einem Magenkrebs, Sodbrennen und Prostataschwellung!«, fragt Steinbeck.

Sie mögen glauben, dass diese Seite Amerikas, mit ihren rostigen Metallhaufen, den kaputten Bürgersteigen und unkrautüberwucherten Brachflächen, ihren Spelunken und billigen Absteigen heute verschwunden ist. Aber es gibt sie noch – wenn man weiß, wo man suchen muss. Gönnen Sie sich einen Tag Auszeit und tauchen Sie ein in diese sanfte, liebevolle, müßiggängerische Welt voller Menschen, die nicht viel brauchen, um glücklich zu sein, die es zwar hoffnungslos vermasseln, als sie versuchen, Doc eine Freude zu machen, die aber trotzdem das Herz am rechten Fleck haben – ein Ort voller Nicht-Strebsamkeit und Akzeptanz. Und dann nehmen Sie diese zwanglose, stille Haltung mit ihrem leichten Sardinengeruch mit in Ihr eigenes Leben. Mit ein wenig Übung werden Sie sich schon bald entspannt zurücklehnen und Ihre Unzufriedenheit wie das Wasser in den Tümpeln, in denen Doc und Hazel Seesterne sammeln, sanft abebben sehen.

► *Glück, Suche nach dem*
► *Langeweile*
► *Nörgeln, Hang zum*
► *Profanität; von ihr bedrückt sein*
► *Übellaunigkeit*

Frankie
Carson McCullers

Manchmal haben wir das Gefühl, absichtlich ausgeschlossen zu werden, während die anderen ihren Spaß haben. Wenn wir selbst beschlossen hätten, nicht dabei sein zu wollen, wäre es ja okay – nicht jeder ist ein Partylöwe. Aber wenn wir gerne dabei sein würden, uns aber niemand eingeladen hat, dann suhlen wir uns schon mal in Selbstmitleid und missgönnen den anderen, die nur an sich denken und sich keinen Pfifferling um uns scheren, ihren Spaß. Leider tendieren wir dann meist dazu, unsere Lage mithilfe von zwei eher kontraproduktiven Methoden verbessern zu wollen: Entweder wir versuchen, uns der Gruppe, zu der wir gehören wollen, irgendwie aufzudrängen, oder wir lehnen einfach alle ab, die uns ablehnen.

Keine dieser beiden Strategien führt zum Ziel. Die zwölfjährige Frankie, die mutterlose Heldin in Carson McCullers gleichnamigem Roman, einer ihrer Oden an alle Einzelgänger und Sonderlinge, hat beides versucht. Alles fängt damit an, dass Frankies beste Freundin nach Florida zieht. Frankie eignet sich einige besorgniserregende Angewohnheiten an: Sie nimmt den Revolver ihres Vaters und schießt damit auf einem brachliegenden Baugelände herum, sie stiehlt ein Messer bei Sears & Roebuck, sie begeht eine »geheimnisvolle und unbekannte Sünde« mit Barney MacKean in der Garage seiner Eltern. Nichts davon kann jedoch verhindern, dass sie sich ausgeschlossen fühlt, und als die anderen Jungs und Mädchen im Clubhaus eine Party geben, hört sie nur heimlich zu.

Dann will sie ein »wir« mit ihrem älteren Bruder Jervis und dessen Verlobter Janice werden und nach der Hochzeit mit ihnen in die Welt hinausziehen. Es überrascht nicht, dass Jervis und Janice die Idee nicht ganz so prickelnd finden, also beschließt Frankie stattdessen wegzulaufen. Doch wie die meisten Zwölfjährigen, die so etwas tun, kommt sie nicht sehr weit.

Die Lösung ihres Problems bringt ihr ein »jähes Glücksgefühl«. *Frankie* spricht alle an, die sich ignoriert und ausgeschlossen fühlen, egal ob im Job oder von den eigenen Freunden, die plötzlich beschlossen haben, schwanger zu werden oder gemeinsam nach Goa in den Urlaub zu fahren. Was Sie betrifft: Sie sollten nichts übers Knie brechen und – vor allem, wenn Sie erst zwölf sind – nicht einfach davonlaufen.

► *Anderssein*
► *Außenseiter sein*
► *Einsamkeit*
► *Fremd sein*

V

VATER, SICH BEFREIEN VOM

Apostoloff
Sibylle Lewitscharow

Taucht Ihr Vater unangemeldet in Ihren Träumen auf? Entdecken Sie seine Tränensäcke in Ihrem eigenen Gesicht? Schleichen sich seine Wendungen in Ihren Wortschatz ein? Es wird Zeit für eine Austreibung!
Die Ich-Erzählerin in *Apostoloff* reist auf der Rückbank eines Autos durch das heutige Bulgarien. Sie und ihre Schwester haben die Leiche ihres früh verstorbenen Vaters, eines Exilbulgaren, von Stuttgart nach Sofia überführt. Die vom Fahrer gepriesenen Schönheiten des Landes sind für die Erzählerin Anlass, sich ausgiebig zu erinnern. Familiengeschichten, geprägt von der Auseinandersetzung mit dem Vater. In gigantischen Wortkaskaden zerpflückt die Ich-Erzählerin ihre Vaterbilder, zersäbelt mit scharfen Sätzen die Verbindung zu ihm – tut alles, um dem Bann des toten Vaters zu entkommen. Hier geht es nicht um die tiefenpsychologische Aufarbeitung von Traumata, nein, hier wird biographisches Unglück überwunden, indem es durch die Macht der Sprache ins Groteske, Komische überführt wird: »Die Windrose des Vaterhasses verwirbelt so manches Fünkchen Vaterliebe.« Geben Sie sich dem Takt dieser mächtigen Assoziationswellen hin, springen Sie wie die Ich-Erzählerin hinein in Erinnerungen und zerlegen Sie genussvoll mit ihr das übermächtige Wesen Vater! Am Ende wird ein Mensch übrig bleiben. Ein ganz normaler Mensch, mit guten und mit schlechten Eigenschaften. Wenn dieser Mensch Sie das nächste Mal im Traum besucht, dann schaffen Sie es vielleicht, gemeinsam mit ihm über Ihre Tränensäcke zu lachen. Oder zu weinen.

► *Abschiede*
► *Eltern, alternde*

VATERSCHAFT

Die Straße
Cormac McCarthy

In den guten Momenten ist das Vatersein eine Möglichkeit, wieder ein kleiner Junge zu werden – während es Sie gleichzeitig in eine neue Phase Ihres Erwachsenenlebens stürzt, sowohl als Vater wie auch als Mann und Partner. Sie bekommen die Möglichkeit, Ihre Leidenschaften und alles, was Sie gelernt haben, weiterzugeben, zugleich aber bringt Vaterschaft eine enorme Verantwortung mit sich und kann die Beziehung zu Ihrer Lebensgefährtin auf eine Weise verändern, die Ihnen vielleicht nicht gefällt – und manchmal bekommt das Kind die Verbitterung darüber zu spüren. Wenn Ihnen der Mantel der Vaterschaft noch nicht so richtig zu passen scheint oder Sie den Wunsch haben, die Bindung zu Ihrem Kind, die möglicherweise durch diesen emotionalen Transfer ein wenig in Mitleidenschaft gezogen wurde, wieder zu stärken, dann empfehlen wir Ihnen das literarische Äquivalent eines Vater-Sohn-Handbuchs, Cormac McCarthys Roman *Die Straße*, der Sie zugleich erschüttern und in Erstaunen versetzen wird.

Die Lebensbedingungen hier sind schlechter, als sie jemals in der Realität sein werden – so hoffen wir zumindest: Eine verheerende Katastrophe (was genau passiert ist, darüber können die Überlebenden nur spekulieren) hat den amerikanischen Kontinent (und womöglich auch den Rest der Welt) heimgesucht und in eine Wüste verwandelt. Eine Aschewolke verdeckt die Sonne. Die Städte sind verbrannt, die Bäume tot. Durch diese öde, stumme und gottverlassene Landschaft wandern ein Mann und sein Sohn (die uns nur als »der Mann« und »der Junge« vorgestellt werden, was zu einer Welt ohne Farbe und mit nur wenig Menschlichkeit passt) mit der Hoffnung auf Wärme und bessere Überlebenschancen Richtung Süden. Auf ihrem Weg erleben sie Nächte, »länger, dunkler und kälter als alles, was sie bisher erlebt hatten«, sie essen, was sie ergattern können – von wilden Pilzen bis zu einzelnen Konserven, die sie hin und wieder finden –, und stehen unter der ständigen Bedrohung durch »die Bösen«, eine Rotte dreckiger, angsteinflößender Männer mit Knüppeln und Eisenrohren, die Gasmasken und Schutzanzüge tragen und wie wilde Tiere plündernd und mordend umherziehen.

Es ist eine Welt, der man alle Schönheit geraubt hat. Der Junge ist meist so paralysiert vor Angst, dass er nicht einmal rennen kann, wenn sein Vater es ihm befiehlt. Er ist halb verhungert, er sehnt sich nach seiner Mutter und nach Spielkameraden. Die alltäglichen Freuden der Kindheit – Spielzeug, Sport, grüne Wiesen, Kuchen – sind ihm völlig unbekannt. Als der Vater in einem aufgebrochenen Getränkeautomaten eine Dose Coca Cola findet, gibt er sie seinem Jungen und sagt ihm, er solle sie in Ruhe austrinken. »Weil ich nie mehr eine andere zu trinken kriege, stimmt's?«, fragt der Junge. Und so spüren wir – mittels einer Dose Cola – das ganze Ausmaß des Verlustes einer Welt, die niemals wiederkehren wird.

Emotional gesehen jedoch ist diese Welt reich. Denn hier, wo alles andere verloren ist, wo allein zählt, dass der Junge gerade so überlebt, zeigt sich die außergewöhnliche Liebe zwischen einem Vater und seinem Sohn in ihrer reinsten, ursprünglichsten Form. Der Mann weiß: Wenn der Junge stirbt, will auch er sterben. Denn was, wenn nicht die Hoffnung für die nächste Generation, verleiht dem Vatersein einen Sinn?

Die Geschichte entlässt uns mit einem kleinen Hoffnungsschimmer – einer lebensnotwendigen Zutat. Genießen Sie es, Vater zu sein, und machen Sie es sich dabei zur Gewohnheit, absolut ehrlich mit Ihrem Kind umzugehen, so wie diese beiden es tun. Spüren Sie das Vertrauen, das die beiden zueinander haben, wie wichtig es für den Sohn ist, zu wissen, dass sein Vater niemals sein Wort brechen, ihn niemals verlassen und immer die Wahrheit sagen wird, wenn er ihn fragt – außer vielleicht die ihres letztlich unvermeidbaren Todes. Stets kommt der Vater dem Bedürfnis des Jungen nach, aufs Neue hören zu wollen, dass sie »die Guten« sind, dass sie »das Feuer bewahren«. Wenn Ehrlichkeit vorhanden ist und Liebe und ein paar moralische Grundsätze, und wenn Ihr Kind weiß, dass Sie immer für es da sind, dann können Sie nichts falsch machen.

► *Alleinerziehend sein*
► *Kinder, die zu viel Aufmerksamkeit verlangen*

VERANTWORTUNGSLOSIGKEIT

Die Mittagsfrau
Julia Franck

Haben Sie das Gefühl, dass Ihnen die zahllosen Verantwortungen, die Sie tagtäglich tragen müssen, zentnerschwer auf Ihren Schultern lasten? Das Gefühl, all die kleinen und großen Pflichten dem eigenen Körper, der Wohnung, den Haustieren, den Freunden, der Arbeit und der Familie gegenüber niemals zu einhundert Prozent erfüllen zu können? Lesen Sie Julia Francks *Die Mittagsfrau.*

Seien Sie vorab gewarnt: Dies ist ein großer, ein erschreckender, ein brillanter Roman, der Sie emotional fordern wird. Erzählt wird hier eine Tat, wie sie verantwortungs- und liebloser nicht sein kann: Auf der Flucht aus Pommern setzt eine Mutter 1945 ihren siebenjährigen Sohn Peter in einem Bahnhof aus. Peter klammert sich noch an den Mantel seiner Mutter, um im Chaos auf dem Bahnsteig bei ihr zu bleiben, greift nach ihrer sich schnell wieder entziehenden Hand, wartet Stunde um Stunde mit dem Koffer auf den Knien auf einer Bank, umtost vom Chaos der ersten Nachkriegstage. Nach diesem erschütternden Einstieg in den Roman lesen Sie die Geschichte einer Mutter, die zu einer solchen Tat fähig ist. Und Sie werden verstehen. Julia Franck gelingt die Kunst, diese unfassbare Tat erzählend nachvollziehbar zu machen.

Im Vergleich dazu wird Ihnen künftig so manch vermeintliche Verantwortungslosigkeit als Lappalie erscheinen, die Sie sich getrost nachsehen können. Und um die großen, schwerwiegenden, existenziellen Verantwortungslosigkeiten werden Sie einen Bogen machen. Denn eins macht dieser

Roman unmissverständlich klar: Man kann eine solche Tat vielleicht verstehen – verzeihen kann man sie nie.

► *Mutterschaft*
► *Vaterschaft*
► *Zurückweisung*

VERHEIRATET SEIN

Verzauberter April
Elizabeth von Armin

Verheiratet zu sein soll ein Leiden sein? Falls das gerade Ihr erster Gedanke ist, lesen Sie nicht weiter. Sie haben den Jackpot geknackt und einen Partner gefunden, mit dem Sie gemütlich, harmonisch und annehmbar leben können. Wir gratulieren.

Wenn Sie jedoch der Meinung sind, verheiratet zu sein bedeute, angesichts ständiger Kompromisse darum kämpfen zu müssen, sich selbst nicht zu verlieren, wenn Sie das Gefühl haben, in Ihrer Ehe fehle die Abwechslung oder Sie und Ihr Ehepartner hätten sich im Laufe der Jahre immer weiter voneinander entfernt, statt einander näher zu kommen, dann lassen Sie sich von Elizabeth von Arnims *Verzaubertem April* inspirieren.

Dieses Werk aus den 1920er Jahren erzählt die Geschichte von Mrs. Wilkins und Mrs. Arbuthnot, zwei verheirateten Damen, denen es nicht vergönnt war, den oben erwähnten Jackpot zu knacken, und die zufällig beide über folgende Anzeige in der *Times* stolpern: »An jene, die Glyzinien und Sonnenschein zu schätzen wissen. Kleines mittelalterliches Castello an der italienischen Mittelmeerküste für den Monat April möbliert zu vermieten. Notwendiges Personal vorhanden.« Beide sind von der Idee fasziniert, und in dem verzweifelten Wunsch nach ein bisschen Glück beschließen die Damen, das Castello gemeinsam zu mieten.

Sie laden noch zwei weitere lebhafte Geschlechtsgenossinnen ein, sie zu begleiten – die schrullige Mrs. Fisher und die aufreizend schöne Lady Caroline, die der schmachtenden Bewunderung von Männern wie Frauen so überdrüssig ist, dass sie anderen nur noch kalt und abweisend begeg-

net. In San Salvatore mit seinen schlichten weißgetünchten Wänden und Steinböden erholen die Frauen sich allmählich und entdecken ihre Sinnlichkeit und Lebensfreude wieder – eine wundersame Wandlung, die durch saftige Orangen, blühende Wiesen und den hilfsbereiten Gärtner Domenico kräftig unterstützt wird. Von Angst und Sorge gezeichnete Gesichter glätten sich, Herzen, die seit Jahren fest verschlossen waren, öffnen sich wie Blütenknopsen in der warmen Sonne, so dass die Liebe wieder hineinströmen kann. »Ich habe mich daheim wie ein kleinliches Biest aufgeführt«, erklärt Lotty (Mrs. Wilkins), »habe immer nur gerechnet und gezählt ... Zu Hause habe ich Mellersh nur geliebt, wenn er mich auch geliebt hat, wie du mir, so ich dir, ganz ausgeglichen. Kannst du dir so was vorstellen? Und da er's nicht tat, habe ich es auch nicht getan, und diese *Öde* und *Leere* im Haus! Diese *Öde* ...«
An diesem grandiosen, abgeschiedenen Ort erwartet man, dass die Damen nur sich selbst finden. Doch am Ende ... nun, sagen wir einfach: Ihre Männer werden nicht vergessen. Ehen werden gerettet und die Liebe neu entfacht. Von Arnim ist eine wunderbare Erzählerin, die ihren literarischen Zeitgenossen (Edith Wharton, E. M. Forster) in fast nichts nachsteht. *Verzauberter April* ist die perfekte Urlaubslektüre für alle, die unter dem Eheblues leiden. Kaufen Sie sich dieses Buch, und dann mieten Sie sich eine Villa in Italien und lesen Sie es auf dem Weg dorthin.

► *Schnarchen*
► *Sex, zu wenig*

Das Haus
Mark Z. Danielewski

Wie eine furchtbar verängstigte Romanfigur, die sich in einem Buch über die Auslegung eines gewissen Dokumentarfilms Notizen macht, sehen Sie sich ja vielleicht selbst (wie durch eine Hi-8-Videokamera), wie Sie sich im Zimmer eines toten Wissenschaftlers in eine dunkle Ecke der Buchseite drücken, *Das Haus* zur Hand nehmen und den Blick auf dem Wort VERIRRT ruhen lassen. Und im selben Moment wissen Sie, dass Sie sich tatsächlich VERIRRT haben in einem/einer schwankenden Haus/Labyrinth/Kritik/Kommunikationstheorie/Einzelzelle/Roman über ein(e) psychoanalytische Enttäuschung/Haus/Glaubenssystem, in dem Ihre einzige Orientierung das flackernde Licht eines gedruckten Wortes vor der schwarzen, unendlichen Leere der weißen Seite ist.

Will Navidson zieht mit seiner Freundin und den beiden kleinen Kindern in ein Haus auf der Ash Tree Lane und dokumentiert mit einer ganzen Reihe von Kameras sowie den Aufnahmen der Überwachungskamera unheimliche räumliche Unstimmigkeiten in dem Gebäude – ein Zimmer, das von innen größer ist als von außen, eine Tür, die sich zum Garten hin öffnet, aber trotzdem in einen langen dunklen Flur führt. Während diese Anomalien aus parallaxen Beobachterpositionen erkundet werden, wird Ihr Leseeindruck den Gang in das dunkle Labyrinth genauso spiegeln wie den psychischen Kollaps aller Beteiligten, denn um Sie herum löst sich jede Form von Bedeutung in Luft auf[1] und eine Lovecraft'sche Bestie knurrt an Ihrer Seite. Sie werden immer wieder daran erinnert, dass »jener Vandale, den wir My-

1 Bis Sie schließlich realisieren, dass Sie nichts weiter sind als eine andere Stimme, die Sie in Besitz genommen hat mit Geschichten, die Sie besser nie als Ihre eigenen erkannt hätten; diese Stimme erfindet Sie, definiert Sie, führt Sie, bis jede Idee, die Sie als Ihre eigene ausgeben könnten, zu einem Nichts geschrumpft ist. Was Sie dazu zwingt, sich dem allerschrecklichsten Verdacht zu stellen, den es gibt: Dass alles das nur ausgedacht ist, und noch viel schlimmer: nicht von Ihnen.

thos nennen, *immer* die Vernunft abschlachtet, wenn sie ins Taumeln gerät. Der Mythos ist der Tiger, der die Herde belauert.«

Sie könnten versuchen zu fliehen, indem Sie etwa das »leise(.), schaurige(.) Geflatter(.) eines schlichten Wortes – vielleicht dein Wort –, das weit nach Mitternacht durch leere Flure hallt«, von sich geben. Und dann über die Aufzeichnung des zurückkommenden Echos die Größe und Form eines lichtlosen Raums berechnen, um schließlich mit etwas Glück einen Gang zu finden, der nach *draußen* führt.

Sollten Sie immer noch VERIRRT sein, weil Ihnen nichts anderes enthüllt wurde als die nur für Ihre Fantasie sichtbaren ›Umrisslinien von Leben‹, werden Sie, während Sie diese postmoderne Achterbahn einer Meta-Erzählung und eines offen gestanden ziemlich dreisten Lügenmärchens lesen, feststellen, dass Sie, wenn Sie die Hoffnung aufgeben, sich an einem

l
i
n
e
a
r
e
n
E
r
z
ä
h
l
s
t
r
a
n
g
f

e
s
t
h
a
l
t
e
n
zu können, Freude daran finden, sich in Fußnoten und Anmerkungen zu verlieren. Denn immerhin wird man am Ende für die Zeit, die man sich für eine derart komplexe, zeitintensive und blendend helle Fülle von Einfällen genommen hat, mit einer alles ›beiläufig‹ Erlebte derart weit übersteigenden Ahnung belohnt, dass einem schließlich klar wird, dass das VERIRRT-Sein im Gewand einer seiner vielen überzeugenden Maskeraden[2] letztendlich nichts weiter ist als
eine Tür,
deren Griff man lieber
drücken
und öffnen sollte.
Wenn Sie sich trauen.

Oder Ihnen gelingt die Flucht, indem Sie *Das Haus* einfach ganz verlassen.
Um dann allerdings am nächsten Morgen aufzuwachen
und

neben Ihrem Wecker im Holz des
Beistelltischchens

schartige Klauenspuren
zu entdecken.

2 Diesen Satz eingeschlossen.

VERLANGEN, BRENNENDES

▶ *Lust*

VERLEGENHEIT

▶ *Ei auf der Krawatte*
▶ *Idiot; sich wie einer fühlen*
▶ *Scham*
▶ *Scham, lektürebezogene*

VERLIEBEN, SICH HALS ÜBER KOPF

▶ *Gelüste; keine mehr verspüren*
▶ *Konzentrationsschwierigkeiten*
▶ *Liebeskummer*
▶ *Lust*
▶ *Obsession*
▶ *Optimismus*
▶ *Romantisch sein, hoffnungslos*
▶ *Schlaflosigkeit*
▶ *Verliebtheit*

VERLIEBTHEIT

Kinder der Nacht
Jean Cocteau

Es gibt nichts Aufregenderes, Süßeres und Berauschenderes, als mitten in einer ernsthaften Verliebtheit zu stecken. Wer auch immer das Objekt Ihrer Begierde ist: Sich in der Bewunderung eines Mitmenschen zu verlieren, ist eine der fesselndsten und wahnsinnig lustvollen Möglichkeiten, große Brocken der eigenen Lebenszeit zu opfern. Aber für all die Annehmlichkeiten dieses Zustands zahlt man einen Preis. Das Objekt der Begierde hat vielleicht nicht die gleichen Gefühle; außerdem ist Verliebtheit von Natur aus blind für jede Praktikabilität. Sie ist gänzlich unvernünftig und extravagant und nährt sich mehr aus sich selbst heraus, als dass sie den Rückfluss der Zuneigung von Seiten des Liebesrezipienten wirklich benötigt (▶ *Liebe, unerwiderte*). Und wenn auch nicht ganz so gefährlich, kann Verliebtheit doch eine Vorstufe der Besessenheit sein, denn sie macht es dem Opfer unmöglich, seine eigene Torheit und die Unzulänglichkeit des Zielobjekts zu erkennen.

Cocteaus enigmatischer kleiner Roman ist ein Musterbeispiel der Berauschtheit. Er setzt ein völlig erstaunliches Liebeslabyrinth um ein Geschwisterpaar ins Bild, das sich in unterschiedliche, überkreuzte Verliebtheiten verstrickt: In einer großen Pariser Einzimmerwohnung, die eher einer Bühne gleicht, pflegen Paul und Elisabeth ihre Mutter. Irgendwann werden sie dort mit ihren Ideen und Neurosen, die wie Blumen im Gewächshaus gedeihen, alleine gelassen. In der Schule war Paul in Dargelos verliebt, einen hübschen Jungen, der einen Schneeball mit einem Stein in der Mitte nach ihm warf. Hierauf ist der zerbrechliche Paul wochenlang bettlägrig, wobei er als die »süßen Freuden des Krankseins« genießender Invalide seine Schwester ein bisschen zu sehr zu lieben beginnt. Während der Zeit der Genesung wiederum lernt er Agathe kennen (die Dargelos sehr ähnlich sieht) und verliebt sich in sie. Gleichzeitig verstricken sich Paul und Elisabeth auch noch in ihre gegenseitige Verliebtheit und ziehen sich mehr und mehr in eine Traumwelt zurück.

Es kann gar nicht anders als böse enden – dafür ist die Geschichte viel zu rauschhaft, zu intensiv und zu prismatisch gebrochen. Es ist nur eine Frage der Zeit, bis wir die Scherben klirren hören. Sollten Sie sich in den Fängen einer ähnlich intensiven Verliebtheit befinden, tauschen Sie das Objekt Ihrer Begierde aus dem wahren Leben gegen dieses Buch. In den Künstlerzirkeln seiner Zeit (in denen auch Picasso, Modigliani, Proust und Gide verkehrten) war Cocteau als der »frivole Prinz« bekannt und löste selbst viele Male bei anderen Verliebtheit aus. Seine sinnliche Prosa und lebhafte Fantasie sind gleichermaßen hinreißend. *Kinder der Nacht* hat er in einer Zeit geschrieben, als er versuchte, sich vom Opium abzuwenden, und jedem einzelnen anschwellenden Satz merkt man an, wie sein Blut nach der Droge ruft.

Lassen Sie sich nicht von den Winden launenhafter Begierden ins Verderben wehen. Die Freude, die man in ästhetischen Höhen finden kann, ist von ewiger Dauer, Ihre sterbliche Verknalltheit nicht.

► *Obsession*
► *Liebeskummer*

VERLUST DES ARBEITSPLATZES

► *Arbeit; sie verlieren*

VERLUST DES SELBST; SICH SELBST VERLIEREN

► *Identitätskrise*
► *Mutterschaft*
► *Seele; die eigene verkaufen*
► *Vaterschaft*
► *Verirren, sich*

VERLUST DES VERSTANDES

► *Altersschwäche*
► *Drogenkonsum, übermäßiger*

VERMISSEN, JEMANDEN

► *Familie; mit ihr zurechtkommen*
► *Heimweh*
► *Sehnsucht, allgemeine*
► *Schlussmachen*
► *Tod eines geliebten Menschen*

Der Verrat
Cécile Wajsbrot

Machen wir uns nichts vor: Der Verrat, zumindest der kleine Verrat, pflastert unseren Weg. Scheinbar beiläufig beantworten wir unserem Chef seine Suggestiv-Frage über die Arbeitszeiten des Kollegen, mit Mutter lästern wir über die schlechte Work-Life-Balance unseres Bruders, nach ein paar Bier ziehen wir über die neue Freundin des alten Kumpels her ... all das tun wir täglich und denken uns nichts dabei. Müssen wir auch nicht mehr, wenn wir erst mal Cécile Wajsbrots *Der Verrat* gelesen haben.

Cécile Wajsbrot ist die Tochter polnischer Juden, die den Holocaust überlebt haben. *Der Verrat* ist ihr persönlichstes Buch. Es erzählt die Geschichte von Louis Mérian, der am Ende seines Lebens von einem Verrat eingeholt wird, den er als junger Mann begangen hat, als er sich weigerte, seine Geliebte Sarah vor den Nationalsozialisten zu schützen. Jahrzehntelang hat er diese Erinnerung erfolgreich verdrängt, er hat sein Leben gelebt, ist eine Radiolegende geworden. Aber dann fragt ihn eine junge Redakteurin eines Tages: »Was haben Sie während des Krieges gemacht?« – und sein Verrat holt ihn ein. Wajsbrot erzählt, wie die Erinnerung über die Verdrängung siegt, wie die Schuld auch nach Jahrzehnten noch ein Leben vernichtet, und findet dafür Worte, die klug und lakonisch, präzise und zurückhaltend sind.

Angesichts dieses großen Verrats werden Ihnen Ihre kleinen Lästereien läppisch erscheinen; vor dem großen, lebensvernichtenden Verrat aber werden Sie sich hüten.

VERSAGER; SICH WIE EINER FÜHLEN

Mr. Polly steigt aus
H. G. Wells

Sie halten sich für einen Versager. Vielleicht ist Ihre Vergangenheit ein Trümmerfeld abgebrochener Projekte. Vielleicht haben Sie das Gefühl, dass alles, was Sie anfassen, in Ihren Händen zu Asche wird statt zu Gold. Ihre negativen Prophezeiungen erfüllen sich zuverlässig – obwohl Ihre Versa-

gensangst nicht selten verhindert, dass Sie es überhaupt erst versuchen. Ihre Haltung ist gebückt. Sie sind die fleischgewordene Erfolglosigkeit. Falls Sie sich in diesem Bild wiedererkennen, dann wird es Zeit, H. G. Wells' charmanteste Figur, den erfolglosen Mr. Polly, kennenzulernen.
Als wir ihm zum ersten Mal begegnen, sitzt Mr. Polly auf einem Gatter in der Nähe seines Hauses im fiktiven Örtchen Fishbourne in Kent und klagt darüber, dass er in diesem »Kaff« festsitzt – »Oh, elender, blöder Witz von einem Kaff!«.
Mr. Polly, der dazu neigt, Worte zu verwechseln, was unter anderem seinen Charme ausmacht, leidet unter chronischen Verdauungsproblemen, die wohl ebenso sehr in seinem negativen Selbstbild als in seinen recht eigenwilligen Essgewohnheiten begründet liegen. Im Laufe der fünfzehn Jahre, in denen er der »entgeisterten Kommerzialität« erliegt – er führt einen Stoffladen –, ist er dick, glatzköpfig und vierzig geworden. Als er erkennt, dass er sein bisheriges Leben »in der Gesellschaft apathischer, ihm gegenüber eher feindlicher und kritisch eingestellter Menschen« verbracht hat – seine eigene Frau eingeschlossen –, »umgeben von kleinen häßlichen Dingen« und dazu noch »in beengten Verhältnissen«, ist er so verzweifelt, dass er eine Lebensversicherung abschließt, um sicherzustellen, dass seine Frau über die Runden kommt, und sich dann das Leben zu nehmen (► *Midlife-Crisis*).
Glücklicherweise geht sein Selbstmordversuch gründlich schief, woraufhin er sich – nein, nicht wie ein Versager fühlt (auch wenn es Ihnen vielleicht so gehen würde), sondern lebendiger als jemals zuvor. Als ihm klar wird, dass Fishbourne schließlich nicht »die Welt« ist, macht er sich auf den Weg Richtung Meer. Er läuft acht oder neun Stunden am Tag, schläft in Gasthäusern und hin und wieder in einem vom Mond beschienenen Feld und erreicht so schließlich das Gasthaus in Potwell. An einer Flussbiegung gelegen, unter großen Bäumen und umgeben von Herbstrosen, mit Tischen und Bänken vor dem Haus und einer Wiese voller Dotterblumen dahinter, erscheint ihm das Gasthaus als Ab-

bild der Perfektion. Und erst recht, als er die dralle Gastwirtin sieht, so herrlich straff und gesund und rosig, dass sie »voll unendlichem Vertrauen und voll unendlicher Freundlichkeit« zu sein scheint. Die beiden erkennen sofort, dass sie zusammengehören, und so findet Mr. Polly schließlich sein Königreich – oder hätte es gefunden, wenn da nicht noch eine Kleinigkeit wäre …

Finden Sie selbst heraus, ob es *Mr. Polly* gelingt, sich von einer Versager- in eine Erfolgsgeschichte zu wandeln. Am Ende des Buches wird sich Ihr Vertrauen in die Unausweichlichkeit zu versagen – in Ihrem Fall wie in Mr. Pollys – in Luft aufgelöst haben. Machen Sie es wie Mr. Polly. Stellen Sie Ihre vermeintlichen Misserfolge auf den Kopf. Stehen Sie aufrecht, Schultern zurück. Und dann machen Sie sich auf die Suche nach Ihrem eigenen Gasthaus von Potwell.[1]

► *Selbstbewusstsein, mangelndes*

1 Folgen Sie Mr. Polly aber bitte nicht so weit, dass Sie irgendwann Ihren eigenen Freitod plus Versicherungsbetrug in Angriff nehmen. Mr. Polly überlebt nur mit Glück, und solche Zufälle gibt es bekanntlich nur einmal, sowohl in der Literatur wie im echten Leben.

Therapie: Bauen Sie sich eine Bibliothek auf

Es gibt wenig Frustrierenderes im Leben als das Bedürfnis nach einem ganz bestimmten Buch, ob man es nun selbst lesen oder jemandem zeigen will, und es dann nicht zu finden. Sie wissen, dass Sie es haben, und Sie wissen auch genau, wie es aussieht und wo Sie es zuletzt gesehen haben. Aber da ist es nicht mehr. Und wozu hat man Bücher, die man nicht finden kann, wenn man sie sucht?

Wir werden nicht darauf bestehen, dass Sie Ihre Bücher alphabetisch ordnen.[2] Manche Leute stellen ihre Bücher in einer völlig willkürlichen Reihenfolge ins Regal und sind trotzdem in der Lage, den gesuchten Band so zielgerichtet wie eine ferngesteuerte Rakete wieder herauszuziehen.

Es kommt nicht darauf an, für welches System Sie sich entscheiden, Hauptsache, Sie haben eins. Nehmen Sie sich ein Beispiel an Borges und erklären Sie ein Zimmer in Ihrem Haus zu Ihrer Bibliothek. Wenn es Ihnen an überzähligen Räumen mangelt, tut es auch ein Flur, ein Treppenabsatz, das Treppenhaus oder das Gästeklo. Versehen Sie die Wände von oben bis unten mit Regalen. Sammeln Sie hin und wieder alle herumliegenden Bücher ein und stellen Sie sie wieder zurück an ihren Platz (und schieben Sie dabei Ihre Brille bis auf die Nasenspitze herunter). Schreiben Sie sich auf, wem Sie welches Buch geliehen haben – vielleicht in Form eines Bibliothekskatalogs oder einer App, bei der Ihre Bücher auf digitalen Regalen stehen. Indem Sie Ihren Büchern einen respektvollen Platz in Ihrem Zuhause einräumen, geben Sie ihnen die Möglichkeit, Sie an sich zu erinnern, ihre Weisheit zu offenbaren und sich Ihnen im richtigen Moment darzubieten, wie eine lange verlorene Liebe.

2 Das von uns präferierte System. Allerdings hat Susan Sontags Aussage, dass es ihr »durch Mark und Bein geht«, Pynchon neben Plato zu sehen, uns zu denken gegeben. Wir ordnen unsere Bücher auch gelegentlich geografisch, nach Sprachräumen.

Travestie
Mircea Cărtărescu

Sexuelle Verwirrung ist eine extrem anstrengende Angelegenheit. Wen man warum, wann und aus welchen Gründen attraktiv findet, von wem man sich andererseits abgestoßen fühlt und welche Handlungsimpulse darauf folgen könnten – das sind für das Lebensglück entscheidende und mit einfacher Rationalität kaum zu beantwortende Fragen. Wir haben ein Buch für Sie, dass Sie zurück in die Lebensphase führt, in der alles begann: in die Pubertät. Sollten Sie auch dort Ihre Orientierung nicht wiederfinden, wird *Travestie* von Mircea Cărtărescu Sie zumindest über Ihre Verwirrung hinwegtrösten.

In *Travestie* erinnert sich ein Ich-Erzähler an ein Pubertätstrauma, das er als 17-Jähriger auf einer Klassenfahrt erlitt. Es ist ein Roman wie ein Gemälde von Hieronymus Bosch: In gewaltigen halluzinatorischen Bildern und mit großer poetischer Kraft beschreibt Mircea Cărtărescu, einer der bedeutendsten Schriftsteller Rumäniens, einen Trip in die tiefsten Abgründe der Pubertät. Er kombiniert idyllische Szenen, in die man sich als Leser mit Freude hineinversetzt, mit drastischen, bedrohlichen, surrealen Bildern, aus denen man am liebsten fliehen will. Diese Abfolge hat eine starke Wirkung auf das Unterbewusste und setzt Erinnerungen an die eigene Pubertät frei. Dieser Roman ist die Fahrkarte für eine Zeitreise; er führt Sie zu Ihren damaligen Gefühlen und den Gedankenwelten und somit zu den Anfängen Ihrer sexuellen Verwirrung zurück – und mit Hilfe Ihres über die Jahre hoffentlich gewonnenen Reflexionsvermögens haben Sie eine reelle Chance, die verwirrenden Gefühle aufzudröseln und Orientierung zu gewinnen. Sollte Ihnen das nicht gelingen, dann sei Ihnen dennoch eins versichert: Was immer Ihnen in Ihren verdrängten Erinnerungen begegnet, es wird weniger schockierend, weniger verwirrend und traumatisierend sein als das, was Victor in seinem an Wahn grenzenden Trip über seine eigene Sexualität erfährt …

► *Identitätskrise*

VIERZIGER

DIE ZEHN BESTEN ROMANE FÜR VIERZIG- BIS FÜNFZIGJÄHRIGE

Das Geschäft des Lebens **Saul Bellow**
Die gute Erde **Pearl S. Buck**
Moll Flanders **Daniel Defoe**
Die Brüder Karamasow **Fjodor Dostojewski**
Mein Herz so weiß **Xavier Marías**
Der Kinogeher **Walker Percy**
Wie ich lernte, die Frauen zu lieben **Stephen Vizinczey**
Tag der Heuschrecke **Nathanael West**
Zeiten des Aufruhrs **Richard Yates**
Hundert Frauen **Martina Zöllner**

VÖLLEREI

Die Lust und ihr Preis
John Lanchester

Die Bäckereiüberfälle
Haruki Murakami

Der Begriff Völlerei bezieht sich auf den übermäßigen Genuss von Essen, Getränken oder Ähnlichem. Deutlicher gesagt: gierig und verfressen sein. Wenn Sie sich hier ertappt fühlen, dann empfehlen wir Ihnen, schwelgen Sie in *Die Lust und ihr Preis*, bevor Sie sich an den Tisch setzen. (Wenn einer Ihrer Freunde der Gierschlund ist, dann legen Sie ihm oder ihr das Buch auf den Teller und kümmern sich darum, dass das Abendessen zwei Stunden später serviert wird.)
Besserung wird Ihnen in drei Gängen serviert:
Als Entree: Es ist unmöglich, dieses Buch schnell zu konsumieren, was das Abendessen verschieben wird, vielleicht auf unabsehbare Zeit. Tarquin, der Erzähler, ist in der Lage, seinen Gedanken so präzise und mit großer Liebe für die Worte, die er benutzt, Ausdruck zu verleihen, dass Sie jeden Absatz gleich noch einmal lesen wollen und ihn anschließend Wort für Wort in Ihr Lesetagebuch übertragen, um ihn erneut zu genießen wie ein Stück Kalbsleber. Lesen Sie nicht nur vor dem Essen, sondern auch zwischen den einzelnen Gängen, um die Mahlzeit ein wenig in die Länge zu zie-

hen. Sie könnten sogar vom Tisch aufstehen, um eins der Rezepte aus diesem Buch nachzukochen (Blinis, Omelette und Salzmarschlamm, um nur ein paar zu nennen). Dieses Buch – wie auch dieser Teil Ihrer Therapie – ist eine fast schon unendliche Digression. Es benutzt Rezepte als Vorwand, um sich an Vergangenes zu erinnern, zu philosophieren und anzudeuten, wohin wir uns mit dieser mäandernden Geschichte eigentlich bewegen.

Als Hauptgang: Die Lust, mit der Tarquin bei jeder einzelnen Zutat verweilt, wird Sie lehren, Ihre Mahlzeit zu genießen und nicht einfach bloß hinunterzuschlingen. Alles Essbare, dem Sie im Laufe des Buches begegnen, trägt eine Geschichte in sich. Pfirsiche, zum Beispiel, erinnern Tarquin an seinen Bruder – und zwar nicht nur, weil sie sich einst als Jungen einen Sommer lang mit dieser pelzigen Frucht die Bäuche vollschlugen, sondern weil unser kulinarischer Enthusiast schon damals, im zarten Alter von sechs Jahren, der Versuchung eines Pfirsichmarmeladenexperiments nicht widerstehen konnte – Pfirsichkerne inklusive –, wobei er unabsichtlich das Zyanid aus den Kernen löste und einen beinahe tödlichen Fall von Vergiftung herbeiführte.

Und als Dessert: Es gibt keins. Sorry. Denn spätestens jetzt werden Sie das beunruhigende Gefühl haben, dass etwas Unheilvolles vor sich geht – und dass Sie ein wenig auf Ihr Gewicht achten sollten.

Dieser Roman wird Sie lehren, mehr zu genießen und weniger unbedacht zu essen – und genau nachzuforschen, woher jede einzelne Zutat stammt, bevor sie den Weg in Ihren Magen findet.

Sollten Sie (oder Ihr gieriger Freund) noch eine kleine Zusatzmedikation nötig haben, dann lesen Sie Haruki Murakamis *Die Bäckereiüberfälle*. Zwei kurze Erzählungen des Meisters aus Japan, wundervoll-traumverloren illustriert von Kat Menschik. Beide beginnen mit einem Gefühl, das Sie (oder Ihr verfressener Freund) gut kennen: existenziellem Hunger, Hunger so groß, als hätte man ein »kosmisches Vakuum verschluckt«. In beiden Erzählungen treibt dieser Hunger den Erzähler zum Äußersten: zum Bäckereiüber-

fall. »Mit jedem Schritt duftete es wohliger nach Brot und je wohliger es duftete, desto stärker wurde unser Hang zum Bösen.« Erkennen Sie sich bzw. Ihren gierigen Freund wieder? Auch Sie (bzw. er) wären (bzw. wäre) bereit, Böses zu tun, um zu essen, nicht wahr? Lesen Sie nur weiter und Sie werden eine heilende Überraschung erleben …
Die schlechte Nachricht ist, dass wir den Teufel mit dem Beelzebub ausgetrieben bzw. die eine Sucht durch die andere ersetzt haben: Sollten Sie bislang noch nicht süchtig nach Murakamis merkwürdiger, schräger, surrealer, wahrhaftiger, kühler Prosa gewesen sein – spätestens jetzt sind Sie es. Sie werden seine Romane atemlos verschlingen. Aber immerhin: Davon werden Sie nicht fett.

VOREINGENOMMENHEIT

Der Vorleser
Bernhard Schlink

Es ist verlockend – besonders wenn man jung ist –, durch die Gegend zu laufen und sich schnell und nachdrücklich eine Meinung über die Welt und alles und jeden in ihr zu bilden, gleich abzustempeln und sein Urteil lauthals kundzutun – ein noch unreifer Charakter mag das als Zeichen von Stärke und Selbstbewusstsein werten. Doch feste Überzeugungen sollten niemals als Berechtigung für Voreingenommenheit angesehen werden, also Menschen oder Dinge vornehmlich aufgrund einer einzigen Eigenschaft zu beurteilen. Wenn jemand voreingenommen ist, dann wird er zum Beispiel darauf bestehen, dass alle Verbrecher schlechte Menschen, alle mäkeligen Esser schlechte Liebhaber und alle Teenager naiv und voreingenommen sind.[1]
Um Ihren Hang zu Vorurteilen auszumerzen, empfehlen wir Ihnen, sich in den *Vorleser* zu vertiefen, Bernhard Schlinks vielschichtigen Roman über Schuld, Scham und das Grauen über die Verbrechen der Nazis. Der Roman fragt danach, wie die Nachkriegsgenerationen mit dem Holocaust und all jenen umgehen sollen, die in ihn verwickelt waren. Mi-

1 Mit Letzterem hätte er Recht.

chael Berg ist fünfzehn, als er ein Verhältnis mit der sechsunddreißigjährigen Straßenbahnschaffnerin Hanna beginnt. Bei ihren Verabredungen, während deren sie häufig gemeinsam baden, bittet Hanna Michael immer wieder, ihr vorzulesen (Die *Odyssee* auf Griechisch und *Krieg und Frieden*) – was wir von ganzem Herzen befürworten (▸ *Einsamkeit, vom Lesen verursachte* und ▸ *Nichtlesender Partner/Nichtlesende Partnerin*). Viele Jahre später, als Michael mit seinem Juraseminar im Gerichtssaal sitzt und einen Kriegsverbrecherprozess verfolgt, entdeckt er Hanna unter den Frauen auf der Anklagebank: Seine erste Liebe ist eine ehemalige Aufseherin in einem Konzentrationslager und war an der Ermordung vieler hundert Frauen beteiligt.
Hannas Verbrechen – und ihre Beziehung zu ihm – werden Michael sein Leben lang verfolgen. Und während sie ihre Taten bereut und vor Gericht sogar mehr Schuld auf sich nimmt, als sie tatsächlich trägt, leidet sie sehr darunter, dass Michael ihre Briefe aus dem Gefängnis nicht beantwortet. Und so bringt Schlink seinen Leser – Sie – in eine moralische Bredouille. Lassen Sie sich von Hannas Not erweichen oder bleiben Sie hart und verurteilen sie als Person ebenso wie ihre Verbrechen selbst? Möge dieses Buch Ihnen zeigen, dass feste Überzeugungen und Unvoreingenommenheit sich nicht zwangsläufig gegenseitig ausschließen.
Bleiben Sie offen. Jeder von uns ist ein bisschen gut, böse, verrückt und traurig, und Sie müssen nicht alles an einem Menschen mögen, um dem Gesamtpaket gegenüber wohlgesinnt zu sein. Das gilt auch für Sie selbst. Wenn Sie gerade versuchen, etwas Neues zu lernen, und dazu neigen, sich als hoffnungslosen Fall abzuschreiben (▸ *Selbstbewusstsein, mangelndes*), dann beginnen Sie damit, sich in Unvoreingenommenheit gegenüber sich selbst zu üben.

▸ *Menschenscheu*

W

WEIHNACHTEN

Die Weihnachten des Mr. Scrooge
Charles Dickens

Zur Weihnachtszeit scheinen manchmal all Ihre Leiden gleichzeitig über Sie hereinzubrechen. Wenn Sie eine große Familie haben, werden Sie mit der ganzen Sippschaft unter einem Dach hocken (► *Familie; mit ihr zurechtkommen*), meist einschließlich einiger überdrehter Kinder (► *Mutterschaft*, ► *Vaterschaft*). Sie werden wahrscheinlich in einem Monat so viel Geld ausgeben wie sonst in dreien (► *Pleite sein*), sie werden zu viel essen (► *Völlerei*) und Blähungen bekommen, womöglich sogar Durchfall oder das Gegenteil, und am Ende die Quittung dafür bekommen, dass Sie zu viel getrunken haben (► *Alkoholsucht*). Wenn Sie verheiratet sind oder einen Lebenspartner haben, wird einer von Ihnen beiden garantiert ein paar Mal mit den Schwiegereltern aneinanderrasseln (► *Schwiegermutter; eine haben*), was dazu führen kann, dass Sie beide sich ebenfalls in die Haare kriegen (► *Verheiratet sein*). Wenn Sie einen festen Freund oder eine Freundin haben, wird man Sie zweifellos zwingen, peinliche Fragen über Ihre Beziehung zu beantworten (► *Kinder; unter Druck stehen, welche zu haben*). Und wenn Sie Single sind, werden Sie erklären müssen, warum das so ist (► *Single sein*), was dazu führen kann, dass Sie sich wünschten, Sie wären es nicht, und was Ihnen das Gefühl gibt, fürchterlich einsam zu sein (► *Einsamkeit*). Wenn Sie keine große Familie haben oder die Weihnachtstage nur mit Ihrem Hund verbringen, mögen Sie sich tatsächlich einsam fühlen (noch einmal ► *Einsamkeit*) oder Ihre Familie vermissen (► *Familie; mit ihr zurechtkommen*). Alles in allem kann man an Weihnachten schon mal den Glauben verlieren (▸ *Glauben; ihn verlieren*) und mit dem Gedanken spielen, sich allein in einem dunklen Schrank zu verkriechen (▸ *Menschenhass*).

In unserer *Romantherapie* finden Sie Kuren für alle oben genannten Leiden. Als vorbeugende Maßnahme empfiehlt es sich, die Heilmittel bereits im Laufe des Jahres nach und nach zu sich zu nehmen, um sich auf den großen Tag vorzubereiten. Und wenn es dann so weit ist, verkünden Sie Ihrer Familie, Ihrem Lebenspartner, Ihrer Oma oder Ihrer Topfpflanze, dass Sie ihnen dieses Jahr, statt gemeinsam vor dem Fernseher zu sitzen, die generationenübergreifend ansprechende Weihnachtsgeschichte von Charles Dickens vorlesen werden, und zwar vor dem Kamin, bei Glühwein und gerösteten Mandeln.

Das Ganze ist eine brillante Gespenstergeschichte. Ebenezer Scrooge: einsam, alt, gierig, geizig. Bob Cratchett: sein getriezter, unterdrückter, bescheidener und dennoch immer lebensfroher Angestellter. Tiny Tim: Cratchetts Sohn, liebenswert, auf der Schwelle zum Tod, recht mickrig. Jacob Marley: betriebsam, rachsüchtig, tot, schwarzseherisch und ein Kollege von Scrooge. Sie alle erzählen eine bezaubernde, aufmunternde Geschichte, die sowohl die Kinder wie auch die Erwachsenen in ihren Bann ziehen wird. Schwelgen Sie in den geisterhaften Erscheinungen. Schnappen Sie entsetzt nach Luft über Scrooges sinnlose Raffgier und den endlosen Aufschub seiner Hochzeit. Weinen Sie voller Mitgefühl für den kleinen Tim. Und jubeln Sie mit ihnen allen am Ende der Geschichte. »Ich fühle mich so leicht wie eine Feder, so glücklich wie ein Engel, so lustig wie ein Schuljunge, so schwindlig wie ein Betrunkener!«, trällert Scrooge. Es war Dickens, der den Mythos der weißen Weihnacht verbrochen hat, der uns dazu anhielt, an Weihnachten fröhlich zu sein und mit anderen zu teilen – mit anderen Worten: Dickens ist größtenteils dafür verantwortlich, dass Weihnachten zu dem geworden ist, was es heute ist. Also machen Sie diese Geschichte zu einer Familientradition. Während Sie vorlesen, wird sich in Ihrem Herzen – und in denen Ihrer Angehörigen – eine wohlige Wärme ausbreiten. Wahrscheinlich werden Sie feststellen, dass im nächsten Jahr sogar noch mehr Verwandte kommen. Und wenn Sie an Weihnachten allein sind, bieten Sie sich doch einfach einer anderen Familie als Vorleser an; legen Sie dabei Ihre beste Dickensstimme auf. Wenn Sie die Dynamiken in dieser Familie ein wenig entspannen, tun Sie ihnen womöglich einen größeren Gefallen, als Sie ahnen.

WEINEN; SICH TÜCHTIG AUSHEULEN

Manchmal muss man seinen Kummer einfach rauslassen, ob er nun von einem gebrochenen Herzen kommt, einem zerbrochenen Familienerbstück oder von schlichtweg außer Rand und Band geratenen Hormonen. Greifen Sie zu Taschentüchern, Brandy und zu diesen Büchern:

DIE ZEHN BESTEN ROMANE ZUM HEULEN

Das Schicksal ist ein mieser Verräter **John Green**
Tess von d'Urbervilles **Thomas Hardy**
Zwei an einem Tag **David Nicholls**
Die Frau des Zeitreisenden **Audrey Niffenegger**
Doktor Schiwago **Boris Pasternak**
Beim Leben meiner Schwester **Jodi Picoult**
Der Kuß der Spinnenfrau **Manuel Puig**
Wie ein einziger Tag **Nicholas Sparks**
Die Geschichte der Lucy Gault **William Trevor**
Eins wollt ich dir noch sagen **Louisa Young**

Keiner weiß mehr
Rolf Dieter Brinkmann

Wir Kinder aus Bullerbü
Astrid Lindgren

Sie hassen also. Alles. Jeden. Kein durch den Beton brechender Löwenzahn, kein Golden-Retriever-Welpe und kein Baby kann Ihnen ein Lächeln entlocken. Das kriegen wir wieder hin. Sie hassen auch jedes einzelne Buch, jeden Roman der Literaturgeschichte? Das kriegen wir trotzdem wieder hin.

Sie fangen an mit Rolf Dieter Brinkmanns einzigem Roman *Keiner weiß mehr.* Sie werden existenzielle, überdeutliche Verzweiflung und Welthass finden, in schonungslosen Worten geschildert, kühn montiert. Vor keinem Bereich seines Lebens macht der Ekel, der Hass dieses Erzählers Halt: nicht vor seinen eigenen Ambitionen, nicht vor seiner Ehe, nicht vor seinen Freunden, nicht vor seinem Kind. So schonungslos und vermeintlich authentisch ist dieser Roman, dass Maleen Brinkmann sich später gezwungen sah, darauf hinzuweisen, dass ihr Mann damals nicht ihr gemeinsames Leben beschrieben hatte, dass nicht sie gemeint war, und auch nicht ihr gemeinsamer Sohn. Ihnen wird dieser Text ein Ventil bieten, durch das Ihr Hass, Ihre Verzweiflung abfließen kann.

Und wenn all das aus Ihnen herausgeschossen ist, Sie leer und matt sind, dann wenden Sie sich mit Astrid Lindgrens *Wir Kinder aus Bullerbü* der Welt so zu, als sähen Sie sie zum ersten Mal. Lesen Sie, wie Lisa ein Kätzchen von der alten Kristin geschenkt bekommt und es Trille nennt. Lesen Sie, wie alle Kinder aus Bullerbü mit ihren Vätern auf dem Schlitten in den Wald fahren, um Weihnachtsbäume zu schlagen. »Mein Vater ging nebenher und lenkte die Pferde, und Oles Vater und Brittas und Ingas Vater gingen hinter dem Schlitten und lachten und redeten. Wir auf dem Schlitten lachten und redeten auch.« Wir garantieren: Es wird rieseln, das Glück, und Ihr Welthass ist Geschichte. Es könnte natürlich passieren, dass Sie nun nach Schweden auswandern wollen, um in einem Dorf mit nur drei Häusern zu leben. In diesem Fall empfehlen wir die Therapie zu *Fernweh.*

▸ *Glück, Suche nach dem*
▸ *Hass*

WUT

Der alte Mann und das Meer
Ernest Hemingway

Weil der alte Mann auch nach vierundachtzig Tagen, an denen er mit seinem Boot aufs Meer hinausgefahren ist, ohne einen einzigen Fisch zu fangen, noch guter Dinge ist. Und weil er selbst als die anderen Fischer ihn auslachen, nicht wütend wird. Und auch wenn er jetzt allein hinausfahren muss – weil der Junge, der mit ihm gefahren ist, seit er fünf Jahre alt war, und den er liebt, und der ihn liebt, auf Druck seiner Familie jetzt mit einem anderen Boot zum Fischen fährt –, hegt er keinen Groll in seinem Herzen. Und weil er auch am fünfundachtzigsten Tag voller Hoffnung wieder aufs Meer hinausfährt.

Und weil er, selbst als endlich ein großer Fisch anbeißt – der größte Fisch, den jemals ein Mensch gefangen hat – und so heftig an der Leine zieht, dass die Haut an den Händen des alten Mannes aufreißt, er sich von diesem Fisch weiter aufs Meer hinausziehen lässt. Und obwohl er sich wünscht, der Junge wäre bei ihm, ist er dankbar für die Schweinswale, die um sein Boot herumtollen. Und auch als ein Tag vergeht und eine Nacht, und ein weiterer Tag dahinzieht, und es nur ihn und den Fisch gibt und niemanden, der ihm helfen kann, bleibt er ruhig. Und selbst als er weit über seine Grenzen hinausgeht und spürt, wie Verzweiflung in ihm aufsteigt, befiehlt er sich, an das zu denken, was er hat, und nicht an das, was er nicht hat, und daran, was er aus dem machen kann, was da ist. Und obwohl seine Hand mittlerweile so steif ist, dass er sie nicht mehr benutzen kann, und obwohl er hungrig und durstig ist und die Sonne ihn blendet, denkt er an die Löwen, die ihm einst an einem Strand in Afrika erschienen wie eine Art himmlischer Vision. Denn er weiß, dass es nichts Größeres, Schöneres oder Edleres gibt als diesen Fisch, der ihn immer weiter hinauszieht. Und selbst als der Fisch tot ist und die Haie kommen, um ihn zu fressen – erst einer, dann ein halbes Dutzend –, und der alte Mann in seinem Kampf gegen sie seine Harpune verliert und dann sein Messer, und selbst als er den Kiel seines Bootes herausreißt, um ihn als Knüppel zu benutzen, und selbst als es ihm nicht gelingt, das Fleisch des Fisches zu retten, und der Kampf ihn so geschwächt hat, dass er beinahe selbst verloren ist, und selbst, als er es endlich zurück an die Küste schafft und von dem Fisch nur noch das Skelett übrig ist, nimmt er es hin und geht, beinahe dankbar, zu Bett.

Weil Sie, wenn Sie in die simple, beruhigende Sprache dieser Erzählung eintauchen, ebenfalls in der Lage sein werden, Ihre Gefühle zu beherrschen. Sie werden neben dem alten Mann in seinem Boot sitzen, seine Liebe für den Jungen, für das Meer, für den Fisch spüren – und es wird Sie mit Frieden erfüllen und mit dem Gefühl der Akzeptanz für das, was ist, so dass es keinen Platz mehr gibt für das, was war oder was Sie selbst sein wollen. Manchmal lassen wir alle uns zu weit forttreiben, was jedoch nicht bedeutet, dass wir nicht wieder zurückrudern können. Und so wie die Vision der Löwen am Strand den alten Mann glücklich macht, so können auch Sie Ihre Vision haben – vielleicht von einem alten Mann und wie es ihm gelingt, seiner Gefühle Herr zu werden. Auch nachdem Sie es gelesen haben, werden Sie sich dieses Buch ins Regal stellen wollen, irgendwohin, wo Sie es sehen können, wenn Sie wütend sind. Und Sie werden sich an den alten Mann erinnern, an das Meer, an den Fisch, und es wird Sie beruhigen.

► *Fahrstil, aggressiver*

Z

ZAHNSCHMERZEN

Anna Karenina
Lew Tolstoj

Wenn Sie unter Zahnschmerzen leiden – eine Qual, die deshalb so perfide ist, weil sie im Kopf sitzt –, dann werden Sie mit Wronski in Lew Tolstojs *Anna Karenina* mitfühlen: »Der bohrende Schmerz in dem kräftigen Zahn füllte ihm den Mund mit Speichel und hinderte ihn am Sprechen. Er verstummte und blickte auf die Räder des langsam und glatt über die Schienen rollenden Tenders.«

Doch im nächsten Moment lässt ein sengender innerer Schmerz Wronski sein körperliches Leiden vergessen. Beim Anblick der Schienen erinnert er sich plötzlich an *sie*, oder besser, an das, was von ihr noch übrig war, als er ihren schlaffen, blutbeschmierten Körper auf dem Tisch in der Arbeiterbarracke der Bahnstation liegen sah, umringt von Fremden, den Kopf durch das Gewicht ihres Haars in den Nacken geworfen, und »auf dem schönen Gesicht mit dem halb geöffneten roten Mund ein erstarrter, seltsamer Ausdruck, traurig um die Lippen und furchtbar in den offengebliebenen Augen, der die entsetzlichen Worte zu wiederholen schien, die sie ihm bei dem letzten Streit zugerufen hatte – daß er es bereuen werde«.

Wenn die Vorstellung von Annas leblosem Körper es nicht geschafft hat, denken Sie an ein anderes schockierendes Bild aus der Literatur (für unsere persönlichen Favoriten siehe ► *Schluckauf*) und meditieren Sie darüber, während Sie Ihren Zahnarzt anrufen.

► *Schmerzen*

Ein Porträt des Künstlers als junger Mann
James Joyce

Der Schmerz eines angestoßenen Zehs muss ausgehalten werden; da gibt es keine Linderung. Zum Glück ist ein solcher Schmerz, ebenso wie ein Schlag auf die Nase, nur von kurzer Dauer. Im Normalfall reichen ein paar beherzte Flüche, um ihn zu zähmen.

Um öffentliche Erregung und Peinlichkeiten zu vermeiden, empfehlen wir dringend, sich mit dem literarischen Äquivalent zu einem beherzten Fluch zu wappnen, mit einem Zitat, das einem leicht über die Lippen kommt und das einen guten Rhythmus hat, einprägsam und alliterierend ist, beschwörend, musikalisch und ablenkend – will sagen: mit dem ersten Absatz von *Ein Porträt des Künstlers als junger Mann*, James Joyce' zugänglichstem Roman. Wir stellen Ihnen an dieser Stelle nur die allerersten Worte zur Verfügung, denn sollte dieses Buch nicht längst in Ihrem Besitz sein, müssen Sie es sich jetzt umgehend besorgen, um die ersten sieben Zeilen auswendig zu lernen. Wenn Sie sich das nächste Mal den Zeh anstoßen, rufen Sie also aus:

»Es war einmal vor langer Zeit und das war eine sehr gute Zeit da war eine Muhkuh die kam die Straße herunter gegangen und diese Muhkuh die da die Straße herunter gegangen kam die traf einen sönen tleinen Tnaben und der hieß Tuckuck-Baby …«

Danach lesen Sie auch noch den Rest dieses erbaulichen Romans, werden zusammen mit Stephen klüger und wissen dann, wie man die Hindernisse des Lebens am besten umschifft und sich Flügel wachsen lässt.

Therapie: Hörbücher

Ihr Leben ist eine einzige gigantische To-do-Liste, deren Sinn darin besteht, die Dinge abzuhaken, die Sie erledigt haben? Sie haben keine Zeit, um Ihre beste Freundin oder Ihren besten Freund anzurufen, geschweige denn sich hinzusetzen und ein Buch zu lesen? Aber eine Sache, die Sie garantiert können, ist Multitasking? Also schlagen wir vor, dass Sie Ihre Bücher demnächst unterwegs konsumieren. Zuerst einmal sollten Sie sich mit einem Vorrat an Hörbüchern eindecken (für den Anfang und für eine Liste der zehn besten Hörbücher ▸ *Lärm, zu viel*). Kaufen Sie sich ein paar gut sitzende Kopfhörer. Und das nächste Mal, wenn Sie etwas tun, das Sie körperlich, aber nicht unbedingt geistig fordert – bügeln, Unkraut jäten, Geschirr spülen, auf dem Laufband joggen, zu Fuß zur Arbeit laufen –, lassen Sie sich doch einfach ein Buch vorlesen. Sie werden feststellen, dass Sie dazu jeweils unterschiedliche Areale Ihres Hirns benutzen – und schon hat der arbeitsreiche Aspekt Ihres Lebens eine neue Qualität bekommen. Bald werden Sie förmlich nach neuen Aufgaben lechzen – egal was, Hauptsache, sie erlauben Ihnen eine halbe Stunde – und dann gleich noch mal eine halbe Stunde – mit Ihrem Hörbuch.

Die neununddreißig Stufen
John Buchan

Sie müssen ein Unternehmen leiten, ein Bücherregal zusammenbauen (▶ *Heimwerken*), ein Dinner für zwanzig Gäste kochen, und Ihre beste Freundin liegt im Krankenhaus (▶ *Krankenhausaufenthalt*). Sie haben also einfach keine Zeit, um dieses Rezept hier zu lesen, geschweige denn den Roman, den wir Ihnen verschreiben. Aber nehmen Sie sich nur eine Minute und tauchen Sie ein in das Leben von Richard Hannay in John Buchans Roman *Die neununddreißig Stufen* – und vielleicht haben Sie dann Ihr Gegenmittel schon gefunden.
Am Anfang weiß Hanney nicht wirklich, was er mit sich anfangen soll. Er ist erst vor drei Monaten aus dem Rhodesischen Bürgerkrieg zurückgekehrt und hat beschlossen, seiner alten Heimat noch einen Tag zu geben, um ihm zu beweisen, dass sie nicht so fade ist »wie Sodawasser, das in der Sonne gestanden hat«. Falls doch, wird er das nächste Schiff zurück nach Kapstadt nehmen. Doch dann findet er – zu seiner Freude, wie er beschämt zugeben muss – in seinem Zimmer einen toten Mann. Der jedoch ist nicht im konventionellen Sinne tot; er erzählt Hannay die spannende Geschichte, wieso er eigentlich gar nicht hier in Hannays Zimmer ist, sondern tatsächlich im Schlafanzug mit halb weggeschossenem Gesicht auf seinem eigenen Bett liegt.
Von diesem Moment an und für die folgenden neun kurzen, knackigen Kapitel dieses phänomenal temporeichen Thrillers ist John Hannay auf der Flucht. Und Sie auch – vor Ihrer üblichen Geschäftigkeit. Hannays Flucht vor dem finsteren Mann mit den »verdeckten Augen« wird Sie so fesseln, dass Sie Mittel und Wege finden werden, Ihren zahlreichen Aufgaben zu entfliehen, um sich für einen kurzen Moment hinzusetzen und weiterzulesen. Wahrscheinlich gehören Sie zu den Menschen, die mehrere Dinge gleichzeitig erledigen können, was bedeutet, dass Sie lesen können, während Sie von einem Meeting zum nächsten hasten. Hannay beherrscht diese Fähigkeit ebenfalls. Er knackt einen wichtigen Code, während er mit dem Zug nach Schottland fährt

und sich dabei als schottischer Bergbauer ausgibt. Er marschiert geradewegs in ein geheimes Treffen der britischen Regierung und enttarnt dort einen Spitzel. Und schließlich lässt er noch einen berüchtigten Spionagering auffliegen. Nach einundzwanzig Tagen auf der Flucht vor internationalen Profikillern rettet Hannay den Tag – und die Welt.
Ihre Welt dagegen wird nicht gleich zusammenbrechen, wenn Sie nicht all Ihre Aufgaben erledigt bekommen. Tatsächlich werden Sie nach diesem Buch überlegen, ob Sie nicht noch mehr tun könnten. Sie könnten doch sicherlich nebenbei noch ein paar Codes knacken? Einen schottischen Bergbauern spielen? Könnten Sie nicht vielleicht die Welt retten? Bevor Sie Hannay kennenlernen, haben Sie keine Ahnung, was es bedeutet, wirklich viel zu tun zu haben.

▸ *Erschöpfung*
▸ *Kinder, die zu viel Aufmerksamkeit verlangen*
▸ *Stress*
▸ *Zeit zum Lesen, keine haben*

ZURÜCKWEISUNG

Rabenliebe
Peter Wawerzinek

Zurückgewiesen zu werden ist eine schreckliche Erfahrung. Man fühlt sich beschädigt, verletzt, ungenügend und seiner Sicherheit beraubt. Man fragt sich, warum man zurückgewiesen wurde. Und wenn man die Gründe dafür nie erfährt oder sie einem auch auf Dauer nicht nachvollziehbar sind, scheint das Weitermachen, Vergessen sowie die Heilung unmöglich.
Wawerzinek hat im Alter von zwei Jahren die fundamentalste Zurückweisung erlebt, die einen Menschen treffen kann: Seine Mutter ließ ihn bei ihrer Flucht in den Westen in der DDR zurück (Kommt Ihnen das aus einer anderen Romantherapie bekannt vor? ▸ *Verantwortungslosigkeit*). Sie meldete sich nie wieder bei ihm. Er wurde zwischen verschiedenen Kinderheimen herumgereicht, war noch mit vier Jahren stumm, nur die Gesänge der Vögel konnte er imitieren. Mehrere Adoptionsvorhaben scheiterten. Die frühe Zurückwei-

sung wurde zur alles bestimmenden Leerstelle in Wawerzineks Leben. Gefühle von Heimat und Zugehörigkeit waren ihm fremd. Mehr als fünfzig Jahre quälte ihn die Frage nach dem Warum. Schließlich fand und besuchte er seine Mutter. Eine Erklärung bekam er nicht, das Schweigen, die Zurückweisung gingen weiter.
Wawerzinek hat aus seiner Erfahrung einen literarischen Aufschrei gestaltet, den autobiographischen Roman *Rabenliebe*, wie er radikaler kaum vorstellbar ist. Beängstigend präzise sind seine Erinnerungen an sein schutz- und orientierungsloses kindliches Ich, erschütternd die Kälte, die die Mutter auch noch dem Fünfzigjährigen gegenüber ausstrahlt und mit der sie jede Hoffnung auf eine Wiedergutmachung der Zurückweisung, oder zumindest Reue, eine Bitte um Vergebung – so sie denn möglich wäre – zunichtemacht. Trost werden Sie in diesem Roman nicht finden. Sie werden begreifen, dass eine Zurückweisung zwar erklärt, bereut, vielleicht entschuldigt werden, nicht aber zurückgenommen werden kann und dass wir Heilung – wieder einmal – nur in uns selbst finden können.

ZWANZIGER

DIE ZEHN BESTEN ROMANE FÜR ZWANZIG- BIS DREISSIGJÄHRIGE

Vater Goriot **Honoré Balzac**
Vollkommen leblos, bestenfalls tot **Antonia Baum**
Der Fremde **Albert Camus**
Geheimnisse von Pittsburgh **Michael Chabon**
Der Buddha aus der Vorstadt **Hanif Kureishi**
Small World **David Lodge**
Hundert Jahre Einsamkeit **Gabriel García Márquez**
Goodbye, Columbus: Ein Kurzroman und fünf Stories **Philip Roth**
Die geheime Geschichte **Donna Tartt**
Der Besen im System **David Foster Wallace**

EPILOG

Die Leserin hatte gerade ein neues Buch aufgeschlagen – vielleicht Malorys *König Arthur* oder Spensers *Feenkönigin*, weil im ersten Semester Mediävistik auf dem Studienplan stand –, da klopfte es an die Tür. »Ja!«, rief sie, ein wenig abwesend, gefangen zwischen edlen Rittern und Burgfräuleins. Ihr Blick haftete (etwas unhöflich) immer noch auf den Buchseiten, als die Tür aufging. Doch ein fröhliches »Hallo!« holte sie in die Wirklichkeit zurück. Im Zimmer stand die andere Leserin, in ein Kaleidoskop aus wilden Farben und Mustern gewandet, in jeder Hand einen dampfenden Becher.

Das Erste – und für einen langen Moment Einzige –, was die Leserin an ihr wahrnahm, waren die Augen. Auf ihren Lidern, bis hoch zu den Brauen, schillerte es türkis, pink, grün und golden, wie bei einem irisierenden Fisch. Ein Fisch, der sich freute, sie zu sehen – und sie auf die verrückte Art und Weise anlächelte, auf die man seinen siamesischen Zwilling anlächelt, von dem man tragischerweise bei der Geburt getrennt wurde, der aber nun, achtzehn Jahre später, unerwartet im Zimmer nebenan wohnt.

Die Leserin entschied auf der Stelle, die andere gern zu haben.

»Ich habe dich wohl mitten in der *Feenkönigin* gestört?«, fragte die andere Leserin und reichte ihr einen Becher schwarzen Kaffees (von nun an trank sie ihn immer schwarz). »Hast du denn das Gefühl, dass es dir an Tugend mangelt? – Oh!«

Ihr Blick, der unterdessen über die Buchrücken im Regal ge-

glitten war, ruhte auf Italo Calvinos *Wenn ein Reisender in einer Winternacht,* das strategisch am Rand platziert war (neben der *Unerträglichen Leichtigkeit des Seins,* der *Glasglocke* und dem *Geisterhaus* – Sie verstehen …), so dass es einem gleich ins Auge fiel, wenn man zur Tür hereinkam. Die andere Leserin stellte ihren Becher ab, nahm den *Reisenden* aus dem Regal und blätterte sorgsam darin. »›Ich bin gezwungen, die Lektüre immer genau im spannendsten Augenblick abzubrechen. Ich kann es gar nicht erwarten, sie fortzusetzen, doch wenn ich dann das begonnene Buch wieder aufzuschlagen meine, habe ich etwas ganz anderes vor mir‹ …«
Sie brach ab und blickte die Leserin an, atemlos. Die konnte nur feierlich nicken, war dies doch der erste wirklich wichtige Moment in ihrem Leben, den sie mit jemandem teilte, mit dem sie nicht verwandt war. Sie streckte die Hand aus und die andere Leserin gab ihr das Buch, und dann blätterte sie, bis sie ihre Lieblingsstelle gefunden hatte, die Stelle, die sämtliche Arten von Büchern, die man in einem Buchladen findet, beschreibt, »›die Infanterie der Bücher, Die Du Bestimmt Gern Lesen Würdest Wenn Du Mehrere Leben Hättest Aber Leider Sind Deine Tage Eben Was Sie Sind‹«, dann die »›Bücher, Die Alle Bereits Gelesen Haben So Daß Es Beinahe Ist Als Ob Du Sie Auch Schon Gelesen Hättest‹«. Und die andere Leserin rief lachend »Ja, genau!«, und die Leserin selbst begann auch zu lachen, und die andere Leserin griff das Buch wieder und blätterte darin, begierig, die Stelle zu finden, nach der sie suchte, die Stelle, in der beschrieben wird, wie wir ein Buch umkreisen, bis wir es schließlich lesen, wie wir den Text auf der Rückseite lesen, mit der Hand über das Cover fahren, wie beim Vorspiel vor dem Sex, uns das Eigentliche schon vorstellen – den Akt des Lesens selbst. Als sie die Stelle laut vorlas, platzte die andere Leserin erneut mit dem Lachen heraus, peinlich berührt von der sexuellen Anspielung (so lange kannten die beiden sich schließlich noch nicht), doch die Leserin lachte selbst auch, und sie schnappte sich wieder das Buch, weil sie die Stelle über den Buchladen noch nicht bis zum Ende vorgelesen hatte,

die Stelle, die die andere (da war sie sich sicher) genau so lieben würde wie sie selbst, die Stelle, die beschreibt, wie traurig einen all diejenigen Bücher, die man nicht gekauft hat, anschauen, mit einem Hundeblick, als habe man sie im Tierheim zurückgelassen. Doch sie griff etwas zu entschlosen nach dem Buch, und für einen Moment zogen beide daran, so dass beinahe die Bindung brach, und beide erschraken zugleich über die merkwürdige Ironie, das Buch könne in zwei Hälften geteilt werden, kurz vor dem Höhepunkt der Geschichte, oder kurz danach, ebenso, wie die Bücher in diesem Buch nicht als Ganzes gelesen werden können …

Ihre Blicke trafen sich über dem gequälten Buch.

»Genau. ›Man liest für sich allein, auch wenn man zu zweit ist‹«, sagte die andere Leserin.

»Aber ›was ist natürlicher, als daß zwischen Leser und Leserin durch das Buch ein Bündnis entsteht, eine Komplizenschaft, eine Beziehung?‹«, gab die Leserin zurück.

Die andere Leserin nickte. Sie wollte gerade das Buch zurückgeben, als ihr etwas einfiel. »Sind denn Bücher ›eine Schutzmauer […], die du vor dir errichtest, um die Außenwelt fernzuhalten‹, oder ›ein Traum, in den du eintauchst wie eine Droge‹, oder womöglich ›Brücken […], die du nach draußen schlägst, hinaus in die Welt, die dich so interessiert, daß du ihre Dimensionen mit Hilfe der Bücher erweitern und vervielfachen willst‹?«

Die Leserin kannte ihre Antwort bereits. »Alles drei«, erwiderte sie. »Aber vor allem eine Droge.«

Die andere Leserin nickte. Sie verstand. Sie stellte *Wenn ein Reisender in einer Winternacht* zurück ins Regal, diesmal in die Mitte.

Von nun an würden sie die Droge gemeinsam nehmen.

Verzeichnis der Lebenslagen und Leiden

Verzeichnis der Leseleiden

Verzeichnis der Listen der »Zehn besten Romane«

E

F

Quellennachweise der direkten Zitate

James Agee, Ein Todesfall in der Familie. Aus dem amerikanischen Englisch von Gerda von Uslar, überarbeitet von Ingo Herzke. C. H. Beck Verlag 2009.

Henri Alain-Fournier, Der große Meaulnes. Aus dem Französischen von Christina Viragh. Mit einem Nachwort von Hanno Helbling. Suhrkamp Taschenbuch Verlag 2003.

Margaret Atwood, Katzenauge. Aus dem kanadischen Englisch von Charlotte Funke. S. Fischer Verlag 1994.

Jane Austen, Stolz und Vorurteil. Aus dem Englischen von Margarete Rauchenberger. Insel Verlag 2007.

Richard Bach, Die Möwe Jonathan. Aus dem amerikanischen Englisch von Jeannie Ebner. Ullstein Verlag 2005.

Saul Bellow, Die Abenteuer des Augie March. Aus dem amerikanischen Englisch von Henning Ahrens. Verlag Kiepenheuer & Witsch 2008.

John Berger, Hier wo wir uns begegnen. Aus dem Englischen von Hans-Jürgen Balmes. Carl Hanser Verlag 2006.

Thomas Bernhard, Holzfällen. Suhrkamp Verlag 2007.

Paul Bowles, Himmel über der Wüste. Aus dem amerikanischen Englisch von Maria Wolff. Neu durchgesehen von Pociao. Goldmann Verlag 2000.

Alina Bronsky, Die schärfsten Gerichte der tatarischen Küche. Verlag Kiepenheuer & Witsch 2010.

Alina Bronsky, Scherbenpark. Verlag Kiepenheuer & Witsch 2009.

Charlotte Brontë, Jane Eyre. Aus dem Englischen von Helmut Kossodo. Insel Verlag 2011.

John Buchan, Die neununddreißig Stufen. Aus dem Englischen von Marta Hackel. Diogenes Verlag 1975.

Michail Bulgakow, Der Meister und Margarita. Aus dem Russischen von Thomas Reschke. Luchterhand Verlag 2006.

Italo Calvino, Wenn ein Reisender in einer Winternacht. Aus dem Italienischen von Burkhart Kroeber. Fischer Taschnebuch Verlag 2012.

Leonora Carrington, Das Hörrohr. Suhrkamp Verlag 1986.

Peter Carey, Oscar und Lucinda. Aus dem Englischen von Dirk van Gunsteren. Klett-Cotta-Verlag 1991.

Michael Chabon, Die unglaublichen Abenteuer von Kavalier & Clay. Aus dem amerikanischen Englisch von Andrea Fischer. Verlag Kiepenheuer & Witsch 2002.

Raymond Chandler, Lebwohl, mein Liebling. Aus dem amerikanischen Englisch von Wulf Teichmann. Diogenes Verlag 1976.

Chris Cleave, Lieber Osama. Aus dem Englischen von Marcus Ingendaay. Rowohlt Verlag 2006.

Mark Z. Danielewski, Das Haus. Aus dem amerikanischen Englisch von Christa Schuenke. Klett-Cotta-Verlag 2007.

Charles Dickens, Die Weihnachten des Mr. Scrooge. Aus dem Englischen von Carl Kolb, Insel Verlag 2011.
Charles Dickens, Große Erwartungen. Aus dem Englischen von Paul Heichen. Insel Verlag 2011.
E. L. Doctorow, Ragtime: Aus dem Amerikanischen Englisch von Angela Praesent. KiWi-Paperback 2011.
Fjodor M. Dostojewski, Schuld und Sühne. Aus dem Russischen von Hermann Röhl. Insel Verlag 2012.
Arthur Conan Doyle, Das Zeichen der Vier. Aus dem Englischen von Leslie Geiger. Insel Verlag 2007.
Alfred Döblin, Berlin Alexanderplatz. S. Fischer Taschenbuch Verlag 2013.
George Eliot, Middlemarch. Aus dem Englischen von Ilse Leisi. Manesse Verlag 1962.
Michel Faber, Das karmesinrote Blütenblatt. Aus dem Englischen von Hans-Ulrich Möhring und Claus Varrelmann. List Verlag 2003.
Anne Fadiman, Ex Libris. Bekenntnisse einer Bibliomanin. Aus dem amerikanischen Englisch von Melanie Walz. SchirmerGraf Verlag 2005.
Hans Fallada, Jeder stirbt für sich allein. Aufbau Verlag 2011.
William Faulkner, Als ich im Sterben lag. Aus dem amerikanischen Englisch von Albert Hess und Peter Schünemann. Diogenes Verlag 1973.
Helen Fielding, Schokolade zum Frühstück. Aus dem Englischen von Ariane Böckler. Goldmann Verlag 1999.
Francis Scott Fitzgerald, Der große Gatsby. Aus dem Englischen von Reinhard Kaiser. Insel Verlag 2011.
Gustave Flaubert, Madame Bovary. Aus dem Französischen von Marie Dessauer, Insel Verlag 2012.
Jonathan Franzen, Freiheit. Aus dem amerikanischen Englisch von Bettina Abarbanell und Eike Schönfeld. Rowohlt Verlag 2012.
Max Frisch, Homo Faber. Suhrkamp Taschenbuch Verlag 1997.
Neil Gaiman, Das Graveyard-Buch. Aus dem Englischen von Reinhard Tiffert. Arena Verlag 2011.
Arno Geiger, Der alte König in seinem Exil. Carl Hanser Verlag 2010.
Lars Gustafsson, Der Tod eines Bienenzüchters. Aus dem Schwedischen von Verena Reichel. Süddeutsche Zeitung Bibliothek 2007.
Tino Hanekamp, So was von da. Verlag Kiepenheuer & Witsch 2012.
Peter Härtling, Große, kleine Schwester. Deutscher Taschenbuch Verlag 2000.
Heinrich Heine, Die Harzreise. Reclam Verlag 1986.
Hermann Hesse, Siddharta. Suhrkamp Verlag 1999.
Patricia Highsmith, Salz und sein Preis. Aus dem amerikanichen Englisch von Melanie Walz. Diogenes Verlag 2005.
A. M. Homes, Das Buch wird Ihr Leben retten. Aus dem amerikanischen Englisch von Clara Drechsler und Harald Hellmann. Verlag Kiepenheuer & Witsch 2007.

Nick Hornby, High Fidelity. Aus dem Englischen von Clara Drechsler und Harald Hellmann. Knaur Verlag 1999.

Keri Hulme, Unter dem Tagmond. Aus dem Englischen von Joachim A. Frank. S. Fischer Verlag 2012.

Rebecca Hunt, Mr. Chartwell. Aus dem Englischen von Hans-Ulrich Möhring. Luchterhand Verlag 2012.

Zora Neale Hurston, Und ihre Augen schauten Gott. Aus dem amerikanischen Englisch von Barbara Henninges. Ammann Verlag 1993.

Siri Hustvedt, Der Sommer ohne Männer. Aus dem Englischen von Uli Aumüller. Rowohlt Verlag 2012.

Aldous Huxley, Schöne neue Welt. Aus dem amerikanischen Englisch von Herberth E. Herlitschka. S. Fischer Verlag 2007.

Kazuo Ishiguro, Was vom Tage übrigblieb. Aus dem Englischen von Hermann Stiehl. Btb Verlag 2007.

Henry James, Bildnis einer Dame. Aus dem Englischen von Helmut M. Braem. Insel Verlag 2003.

Jonas Jonasson, Der Hunderjährige, der aus dem Fenster stieg und verschwand. Aus dem Schwedischen von Wibke Kuhn. Carl's books 2009.

James Joyce, Ein Porträt des Künstlers als junger Mann. Aus dem Englischen von Klaus Reichert. Suhrkamp Verlag 1972.

Rachel Joyce, Die unwahrscheinliche Pilgerreise des Harold Fry. Aus dem Englischen von Maria Andreas. Krüger Verlag 2012.

Nikos Kazantzakis, Alexis Sorbas. Aus dem Griechischen von Alexander Steinmetz. Rowohlt Verlag 2002.

Jack Kerouac, Unterwegs. Aus dem amerikanischen Englisch von Thomas Lindquist. Rowohlt Verlag 1998.

Jack Kerouac, On the Road. Aus dem amerikanischen Englisch von Ulrich Blumenbach. Rowohlt Verlag 2012.

Ken Kesey, Einer flog über das Kuckucksnest. Aus dem amerikanischen Englisch von Hans Hermann. Rowohlt Verlag 2001.

Harriet Köhler, Ostersonntag. Btb Verlag 2008.

Michael Köhlmeier, Die Abenteuer des Joel Spazierer. Carl Hanser Verlag 2013.

Helmut Krausser, Einsamkeit und Sex und Mitleid. Dumont Buchverlag 2011.

Hanif Kureishi, Intimacy. Rastlose Nähe. Aus dem Englischen von Leonie von Reppert-Bismarck und Bernhard Robben. S. Fischer Verlag 2008.

Andrej Kurkow, Picknick auf dem Eis. Aus dem Russischen von Christa Vogel. Diogenes Verlag 1999.

Giuseppe Tomasi di Lampedusa, Der Leopard. Aus dem Italienischen von Charlotte Birnbaum. Piper Verlag 2007.

D. H. Lawrence, Lady Chatterley. Aus dem Englischen von Werner Rebhuhn. Rowohlt Verlag 1982.

Benjamin Lebert, Crazy. Goldmann Verlag 2001.

Harper Lee, Wer die Nachtigall stört … Aus dem amerikanischen Englisch von Claire Malignon. Rowohlt Verlag 2008.

Sibylle Lewitscharow, Apostoloff. Suhrkamp Verlag 2009.
Marina Lewycka, Kurze Geschichte des Traktors auf Ukrainisch. Aus dem Englischen von Elfi Hartenstein. Deutscher Taschenbuch Verlag 2008.
Astrid Lindgren, Wir Kinder aus Bullerbü. Oetinger Verlag 1988.
Thomas Mann, Der Tod in Venedig. S. Fischer Verlag 1992.
Karl May, Brief an einen jungen »Fan« aus Montabaur vom 2. November 1894 (Aus: Frankfurter Zeitung vom 01. 04. 1937). Reprint in: Mitteilungen der Karl-May-Gesellschaft Nr. 71, Februar 1987, S. 25-26.
Cormac McCarthy, Die Straße. Aus dem amerikanischen Englisch von Nikolaus Stingl. Rowohlt Verlag 2008.
Carson McCullers, Frankie. Aus dem amerikanischen Englisch von Richard Moering. Diogenes 1974.
Ian McEwan, Abbitte. Aus dem Englischen von Bernhard Robben. Diogenes Verlag 2002.
Herman Melville, Moby Dick. Aus dem amerikanischen Englisch von Fritz Güttinger. Manesse Verlag 1999.
David Mitchell, Der dreizehnte Monat. Aus dem Englischen von Volker Oldenburg. Rowohlt Verlag 2007.
Karl Philipp Moritz, Anton Reiser. Insel Verlag 1998.
Toni Morrison, Menschenkind. Aus dem amerikanischen Englisch von Helga Pfetsch. Rowohlt Verlag 1994.
Cormac McCarthy, Die Straße. Aus dem amerikanischen Englisch von Nikolaus Stingl. Rowohlt Verlag 2008.
China Miéville, Die Stadt und die Stadt. Aus dem Englischen von Eva Bauche-Eppers. Bastei Lübbe Verlag 2010.
Lorrie Moore, Die Froschkönigin. Aus dem amerikanischen Englisch von Klobusiczky. Berlin Verlag 2011.
Haruki Murakami, Die Bäckereiüberfälle. Dumont Buchverlag 2012.
V. S. Naipaul, Das Rätsel der Ankunft. Aus dem Englischen von Karin Graf. Verlag Kiepenheuer & Witsch 1993.
Irène Némirovsky, Die Familie Hardelot. Aus dem Französischen von Eva Moldenhauer. Btb Verlag 2012.
Audrey Niffenegger, Die Frau des Zeitreisenden. Aus dem Englischen von Brigitte Jakobeit. Fischer Taschenbuch Verlag 2005.
Michael Ondaatje, Der englische Patient. Aus dem Englischen von Adelheid Dormagen. Carl Hanser Verlag 1993.
Michael Ondaatje, In der Haut eines Löwen. Aus dem Englischen von Peter Torberg. Deutscher Taschenbuch Verlag 1993.
George Orwell, 1984. Ullstein Taschenbuch 2000.
John L. Parker Jr, Once a Runner – Cassidys Lauf. Aus dem amerikanischen Englisch von Max Stadler. Aufbau Verlag 2013.
Ann Patchett, Familienangelegenheiten. Aus dem amerikanischen Englisch von Uli Aumüller. Piper Verlag 2008.
Ann Patchett, Bel Canto. Aus dem amerikanischen Englisch von Karen Lauer. Piper Verlag 2003.

Allison Pearson, Working Mum. Aus dem Englischen von Catrin Frischer. Wunderlich Verlag 2003.
Sylvia Plath, Die Glasglocke. Aus dem amerikanischen Englisch von Reinhard Kaiser. Suhrkamp Verlag 2013.
Chaim Potok, Mein Name ist Ascher Lev. Aus dem amerikanischen Englisch von Margaret Carroux. Rowohlt Verlag 1976.
John Cowper Powys, Wolf Solent. Aus dem Englischen von Richard Hoffmann. Zsolnay Verlag 1986.
Annie Proulx. Schiffsmeldungen. Aus dem amerikanischen Englisch von Michael Hofmann. List Verlag 1995.
Tilman Rammstedt, Die Abenteuer meines ehemaligen Bankberaters. Dumont Buchverlag 2012.
Sven Regener, Herr Lehmann. Goldmann Verlag 2003.
Gwendoline Riley, Joshua Spassky. Aus dem Englischen von Sigrid Ruschmeier. Schöffling & Co. 2011.
Charlotte Roche, Feuchtgebiete. Ullstein Verlag 2009.
Leopold von Sacher-Masoch, Venus im Pelz. Edition Büchergilde 2004.
J. D. Salinger, Der Fänger im Roggen. Aus dem amerikanischen Englisch von Eike Schönfeld. Rowohlt Verlag 2004.
J. D. Salinger, Franny und Zooey. Aus dem amerikanischen Englisch von Annemarie und Heinrich Böll. Verlag Kiepenheuer & Witsch 1963.
Anna Sam, Die Leiden einer jungen Kassiererin. Aus dem Französischen von Elisabeth Liebl. Goldmann Verlag 2010.
Hansjörg Schertenleib, Der Glückliche. Aufbau Verlag 2006.
Vikram Seth, Eine gute Partie. Aus dem Englischen von Anette Grube. Bertelsmann Verlag 1995.
Gary Shteyngart, Super Sad True Love Story. Aus dem amerikanischen Englisch von Ingo Herzke. Rowohlt Verlag 2011.
John Steinbeck, Die Straße der Ölsardinen. Aus dem amerikanischen Englisch von Rudolf Frank. Deutscher Taschenbuch Verlag 2007.
Lawrence Sterne, Leben und Ansichten von Tristram Shandy, Gentleman. Aus dem Englischen von Siegfried Schmitz. Winckler Verlag 1969.
Italo Svevo, Zenos Gewissen. Aus dem Italienischen von Barbara Kleiner. Manesse Verlag 2011.
Colm Tóibín, Das Feuerschiff von Blackwater. Aus dem Englischen von Giovanni und Ditte Bandini. Carl Hanser Verlag 2001.
Lew Tolstoj, Anna Karenina. Herausgegeben von Gisela Drohla. Insel Verlag 2012.
Paul Torday, Lachsfischen im Jemen. Aus dem Englischen von Thomas Stegers. Berlin Verlag 2007.
Joanna Trollope, Schwiegertöchter. Aus dem Englischen von Angelika Kaps. Bloomsbury Taschenbuch Verlag 2011.
John Updike, Hasenherz. Aus dem amerikanischen Englisch von Maria Carlsson. Rowohlt Verlag 1976.

David Vann, Die Unermesslichkeit. Aus dem amerikanischen Englisch von Miriam Mandelkow. Suhrkamp Verlag 2012.
Mario Vargas Llosa, Lob der Stiefmutter. Aus dem Spanischen von Elke Wehr. Suhrkamp Verlag 1993.
Jules Vernes, Zwanzigtausend Meilen unter dem Meer. Aus dem Französischen von Peter Laneus. Diogenes Verlag 1976.
Elizabeth von Arnim, Verzauberter April. Aus dem Englischen von Adelheid Dormagen. Insel Verlag 2013.
Cécile Wajsbrot, Der Verrat. Aus dem Französischen von Holger Fock und Sabine Müller. Liebeskind Verlag 2006.
Robert Walser, Im Bureau. Insel Verlag 2011.
H. G. Wells, Mr. Polly steigt aus. Aus dem Englischen von Günther Blaicher. Insel Verlag 1994.
Irvine Welsh, Trainspotting. Aus dem Englischen von Peter Torberg. Zweitausendeins Verlag 1996.
Laura Ingalls Wilder, Unsere kleine Farm. Laura in der Prärie. Aus dem amerikanischen Englisch von Ernst Köller. Uebrreuter Verlag 1980.
Tim Winton, Atem. Aus dem amerikanischen Englisch von Klaus Berr. Luchterhand Verlag 2008.
Virginia Woolf, Mrs. Dalloway. Aus dem Englischen von Walter Boehlich. Fischer Taschenbuch Verlag 1997.
Émile Zola, Thérèse Raquin. Aus dem Französischen von Wolfgang Tschöke. Deutscher Taschenbuch Verlag 2008.
Stefan Zweig, Ungeduld des Herzens. Fischer Taschenbuch Verlag 2012.

Dank

Unser Dank gilt einem Kreis von Lesern, die tapfer unsere literarischen Kuren getestet und uns über deren Wirksamkeit Bericht erstattet haben: Becky Adams, Miranda Alcock, Nichole Beauchamp, Chris Berthoud, Colin Berthoud, Lucy Berthoud, Martin Berthoud, Tim Bates, Josh Beattie, Veronique Biddell, Amanda Blugrass, Gael Cassidy, Sarah Cassidy, Sarah Constantinides, Belinda Coote, Stephanie Cross, The Danny House Book Group, William Davidson, Sandra Deeble, Mel Giedroyc, Gael Gorvy-Robertson, Teresa Griffiths, Gill Hancock, Jane Heather, Belinda Holden, Charlie Hopkinson, Grahame Hunter, Clare Isherwood, Lou James, Tim Jones, Sarah Leipciger, Annabel Leventon, Rachel Lindop, Hilary Macey-Dare, Sam Nixon, Emma Noel, Anna Ollier, Patricia Potts, Joanna Quinn, Janaki Ranpura, Lucy Rutter, Carl Thomas, Jennie Thomas, Morgan Thomas, Clare Usiskin, Pippa Wainwright, Heather Westgate, Rachel Wykes.

Für Gin & Tonic, Nahrung und Tatkraft möchten wir Damian Barr, Polly und Shaun von Tilton House, Pippa Considine, Tim Jones, Natalie Savona, Laurie Tomlinson und Olivia Waller danken.

Dank auch unseren Bibliotherapie-Beratern für Ideen und Anregungen über die Jahre, besonders Terence Blacker, Rose Chapman, Tracy Chevalier, Abi Curtis, Nick Curwin, Ashley Dartnell, Geoff Dyer, Piers Feltham, Patrick Gale, Sophie Howarth, Alison Huntingdon, Nicholas Ib, Lawrence Kershen, Caroline Kraus, Sam Leith, Toby Litt, Anna McNamee, Chiara Menage, Stephen Miller, Tiffany Murray, Jason Oddy, Jacqueline Passmore, Bonnie Powell und ihren Facebook-Freunden, Charlotte Raby, Judy Rich, Robin Rubenstein, Alison Sayers, Anna Stein, Chris Thornhill, Ardu Vakil, David Waters, S. J. Watson, Rebecca Wilson, Carrie Worrall und Charmaine Yabsley.

Unser besonderer Dank gilt unserer Kollegin und Freundin Simona Lyons von der School of Life; zudem Morgwn Rimmell, Caroline Brimmer, Harriet Warden, Clemmie Balfour sowie all denjenigen an der School of Life, die uns während des Schreibens an unserem Buch unterstützt haben.

Dank auch unseren Bibliotherapie-Klienten damals wie heute, die uns Bücher empfahlen, die wir selbst noch nicht gelesen hatten, und die uns erlaubten, unsere Kuren an ihnen zu erproben.

Danke unserer Agentin Clare Alexander, unserer Lektorin Jenny Lord sowie allen Canongate-Mitarbeitern, außerdem Katharina Dittes vom Insel Verlag sowie Traudl Bünger, die dieses Buch an die deutsche Leserschaft angepasst hat und wunderbare, unverzichtbare deutsche Autorinnen und Autoren eingebracht hat.

Ein postumer Dank gilt unserem Tutor in Cambridge, David Holbrook, der uns auf den richtigen Weg gebracht hat.

Der größte Dank gilt unseren Familien: Martin, Doreen, Saroja, Jennie, Bill, Carl und Ash für ihre Liebe und Unterstützung während der Arbeit an diesem Buch; und unseren Kindern Morgan, Calypso, Harper und Kirin, die unsere geistige Abwesenheit ertragen haben.

Ella Berthoud & Susan Elderkin

Dank

Mein erster Dank gilt Ella und Susan, die die bestechende Idee zu diesem Buch hatten und sie so wunderbar umgesetzt haben. Ich hatte es immer geahnt, dass all die Lektüre, die ich in den letzten Jahren betrieben habe, zum Wohle der Menschheit war – dank Ella und Susan konnte ich den Beweis antreten und die englische Originalausgabe um lebenswichtige deutsche Autorinnen und Autoren ergänzen. Einen großen Dank hat Katharina Dittes verdient, die dieses Projekt mit der Anmut, der Klugheit und der Souveränität einer Zirkusdirektorin zusammengehalten hat. Danken möchte ich auch den vielen Kollegen und Freunden, die mich bei der Suche nach therapeutischen Wirkstoffen inspiriert und unterstützt haben, grüßt bitte Eure Bibliotheken, Bücherregale und Nachttische von mir! Mein letzter und innigster Dank gilt wie immer Bert, dem besten Freund, Mann und Zwillingsvater der Welt. Und natürlich Betty und Fritzi, die mir jeden Tag zeigen, wie aufregend das Leben inner- und außerhalb von Büchern ist.

Traudl Bünger